Alter Orient und Altes Testament
Veröffentlichungen zur Kultur und Geschichte
des Alten Orients und des Alten Testaments

Band 21/2
Kjell Aartun
Die Partikeln des Ugaritischen
2. Teil

Alter Orient und Altes Testament

Veröffentlichungen zur Kultur und Geschichte des Alten Orients
und des Alten Testaments

Herausgeber

Kurt Bergerhof · Manfried Dietrich · Oswald Loretz

1978

Verlag Butzon & Bercker Kevelaer

Neukirchener Verlag Neukirchen-Vluyn

Die Partikeln des Ugaritischen

2. Teil

Präpositionen,
Konjunktionen

von
Kjell Aartun

1978

Verlag Butzon & Bercker Kevelaer

Neukirchener Verlag Neukirchen-Vluyn

CIP-Kurztitelaufnahme der Deutschen Bibliothek

Aartun, Kjell:
Die Partikeln des Ugaritischen. – Kevelaer:
Butzon und Bercker; Neukirchen-Vluyn: Neukirchener Verlag.
Teil 2. Präpositionen, Konjunktionen. – 1978. –
(Alter Orient und Altes Testament; Bd. 21)
ISBN 3-7666-9049-3 (Butzon u. Bercker)
ISBN 3-7887-0567-1 (Neukirchener Verl.)

Herstellung: Breklumer Druckerei Manfred Siegel
Printed in Germany
ISBN 3-7887-0567-1 Neukirchener Verlag
ISBN 3-7666-9049-3 Verlag Butzon & Bercker Kevelaer

Meinem verehrten Kollegen und Freunde
Professor Dr. Einar von Schuler
in Dankbarkeit gewidmet

Vorwort

Wie schon im Vorwort zum ersten Teil bemerkt, wird dieser zweite Teil der Untersuchung der Partikeln des Ugaritischen die Behandlung der Präpositionen und der Konjunktionen enthalten.

Die Transskription der ugaritischen (semitischen) Sprachbelege sowie die Bezeichnung der Texte folgen den gleichen Regeln wie im ersten Teil.

Hinsichtlich des berücksichtigten Sprachmaterials ist dieses ebenso ausschließlich den schon veröffentlichten Texten entnommen. Unberücksichtigt blieben in der Darstellung folgende, leider zu spät erschienene Texte: 1. P. Bordreuil, *Nouveaux textes économiques en cunéiformes alphabétiques de Ras Shamra-Ougarit (34e campagne 1973)* = *Semitica* XXV, Paris 1975, S. 19-29; 2. M. Dietrich, O. Loretz und J. Sanmartín, *Der keilalphabetische šumma izbu-Text RS 24.247+265+268+328* = *Ugarit-Forschungen* 7, Neukirchen-Vluyn 1975, S. 133-140 bzw. 3. A. Herdner, *Nouveaux textes mythologiques et liturgiques de Ras Shamra – XXIVe campagne, 1961* = *Ugaritica* VII, Paris 1976 (noch nicht erschienen), und 4. M. Dietrich und O. Loretz, *Die Elfenbeininschriften und S-Texte aus Ugarit* = *Alter Orient und Altes Testament* 13, Neukirchen-Vluyn 1976. Sämtliche der in Frage kommenden Sprachbelege aus diesen soweit zugänglichen Texten konnten nur "summarisch" in den *Nachträgen und Verbesserungen (zum ersten und zweiten Teil)* besprochen werden.

Das Stellenregister wird aus praktischen Gründen das Verzeichnis der zitierten Textstellen der beiden Bände enthalten.

An dieser Stelle bin ich allen Institutionen verpflichtet, die mir bei der Ausarbeitung des vorliegenden Manuskripts und bei der Vorbereitung seiner Drucklegung behilflich gewesen sind. Mein Dank gilt nach wie vor der *Alexander von Humboldt-Stiftung* für ihre großzügigen ökonomischen Unterstützungen; ebenso *Der Hebräischen Universität Jerusalem*; ferner *Stavanger Bibliotek* und *Universitetsbiblioteket i Oslo* für exemplarische Zusammenarbeit beim mühsamen Herbeibringen der wissenschaftlichen Literatur. Mein Dank gilt weiter *Norges almenvitenskapelige forskningsråd* für dessen Deckung der Kosten eines kürzeren abschließenden Studienaufenthaltes im Ausland.

Ganz besonderer Dank gebührt ferner Herrn *Professor Dr. Einar von Schuler*, Würzburg, der die Fertigstellung des ganzen Werkes mit größtem Interesse begleitete, und der sich auch dieses Mal trotz seiner großen Arbeitslast sehr gütig der Aufgabe unterzog, das fertige Manuskript sprachlich- und sachlich-kritisch durchzulesen.

Den wärmsten Dank sage ich schließlich den Herren *Professoren Dr. M. Dietrich* und *Dr. O. Loretz*, Münster, die auch die vorliegende Arbeit mit viel Verständnis und Geduld begleiteten, und sie in ihre Reihe "Alter Orient und Altes Testament" aufgenommen haben.

Berlin/Stavanger im Sommer 1975 *Kjell Aartun*

Inhaltsverzeichnis

Vorwort VII

Inhaltsverzeichnis IX

I. Präpositionen 1

1. Von Deuteelementen abgeleitete Formen 1

2. Von Begriffswurzeln abgeleitete Formen 50

II. Konjunktionen 63

1. Von Deuteelementen abgeleitete Formen 63

a) Koordinierende Formen 63

b) Koordinierende bzw. subordinierende Formen 92

c) Subordinierende Formen 95

2. Von Begriffswurzeln abgeleitete Formen 97

Indizes 99

A Wortregister 99

Ugaritisch 99

Altkana'anäisch (EA) 114

Tell Kāmid el-Lōz 114

Hebräisch 114

Mišnā-Hebräisch 115

Moabitisch 115

"Jaudisch" 115

Phönizisch 115

Punisch 115

Aramäisch 115

Arabisch 116
Altsüdarabisch 116
Neusüdarabisch 117
Äthiopisch (Gĕʿĕz) 117
Amharisch 117
Tigrē 117
Tigriña 117
Hararī 117
Akkadisch 118
Ägyptisch 118

B Stellenregister (zum ersten und zweiten Teil) 119

1. Stellen ugaritischer Texte 119
2. Stellen altkanaʿanäischer Sprachdenkmäler 137
3. Stellen des Alten Testamentes 138
   a) Hebräische Textstellen 138
   b) Aramäische Textstellen 141
4. Stellen der nordwestsemitischen Epigraphik 141
   a) Kāmid el-Lōz-Inschrift 141
   b) Gezer-Inschrift 141
   c) Moabitische Inschrift 141
   d) Hadad-Inschrift 141
5. Stellen aramäischer Texte 141
6. Stellen arabischer Texte 141
7. Stellen altsüdarabischer Texte 142
8. Stellen äthiopischer Texte 142
9. Stellen akkadischer Texte 142
10. Klassische bzw. moderne Sprachbelege 142
   a) Griechisch 142
   b) Lateinisch 142
   c) Deutsch 142
   d) Englisch 142
   e) Französisch 143
   f) Norwegisch 143

Verzeichnis der angeführten Literatur 145

Abkürzungen 159

Nachträge und Verbesserungen (zum ersten und zweiten Teil) 165

I. PRÄPOSITIONEN

Bei den Präpositionen gibt es ebenfalls, betreffs der Herkunft derselben, ugaritisch wie gemeinsemitisch, zwei Haupttypen von Formen, nämlich solche, die von Deuteelementen abgeleitet, und solche, die von Begriffswurzeln deriviert sind. Wie die übrigen ausgebildeten Partikelformen des Ugaritischen (Semitischen) besitzen auch diese gesonderte Grundfunktionen. Im folgenden behandeln wir zuerst die Typen ersterer Art, dann diejenigen letzterer Kategorie.

1. Von Deuteelementen abgeleitete Formen

Von dieser Art sind 1) vom Stamm *b*: *b* (Stammbildung; syllabisch vereinzelt *bi-i* geschrieben)[1] ; *bh* = *b* + *-h* (hervorhebende Partikel; siehe oben I, S. 40f.); *by* = *b* + *-y* (hervorhebende Partikel; siehe oben I, S. 44f.); *bm* = *b* + *-m* (hervorhebende Partikel; siehe oben I, S. 51f.); *bn* = *b* + *-n* (hervorhebende Partikel; siehe oben I, S. 61f.). Zur Etymologie vgl. gemeinsemitisch *bV* sowie erweiterte Typen wie aramäisch *b-y* (*bē*); hararī *bē* (*bay*) < **ba-y(V)* (mit Variante); hebräisch *bĕ-mō*; arabisch *bi-mā*; altsüdarabisch *b-ʾ-y*, *b-h-y*, *b-h-y-t*, *b-m*, *b-m-w*, *b-n*; usw.[2]

Wie in den verwandten Sprachen bezeichnen auch im Ugaritischen die Präposition *b* und die Varianten, – übereinstimmend mit der daraus zu schließenden ursprünglichen Grundfunktion, – *den Ort, wo*? Ebenso werden die Formen, wie gewöhnlich, im eigentlichen sowie im übertragenen Sinn angewandt.

Im vorliegenden Material wird so zunächst, was die einfache Form *b* des Ugaritischen betrifft, diese – der Grundfunktion gemäß (vgl. oben) –, und zwar in eigentlicher Bedeutung, zuvörderst zur Angabe *des räumlichen Verweilens in der unmittelbaren Nähe* gebraucht (, wodurch zum Ausdruck kommt, daß der eine Gegenstand vom andern nur auf einer oder auf mehreren Seiten (nicht auf allen) umschlossen wird), wo genauer das Deutsche, je nachdem der Berührungspunkt als verschieden gefaßt wird, *auf, an, bei, vor*, oder auch *in*, seltener *aus, von* + *Dativ* verwendet.

---

1 Siehe Nougayrol, *Ugaritica* V, S. 233, 351; Blau und Loewenstamm, *UF* 2 (1970), S. 25, 401. Das heißt: In analoger Weise wie akkadisch *kī*, *kī-ma* "wie" gegenüber arabisch *ka*, *ka-mā*, hebräisch *kĕ* < **ki/*ka*, *kā* < **ka*, usw. (dazu Aartun, *Wortstrukturen*) bezeugt die keilschriftliche Wiedergabe *bi-i* (vgl. auch unten zur Form *le-e*) Vokallänge(!) der betreffenden einsilbigen Präpositionsform des Ugaritischen.

2 Siehe Gesenius-Buhl, *Hw*, S. 79f., 897; Koehler-Baumgartner, *Lex.*, S. 102f., 1056; Segal, *Grammar*, S. 142; Friedrich, *Gram.*, S. 116 (§ 251); Levy, *Wb* I, S. 186f., 213; Jastrow, *Dictionary*, S. 134, 158 (dazu Aartun, *Wortstrukturen* (vgl. ferner unten)); Nöldeke, *Mand. Gram.*, S. 193; *Syr. Gram.*, S. 184f.; Macuch, *Handbook*, S. 234; Schulthess, *Gram.*, S. 58; Cantineau, *Nabatéen* I, S. 100; *Gram. du palm. épigr.*, S. 137; Wright I, S. 279 B, II, S. 156 Cf., 160 D, 193 A; Dillmann, *Gram.*, S. 344f.; Praetorius, *Amh. Spr.*, S. 266; *Tigriñasprache*, S. 228f.; *ZDMG* 23 (1869), S. 470; Littmann, *ZS* 1 (1922), S. 41 u.ö.; Leslau, *JAOS* 65 (1945), S. 195f.; Höfner, *Gram.*, S. 140f.; Beeston, *Grammar*, S. 53f. u.ö.

Hinsichtlich der Belege dieser Kategorie ist – syntaktisch betrachtet – in erster Linie zu beachten die häufige Anwendung von *b* und dem Regierten mit Bezug auf das Prädikat. Solche Fälle sind, dichterisch, namentlich in Verbalsätzen nach intransitiven bzw. absolut gebrauchten Verben: (von Gebäuden) 51:VI:24-26 *hn ym wṯn tikl* (:24) *išt bbhtm nblat* (:25) *bhklm* (:26) "siehe, einen Tag und einen zweiten frißt das Feuer am Palast, der Brand am Tempel"[3]; ebenso ibid. :26-31; (von Lebensmitteln) 52:6 *lḥm blḥm ay wšty bḫmr yn ay* "esset an Brot, wo (ihr es findet o.ä.), und trinket an Wein, wo (ihr ihn findet o.ä.)!"[4]; 1Aqht :219 *byn yšt* "an Wein soll er trinken"[5]; ebenso nach transitiven Verben, wie (bei geographischen Angaben) ʿnt:III:27-28 [*ibġyh*] *bqdš bġr nḥlty* (:27) *bnʿm bgbʿ tliyt* (:28) "[ich zeige (wörtlich: suche) es] auf dem heiligen (Berge), auf dem Berge meines Eigentums, auf dem lieblichen (Berge), auf dem Hügel der Tliyt"; 49:II:34-35 *bšd* (:34) *tdrʿnn* (:35) "auf dem Felde verstreut sie ihn"; vgl. ibid. :V:17-18; 67:V:18-19 *yuhb ʿglt bdbr prt* (:18) *bšd šḥlmmt* (:19) "er gewann lieb eine Färse in Dbr, eine Kuh am Felde von Šḥlmmt"[6]; Krt:111-114 *sʿt bšdm* (:111) *ḥṭbh bgrnt ḥpšt* (:112) *sʿt bn[p]k šibt bbqr* (:113) *mmlat* (:114) "nimm gefangen o.ä. auf dem Felde den Holzhauer, auf der Tenne die Sammlerin; nimm gefangen o.ä. am Bru[nn]en die Schöpfende, an der Quelle die Füllende!"[7]; ebenso ibid. :214-217; ʿnt:II:4-5 *wtqry ġlmm* (:4) *bšt ġr* (:5) "und sie trifft die Jünglinge am Fuße des Berges"[8]; (vom Himmel u. dgl.) 52:38 *yr bšmm ʿṣr* "er schoß am Himmel einen Vogel"; ebenso nach dem Infinitiv: 51:V:70 *wtn qlh bʿrpt* "und des Erschallenlassens seiner Stimme in (eigentlich: auf)[9] den Wolken"[10]; (von Gebrauchsgegenständen) 51:IV:35-38 *lḥ[m]* (:35) *bṯlḥnt lḥm št[y]* (:36) *bkrpnm yn bk[s]* *ḫrṣ* (:37) *dm ʿṣm* (:38) "i[ss] auf (= deutsch: von) den Tischen Brot, tri[nk] im (= deutsch: aus dem) Kruge / in (= deutsch: aus) den Krügen (vgl. unten) Wein, im (= deutsch: aus dem) goldenen Bech[er] (vgl. unten) das Blut der Bäume!"[11]; (vom Kleide u. dgl.) 49:II:9-11 *tiḫd m[t]* (:9) *bsin lpš tšṣq[h]* (:10) *bqṣ all* (:11) "sie er-

[3] Vgl. Gordon, *Ug.lit.*, S. 34; Driver, *Myths*, S. 99; Jirku, *Mythen*, S. 49; Aistleitner, *Texte*, S. 43 und andere; anders z.B. Virolleaud, *Syria* XIII (1932), S. 146.

[4] Zu den bisherigen, z.T. sehr abweichenden Deutungen vgl. z.B. Ginsberg, *JRAS* 62 (1935), S. 64; Aistleitner, *Texte*, S. 58; *Wb*, S. 15; Driver, *Myths*, S. 121; 137; Jirku, *Mythen*, S. 81; Gordon, *Ug.lit.*, S. 58; *Ug. and Min.*, S. 94; Largement, *La naissance*, S. 21, 29f.; Caquot und Sznycer, *Textes*, S. 453; Schoors, *Parallels*, S. 28; Tsumura, *Ugaritic drama*, S. 8, 28. Vgl. dazu unter anderen Gesenius-Buhl, *Hw*, S. 29 (zu *ʾayyē*): ferner oben I, S. 2 Anmerkung 3.

[5] Dagegen z.B. Gordon, *Ug.lit.*, S. 101 ("by!"); Virolleaud, *Danel*, S. 182 ("du vin, il boira"); Driver, *Myths*, S. 67 ("of"); Jirku, *Mythen*, S. 136 ("von"); usw. Für genaue Analogien aus den verwandten (sowie aus unseren Sprachen) (d.h.: Präposition + Regiertem zur Angabe des Ortes, wo?) siehe näher unten. Zur grundsätzlich richtigen Deutung der Präposition vgl. sonst schon z.B. Aistleitner, *Texte*, S. 82 u.ö. ("in") (vgl. unten).

[6] Vgl. schon Virolleaud, *Syria* XV (1934), S. 326; Gordon, *Ug.lit.*, S. 42; Jirku, *Mythen*, S. 61f.; Aistleitner, *Texte*, S. 16 und andere.

[7] Vgl. schon Virolleaud, *Keret*, S. 41f.; Pedersen, *Berytus* 6 (1939-41), S. 90; Gordon, *Ug.lit.*, S. 69f.; Jirku, *Mythen*, S. 88; Aistleitner, *Texte*, S. 91; usw.; dagegen z.B. Driver, *Myths*, S. 31; Ginsberg, *ANET*, S. 144; Dahood, *UF* 1 (1969), S. 20 ("from") (gegen den lexikalischen Sinn der Partikel im Ugaritischen (Semitischen); vgl. schon oben).

[8] Vgl. Virolleaud, *Déesse*, S. 13; Driver, *Myths*, S. 85; Jirku, *Mythen*, S. 27; Ginsberg, *ANET*, S. 136; Caquot und Sznycer, *Textes*, S. 393; de Moor, *AOAT* 16, S. 88f.; anders z.B. Gordon, *Ug.lit.*, S. 17; *Textbook*, S. 495; Aistleitner, *Texte*, S. 25; *Wb*, S. 319; Kapelrud, *Goddess*, S. 49. Der Kontext fordert jedoch einen lokalen bzw. geographischen Sinn der Rektion der Partikel.

[9] Der Gott Baʿl, der seine Stimme erschallen läßt, reitet auf den Wolken. Zur Bedeutung des Ausdrucks *rkb ʿrpt* "Wolkenreiter" siehe ferner besonders van Zijl, *AOAT* 10, S. 329f. mit Verweisen.

[10] Vgl. Virolleaud, *Syria* XIII (1932), S. 133; Gordon, *Ug.lit.*, S. 32; Driver, *Myths*, S. 97; Jirku, *Mythen*, S. 46; Schmidt, *Königtum*, S. 48; Schoors, *Parallels*, S. 23; de Moor, *AOAT* 16, S. 148; Lipiński, *UF* 3 (1971), S. 87; Pope und Tigay, *UF* 3, S. 128f. (die drei letzteren lesen mit Driver, *op.cit.*, S. 96 *w(y)tn* statt *wtn*); anders z.B. Aistleitner, *Texte*, S. 41 ("aus") (dazu vgl. oben).

[11] Vgl. schon Caquot und Sznycer, *Textes*, S. 409; ferner Virolleaud, *Syria* XIII (1932), S. 133; Dussaud, *RHR* 111 (1935), S. 16; dagegen z.B. Gordon, *Ug.lit.*, S. 32; *Ugaritica* VI, S. 282 u.ö.; Driver, *Myths*, S. 97; Jirku, *Mythen*, S. 45; Aistleitner, *Texte*, S. 40; Schoors, *Parallels*, S. 21; usw. ("from"; "von, aus") (der ererbten lexikalischen Bedeutung der ugaritischen Partikel nicht entsprechend; vgl. schon oben). Außer den Analogien in den verwandten Sprachen (siehe unten) vgl. ferner für den vorliegenden Fall ebenso aus dem Indoeuropäischen z.B. altgriechisch: ἐν ἀργυρῷ ἢ χρυσῷ πίνειν; πίνειν ἐν ἐκπώματι usw. (Kühner-Gerth, *Grammatik*

greift M[t] beim Rand o.ä. des Kleides, sie packt [ihn] beim Zipfel des Gewandes"[12]; ʿnt:II:12-13 *šnst* [ ] (:12) *kpt bḥbšh* (:13) "sie befestigte die Hände an ihrem Gürtel"; (von der Gottheit) 607:61 *bḥrn pnm trǵnw* "dem Ḥrn (wörtlich: an Ḥrn) das Antlitz sie (die Göttin Špš) zerschlägt o.ä."[13]; (von Körperteilen) 132:2 *wtiḫd bušk[h]* "und sie ergreift [ihn] bei den Hoden"; ebenso (beim Passiv): ʿnt:II:16 *bksl qšth mdnt* "an den Lenden war ihr Bogen festgemacht"[14]; so auch aus der Prosa: (bei der geographischen Angabe) 1143:6 *d nkly b šd* "(Silber,) das geläutert (wörtlich: vollendet, fertig o.ä.) ist auf dem Felde"; ebenso in Nominalsätzen zusammengesetzter bzw. echter Art, wie dichterisch: (bei geographischen Bestimmungen) ʿnt:II:5-6 *whln ʿnt tm* (:5) *tḫṣ bʿmq* (:6) "und siehe, ʿAnat kämpft im Tale"[15]; vgl. auch 131:4 (zerstört); 126:III:9 *nʿm lḥṭt bʿn* "(der Regen des Erhabenen) (ist) lieblich für den Weizen in der Feldflur"[16]; vgl. ferner 2124:1[17]; ebenso schlechthin als Prädikat dienend: 2Aqht:V:7 *dbgrn* "die (sich) auf der Tenne (befinden)"; 1Aqht:205 *ẓuh bym* "dessen Exkremente im Meere (schwimmen)"[18]; ebenso ʿnt:II:43; dementsprechend auch (von der überirdischen Sphäre) 603 obv. 7 *rišh bglṯ bšm[m]* "sein Kopf (verborgen) im Schnee (vgl. unten) (ist) im Him[mel] (d.h. reicht an den Him[mel])"[19]; (von einem Gebrauchsgegenstand) 51:I:34-35 *kḥṯ il nḥt* (:34) *bẓr* (:35) "ein Götterstuhl, Ruhesitz o.ä. (ist) darauf (wörtlich: auf dem Rücken)"[20]; (von der Gottheit) 602 obv. 2-3 *il yṯb bʿṯtrt* (:2) *il ṯpṭ bhd* (:3) "Il sitzt bei ʿṮtrt, der Richter-Gott bei Hd"[21]; (von Lebewesen) 75:I:30 *bhm qrnm* "an ihnen (sind) Hörner (d.h. sie haben Hörner)"; 75:I:33 *wbhm pn bʿl* "und an ihnen (ist) Baʿls Gesicht (d.h. sie haben Baʿls Gesicht)"; (von Körperteilen) 52:24 *ynqm bap zd aṯrt* "die da saugen an der Brustwarze der Aṯrt"; ebenso ibid. :59, :61; 68:6 *[b]ph rgm lyṣa bšpth hwth* "[in] (= deutsch: [aus]) seinem Munde (vgl. unten), fürwahr, kam heraus das Wort, auf (= deutsch: von) seinen Lippen die Rede"[22]; ebenso 1Aqht:75, :113, :141-142; vgl.

II, S. 464f.); lateinisch: *bibere in auro*; *bibere in ossibus capitum*; usw. (Kühner-Stegmann, *Grammatik* II, S. 560); in modernen Sprachen, z.B. deutsch: *Wein in Gläsern trinken* (statt des gewöhnlichen: *aus Gläsern*); ferner französisch: *boire dans un verre* (vgl. schon oben); norwegisch: *drikka i eit glas, i ein kopp*; usw. In allen solchen Fällen wird also auch in unseren Sprachen nicht den Ort, woher? , sondern den Ort, wo? betont.

12 Vgl. Virolleaud, *Syria* XII (1931), S. 205; Gordon, *Ug.lit.*, S. 45; Driver, *Myths*, S. 111; Jirku, *Mythen*, S. 69; Aistleitner, *Texte*, S. 19; Kapelrud, *Goddess*, S. 67; usw.

13 Die Parallele (*wtṯkl*) fordert eine "destruktive" Bedeutung des Verbs. In beiden Fällen bildet die Göttin Špš das Subjekt. Vgl. sonst oben I, S. 44 Anmerkung 1; anders Virolleaud, *Ugaritica* V, S. 571; Caquot, *Syria* XLVI (1969), S. 248f.; Lipiński, *UF* 6 (1974), S. 170f. (der Verweis Lipińskis auf hebräisch *rʿn* (vgl. arabisch *rǵn*) ist an sich nicht unmöglich, dann aber im transitiven d.h. feindlichen Sinn: "grün machen" zu nehmen).

14 Vgl. schon Jirku, *Mythen*, S. 27; anders z.B. Virolleaud, *Déesse*, S. 14; Gordon, *Ug.lit.*, S. 18; Driver, *Myths*, S. 85; Ginsberg, *ANET*, S. 136; Aistleitner, *Texte*, S. 25; usw.

15 Vgl. Virolleaud, *Déesse*, S. 14; Ginsberg, *ANET*, S. 136; Driver, *Myths*, S. 85 (dazu Anmerkung 3); Aistleitner, *Texte*, S. 25; *Wb*, S. 235; Greenfield, *JCS* 21 (1967), S. 89; Kapelrud, *Goddess*, S. 49; Caquot und Sznycer, *Textes*, S. 393; de Moor, *AOAT* 16, S. 88f.; usw.; anders z.B. Gordon, *Ug.lit.*, S. 17 (dazu *Textbook*, S. 457); Gaster, *Thespis*, S. 211; al-Yasin, *Lex. rel.*, S. 133; usw. Vgl. ferner schon oben.

16 Vgl. Aartun, *WdO*, IV,2 (1968), S. 293; ferner Ginsberg, *Keret*, S. 29; Gray, *Krt*², S. 25; dagegen z.B. Virolleaud, *Syria* XXII (1941), S. 198; Herdner, *Corpus*, S. 74.

17 Siehe Virolleaud, *PU* V, S. 173.

18 Vgl. schon Virolleaud, *Danel*, S. 177; Driver, *Myths*, S. 67; Jirku, *Mythen*, S. 136; ferner Aartun, *WdO*, IV, 2 (1968), S. 298; anders z.B. Aistleitner, *Texte*, S. 82.

19 Vgl. ähnlich Lipiński, *UF* 3 (1971), S. 82; Pope und Tigay, *UF* 3, S. 118f.; van Zijl, *AOAT* 10, S. 358f.; anders z.B. de Moor, *UF* 1 (1969), S. 180f. ("from"); dazu vgl. schon oben. Zu weiteren Deutungen des Syntagma vgl. noch Virolleaud, *Ugaritica* V, S. 558; Gordon, *Supplement*, S. 551.

20 Vgl. vor allem Gordon, *Textbook*, S. 407 u.ö.; Aistleitner, *Wb*, S. 272.

21 Vgl. Virolleaud, *Ugaritica* V, S. 553; van Zijl, *AOAT* 10, S. 355f.; vgl. auch de Moor, *UF* 1 (1969), S. 175f.; ferner Dahood, *Ug.-Heb. phil.*, S. 29; Parker, *UF* 2 (1970), S. 243; Ferrara und Parker, *UF* 4 (1972), S. 37.

22 Hierzu vgl. z.B. Virolleaud, *Syria* XVI (1935), S. 32 ("de"); Gordon, *Ug. lit.*, S. 15 u.ö. ("from"); Driver, *Myths*, S. 81 ("came out of"); Jirku, *Mythen*, S. 24; Aistleitner, *Texte*, S. 50 ("aus, von"); usw. Dem Obigen gemäß betont aber das Ugaritische (Semitische) (für genaue Analogien aus den verwandten Sprachen vgl. unten) auch hier nicht den Ort, woher? , sondern den Ort, wo? Zu entsprechenden syntagmatischen

ferner das unmittelbar nachfolgende Beispiel; 77:45-47 *hn bpy sp* (:45) *rhn bšpty mn* (:46) *thn* (:47) "siehe, in meinem Munde (vgl. unten) (ist) ihre Zahl (wörtlich: Liste o.ä.), auf meinen Lippen ihre Aufzählung"; vgl. auch 2124:2-3[23]; (von Lebensmitteln) 611:10 *kll ylḥm bh* "alle (Götter) (sollen) essen daran (am Fleische des Schafes)"[24]; aus der Prosa: (bei geographischen Angaben) 1083:7-8 *b šd bn* [*u*]*brš* (:7) *ḫmšt ʿšrt* (:8) "auf dem Felde des Bn [U]brš (befinden sich) fünfzehn (Krüge Öl)"; desgleichen ibid. :9-14; 1141:4-5 *w pat aḥt* (:4) *in bhm* (:5) "und eine Ecke (für die Armen) gibt es nicht darauf (d.h. auf den Feldern)"; ebenso (vom Kleide) 1109:6 *wlpš dsgr bh* "und ein Kleid mit *sgr* (wörtlich: an welchem *sgr* (ist))"; ebenso 1110:4; vgl. ferner unten zu *b-m*. Zum Gebrauch vgl. entsprechend zu hebräisch *bĕ* Gn 28:11; 44:5 (*yištæ b̲ō*)[25]; Ex 12:43-45, :48 (*yōk̲al bō*) || :46 (*tišbĕrū b̲ō*); Pr 9:5 (*laḥămū b̲ĕ-laḥămī u-šĕt̲ū b̲ĕ-yayin*[26]); Jer 17:19 (*yēṣĕʾū b̲ō*) || (*yāb̲ōʾū b̲ō*); Lv 21:5; Jer 7:6; Ps 78:26; Gn 11:4; 29:2; usw.; ferner zu aramäisch *bĕ*[27], arabisch *bi* usw. Brockelmann, *Grundriß* II, S. 363ff. und andere.

Seltener steht ugaritisch *b* mit Regiertem in der genannten Funktion mit syntaktischem Bezug auf das Subjekt. Belege dieser Art sind, dichterisch, in Verbalsätzen: (von Gebäuden) 51:VI:31-33 *mk* (:31) *bšb*[ʿ] *y*[*mm*] *td išt* (:32) *bbhtm n*[*b*]*lat bhklm* (:33) "siehe, am sieb[enten] Ta[ge] (vgl. unten) erlosch (wörtlich: ging aus o.ä.) das Feuer am Palast, der B[r]and am Tempel"[28]; vgl. dazu ibid. :22-23 (siehe unten), :24-31 (siehe oben); ebenso in Nominalsätzen: (von der überirdischen Sphäre) 608:38 *špš bšmm tqru* "die Sonne am Himmel ruft"[29]; ebenso ibid. :44; (von der Gottheit) 608:17 *mlk bʿṯtrt yisp ḥmt* "Mlk bei ʿṮtrt sammelte das Gift"[30]. Zum Gebrauch vgl. analog zu hebräisch *bĕ* Ob 21; Jer 8:7; usw.; vgl. ferner Brockelmann, *Grundriß* II, S. 270f.

Häufiger bezieht sich ugaritisch *b* mit seinem Kasus in der angegebenen Funktion auf das Objekt. Derartige Fälle sind, dichterisch, in Verbalsätzen: (vom Meere) 49:V:18-19 *ʿlk pht* (:18) *drʿ bym* (:19) "deinetwegen habe ich Zerstreuen im Meere erfahren (wörtlich: gesehen)"[31]; (bei geographischen Bestimmungen) ʿnt:II:19 *wl šbʿt tmtḫṣh bʿmq* "und nicht wurde sie (die Göttin ʿAnat) satt ihres Kämpfens im Tale"[32]; vgl. auch ibid. :29 (vom Gebäude); ferner (von Tieren) 2Aqht:VI:22-24 *adr qrnt byʿlm* (:22) . . . *tn lkṯr wḫss* (:24) "die kräftigsten Hörner der Steinböcke (wörtlich: an den Steinböcken) . . . gib (sie) dem Kṯr-und-Ḫss!"[33]; aus der Prosa:

Kombinationen aus unseren Sprachen, d.h.: Entfernungsverben + Präposition zur Bezeichnung des Ortes, wo?, vgl. die Grammatiken und Lexika (so z.B. in zahlreichen Verbindungen in den nordischen Sprachen, z.B. norwegisch: *gå/komme ut, renne/flyte ut + i* (= deutsch *in + Dativ*)).

[23] Vgl. Virolleaud, *PU* V, S. 173; *CRGLES* VIII (1957-60), S. 90.

[24] Vgl. sonst Virolleaud, *Ugaritica* V, S. 586 ("en"); Gordon, *Supplement*, S. 553 ("thereof"); Rainey, *JAOS* 94 (1974), S. 191; Fisher, *Ugaritica* VI, S. 198 ("from"); ferner Blau und Greenfield, *BASOR* 200 (1970), S. 15. Für Entsprechungen aus den verwandten Sprachen vgl. ferner unten. Siehe auch schon oben.

[25] Siehe schon ausdrücklich Gaster, *JAOS* 70 (1950), S. 11.

[26] Auf deutsch: "esset an meinem Brot und trinket am Wein!" gegenüber der gewöhnlichen Ausdrucksweise: "esset von meinem Brot und trinket vom Wein!"; dazu vgl. schon Gesenius-Buhl, *Hw* , S. 80 und andere.

[27] Beachte besonders den Sprachtypus Dn 5:2 u.ö.: *wĕ-yištōn bĕ-hōn* verglichen mit akkadisch *šatû ina libbi* "in (einem Gefäße) trinken"; siehe die Lexika. In seinem Kommentar zu den alttestamentlichen Psalmen hat M. Dahood, namentlich ausschließlich auf der Basis von direkten Übersetzungen ins Englische, zahlreiche Belege von hebräisch *bĕ* = "von, aus" interpretiert. Zu dieser arbiträren Methode vgl. schon oben an mehreren Stellen; vgl. ferner schon vielfach Brekelmans, *UF* 1 (1969), S. 5-14.

[28] Vgl. schon z.B. Jirku, *Mythen*, S. 49f.; dagegen Virolleaud, *Syria* XIII (1932), S. 146; Driver, *Myths*, S. 99; Gordon, *Ug.lit.*, S. 35; Aistleitner, *Texte*, S. 43 und andere. Für Analogien aus den verwandten Sprachen vgl. näher unten. Aus unseren Sprachen vergleiche man unter anderen entsprechende Syntagmen wie z.B. deutsch: "das Feuer im Ofen ist ausgegangen"; usw.

[29] Vgl. schon Virolleaud, *Ugaritica* V, S. 580.

[30] Vgl. Virolleaud, *Ugaritica* V, S. 576f.

[31] Vgl. ferner unten zu *ʿl* (Präposition).

[32] Zur Syntax vgl. schon oben I, S. 23. Vgl. ferner schon Ginsberg, *ANET*, S. 136; Driver, *Myths*, S. 85; Gray, *Legacy*, S. 34; Kapelrud, *Goddess*, S. 50; Caquot und Sznycer, *Textes*, S. 393; de Moor, *AOAT* 16, S. 88f.; usw. Zum Ausdruck *bʿmq* vgl. bereits oben an mehreren Stellen.

[33] Vgl. ähnlich Virolleaud, *Danel*, S. 209; Driver, *Myths*, S. 55; dagegen z.B. Gordon, *Ug.lit.*, S. 90; Jirku, *Mythen*, S. 122; Aistleitner, *Texte*, S. 72; dazu vgl. oben.

(bei geographischen Angaben) 2114:8-9 *akln b grnt* (:8) *l bʿr* (:9) "unsere Speise auf den Tennen hat er, fürwahr, ausgeplündert"[34]; ebenso im Nominalsatze (als nähere Bestimmung zum präpositionalen Objekt): 607:2-3 *špš um ql bl ʿm* (:2) *il mbk nhrm bʿdt thmtm* (:3) "Špš, meine Mutter, trage die Stimme zum Il (an) der Quelle der beiden Ströme, beim Ausfluß der beiden Ozeane!"[35] Zum Gebrauch vgl. analog zu hebräisch *bě* Jer 17:3; 2K 21:26; usw.; vgl. ferner Brockelmann, *Grundriß* II, S. 270f.; usw.

Nur in einigen wenigen Fällen wird ugaritisch *b* in der genannten Funktion in uneigentlicher Bedeutung verwendet.

Beispiele letzterer Art sind, mit syntaktischem Bezug auf das Prädikat, dichterisch, im Verbalsatze: (vom Weg des Lasters) 2Aqht:VI:43-44 *laqryk bntb pšʿ* (:43) [ ] *bntb gan ašqlk* (:44) "fürwahr, ich begegne dir auf dem Pfad der Sünde, . . . auf dem Pfad des Übermutes strecke ich dich nieder"; ebenso aus der Prosa, in einem Nominalsatz: (von der Führung der Gruppe) 1009:6-8 *bn ytn bnš* (:6) [*ml*]*k d briš* (:7) . . . (:8) "der Sohn des Ytn, der Beamte [des Köni]gs, der an der Spitze (wörtlich: am Haupte) . . .(steht)"[36]. Zum Gebrauch vgl. analog z.B. zu hebräisch *bě* Ps 119:35; 2Ch 20:27; usw.; vgl. ferner Brockelmann, *Grundriß* II, S. 371; usw.

Vorläufig ganz vereinzelt bezieht sich ugaritisch *b* mit Regiertem im letzteren Sinn auf das Objekt, wie dichterisch: (von Gebrauchsgegenständen) 51:III:14-16 *štt* (:14) [ ][37] *bṯlḥny qlt* (:15) *bks ištynh* (:16) "ich habe [die Schande] auf meinem Tische (d.h. [die] auf meinem Tische befindliche [Schande]) getrunken; die Schmach in meinem Becher (d.h. die in meinem Becher befindliche Schmach (vgl. unten)) – die trinke ich"[38]. Zum Gebrauch vgl. schon oben mit Verweisen; vgl. auch unten.

Die behandelte lokale Funktion von ugaritisch *b* kann, wie analog in den verwandten Sprachen, ohne weiteres auch auf *die Zeit* übertragen werden. Die vorkommenden Belege dieser Art beziehen sich alle syntaktisch auf das Prädikat. Beispiele sind, dichterisch, in Verbalsätzen, namentlich nach intransitiven bzw. absolut gebrauchten Verben: (mit einem Zahlwort resp. Nomen als Regiertem) 51:VI:31-33 *mk* (:31) *bšb*[ʿ] *y*[*mm*] *td išt* (:32) *bbhtm n*[*b*]*lat bhklm* (:33) "siehe, am sieb[enten] Ta[ge] erlosch (wörtlich: ging aus o.ä.) das Feuer am Palast (vgl. oben), der B[r]and am Tempel (vgl. oben)"; 2Aqht:I:16-17 *mk bšbʿ ymm* (:16) [*w*]*yqrb bʿl* (:17) "siehe, am siebenten Tage, [und] es nähert(e) sich Baʿl"[39]; vgl. auch ibid. :II:39-40 (siehe unten); Krt: 107-109 *mk špšm* (:107) *bšbʿ wtmġy ludm* (:108) *rbt* (:109) "siehe, bei Sonnenaufgang (wörtlich: (bei) der Sonne) am siebenten (Tage), und du wirst nach Udm dem großen gelangen"[40]; ibid. :118-120 *whn špšm* (:118) *bšbʿ wl yšn pbl* (:119) *mlk* (:120) "und siehe, bei Sonnenaufgang am siebenten, und nicht schläft Pbl, der König"; ebenso ibid. :221-223; ibid. :195-198 *aḫr* (:195) *šp*[*š*]*m b*[*ṯ*]*lṯ* (:196) *ym*[*ġyn*] *lqdš* (:197) *a*[*ṯrt*] *ṣrm* (:198) "dann, bei So[nnen]aufgang am [dri]tten, ko[mmen] sie zum Heiligtum der A[ṯrt] von Tyrus"; ibid.

---

34 Ebenso Virolleaud, *PU* V, S. 137.

35 Siehe Caquot, *Syria* XLVI (1969), S. 243; Blau und Greenfield, *BASOR* 200 (1970), S. 15; Mulder, *UF* 4 (1972), S. 89; Rainey, *JAOS* 94 (1974), S. 189; Lipiński, *UF* 6 (1974), S. 169; anders Virolleaud, *Ugaritica* V, S. 566; Astour, *JNES* 27 (1968), S. 16 (demgemäß oben I, S. 41 (ohne Erörterung des Syntagma *ql bl*)).

36 Vgl. schon Virolleaud, *PU* II, S. 22.

37 Zum Text vgl. Virolleaud, *Syria* XIII (1932), S. 126; Gordon, *Textbook*, S. 170; Gaster, *Thespis*, S. 447; Driver, *Myths*, S. 94; Herdner, *Corpus*, S. 24.

38 Hierzu vgl. schon z.B. Cassuto, *ʿAnat*, S. 37 (*Goddess*, S. 46f.); ferner ähnlich Ginsberg, *ANET*, S. 132; anders Virolleaud, *Syria* XIII (1932), S. 128; Driver, *Myths*, S. 95; Jirku, *Mythen*, S. 42; Gordon, *Ug.lit.*, S. 30; Aistleitner, *Texte*, S. 38; usw. Der Parallelismus *štt*||*ištynh* fordert die gleiche Herkunft der Formen (vgl. schon Cassuto, Gordon, Aistleitner, usw.).

39 Vgl. unter anderen Driver, *Myths*, S. 48; Jirku, *Mythen*, S. 116; usw.; anders z.B. Virolleaud, *Danel*, S. 188; Aistleitner, *Texte*, 67.

40 Vgl. ebenso schon z.B. Driver, *Myths*, S. 31; Jirku, *Mythen*, S. 88; usw.; anders z.B. Virolleaud, *Keret*, S. 77f.; Aistleitner, *Texte*, S. 91; Gray, *Krt*², S. 13, 44; Sauren und Kestemont, *UF* 3 (1971), S. 198.

:209-210 *aḫr špšm brbʿ* (:209) *ymġy ludm rbt* (:210) "dann, bei Sonnenaufgang am vierten, kamen sie (verbale Kurzform von der Vergangenheit) zum großen Udm"[41]; ebenso (bei einem Zeitadverbium) 49:V:20 *baḫr ispa* "dann soll ich essen"[42]; aus der Prosa (kultischer Text): 613:3-4 *bym mlat* (:3) *tqln alpm* (:4) "am Vollmondtage (wörtlich: am Tage des Vollseins/-werdens) fallen (d.h. werden gefällt)[43] zwei Rinder"[44]; ebenso nach transitiven Verben mit direktem Objekt, wie aus der Prosa (in administrativen Texten): 1155:1-8 *b ym ḥdṯ* (:1) *b yrḫ pgrm* (:2) *lqḥ bʿlmʿḏr* (:3) *w bn ḫlp* (:4) . . . *miḫd b* (:6) *arbʿ mat* (:7) *ḫrṣ* (:8) "am Neumondtage im Monat Pgrm (vgl. unten) kauften (wörtlich: nahmen) Bʿlmʿḏr und der Sohn des Ḫlp . . . für (vgl. unten) vierhundert (Seqel) Gold"[45]; ebenso 1156:1-7; 2006:1-10; (in kultischen Texten) 3:45 *rgm yṯṯb b ṯdṯ* "Antwort bringt/bringe er am sechsten (Tage)"; vgl. auch ibid. :46-47[46]; 612 obv. 5-6 *bṯmnt ʿšrt yr* (:5) *tḥṣ mlk brr* (:6) "am achtzehnten wäscht sich der König sauber"; ebenso 613:1-2[47]; ferner in Nominalsätzen, dichterisch: 2Aqht:I:33-34 *ṭḫ ggh bym* (:33) [*ṭi*]*ṭ rḥṣ npṣh bym rṯ* (:34) "der tüncht (wörtlich: beschmutzt) sein Dach am Tage des [Schla]mmes, der wäscht sein Kleid am Tage des Schmutzes"; ebenso ibid. :II:6-8, :22-23; aus der Prosa: 612 obv. 1-2 *bym ḥdṯ* (:1) *alp wš lbʿlt bhtm* (:2) "am Neumondtage: ein Rind und ein Schaf (sind) für die Herrin des Palastes"; ibid. :3-4 *barbʿt ʿšrt bʿl* (:3) *ʿrkm* (:4) "am vierzehnten: Baʿl zwei Aufreihungen"[48]; 1086:3-5 *wbṯlṯ kd yn w krsnm* (:3) *wbrbʿ kdm yn* (:4) *wbḫmš kd yn* (:5) "und am dritten (Tage) ein Krug Wein und zwei *krsn*, und am vierten zwei Krüge Wein, und am fünften ein Krug Wein". Zum Gebrauch vgl. analog z.B. zu hebräisch *bĕ* Ps 146:4; Lv 14:10; Ex 13:6; usw.; ferner zu aramäisch *bĕ*, arabisch *bi*, äthiopisch (Gĕʿĕz) *ba* usw. Brockelmann, *Grundriß* II, S. 367; usw.

Zerstörte bzw. unklare Stellen dieser Art sind: 51:II:6-7; 121:I:5; 124:25-26; ʿnt pl. X:V:5, :18 (Poesie); 3:3-4, :41, :50; 19:13; 608:24; 612 obv. 7, rev. 3-4; 2129:4-5, :11; 2153:3, :12; 2167:5 (Prosa).

Der ererbten lokalen Grundfunktion gemäß kann ferner ugaritisch *b*, ebenso wie hebräisch *bĕ*, usw., auch häufig zur Angabe *der Grenzen, die einen Raum einschließen* (= deutsch *auf, in, über + Dativ* bzw. *innerhalb + Genitiv*), angewandt werden.

In verschiedenen Textarten nachgewiesen, steht letzterer Gebrauch überwiegend mit syntaktischem Bezug auf das Prädikat. Belege sind, dichterisch, in Verbalsätzen, namentlich nach intransitiven Verben: (vom Herrschergebiet) 49:I:34 *lamlk bṣrrt ṣpn* "ich kann nicht herrschen auf den Höhen (d.h. über das Gebiet innerhalb der Höhen) des Ṣpn (im Gegensatz zur Erde usw.)" (vgl. den unmittelbar nachfolgenden Beleg); ibid. :37 *wymlk barṣ* "und er herrscht auf der Erde (d.h. über das Territorium der Erde (im Gegensatz zu Ṣpn))" (vgl. das unmittelbar vorangehende Beispiel); aus der Prosa: 2062:B:1-2 *wmlk dmlk* [ ] (:1) *bḥwt šph* (:2) "und der König, der herrscht[49] im Leben(sgebiet)[50] (d.h. über das Territorium) der Nachkommenschaft"; ferner (von Städten und Ortschaften) 1024 rev. 6 *dt tbʿln b pḫn* "diejenigen, die in Pḫn arbeiten"; ebenso ibid. :8,

---

41 Vgl. de Langhe, *Textes* I, S. 316; Driver, *Myths*, S. 33; usw. Zum Syntagmatypus vgl. ferner oben, S. 5 Anmerkung 40 mit Verweisen.

42 Vgl. schon oben I, S. 13. Zur Kombination: *bV* + Adverb vgl. ferner besonders Typen wie aramäisch *bēḏayin* < **bĕ-ʾĕḏayin* "sogleich" (Bauer-Leander, *Gram.*, S. 252, 257).

43 Zur Verbalsyntax vgl. Aartun, *Tempora*, S. 93ff.; zum doppelten Aspekt des Verbs *mla* vgl. ebenso *ibid.*, S. 44ff.

44 Vgl. Virolleaud, *Ugaritica* V, S. 592f.; de Moor, *UF* 2 (1970), S. 322, 324; Blau und Greenfield, *BASOR* 200 (1970), S. 16f.

45 Vgl. Virolleaud, *PU* II, S. 185; Gordon, *Textbook*, S. 355.

46 Vgl. Gordon, *Ug.lit.*, S. 113; *Textbook*, S. 160 und andere.

47 Vgl. Virolleaud, *Ugaritica* V, S. 592f.; de Moor, *UF* 2 (1970), S. 322.

48 Vgl. de Moor, *UF* 2 (1970), S. 318f. mit Verweisen.

49 Zum Tempusgebrauch vgl. Aartun, *Tempora*, S. 41ff.

50 Zum Sprachgebrauch vgl. näher oben I, S. 20 Anmerkung 4. Vgl. sonst schon Herdner, *Syria* XLVI (1969), S. 132; weiter Dietrich – Loretz – Sanmartín, *UF* 6 (1974), S. 25f. und die dort angeführte Literatur.

:10-11[51]; 1109:1 *spr npṣm d yṣa bmilḫ* "Liste über die Kleider, die in Milḫ verkauft wurden (wörtlich: ausgingen)"[52]; 2026:1-2 *dt ʿqb* (:1) *b ayly* (:2) "die in Ayly . . ."[53]; 2059:12-13 *b ṣr* (:12) *mtt* (:13) "es (das Schiff) ist in Tyrus untergegangen (wörtlich: gestorben)"; ebenso nach transitiven Verben: 1129:8-10 *ṯlṯ alp ṣpr dt aḫd* (:8) *ḥrṯh aḫd bgt nḫl* (:9) *aḫd bgt knpy waḥd bgt ṯrmn* (:10) "die drei Ochsen des Ṣpr, die sein Pflüger übernahm, einen in Gt Nḫl, einen in Gt Knpy und einen in Gt Ṯrmn"[54]; ebenso ibid. passim; R61:C *l agpṯr k yqny ġzr b alḏyy* "für Agpṯr, (in dem Fall, daß =) wenn[55] er einen Burschen in Alḏyy[56] erwirbt"[57]; desgleichen in Nominalsätzen, dichterisch: (vom Herrschergebiet) 51:I:43-44 *khwt yman* (:43) *dbh rumm lrbbt* (:44) "wie das Leben(sgebiet) (d.h. das Territorium) von Yman, wo (wörtlich: in welchem) (es) Wildstiere zu Zehntausenden (gibt)"[58]; aus der Prosa: 2060:19-20 *ky akl* (:19) *b ḥwtk inn* (:20) "daß in deinem Leben(sgebiet) (d.h. Territorium) keine Speise vorhanden ist"[59]; 1096:1-2 *b gt mlkt b rḥbn* (:1) *ḫmšm l mitm zt* (:2) "(es finden sich) in Gt Mlkt (vgl. unten) in (d.h. im Territorium von) Rḥbn[60] zweihundertundfünfzig Ölbäume"[61]; ferner (von Städten und Ortschaften) 1012:10 *d b mgšḫ* "der (sich) in Mgšḫ (befindet)"; ebenso 2066:1; vgl. auch oben 1096:1-2; 1061:1 *ṯn bgt mzln* "zwei (befinden sich) in Gt Mzln"; ebenso ibid. :2-3, :15 Randbemerkung; 2073 passim; 1084:3 *w arbʿm yn ḫlq b gt sknm* "und vierzig (Krüge) verdorbener Wein (befinden sich) in Gt Sknm"; ebenso ibid. passim; so auch 1090:10-12, :14-16; 1095:1-4; 1098 passim; 1153:1-2; 2038 passim; 2048 passim; 2091:1-2; 2168:3-4; ebenso (als nähere Bestimmung zum nominalen Prädikat; vgl. oben) 1081:9 *ṯlṯ krm ubdym lmlkt b ʿnmky* "drei Weingärten von Ubdym (gehören) der Königin in ʿNmky (wörtlich: (sind) für die in ʿNmky (rezidierende) Königin)". Zum Gebrauch vgl. z.B. zu hebräisch *bĕ* Jos 15:63; Ri 10:9; Ez 25:11; 2S 11:1; usw.; zu arabisch *bi* Reckendorf, *Synt.Verh.*, S. 205; usw.; vgl. ferner Brockelmann, *Grundriß* II, S. 363ff.

Viel seltener steht – im letztgenannten Sinn – ugaritisch *b* mit Regiertem mit syntaktischem Bezug auf das Subjekt. Sämtliche Belege dieser Art sind vorläufig der Prosa zu entnehmen. Beispiele sind in Nominalsätzen: (von Städten und Ortschaften) 146:3 *šd bn ubrʿn bgt prn* "das Feld des Bn Ubrʿn in Gt Prn (d.h. des Bn Ubrʿn, der in Gt Prn beheimatet ist)"[62]; vgl. dagegen die Parallelen ibid. :4-13 ohne Präposition d.h. mit bloßem Lokalkasus; 1081:12 *krm nʿmn b ḫly* "die Weingärten des Nʿmn in Ḫly"[63]; ebenso ibid. :13, :23-24; 1099:19; ferner 147:2 *bn ḫpšry b šbn* "(Liste der Metzger:) Bn Ḫpšry in Šbn" usw.; ebenso 2071:5 *bn krwn b yny* "Bn Krwn in Yny"; ebenso ibid. :5-7. Zum Gebrauch vgl. analog z.B. zu hebräisch *bĕ* 1K 4:18-19; usw.; vgl. ferner Brockelmann, *Grundriß* II, S. 270f. und andere.

51 Vgl. Virolleaud, *PU* II, S. 51; Gordon, *Textbook*, S. 93, 221.

52 Vgl. Virolleaud, *PU* II, S. 143. Zum Sprachgebrauch vgl. z.B. zu hebräisch *yṣ'* 1K 10:29 u.ö. Zu anderer Lesart siehe Dietrich – Loretz – Sanmartín, *UF* 5 (1973), S. 111; vgl. ferner Pardee, *UF* 6 (1974), S. 276 (an sich möglich).

53 Vgl. schon Virolleaud, *PU* V, S. 40.

54 Vgl. Virolleaud, *PU* II, S. 164, 227.

55 Siehe unten zu *k* (Konjunktion).

56 Offenbar handelt es sich um einen Ortsnamen; vgl. analog 2095:2 *alṯyy* ‖ 2095:4 *mṣrm* "Ägypten" (vgl. Virolleaud, *PU* V, S. 117; Gordon, *Textbook*, S. 360; 25*); anders Dietrich und Loretz, *Ugaritica* VI, S. 173f.

57 D.h. konstatierende Verbalform (Langform von der Nicht-Vergangenheit); anders Dietrich und Loretz, *a.a.O.* Zum Tempusgebrauch vgl. Aartun, *Tempora*, S. 109f.

58 Vgl. Gordon, *Ug.lit.*, S. 28; Ginsberg, *ANET*, S. 132; Jirku, *Mythen*, S. 39; Caquot und Sznycer, *Textes*, S. 405; Dietrich und Loretz, *UF* 4 (1972), S. 30f.; demgegenüber z.B. Driver, *Myths*, S. 93; Lökkegaard, *Act. Or.* XXII (1955-57), S. 21; Aistleitner, *Texte*, S. 37; *Wb*, S. 285.

59 Vgl. schon Herdner, *Syria* XLVI (1969), S. 132; Virolleaud, *CRGLES* VIII (1957-60), S. 92; *PU* V, S. 84f.; vgl. auch oben I, S. 20 Anmerkung 4; anders z.B. Dahood, *Ug.-Heb. phil.*, S. 57.

60 Vgl. schon Virolleaud, *PU* II, S. 119.

61 Vgl. ebenso Virolleaud, *a.a.O.*; ferner Aistleitner, *Wb*, S. 98.

62 Vgl. Virolleaud, *PU* II, S. 132.

63 Vgl. Virolleaud, *PU* II, S. 103f.

Noch seltener bezieht sich im Material ugaritisch *b* mit seiner Rektion im letztgenannten Sinn auf das Objekt; so in der Dichtung, nach einem Partizip: (von einer geographischen Bestimmung) ʿnt:III:44-45 *itrṯ ḫrṣ ṭrd bʿl* (:44) *bmrym ṣpn* (:45) "ich bemächtigte mich des Goldes desjenigen, der den Baʿl auf den Höhen des Ṣpn (d.h. den auf den Höhen des Ṣpn sitzenden/thronenden Baʿl) vertrieb"[64]; vgl. oben zu 49:I:34; ferner unten zu 603 obv. 1-3; usw.; ferner in der Prosa, in einem nominalen Syntagma (namentlich in Abhängigkeit von einem Abstraktum): 2013:2 *[tg]mr akl b gt [b]ir* "[Ver]zeichnis der Speise in Gt [B]ir"; ebenso ibid. passim[65]. Zum Gebrauch vgl. z.B. zu hebräisch *bĕ* 2S 6:1; usw.; vgl. ferner Brockelmann, *Grundriß* II, S. 270f.; usw.

Öfters wird schon ugaritisch *b* in der letztbehandelten Funktion mit einem *zeitlichen* Begriff verbunden, d.h. *um den Zeitraum zu bezeichnen, innerhalb dessen sich eine Tätigkeit vollendet.* Belege sind, mit syntaktischem Bezug auf das Prädikat, dichterisch, in einem Nominalsatz: 128:III:22-23 *mk bšbʿ šnt* (:22) *bn krt kmhm tdr* (:23) "siehe, in sieben Jahren (waren da) die Söhne des Krt, wie sie versprochen waren (wörtlich: gleich ihnen, (die) versprochen waren)"[66]; aus der Prosa, in Verbalsätzen: 1019:4-6 *tʿzzk alp ymm* (:4) *wrbt šnt* (:5) *bʿd ʿlm* (:6) "mögen sie dir Kraft für Tausende von Tagen und für Zehntausende von Jahren, auf ewig, geben" (dazu 1005:2-5 u.ö. *ʿd ʿlm*) (siehe ferner unten zu *ʿd* (Präposition)); anders zu deuten ist 143:1-3[67]; ferner in einem Nominalsatz: 1107:11-13 *ṯlṯ mat pṯtm* (:11) *l mgmr b ṯlṯ* (:12) *šnt* (:13) "dreihundert (Seqel) Linnen (sind) für Mgmr in drei Jahren"[68]; vgl. auch 1106:1, :57 (zerstört). Zum Gebrauch vgl. z.B. zu hebräisch *bĕ* Gn 41:34, :47; usw.; zu altsüdarabisch *b* Beeston, *Grammar*, S. 54 (§45:1); usw.

Besonders häufig wird ferner ugaritisch *b*, wie hebräisch *bĕ* usw., übereinstimmend mit der Grundfunktion (vgl. oben), auch mit Bezug auf *das räumliche Darinnensein*, also zur Bezeichnung *der Mitte, des Inneren des Ortes, Gebietes* (= deutsch: *in*, selten *bei, aus, von + Dativ*) verwendet.

In eigentlicher Bedeutung begegnet diese Anwendung schon in verschiedenen Textarten. Meist steht dabei die Form mit dem Regierten mit syntaktischem Bezug auf das Prädikat. Beispiele sind, in Verbalsätzen nach intransitiven Verben, dichterisch: (von Gebäuden) 125:2 *k[k]lb bbtk nʿtq* "gleich einem [Hu]nde gehen wir (wörtlich: rücken wir fort o.ä.) in deinem Haus"[69]; ebenso ibid. :15-16, :100; zu ʿnt:II:29 vgl. schon oben, ferner unten; 2Aqht:I:26-27 *wykn bnh bbt šrš bqrb* (:26) *hklh* (:27) "und es sei ein Sohn (wörtlich: sein Sohn) im Hause, ein Nachkomme (wörtlich: eine Wurzel) in der Mitte seines Tempels"; 2Aqht:II:39-40 *mk bšb[ʿ] ymm tbʿ bbth* (:39) *kṯrt bnt hll snnt* (:40) "siehe, am sieb[enten] Tage brachen auf / erhoben sich zum Wegziehen o.ä. in seinem Hause die Kṯrt, die Töchter des Hll, die Schwalben"[70]; (vom Hohlraum der Hand)

---

64 Gewöhnlich wird *b* + Regiertem auch hier als nähere Bestimmung zum Verb (Prädikat) gefaßt (so z.B. Obermann, *Ug.myth.*, S. 59f., 62; Gordon, *Ug.lit.*, S. 20; Cassuto, *ʿAnat*, S. 68 u.ö. (*Goddess*, S. 135 u.ö.); Gray, *Legacy*, S. 39; Oldenburg, *Conflict*, S. 138; Dijkstra, *UF* 2 (1970), S. 333f.; van Zijl, *AOAT* 10, S. 62f.). Zur richtigen Deutung der Präposition vgl. sonst schon z.B. Virolleaud, *Déesse*, S. 56; Caquot und Sznycer, *Textes*, S. 396f. ("sur").

65 Vgl. Virolleaud, *PU* V, S. 23f.

66 Vgl. Ginsberg, *ANET*, S. 146; Jirku, *Mythen*, S. 98; Gray, *Krt*², S. 19; usw.; anders Gordon, *Ug.lit.*, S. 75; Driver, *Myths*, S. 37; Aistleitner, *Texte*, S. 97 und andere. Vgl. dagegen Gordon, *Textbook*, S. 45 (§ 7.15) mit Analogien.

67 Siehe Sawyer und Stephenson, *BSOAS* 33 (1970), S. 467-489; Dietrich – Loretz – Sanmartín, *UF* 6 (1974), S. 464f. mit Verweisen; dagegen Virolleaud, *PU* II, S. 189; Aistleitner, *Wb*, S. 332.

68 Vgl. Virolleaud, *PU* II, S. 142; Aistleitner, *Wb*, S. 178 u.ö.

69 Vgl. schon Virolleaud, *Syria* XXII (1941), S. 107; Gordon, *Ug.lit.*, S. 77; Jirku, *Mythen*, S. 104; Aartun, *Neue Beiträge*; ferner Pardee, *UF* 5 (1973), S. 230; anders z.B. Ginsberg, *Keret*, S. 26; *ANET*, S. 147; Driver, *Myths*, S. 41; Gray, *Krt*², S. 22, 63f.; Aistleitner, *Texte*, S. 98; Dahood, *UF* 1 (1969), S. 28 ("from your house" / "aus deinem Hause"); dazu vgl. schon oben.

70 Zur richtigen Deutung der Präposition vgl. schon Virolleaud, *Danel*, S. 199 ("dans"); dagegen Gordon, *Ug. lit.*, S. 88; Driver, *Myths*, S. 51; Ginsberg, *ANET*, S. 151; Jirku, *Mythen*, S. 119; usw. ("from" / "aus"); dazu vgl. schon oben.

68:13-14 *trtqṣ bd bʿl km nš* (:13) *r buṣbʿth* (:14) "du sollst springen / tanzen o.ä.[71] in der Hand des Baʿl, wie ein Adler in seiner Faust (wörtlich: in seinen Fingern)"[72]; ebenso ibid. :15-16, :20-21, :23-24; (von anderen Körperteilen) 49:III:19 *wtnẖ birty npš* "und es ruhe in meiner Brust die Seele"; ebenso 2Aqht:II:13-14; 2Aqht:VI:41 *wblb tqny* "und in (ihrem) Herzen sie schmiedet (wörtlich: schafft) (einen Plan)"; ebenso in der Prosa: (vom Gebäude) 1029:15-16 (obv. Rand) *d* (:15) *yškb l b bt mlk* (:16) "die nicht im Hause des Königs liegen (d.h. schlafen)"[73]; ferner nach transitiven Verben, wie dichterisch: (bei geographischen Angaben) ʿnt: III:26 *ibġy btk ġry* "ich zeige es (wörtlich: suche es) inmitten meines Berges"; 51:V:116-117 *trmmn hk[lm]* (:116) *btk ṣrrt ṣpn* (:117) "du sollst einen Tem[pel] errichten inmitten der Höhe(n) des Ṣpn"; vgl. auch 603 obv. 1-3[74]; 2Aqht:V:9-11 *balp* (:9) *šd rbt kmn hlk kṯr* (:10) *kyʿn* (:11) "in den tausend Feldern, in den zehntausend Flächen den Gang des Kṯr, fürwahr, er gewahrt"[75]; ebenso ʿnt:IV:82-83, :VI:17-18; 51:V:84-86; (von Gebäuden) 51:V:123-124 *bl ašt urbt bbh[tm]* (:123) *ḥln bqrb hklm* (:124) "soll ich nicht eine Luke am (wörtlich: im) Pal[ast][76] anbringen, ein Fenster in der Mitte des Tempels? "; so auch ibid. :V:126-127; :VI:5-6, :8-9; :VII:17-19, :25-27; zu ʿnt:II:29[77] vgl. unten; (von Gebrauchsgegenständen) 51:IV:35-38 *lḥ[m]* (:35) *bṯlḥnt lḥm št[y]* (:36) *bkrpnm yn bk[s] ẖrṣ* (:37) *dm ʿṣm* (:38) "i[ss] auf (= deutsch: von) (vgl. oben) den Tischen Brot, tri[nk] im (= deutsch: aus dem) Kruge / in (= deutsch: aus den) Krügen Wein, im (= deutsch: aus dem) goldenen Bech[er] das Blut der Bäume!"[78]; (von Körperteilen) 51:VIII:17-20 *al yʿdbkm* (:17) *kimr bph* (:18) *klli bṯbrn* (:19) *qnh tḥtan* (:20) "er soll euch nicht wie ein Schaf in seinem Munde behandeln; wie ein Zicklein werdet ihr vernichtet in seinem Schlund"[79]; 51:VII:47-49 *yqra mt* (:47) *bnpšh ystrn ydd* (:48) *bgbgbh aḥdy* (:49) "es rufe Mt in seinem Rachen (wörtlich: in seiner Seele), es äußere o.ä. der Liebling in seinem Schlund o.ä.: "Ich bin der einzige . . ." "; (vom geronnenen Blut) ʿnt:II:13-15 *brkm tġ[ll]* (:13) *bdm ḏmr ḥlqm bmm[ʿ]* (:14) *mhrm* (:15) "die Knie sie wälzt o.ä. im Blut der Kämpfer, die beiden Ringe (des Schoßes)[80] im Blutgerin[sel] der Krieger"; ebenso ibid. :27-28; aus der Prosa: (vom Gebäude) 702 obv. 2-4 *dqny* (:2) *šmmn* (:3) *bbtw* (:4) "(der Thiasos,) den Šmmn in (seinem) Hause[81] erwarb"[82]; ebenso ibid. :6-8 *wm ag* (:6) *rškm* (:7) *b bty* (:8) wörtlich: "und ich vertreibe euch in meinem Hause d.h. da, wo ihr jetzt eure Unterkunft fin-

---

[71] Vgl. besonders arabisch *raqaṣa* "springen, hüpfen, tanzen u.ä."; vgl. schon Brockelmann, *Orientalia* X (1941), S. 227.

[72] Siehe schon vor allem Gordon, *Ug.lit.*, S. 15f.; Ginsberg, *ANET*, S. 131; Driver, *Myths*, S. 81f.; Aistleitner, *Texte*, S. 51; usw.; dagegen z.B. Gordon, *Ug. and Min.*, S. 47; Jirku, *Mythen*, S. 24; de Moor, *AOAT* 16, S. 126f.; van Zijl, *AOAT* 10, S. 35f.; usw. ("from" / "von"); zur letzteren Deutung vgl. ebenfalls schon oben.

[73] Zum betreffenden Syntagma vgl. genauer oben I, S. 33 mit Verweisen.

[74] Vgl. Virolleaud, *Ugaritica* V, S. 557f.; de Moor, *UF* 1 (1969), S. 180f.; Lipiński, *UF* 3 (1971), S. 82; Pope und Tigay, *UF* 3, S. 118. Vgl. auch oben I, S. 40; anders Fisher und Knutson, *JNES* XXVIII (1969), S. 157f. (sprachlich arbiträr); Blau und Greenfield, *BASOR* 200 (1970), S. 13 (*km db btk ġrh* perhaps "as a bear in its cave") (vor allem dem Kontext nicht entsprechend).

[75] Vgl. schon z.B. Aistleitner, *Texte*, S. 70 u.ö.; demgegenüber Virolleaud, *Danel*, S. 203 ("par"); Jirku, *Mythen*, S. 120 ("durch"); Gordon, *Ug.lit.*, S. 88 ("by"); Driver, *Myths*, S. 53 ("over"); usw.

[76] Vgl. schon Virolleaud, *Syria* XIII (1932), S. 146; Gordon, *Ug.lit.*, S. 34; Driver, *Myths*, S. 99; usw. Beachte dementsprechend die Parallele.

[77] Vgl. Virolleaud, *Déesse*, S. 22; Gordon, *Ug.lit.*, S. 18; Kapelrud, *Goddess*, S. 50; usw.

[78] Zur richtigen Deutung der Präposition vgl. schon Virolleaud, *Syria* XIII (1932), S. 133 und andere; dagegen z.B. Gordon, *Ug.lit.*, S. 32; Driver, *Myths*, S. 97; Jirku, *Mythen*, S. 45; Aistleitner, *Texte*, S. 40; usw. ("from", "aus, von"). Zu dieser arbiträren Interpretation vgl. schon ausführlich oben mit Analogien.

[79] Zur Syntax vgl. schon oben I, S. 21 Anmerkung 2 mit Verweisen.

[80] Siehe Aartun, *Neue Beiträge*. Vgl. ferner Dietrich und Loretz, *UF* 4 (1972), S. 30; anders z.B. Caquot und Sznycer, *Textes*, S. 393 ("les pans de sa jupe").

[81] Zur Kombination: *b* (Präposition) + *bt-w* (Nomen im Genitiv + hervorhebender Partikel) siehe oben I, S. 43f. (vorliegendes Beispiel aber dort unberücksichtigt); vgl. ferner Aartun, *UF* 5 (1973), S. 1ff.

[82] Zum Text vgl. Miller, *An.Or.* 48, S. 37f.; Dahood, *ibid.*, S. 51. Die Auffassung des Ausdrucks *b-bt-w* = *b* (Präposition) + *bt* (Nomen im Genitiv) + *-w* (Possessivsuffix) (Miller, Dahood) ist sprachlich-orthographisch ausgeschlossen. Näheres oben I, S. 47 Anmerkung 3 u.ö.

det" (vgl. schon das unmittelbar vorangehende Beispiel)[83]; ferner 1029:15-16 (vgl. oben I, S. 23); so auch in Nominalsätzen, wie in der Dichtung: (bei geographischen Bestimmungen u. dgl.) 67:I:15-16 *hm brlt anḫr* (:15) *bym* (:16) "siehe, das Verlangen des Pottwals (ist) im Meere"; ebenso 604 obv. 4-5; (von Gebäuden) 127:25 *ap yṣb yṯb bhkl*[84] "auch Yṣb sitzt im Palast"; 51:VII:13-14 *b'l bqrb* (:13) *bt* (:14) "Ba'l (befindet sich) in der Mitte des Hauses"; 76:II:4-5 *hn b'l bbhtht* (:4) *il hd bqrb hklh* (:5) "siehe, Ba'l (ist) in seinem Palast, der Gott Hd in der Mitte seines Tempels"; 121:II:1 *ṯmn bqrb hkly* "acht (sind) in der Mitte meines Tempels"; Krt:140-141 *ṯlṯ sswm mrkbt* (:140) *btrbṣt bn amt* (:141) "(was soll ich mit Silber und dem Gelb des Goldes . . . (wörtlich: warum ich Silber und das Gelb des Goldes . . .),) drei Pferden (und) einem Wagen (, der sich) im Hofe des Sohnes der Magd (befindet)?"; ebenso ibid. :285-287[85]; Krt:142 *pd in bbty* "und daher das, was nicht in meinem Hause ist"[86]; ebenso ibid. :287-288; 601 obv. 1-2 *il dbḥ bbth mṣd ṣd bqrb* (:1) *hkl[h]* (:2) "Il schlachtete ein Wildbret o.ä. in seinem Haus, ein Wild o.ä. in der Mitte [seines] Tempels"[87]; 2Aqht:I:27 *nṣb skn ilibh bqdš* "einer, der die Stele seines Gott-Vaters im Heiligtum aufstellt"[88]; ebenso ibid. :II:16; (von Gebrauchsgegenständen) 67:I:20-21 *hm šb'* (:20) *ydty bṣ'* (:21) "siehe, sieben meiner Portionen (sind) in der Schale"[89]; ebenso 604 obv. 10-11; (vom Hohlraum der Hand) 51:I:25 *bd ḫss mṣbṭm* "in der Hand des Ḫss (war) die Zange"; 'nt:I:19 *mṣltm bd n'm* "Zymbeln (sind) in der Hand des Lieblichen"[90]; (von anderen Körperteilen) 49:II:22-23 *'dbnn ank [k]imr bpy* (:22) *klli bṯbrnqy ḫtu hw* (:23) "ich behandelte ihn [wie] ein Lamm in meinem Munde; wie ein Zicklein wurde er in meinem Schlund vernichtet"; 68:6 (vgl. schon oben mit Analogien); ebenso 1Aqht:75, :113, :141-142; 77:45-46 *hn bpy sp* (:45) *rhn* (:46) "siehe, in meinem Munde (ist) ihre Zahl (wörtlich: Liste o.ä.)"; vgl. auch 2124:2[91]; 3Aqht rev. 18 *diṯ bkbdk* "das, was in deiner Leber ist"; (von fließenden Materien) 52:14 *šb'd ġzrm ṭb[ḫ] [g]d bḥlb annḫ bḫmat* "siebenmal ko[chten] die Helden ein [Zi]cklein in Milch, Mentha/Ammium in Dickmilch"[92]; in der Prosa: (von Gebäuden) 1107:6-8 *w b bt* (:6) *mlk mlbš* (:7) *ytn lhm* (:8) "und im Hause des Königs wurden ihnen Kleider gegeben"; 119:1 *bnh b bt krz* "sein Sohn / seine Söhne (befindet sich / befinden sich) im Hause des Krz"; ebenso ibid. passim; vgl. auch 611:6-7; 613:11-12, :19[93]; (von der Grabstätte) R61:B:3 *d b qbr* "der / die im Grabe (ist)"[94]. Zum Gebrauch vgl. analog z.B. zu hebräisch *bĕ* 2S 7:6; 1K 22:22; Ex 12:46; Gn 17:17; 39:5; Jes 27:1; Pr 14:3; usw.; für weitere Analogien aus anderen verwandten Sprachen vgl. die Grammatiken und Lexika; ferner Brockelmann, *Grundriß* II, S. 370ff.

Schon in mehreren Fällen bezieht sich auch ugaritisch *b* mit seinem Kasus in der letztgenannten Funktion syntaktisch auf das Subjekt. Derartige Beispiele sind, dichterisch, in Verbalsätzen nach intransitiven Verben: (von der geographischen Bestimmung) 52:62-63 *wl'rb bphm 'ṣr šmm* (:62) *wdg bym* (:63) "und, fürwahr, es dringen ein (wörtlich: traten ein) in ihren Mund (vgl. unten) die Vögel des Himmels und die Fische im Meere"; (von Gebäuden) 1Aqht:182-184 *t[b']* (:182) *bkyt bhk[l]y mšspdt* (:183) *bḥẓry* (:184) "bre[chet auf] / er-

[83] Vgl. ferner Miller, *a.a.O.*; Dahood, *a.a.O.* ("from"); dazu vgl. schon oben an mehreren Stellen.

[84] Zur Lesart vgl. Virolleaud, *Syria* XXIII (1942-1943), S. 10; Herdner, *Corpus*, S. 77; Gordon, *Textbook*, S. 194; dagegen *Manual*, S. 164 *lhkl*; ebenso Aistleitner, *Wb*, S. 140; Gray, *Krt*², S. 28 (dazu S. 76).

[85] Vgl. schon z.B. Ginsberg, *ANET*, S. 144; Sauren und Kestemont, *UF* 3 (1971), S. 200; anders *ibid.*, S. 203; ebenso Gordon, *Ug.lit.*, S. 70, 73; Driver, *Myths*, S. 33, 35; Jirku, *Mythen*, S. 89, 93; Aistleitner, *Texte*, S. 92, 95; Gray, *Krt*², S. 14, 17; usw.; dazu vgl. schon oben.

[86] Vgl. unten zu *p* (Konjunktion).

[87] Vgl. Virolleaud, *Ugaritica* V, S. 547; Loewenstamm, *UF* 1 (1969), S. 73; de Moor, *ibid.*, S. 168f.; Rüger, *ibid.*, S. 203; Margulis, *UF* 2 (1970), S. 132f.; (dazu de Moor, *ibid.*, S. 347); usw.

[88] Vgl. Virolleaud, *Danel*, S. 189; Gordon, *Ug.lit.*, S. 86; Driver, *Myths*, S. 48; Jirku, *Mythen*, S. 116; Aistleitner, *Texte*, S. 68; usw.; ferner Lipiński, *UF* 5 (1973), S. 197f.

[89] Vgl. schon oben I, S. 59, 71; dagegen de Moor, *UF* 1 (1969), S. 201f.

[90] Zum häufigen Wechsel zwischen *bd* und *byd* im Material siehe Whitaker, *Concordance*, S. 89ff.

[91] Vgl. Virolleaud, *PU* V, S. 173; ferner Gordon, *Textbook*, S. 93.

[92] Vgl. Virolleaud, *Syria* XIV (1933), S. 133; Aistleitner, *Wb*, S. 206; usw.

[93] Vgl. Virolleaud, *Ugaritica* V, S. 586, 592; de Moor, *UF* 2 (1970), S. 316f., 323f.

[94] Vgl. Dietrich und Loretz, *Ugaritica* VI, S. 173.

he[bet euch zum Wegziehen o.ä.], ihr Weinenden in meinem Temp[el], ihr Klagefrauen in meinem Hofe!"[95]; vgl. ferner unten zu ibid. :171-172 (vom Ziel der Bewegung); vgl. auch oben zu 2Aqht:II:39-40; (von Gebrauchsgegenständen) 126:III:13-16 *kly* (:13) *lḥm* [*b*]*dnhm kly* (:14) *yn bḥmthm* [*k*]*ly* (:15) *šmn bq*[ ] (:16) "zu Ende war das Brot [in] ihren Krügen; zu Ende war der Wein in ihren Schläuchen; [zu En]de war das Öl in . . ."[96]; (von einem Körperteil) 3Aqht obv. 24-26 *tṣi km* (:24) *rḥ npšh km iṯl brlth km* (:25) *qṭr baph* (:26) "es soll entweichen (wörtlich: herausgehen) wie der Wind seine Seele, wie ein Hauch sein Lebensodem, wie der Rauch in (= deutsch: aus) seiner Nase"[97]; ebenso ibid. :36-37; ebenso nach transitiven Verben, wie (von Gebäuden) ʿnt:V:33-35 *yʿny* (:33) *il bšbʿt ḥdrm bṯmnt* (:34) *ap sgrt* (:35) "es antwortet Il in den sieben Zimmern, ja (wörtlich: auch) (vgl. unten) in den acht Gemächern d.h. der sich in den sieben Zimmern, ja in den acht Gemächern befindende Il"[98]; vgl. ibid. :18-20; ebenso im Nominalsatze, wie (von der Materie) 603 obv. 7 *rišh bglṯ bšm*[*m*] "sein Kopf (verborgen) im Schnee[99] (ist) im Him[mel] d.h. reicht an den Him[mel]" (vgl. oben). Zum Gebrauch vgl. analog z.B. zu hebräisch *bĕ* Lv 14:44, :48; usw.; vgl. ferner Brockelmann, *Grundriß* II, S. 270f. und andere.

Mehrfach steht auch ugaritisch *b* mit Regiertem im letztbesprochenen Sinn mit syntaktischem Bezug auf das Objekt. Solche Belege sind, dichterisch: (von Gebäuden) Krt:126-129 *qḥ ksp wyrq ḫrṣ* (:126) *yd mqmh wʿbd ʿlm* (:127) *ṯlṯ sswm mrkbt* (:128) *btrbṣ bn amt* (:129) "nimm Silber und das Gelb des Goldes, einen Teil ihres Besitztums und einen ewigen Diener, drei Pferde (und) einen Wagen im Hofe des Sohnes der Magd (d.h. einen im Hofe des Sohnes der Magd befindlichen Wagen)"[100]; ebenso ibid. :53-56, :269-273; ʿnt:II:29 *ʿd tšbʿ tmtḫṣ bbt* "bis sie des Kämpfens im Hause satt ist / wird"[101]; (vom Gebrauchsgegenstand) (beim Passiv) ʿnt: II:31-32 *yṣq šmn* (:31) *šlm bṣʿ* (:32) "ausgegossen wurde es (das Blut der Kämpfer) (wie) das Öl des Šlm-Opfers in der Schale (d.h. des in der Schale befindlichen Šlm-Opfers)"[102]; ebenso 603 rev. 4[103]; (vom Hohlraum der Hand) 1Aqht:215-216 [*qḥ*][104] (:215) *ks bdy qbʿt bymny* (:216) "[nimm] den Becher in meiner

[95] Zur entsprechenden Deutung der Präposition vgl. schon Virolleaud, *Danel*, S. 173 und andere; dagegen z.B. Gordon, *Ug.lit.*, S. 100; Ginsberg, *ANET*, S. 155; Driver, *Myths*, S. 65; Jirku, *Mythen*, S. 135; Aistleitner, *Texte*, S. 81; usw. ("from" / "aus"); dazu vgl. schon mehrfach oben.

[96] Ebenso Gray, *Krt*², S. 25; ähnlich (*b* + dem Regierten aber zum Prädikat rechnend) Virolleaud, *Syria* XXII (1941), S. 198; Lipiński, *Syria* XLIV (1967), S. 286 ("dans"); Driver, *Myths*, S. 43 ("in"); usw.; dagegen Gordon, *Ug.lit.*, S. 80; *Ug. and Min.*, S. 116f.; Ginsberg, *ANET*, S. 148; Jirku, *Mythen*, S. 108; Aistleitner, *Texte*, S. 101 ("from" / "aus"); dazu vgl. schon oben. Zum Verb *kly* vgl. ferner zu hebräisch *kālā* "zu Ende, vorüber sein/werden"; akkadisch *kalû* "aufhören" usw. (siehe die Lexika).

[97] Vgl. schon oben; ferner unten; dagegen z.B. Gordon, *Ug.lit.*, S. 93 u.ö.; Gaster, *Thespis*, S. 292; Ginsberg, *ANET*, S. 152; Driver, *Myths*, S. 57f.; Jirku, *Mythen*, S. 127; Aistleitner, *Texte*, S. 75 u.ö.

[98] Vgl. z.B. Aistleitner, *Texte*, S. 31; *Wb*, S. 32. Möglich ist auch die Verbindung mit dem Prädikat: "Il antwortet in den sieben Zimmern, ja in den acht Gemächern" (vgl. oben).

[99] Weniger wahrscheinlich gehört *b* + dem Regierten zum Prädikat (vgl. oben); so z.B. Pope und Tigay, *UF* 3 (1971), S. 118; vgl. ferner unter anderen Virolleaud, *Ugaritica* V, S. 558; Lipiński, *UF* 3, S. 82; de Moor, *UF* 1 (1969), S. 180f.

[100] Hierzu vgl. schon Ginsberg, *ANET*, S. 144 (ebenso S. 143); Sauren und Kestemont, *UF* 3 (1971), S. 199 (ebenso S. 196, 203) und andere; dagegen Gordon, *Ug.lit.*, S. 68, 70, 73; Driver, *Myths*, S. 29, 33, 35; Jirku, *Mythen*, S. 89, 93; Gray, *Krt*², S. 12, 14, 17; usw.; dazu vgl. schon oben.

[101] Zur Syntax vgl. ibid.:19 (sowie 62:9). Vgl. sonst schon oben; ferner de Moor, *AOAT* 16, S. 88f.

[102] Zur Konstruktion des doppelten Objektes beim Passiv im Semitischen siehe besonders Brockelmann, *Grundriß* II, an mehreren Stellen. Vgl. sonst schon Virolleaud, *Déesse*, S. 22; Cassuto, *Goddess*, S. 88f.; Lipiński, *UF* 3 (1971), S. 90; usw. ("dans" / "in"); dagegen z.B. Gordon, *Ug.lit.*, S. 18; Jirku, *Mythen*, S. 28; de Moor, *AOAT* 16, S. 96; usw. ("from" / "mit"); dazu vgl. oben. Gegen den Kontext rechnet Kapelrud, *Goddess*, S. 50 *bṣʿ* zum folgenden Syntagma.

[103] Vgl. Virolleaud, *Ugaritica* V, S. 559; Lipiński, *UF* 3 (1971), S. 82; anders de Moor, *UF* 1 (1969), S. 180; dazu vgl. oben.

[104] Siehe besonders Herdner, *Corpus*, S. 91 mit Verweis.

Hand, den Pokal in meiner Rechten (d.h. den in meiner Hand befindlichen Becher usw.)!"[105]; ebenso ibid. :217-218; (vom Tierkörper resp. dem (abgegrenzten) Gebiet) 2Aqht:VI:21-24 *adr gdm brumm* (:21) *adr qrnt by'lm mtb*[ ]*m* (:22) *b'qbt ṯr adr bġlil qnm* (:23) *tn lkṯr wḫss* (:24) "die kräftigsten Sehnen der Wildstiere (wörtlich: in den Wildstieren), die kräftigsten Hörner der Steinböcke (wörtlich: an den Steinböcken (vgl. oben)), . . . von den Fersen des Stieres (wörtlich: in den Fersen des Stieres), die kräftigsten in Ġlil (zu findenden) Schilfrohre gib (sie) dem Kṯr-und-Ḫss!"[106]; aus der Prosa: (von einem Gebrauchsgegenstand) RŠ 34 124:26-27 *wlqḥ hw* (:26) *šmn b qrnh* (:27) "il a pris lui-même de l'huile dans sa corne" (Caquot, *L'annuaire* 75 (1974-75), S. 431); ferner (nach einem Abstraktum) (vom Gebäude) 1028 rev. 13-14 [*t*]*gmr bnš* (:13) *l b bt mlk* (:14) "[Ver]zeichnis der Leute / Angestellten, nicht im Hause des Königs (d.h. der im Hause des Königs nicht verweilenden Leute / Angestellten)"[107] (vgl. sonst oben zum Syntagma 1029:16 *yškb l b bt mlk*). Zum Gebrauch vgl. analog z.B. zu hebräisch *bĕ* 1S 24:12; Ps 147:13; usw.; vgl. auch Brockelmann, *Grundriß* II, S. 270f. und andere.

Besonders häufig zu belegen ist ferner die Anwendung von ugaritisch *b*, ebenso wie von hebräisch *bĕ* usw., in der letzteren Funktion zur Bezeichnung des räumlichen Darinnenseins, auch in uneigentlichem Sinn.

Belege dieser Art sind zunächst mit syntaktischem Bezug auf das Prädikat, dichterisch, in Nominal- bzw. Verbalsätzen nach intransitiven Verben: (mit Abstrakten bzw. Verbalnomina verbunden) Krt:35-37 *wbḥlmh* (:35) *il yrd bḏhrth* (:36) *ab adm* (:37) "und in seinem Traume Il steigt herab, in seiner Vision der Vater der Menschen"[108]; ibid. :149 *ašlw bṣp 'nh* "ich finde Ruhe im Blick ihrer Augen (als ich ihre Augen erblicke)"[109]; 2Aqht:I:17 [*w*]*yqrb b'l bḫnth abynt* "[und] es nähert(e) sich Ba'l in seinem Mitleid (indem er Mitleid hat) mit dem Unglück"; Krt:26-27 *ybky* (:26) *bṯn rgmm* (:27) "er weint beim Wiederholen der Worte d.h. während er die Worte wiederholt"; ibid. :37-38 *wyqrb* (:37) *bšal krt* (:38) "und er nähert sich, indem er Krt fragt"; vgl. auch 76:II:11, :28-29; 125:45; 601 obv. 8; ebenso (vorangestellt (vgl. unten)) 51:II:12 *bnši 'nh wtphn* "beim Erheben ihrer Augen (als sie ihre Augen erhebt) und sie sieht"; ebenso 1Aqht:76, :105, :120, :134-135; 2Aqht: V:9; ebenso (mit folgendem Modaladverb verbunden) 51:VII:42 *bkm* (< *b* + *kn* + *-m*)[110] *yṯb b'l lbhth* "dann (wörtlich: in so) kehrte Ba'l in seinen Palast zurück"; 125:112 *bkm t'rb* [*'l abh*] "dann / darauf trat sie ein [zu ihrem Vater]"; so auch 127:4 *bkt* (< *b* + *kn* + *-t*)[111] *tgly* "dann geht sie fort"[112]; zur eventuellen Verbindung mit der Negation *l* (wie hebräisch *bĕ-lō*, arabisch *bi-lā*) vgl. oben I, S. 26 Anmerkung 2; aus der Prosa: (in der Verbindung: *bd* < **b-*[*y*]*d* "in der Hand" (vgl. schon oben) = "im Besitz") 1135:1 *mit šmn d nm bd mzy alzy* "hundert (Krüge) Öl, die sich in der Hand (d.h. im Besitz) des Mzy aus Alz befinden (wörtlich: schlafen, ruhen)"; (beim Verbalnomen) 1021:8 *wb 'ly skn yd' rgmh* "und beim Aufsteigen des Oberaufsehers o.ä. wird er sein Wort kennen lernen"[113]; vgl. ferner 2116:9-11[114]; ebenso nach transitiven Verben, dichterisch:

---

[105] Vgl. ähnlich z.B. Gordon, *Ug.lit.*, S. 100 u.ö.; dagegen z.B. Cassuto, *'Anat*, S. 25 (*Goddess*, S. 28); Driver, *Myths*, S. 67; Jirku, *Mythen*, S. 136; Aistleitner, *Texte*, S. 82; usw. ("from" / "aus"); dazu Näheres schon oben.

[106] Ähnlich Virolleaud, *Danel*, S. 208f.; Driver, *Myths*, S. 55 und andere; dagegen z.B. Gordon, *Ug.lit.*, S. 90; Ginsberg, *ANET*, S. 151; usw. ("from" / "of"); dazu vgl. oben.

[107] Vgl. Virolleaud, *PU* II, S. 55; ferner oben I, S. 23.

[108] So schon Gordon, *Ug.lit.*, S. 68 u.ö.; Ginsberg, *ANET*, S. 143 u.ö.; Driver, *Myths*, S. 29; Gray, *Krt*², S. 11 u.ö.; Sauren und Kestemont, *UF* 3 (1971), S. 195; usw.; dagegen z.B. Virolleaud, *Keret*, S. 37f.; Pedersen, *Berytus* 6 (1939-41), S. 70f.; Hammershaimb, *Verb*, S. 30f. (die Verbform *yrd* als Kausativ gefaßt) (gegen die bisher bekannte sprachliche Überlieferung des Ugaritischen).

[109] Vgl. Gordon, *Ug.lit.*, S. 71; Jirku, *Mythen*, S. 89 und andere; vgl. ferner Driver, *Myths*, S. 33; Aistleitner, *Texte*, S. 92; Gray, *Krt*², S. 14; usw.

[110] Dazu vgl. schon Aartun, *WdO*, IV,2 (1968), S. 291; *BiO* XXIV,5/6 (1967), S. 288f.; vgl. ferner oben I, S. 6f., 57f.

[111] Vgl. oben I, S. 6f., 66.

[112] Zum Syntagma vgl. sonst besonders Gordon, *Textbook*, S. 379f.; ebenso Aistleitner, *Wb*, S. 66 und andere.

[113] Ebenso Lipiński, *UF* 5 (1973), S. 199. Vgl. ferner Virolleaud, *PU* II, S. 42f.

[114] Vgl. Virolleaud, *PU* V, S. 139.

(mit folgendem Pronomen des Sachverhaltes) 51:III:21-22 *kbh bṯt ltbṯ* (:21) *wblı tdmm amht* (:22) "denn darin (in der betreffenden Übeltat), fürwahr, wurde gesehen / sahst du Schande, und darin wurde gesehen / sahst du Kränkung der Mägde"[115]; ʿnt:III:29-30 *bh pʿnm* (:29) *ṯṭṭ* (:30) "dabei (beim Bemerken der Götter) die Füße sie (die Göttin ʿAnat) bewegt"; ebenso 51:II:16-17; 1Aqht:93-94; ferner (in Verbindung mit Abstrakten bzw. Verbalnomina) 1Aqht:151 *tšḫṯann bšnth* "sie stören ihn in seinem Schlafe"; ʿnt:I:17 *rbt ymsk bmskh* "zehntausend mischt er in seiner Mischung"[116]; 76:II:23-24 *hm bʿp* (:23) *nṭʿn barṣ iby* (:24) "siehe, im Flug stoßen wir zur Erde (wörtlich: in die Erde (vgl. unten)) meine Feinde"; ebenso (mit einem Modaladverb als Regiertem) 1Aqht:57-59 *bkm* (< *b* + *kn* + *-m* (vgl. schon oben mit Verweis)) *tmdln ʿr* (:57) *bkm tṣmd pḥl bkm* (:58) *tšu abh tštnn lbmt ʿr* (:59) "dann (wörtlich: in so) sattelt sie das Eselsfüllen; dann schirrt sie den Esel an; dann hebt sie ihren Vater auf, setzt ihn auf den Rücken des Eselsfüllens"; ʿnt pl. X:V:7 *bkm yʿn* "dann antwortete er d.h. der Gott Baʿl"; ebenso ibid. :20[117]; vgl. auch 608:41 (*yʿny*); ebenso in Nominalsätzen, wie dichterisch: (in der syntagmatischen Verbindung: *bd* < **b-[y]d* "in der Hand" (vgl. oben) = "im Besitz") 52:8-9 *bdh ḫṭ ṯkl bdh* (:8) *ḫṭ ulmn* (:9) "in seiner Hand (ist) das Zepter der Kinderlosigkeit, in seiner Hand das Zepter der Witwenschaft"[118]; ʿnt:II:26-27 *kbd ʿnt* (:26) *tšyt* (:27) "denn in der Hand (d.h. im Besitz) der ʿAnat (ist) der Sieg"[119]; ebenso (bei Abstrakten und Verbalnomina) 49:III:4-6 *bḥlm lṭpn il dpid* (:4) *bḏrt bny bnwt* (:5) *šmm šmn tmṭrn* (:6) "in einem Traume des Freundlichen, des Il, des Mitleidigen, in einer Vision des Schöpfers der Geschöpfe soll der Himmel Fett regnen"; vgl. auch ibid. :10-12[120]; Krt:150-151 *dbḥlmy il ytn* (:150) *bḏrty ab adm* (:151) "denn (< "da" < "das")[121] in meinem Traum Il gab, in meiner Vision der Vater der Menschen"; ebenso ibid. :296-297; 2Aqht:I:31 *[a]ḫd ydh bškrn* "der seine Hand [hä]lt in der Betrunkenheit d.h. im Rausch"; 52:51 *bḥbq ḥmḥmt* "bei der Umarmung (ist) Empfängnis"; ebenso ibid. :56; 2Aqht:I:41; zu Parallelen mit *b-m* 52:51, :56 vgl. unten; 77:3-4 *bsġsġ špš* (:3) *yrḫ yṯkḥ* (:4) "beim Untergang der Sonne (vgl. auch unten) Yrḫ . . ."; 124:5-6 *qym il* (:5) *blsmt* (:6) "die Beisteher o.ä. des Il (sind) in Eile"[122]; Krt:32 *[b]dmʿh nhmmt* "[bei] seinem Tränenverguß (ist) Schlummer d.h. schlummert er"; aus der Prosa: (in der Verbindung: *bd* < **b-[y]d* "in der Hand" (vgl. schon oben) = "im Besitz, unter der Verwaltung, der Aufsicht, dem Befehl") 146:2 *dt bd skn* "(das Feld,) das (sich) in der Hand (d.h. im Besitz) des Oberaufsehers o.ä. (befindet) (oder: unter seiner Verwaltung (steht))"; ebenso 1141:1-3; 2028, 2029, 2030 B, 2090 passim; 2113:27-30, :31-32, :33-34; 2123:7 *prkl bʿl any d bd abr[ ]* "Prkl, der Kapitän (wörtlich: Herr) des Schiffes, das (sich befindet) in der Hand (d.h. im Besitz) des Abr[ ] (oder: unter seiner Verwaltung (steht))"; 1110:1-2 *alpm pḥm ḥm[š] mat kbd* (:1) *bd tt* (:2) "zweitausend Edelsteine[123] (im Werte von) fü[nf]hundert schweren (Seqeln) (sind abgeliefert und befinden sich) in der Hand (d.h. im Besitz resp. unter der Verwaltung) des Tt"; ebenso ibid. :5; vgl. auch 1121 rev. 8-9; 1134 passim; 2100:1-3; 2101:2-4, :6-8; 2108:4-5; 2109:2; 1109:6-7 *wlpš dsgr bh* (:6) *bd anrmy* (:7) "und ein Kleid mit *sgr* (wörtlich: an welchem *sgr* (ist)) befindet sich) in der Hand (d.h. im Besitz) des Anrmy"; vgl. auch 1110:2; 1120:1-3; 2101:18; 1094:4-5 *ṯmnym šmn* (:4) *bd*

115 Vgl. z.B. Gordon, *Ug.lit.*, S. 30; Jirku, *Mythen*, S. 42; usw.; ähnlich unter anderen Ginsberg, *ANET*, S. 132; Driver, *Myths*, S. 95.

116 Vgl. schon Obermann, *Ug.myth.*, S. 10; Ginsberg, *ANET*, S. 136; Jirku, *Mythen*, S. 26 und andere; ähnlich Lipiński, *UF* 2 (1970), S. 77; Caquot und Sznycer, *Textes*, S. 392; anders z.B. Gordon, *Ug.lit.*, S. 17; Dahood, *Biblica* 45 (1964), S. 408; *Ug.-Heb. phil.*, S. 64; de Moor, *AOAT* 16, S. 67.

117 Vgl. oben I, S. 7, 57f. mit Verweisen.

118 Vgl. schon Gordon, *Ug.lit.*, S. 59; Driver, *Myths*, S. 121; Jirku, *Mythen*, S. 81; Aistleitner, *Texte*, S. 59; Tsumura, *Ugaritic drama*, S. 8, 32f.; *UF* 6 (1974), S. 408f. u.ö.; usw.

119 Siehe Gordon, *Textbook*, S. 393, 499; Caquot und Sznycer, *Textes*, S. 394; usw.; anders z.B. de Moor, *AOAT* 16, S. 88f.

120 Vgl. Gordon, *Ug.lit.*, S. 46; Jirku, *Mythen*, S. 71; ferner Driver, *Myths*, S. 113; Ginsberg, *ANET*, S. 140; usw.

121 Vgl. schon Virolleaud, *Keret*, S. 43, 87; Brockelmann, *Orientalia* X (1941), S. 238; Gordon, *Ug.lit.*, S. 71 u.ö. Zum Sprachtypus (Gebrauch von *d* bei einer losen kausalen Verbindung) vgl. sonst vor allem analog zu aramäisch *dV* z.B. Nöldeke, *Syr. Gram.*, S. 287f. (§ 366 B).

122 Vgl. besonders Aistleitner, *Wb*, S. 277.

123 Vgl. Virolleaud, *PU* II, S. 144; Gordon, *Textbook*, S. 467; Aistleitner, *Wb*, S. 255.

adnn'm (:5) "achtzig (Krüge) Öl (befinden sich) in der Hand (d.h. im Besitz resp. unter der Verwaltung) des Adnn'm"; so auch 1096:3-5; vgl. ferner 2100:12-15; 1128:33 *bd šm'y bn bdn* "(die Handelswaren sind abgeliefert und befinden sich) in der Hand (d.h. im Besitz resp. unter der Verwaltung) des Šm'y, des Sohnes des Bdn"; ferner 1024 obv. 1 *[sp]r bnš ml[k d]bd adn[n'm]* "[Lis]te des König[lichen] Personals, [das] (sich befindet) in der Hand des Adn[n'm] (d.h. unter seiner Aufsicht (steht))"; ebenso ibid. :26 am Rand; 1025:1-2; 1034:1-2[124]; 1050, 1051, 1052 passim; 2072:1; RŠ 66,29.101 *bnšm d iṯ bd rb 'prm* "Leute, die in der Hand des Chefs der *'pr-m* sind (d.h. unter seiner Aufsicht stehen)"[125]; 2071:1-2 *dt inn* (:1) *bd tlmyn* (:2) "(Soldaten,) die sich nicht in der Hand des Tlmyn befinden (d.h. nicht unter seinem Befehl stehen)"; (in Verbindung mit einem Abstraktum) 1005:3-5 *kmt* (:3) *br ṣtqšlm* (:4) *bunṯ 'd 'lm* (:5) "(wie die Sonne, die frei (ist),) ebenso frei (wörtlich: wie frei)[126] (ist) Ṣtqšlm im (= deutsch: vom) Frondienste auf ewig"[127]. Vgl. ferner 2:23 u.ö. (vgl. unten). Zum Gebrauch vgl. analog zu hebräisch *bĕ* Gn 20:3; 20:6; Nu 31:49; Jos 9:25; Ez 1:9; 1S 2:27; Koh 8:10; Esth 4:16; usw.; ferner zu EA 245:35 *(ba-di-u)*[128]; zu aramäisch *bĕ (b)* Bauer und Leander, *Gram.*, S. 257 (§ 69 b-h); Macuch, *Handbook*, S. 421f. (§ 278); zu altsüdarabisch *b* Beeston, *Grammar*, S. 54; usw.; vgl. ferner Brockelmann, *Grundriß* II, S. 363ff.

Mehrfach steht auch ugaritisch *b* mit seiner Rektion im letzteren Sinn als nähere Bestimmung zum Subjekt, wie, in der Dichtung, in Nominalsätzen: (übertragen vom Erdboden) 1Aqht:159-160 *šršk barṣ al* (:159) *yp'* (:160) "deine Wurzel in der Erde, nicht soll sie treiben" d.h. "deine Nachkommenschaft im Lande soll keinen Erfolg haben"[129]; in der Prosa: (in der genannten Kombination *bd* < **b-[y]d* "in der Hand" = "im Besitz, unter der Verwaltung" (vgl. oben)) 120:1-3 *mnḥ bd ybnn* (:1) *arb' mat* (:2) *l alp šmn* (:3) "das Geschenk/der Tribut in der Hand (d.h. im Besitz resp. unter der Verwaltung) des Ybnn (umfaßt) vierzehnhundert (Krüge) Öl"[130]; 116:1-6 *npṣm* (:1) *bd mri* (:2) *skn* (:3) *'šrm* (:4) *ḫmš* (:5) *kbd* (:6) "die Kleider in der Hand (d.h. unter der Verwaltung) des Mru, des Oberaufsehers o.ä., (betragen) fünfundzwanzig schwere (Seqel)". Zum Gebrauch vgl. schon entsprechend oben mit Analogien; ferner Brockelmann, *Grundriß* II, S. 270.

Noch häufiger erscheint ugaritisch *b* mit der Dependenz im letzteren Sinn als nähere Bestimmung zum Objekt. Derartige Beispiele sind, aus der Dichtung: (übertragen von einem Gebrauchsgegenstand) 51:III:15-16 *qlt* (:15) *bks ištynh* (:16) "die Schmach in meinem Becher (d.h. die in meinem Becher befindliche Schmach) – die trinke ich" (vgl. auch oben)[131]; ferner (in der Verbindung: *b-yd* / *b-d* < **b-yd* (vgl. oben) "in der Hand" = "in der Gewalt, im Besitz") 3 Aqht rev. 14 *wy'drk byd btlt ['nt]* "und er hilft dir (, der du dich befindest) in der Hand (d.h. in der Gewalt) der Jungfrau ['Anat]"[132]; so auch aus der Prosa: 1008:16-20 *bnš bnšm* (:16) *l yqhnn bd* (:17) *b'ln bn kltn* (:18) *w bd bnh 'd* (:19) *'lm* (:20) "niemand unter den Menschen nehme es (das Feld) in der Hand des B'ln, des Sohnes des Kltn, und in der Hand seines Sohnes (d.h. das in deren Besitz befindliche Feld) auf ewig"[133]; 1009:12-15 *mnk* (:12) *mnkm l yqh* (:13) *bt hnd bd* (:14) *['b]dmlk* (:15) "niemand nehme ['B]dmlk dieses Haus weg (wörtlich: irgendjemand, irgendjemand nehme (nimmt) nicht das Haus,

[124] Vgl. Virolleaud, *PU* II, S. 60.
[125] Vgl. Gordon, *Supplement*, S. 556.
[126] Zur Syntax vgl. oben I, S. 60 Anmerkung 3; ferner *ibid.*, S. 67.
[127] Vgl. besonders Aistleitner, *Wb*, S. 29 mit Verweis.
[128] Siehe Knudtzon, *EA* I, S. 794-795.
[129] Hierzu vgl. schon Virolleaud, *Danel*, S. 169; Jirku, *Mythen*, S. 134 und andere; dagegen z.B. Gordon, *Ug.lit.*, S. 99; Driver, *Myths*, S. 65; Aistleitner, *Texte*, S. 80.
[130] Vgl. Gordon, *Ug.lit.*, S. 130; anders Virolleaud, *Syria* XXI (1940), S. 274.
[131] Zur Syntax (dominierende Vorstellung des Objektes mit rückweisendem Pronomen) siehe vor allem Brockelmann, *Grundriß* II, S. 439f.
[132] Vgl. schon Virolleaud, *Danel*, S. 225; anders z.B. Gordon, *Ug.lit.*, S. 91; Driver, *Myths*, S. 57; Jirku, *Mythen*, S. 125; Baisas, *UF* 5 (1973), S. 41 ("from"/"aus"); Aistleitner, *Texte*, S. 73 ("gegen") (dem lexikalischen Wert der Form nicht entsprechend); vgl. ferner schon oben.
[133] Anders z.B. Virolleaud, *PU* II, S. 21 ("des mains"); dazu vgl. ebenfalls schon oben.

siehe dieses, (nunmehr) in der Hand = im Besitz des [ʿB]dmlk)"[134]; 1005:12-15 *wmnkm lyqḥ* (:12) *spr mlk hnd* (:13) *byd ṣtqšlm* (:14) *ʿd ʿlm* (:15) "und niemand nehme Ṣtqšlm dieses königliche Schreiben weg auf ewig" (zum wörtlichen Sinn vgl. zum unmittelbar vorangehenden Fall)[135]. Zum Gebrauch vgl. ebenfalls oben mit Analogien; vgl. auch die angeführten Verweise.

Auf *die Zeit* übertragen findet sich ugaritisch *b* + Regiertem in der letztgenannten Anwendung, und zwar genauer mit syntaktischem Bezug auf das Prädikat, dichterisch, in Verbalsätzen: 49:V:8-10 *bšbʿ* (:8) *šnt w*[ ][136] *bn ilm mt* (:9) *ʿm aliyn bʿl* (:10) "im siebenten Jahre, und es . . . der Sohn des Il, Mt, mit Aliyn Baʿl"[137]; 1Aqht:179-180 *bšbʿ* (:179) *šnt wyʿn [dnil mt] rpi* (:180) "im siebenten Jahre, und es antwortete [Dnil], der Rpu[-Mann]"; in Nominalsätzen: 1Aqht:39-41 *ʿrpt b* (:39) *ḥm un yr ʿrpt* (:40) *tmṭr bqẓ* (:41) "Wolken, in der Hitze des Unheils (bringet) Frühregen; Wolken, lasset Regen fallen im Sommer!"[138]; ebenso in der Prosa, in Verbalsätzen: 1155:1-8 *b ym ḥdṯ* (:1) *b yrḫ pgrm* (:2) *lqḥ bʿlmʿḏr* (:3) *w bn ḫlp* (:4) . . . *miḫd b* (:6) *arbʿ mat* (:7) *ḫrṣ* (:8) "am Neumondtage (vgl. oben) im Monat Pgrm kauften (wörtlich: nahmen) Bʿlmʿḏr und der Sohn des Ḫlp . . . . . für (vgl. unten) vierhundert (Seqel) Gold"[139]; ebenso 1156:1-7[140]; 2006:1-10. Zum Gebrauch vgl. analog z.B. zu hebräisch *bĕ* Lv 23:41; 25:54; Dn 11:1; Pr 6:8; Sach 14:8; usw.; zu aramäisch *bĕ* (*b*) Dn 7:1; Esr 5:13 u.ö., ferner Macuch, *Handbook*, S. 422; usw., zu altsüdarabisch *b* Beeston, *Grammar*, S. 54; ferner Brockelmann, *Grundriß* II, S. 367.

Vereinzelt wird ugaritisch *b* mit Regiertem in der letztbesprochenen, übertragenen resp. zeitlichen, Bedeutung mit syntaktischem Bezug auf das Objekt angewandt, wie in der Prosa, in einem Nominalsatz (als nähere Bestimmung zur syntaktischen Rektion eines Abstraktums): 1099:30 *tgmr kšmm byrḫ iṯtbnm* "Verzeichnis (der Lieferungen von) Emmer im Monat Iṯtbnm"[141]. Zum Sprachtypus vgl. schon oben.

Zerstörte bzw. unklare Beispiele der letztbehandelten Art sind: 68:3; 128:VI:7-8; 129:20-21; 135:5; Krt:60-62; 3Aqht obv. 38; ʿnt pl. IX:II:6; 606:7-8 (Poesie); 3:1-4; 20:4; 1088:4; 1129:14; 1151:6; 1158:A:1-5, :B:1-5; 1159:1-2; 2134:11; 2158 rev. 9; 2161:13; 2162:B:1-2; 2166:4-5; 2169:4; R61:Ag:22; RŠ 34 124 linker Rand:2 (Prosa).

Ziemlich häufig wird weiter ugaritisch *b*, wie hebräisch *bĕ* usw., übereinstimmend mit dem Obigen, genauer vom sich Befinden in *der Mitte einer Mehrheit* bzw. *Menge* (= deutsch: *in, unter + Dativ*) verwendet.

Mit syntaktischem Bezug auf das Prädikat begegnet dieser Gebrauch von *b*, in eigentlichem Sinn, dichterisch, in Verbalsätzen: (von Gottheiten) 51:III:13-14 *wywpṯn btk* (:13) *p[ḫ]r bn ilm* (:14) "und er spuckt inmitten der Ver[samm]lung der Söhne des Il"; 128:III:13-15 *mid rm [krt]* (:13) *btk rpi ar[ṣ]* (:14) *bpḫr qbṣ dtn* (:15) "sehr erhaben sei [Krt] inmitten der Rpu der Er[de], in der Versammlung der Versammelten von

134 Dagegen z.B. Virolleaud, *PU* II, S. 22 ("des mains"); dazu vgl. schon oben. Zum ganzen Syntagma vgl. ferner oben I, an mehreren Stellen.

135 Zur Deutung der Präposition entsprechend ihrer lexikalischen Bedeutung vgl. schon Virolleaud, *PU* II, S. 17.

136 Zu ergänzen ist ein Verbum finitum. Zum Sprachtypus vgl. ferner das unmittelbar nachfolgende Beispiel.

137 Zur Stelle vgl. ferner Gordon, *Ug.lit.*, S. 47; Aistleitner, *Texte*, S. 22; usw.; ferner z.B. Driver, *Myths*, S. 113.

138 Ähnlich z.B. Driver, *Myths*, S. 59; Jirku, *Mythen*, S. 130; Dietrich und Loretz, *UF* 5 (1973), S. 273f.; usw.; anders z.B. de Moor, *UF* 6 (1974), S. 495f.

139 Vgl. Virolleaud, *PU* II, S. 185; Gordon, *Textbook*, S. 355.

140 Vgl. Virolleaud, *PU* II, S. 186. – Zum sonstigen nahe verwandten Gebrauch von *b* in Verbindung mit Abstrakten und Verbalnomina vgl. schon oben.

141 Vgl. Virolleaud, *PU* II, S. 125f.; Aistleitner, *Wb*, S. 42; Gordon, *Textbook*, S. 370.

Dtn"[142]; ebenso in Nominalsätzen: 601 obv. 15 *il ytb bmrzḥh* "Il sitzt in seinem Thiasos"[143]; vgl. auch 602 obv. 3-5[144]; ebenso abstrakt (von der Menge) Krt:24-25 *wbtm hn šph yitbd* (:24) *wbpḫyrh yrṯ* (:25) "und in Gänze (wörtlich: in der Vollständigkeit), siehe, die Sippe ging zugrunde, in ihrer Gesamtheit die Erben (wörtlich: der Erbe)"[145]; vgl. auch 1001 obv.26; in der Prosa, in Nominalsätzen: (von Menschen) 1024 rev. 1-2 [*š*]*b' b ḥrṯm* (:1) [*ṯ*]*lṯ b ṯġrm* (:2) "[sie]ben (Leute) (sind requiriert) unter den Pflügern, [dr]ei unter den Pförtnern"[146]; ebenso übertragen (vom Volumen) 1090:14-15 *ḫmš yn bd* (:14) *bḥ mlkt* (:15) "fünf (Krüge) Wein (gab es) in einem Opfer der Königin"[147]; vgl. ferner 2004:1-2; ebenso in einem Verbalsatz: (mit folgendem Abstraktum) 1153:5 *bkl ygz ṯḫ*[148] *šh* "ganz (wörtlich: in der Gesamtheit) schor er seinem Schaf die Wolle (wörtlich: die Wegräumung o.ä.)"[149]. Zum Gebrauch vgl. z.B. zu hebräisch *bĕ* Jes 6:5; Hi 34:36; 2S 7:7; usw.; zu aramäisch *bV* Macuch, *Handbook*, S. 422; usw. Vgl. ferner besonders Jean und Hoftijzer, *Dictionnaire*, S. 30 und die dort angeführten Belege.

Als nähere Bestimmung zum Subjekt findet sich ferner ugaritisch *b* mit dem Regierten in letzterer Bedeutung, dichterisch, in Nominalsätzen: (von Gottheiten) 126:V:10-11 [*my*] (:10) *bilm* [*ydy mrṣ*] (:11) "[wer] unter den Göttern [kann die Krankheit bezwingen] (wörtlich: [bezwingt die Krankheit])?"[150]; ebenso ibid. :14-15, :17-18, :20-21; ibid. :12-13 [*in bilm*] (:12) *'nyh* (:13) "[keiner unter den Göttern] antwortet ihm"; ebenso ibid. :16, :19, :22; 'nt:V:36 *kin bilht qlṣt* "daß unter den Göttinnen keine heftig[151] (ist) (wie du)"; so auch in der Prosa: (von Menschen) 2080:10-12 *ṯn bnh* (:10) *b'lm w aḫth* (:11) *b šrt* (:12) "zwei von seinen Söhnen, zwei Arbeiter, und seine Schwester unter den Sängerinnen (sind dabei)"[152]. Zum Gebrauch vgl. z.B. zu hebräisch *bĕ* 1K 5:20; 2K 18:35; usw. Vgl. ferner oben.

Zuweilen begegnet schon in den vorhandenen Texten ugaritisch *b* mit Regiertem in der letztbehandelten Funktion auch als nähere Bestimmung zum Objekt. Solche Belege sind, dichterisch, in Verbalsätzen: (von Gottheiten) 49:I:17-18 *tn* (:17) *aḥd b bnk* (:18) "gib (mir) einen unter deinen Söhnen!"[153]; (von Tieren) 2Aqht:V:16-18 *'db* (:16) *imr bpḫd lnpš k*[*ṯ*]*r* (:17) *wḫss* (:18) "bereite o.ä. ein in der Herde (vorfindliches) Lamm (= deutsch: ein Lamm aus der Herde) für den Schlund des K[ṯ]r-und-Ḫss!"[154]; ebenso ibid. :22-23. Zum Gebrauch vgl. zu hebräisch *bĕ* Gn 17:23; usw.; vgl. auch oben mit Verweisen.

---

142 Vgl. Virolleaud, *Syria* XXIII (1942-43), S. 150; Gordon, *Ug.lit.*, S. 75; Driver, *Myths*, S. 37; Jirku, *Mythen*, S. 98; Gray, *Krt*², S. 19, 59f.; Astour, *UF* 5 (1973), S. 35.

143 Näheres vgl. Virolleaud, *Ugaritica* V, S. 547; Eißfeldt, *Neue keilalphabetische Texte*, S. 45; Loewenstamm, *UF* 1 (1969), S. 75.

144 Dazu Virolleaud, *Ugaritica* V, S. 551f.; de Moor, *UF* 1 (1969), S. 175f.

145 Zur Stelle vgl. ebenso schon z.B. Driver, *Myths*, S. 29; Ginsberg, *ANET*, S. 143 u.ö.; Jirku, *Mythen*, S. 86; Gray, *Krt*², S. 11, 33f.; usw.; anders Dietrich und Loretz, *AOAT* 18, S. 32f. (*-hn* = Suffixform der 3. Person Singular (*-h* + *-n*)) (morphologisch nicht unmöglich; dazu oben I, S. 62; kontextlich-syntaktisch aber kaum stichhaltig).

146 Vgl. Virolleaud, *PU* II, S. 47ff.

147 Siehe Virolleaud, *PU* II, S. 114f.

148 Zur Lesart vgl. Virolleaud, *PU* II, S. 183 (*ḫḫ* statt *ṯḫ*).

149 Vgl. Virolleaud, *a.a.O.*; Aistleitner, *Wb*, S. 149.

150 Vgl. Virolleaud, *Syria* XXII (1941), S. 211; Gordon, *Ug.lit.*, S. 81; Driver, *Myths*, S. 45; Jirku, *Mythen*, S. 110; Aistleitner, *Texte*, S. 102; Gray, *Krt*², S. 26, 73.

151 Siehe näher Aartun, *Neue Beiträge.*

152 Vgl. schon Virolleaud, *PU* V, S. 106.

153 Vgl. schon z.B. Virolleaud, *Syria* XII (1931), S. 200; Jirku, *Mythen*, S. 68 und andere; anders z.B. Aistleitner, *Wb*, S. 139; Ginsberg, *ANET*, S. 140; Driver, *Myths*, S. 111; usw. ("von"/"of") (nicht der lexikalischen Bedeutung der Form gemäß; vgl. schon oben).

154 Für Analogien aus den verwandten Sprachen vgl. unten; dagegen z.B. Virolleaud, *Danel*, S. 203f. ("avec"); Gordon, *Ug.lit.*, S. 89; Driver, *Myths*, S. 53; Jirku, *Mythen*, S. 120; usw. ("from"/"aus") (in keinem Fall übereinstimmend mit der lexikalischen Bedeutung der Form); vgl. schon vielfach oben.

Einzeln wird vorläufig ugaritisch *b* in letzterer Bedeutung auf *die Zeit* übertragen; so dichterisch in einem (zusammengesetzten) Nominalsatz, namentlich mit syntaktischem Bezug auf das Prädikat: 2Aqht:V:3-6 *whn šb*[ʻ] (:3) *bymm apnk dnil mt* (:4) *rpi a*[*p*]*hn ġzr mt hrnm*[*y*] (:5) *ytšu* (:6) "und siehe, (am) sieben[ten] Tage (wörtlich: (am) sieben[ten] unter den Tagen), dann (wörtlich: auch o.ä.)[155] Dnil, der Rpu-Mann, j[a] (wörtlich: au[ch])[156] siehe, der Held, der Mann aus Hrnm[y][157], erhebt sich". Zum Gebrauch vgl. z.B. zu hebräisch *bĕ* Lv 25:51; usw.; vgl. ferner oben mit Verweisen.

Geläufig ist ferner ugaritisch der Gebrauch der einfachen Form *b*, gleich dem der verwandten hebräischen Form *bĕ* usw., ebenso der oben angegebenen Grundbedeutung gemäß, zur Bezeichnung *des Zieles der Bewegung*. In erster Linie dient diese Anwendung ebenso zur Angabe *des räumlichen Verweilens in der unmittelbaren Nähe* (vgl. oben) (auf deutsch = *an, auf* + *Akkusativ*; *zu* + *Dativ*).

Üblich ist dieser Gebrauch noch nach intransitiven Verben (Bewegungsverben) also zur Angabe des Zieles der Bewegung des Subjektes. Beispiele sind, im eigentlichen Sinn, dichterisch: (bei geographischen Angaben) 49:I:28-29 *apnk ʻṯtr ʻrẓ* (:28) *yʻl bṣrrt ṣpn* (:29) "dann (wörtlich: auch o.ä.)[158] stieg ʻṮtr, der Furchtbare, auf die Höhe(n) des Ṣpn d.h. stieg er auf (und befand sich am Ende am Ziel) auf der Höhe (den Höhen) des Ṣpn"[159]; ebenso 76:III:12 *yʻl bʻl bġ*[*r*] "Baʻl stieg auf den Ber[g]" (zum wörtlichen Sinn vgl. den unmittelbar vorangehenden Fall); ferner ibid. :28-32 *tʻl bh* (vgl. unten) *ġr* (:28) *mslmt bġr tliyt* (:29) *wtʻl bkm barr* (:30) *bm* (vgl. unten) *arr wbṣpn* (:31) *bnʻm bġr t*[*l*]*iyt* (:32) "sie (ʻAnat) stieg auf den Berg Mslmt, auf den Berg Tliyt, und sie stieg auf den Hügel[160], auf Arr, auf Arr und auf Ṣpn, auf den lieblichen (Berg), auf den Berg T[l]iyt"[161]; ebenso (mit folgendem Lokaladverb verbunden) 1Aqht:214 *bat bhlm* "sie ist hierher gekommen d.h. ist gekommen (und befindet sich am Ziel am) hiesigen (Platze)"[162]; vgl. ibid. :213. Noch häufiger steht so aber ugaritisch *b*, wie hebräisch *bĕ* usw., nach transitiven Verben, d.h. zur näheren Angabe des Zieles der Bewegung des Objektes. Derartige Beispiele sind, dichterisch: (bei geographischen Angaben) 62:15-16 *tšʻlynh* (:15) *bṣrrt ṣpn* (:16) "sie (ʻAnat) bringt ihn (Baʻl) auf die Höhe(n) des Ṣpn d.h. bringt ihn hinauf (und läßt ihn am Ziel) auf der Höhe (den Höhen) des Ṣpn"[163]; (von der überirdischen Sphäre) 1Aqht:185-186 *yšʻly dġṯ*[*h*][164] (:185) *bšmym* (:186) "er läßt [sein] Opfer emporsteigen zum Himmel d.h. läßt es emporsteigen mit dem Himmel als dem letzten Ziel"[165]; ebenso ibid. :192; ebenso (von Gebrauchsgegenständen) 128:IV:24 *yd*

155 Vgl. näher unten; vgl. auch schon oben I, S. 50 u.ö.

156 Vgl. oben I, S. 70 u.ö.

157 Wie öfters im Ugaritischen (Semitischen) handelt es sich bei diesem Gebilde funktionell nicht um ein Adjektiv, sondern um ein Substantiv, dem Gebrauch nach = dem Namen der Heimatstadt des Dnil. (Vgl. besonders 1Aqht:186/:193 *dġṯ hrnmy* "das Opfer (der Stadt) Hrnmy"; anders de Moor, *JNES* XXIV (1965), S. 355f. (kontextlich-syntaktisch nicht aufrechtzuerhalten)). Vgl. sonst schon Gordon, *Ug.lit.*, passim; Ginsberg, *ANET*, passim; usw. Zum genannten Typus vgl. ferner ugaritisch z.B. 67:V:13 Knkny = "Name eines Berges"; 2095:2 *Alṯyy* = "Name eines Ortes bzw. einer Stadt" (|| 2095:4 *mṣrm* "Ägypten") (Gordon, *Textbook*, S. 360). Zur Morphologie vgl. ferner Brockelmann, *Grundriß* I, S. 398f. (mit zahlreichen Belegen).

158 Vgl. schon oben I, S. 50 u.ö.; vgl. ferner unten.

159 Vgl. Virolleaud, *Syria* XII (1931), S. 196 ("sur"); ferner Gordon, *Ug.lit.*, S. 44 ("into"); Driver, *Myths*, S. 111 ("to"); Jirku, *Mythen*, S. 68 ("auf" + *Akkusativ*); usw. Für Analogien dieses Gebrauchs in den verwandten Sprachen vgl. unten.

160 Siehe Aartun, *WdO*, IV,2 (1968), S. 291f.

161 Zur Stelle vgl. ferner z.B. Gordon, *Ug.lit.*, S. 51; Driver, *Myths*, S. 119; usw.; demgegenüber Dietrich – Loretz – Sanmartín, *UF* 5 (1973), S. 84f.

162 Siehe genauer oben I, S. 3 mit Verweisen.

163 Vgl. Virolleaud, *Syria* XV (1934), S. 229 ("sur"); ferner Gordon, *Ug.lit.*, S. 43 ("into"); Driver, *Myths*, S. 109 ("to"); Jirku, *Mythen*, S. 65 ("auf" + *Akkusativ*); usw.; für genaue Analogien vgl. ferner unten.

164 Vgl. Herdner, *Corpus*, S. 91.

165 Vgl. schon Virolleaud, *Danel*, S. 173f. ("dans"); ferner Gordon, *Ug.lit.*, S. 100 u.ö. ("into"); Aistleitner, *Wb*, S. 231 u.ö. ("in" + *Akkusativ*); usw.; anders de Moor, *JNES* XXIV (1965), S. 356; Parker, *UF* 4 (1972), S. 101.

bṣʿ tšlḥ "sie legt die Hand an den Becher"[166]; ebenso ibid. :V:7; hierhergehörend ist auch (beim Passiv) (von Gebäuden) 51:VI:22-23 *tšt išt bbhtm* (:22) *nblat bhklm* (:23) "Feuer wurde an den Palast gelegt, Brand an den Tempel"[167]. Zum Gebrauch vgl. analog z.B. zu hebräisch *bĕ* Jos 18:12; Gn 9:13; Lv 24:20; usw.; vgl. ferner besonders Brockelmann, *Grundriß* II, S. 363.

Ebenso wird in mehreren Fällen ugaritisch *b*, wie hebräisch *bĕ* usw., im letztgenannten Sinn, in uneigentlicher Bedeutung angewandt. Derartige Belege sind, dichterisch, nach intransitiven Verben, von der Bewegung des Subjektes: (mit folgendem Abstraktum verbunden) 3Aqht rev. 27 *tlk bṣd* "du sollst auf die Jagd gehen" (zum wörtlichen Sinn vgl. schon oben); ebenso (nach Verben der Gemütsbewegung resp. der feindlichen Gesinnung) (entsprechend deutsch: *auf, gegen + Akkusativ*) (von Gottheiten) 137:24 *bhm ygʿr bʿl* "auf sie (die Götter) schilt Baʿl"[168]; ebenso 601 obv. 11-12, :14; 1001 obv. 9 *ʿlt baby* "sie hat sich eines Verbrechens gegen meinen Vater schuldig gemacht"; ebenso ibid. :10[169]; ferner aus der Prosa, nach transitiven Verben, von der Bewegung des Objektes: (von einem Körperteil) (mit syntagmatischer Voranstellung (vgl. oben)) 1013: 22-24 *w ap mhkm* (:22) *b lbk al* (:23) *tšt* (:24) "und auch sollst du dir nichts zu Herzen nehmen"[170]; 2059: 26-27 *w aḫy mhk* (:26) *b lbh al yšt* (:27) "und mein Bruder soll sich nichts zu Herzen nehmen"[171]. Vgl. auch unten. Zum Gebrauch vgl. z.B. zu hebräisch *bĕ* Hos 5:7; Esr 10:2; 1S 21:13; usw.; ferner Brockelmann, *Grundriß* II, S. 364 und andere.

Ferner wird dementsprechend ugaritisch *b*, wie hebräisch *bĕ* usw., ebenfalls vielfach zur Angabe des Zieles der Bewegung namentlich mit Bezug auf *das Verweilen in der Mitte, im Innern des Ortes, Gebietes* u. dgl. (vgl. schon oben) (= deutsch: *in + Akkusativ*) gebraucht.

Belege letzterer Art sind, im eigentlichen Sinn, zunächst nach intransitiven Verben (Bewegungsverben), von der Bewegung des Subjektes, dichterisch: (bei geographischen Bestimmungen) 2001 obv. 3 *tlk bmdbr* "du sollst in die Wüste gehen d.h. sollst gehen (bis zum Gelangen ans Ziel) in der Wüste"[172]; desgleichen 1Aqht:213 *bat bḏdk* "sie ist in dein Territorium o.ä. gelangt" (vgl. zum unmittelbar vorangehenden Fall); ferner auch 75: I:19-20 *wzi* (:19) *baln* (:20) "und geh hinaus in den Hain!"[173]; (vom Innern der Erde) 62:7-8 *nrd* (:7) *barṣ* (:8) "wir wollen in die Erde hinabsteigen d.h. wollen hinabsteigen (bis zum Gelangen ans Ziel) in der Erde"; ebenso 67:VI:25; vgl. vielleicht auch 51:VIII:7-8; 67:V:14-15[174]; (von Gebäuden) 77:18-19 *tʿrbm bbh* (:18) *th* (:19) "sie trete ein in seinen Palast d.h. trete ein (und gelange ans Ziel) in seinem Palast"[175]; 1Aqht:171-172 *ʿrb b* (:171) *kyt bhklh mšspdt bḥẓrh* (:172) "es traten die Weinenden ein in seinen Tempel, die Klagefrau-

---

166 Vgl. Virolleaud, *Syria* XXIII (1942-43), S. 164f. ("sur"); Gordon, *Ug.lit.*, S. 76 ("into"); Driver, *Myths*, S. 39 ("to"); Jirku, *Mythen*, S. 100 ("an" + *Akkusativ*); Aistleitner, *Wb*, S. 305 u.ö. ("in" + *Akkusativ*); usw.

167 Vgl. Virolleaud, *Syria* XIII (1932), S. 146f.; Gordon, *Ug.lit.*, S. 34; Ginsberg, *ANET*, S. 134; Driver, *Myths*, S. 99; Jirku, *Mythen*, S. 49; usw.

168 Vgl. Jirku, *Mythen*, S. 22; Aistleitner, *Wb*, S. 68 u.ö.; usw.

169 Siehe Aartun, *Neue Beiträge*. Zum Sprachtypus vgl. ferner auch in unseren Sprachen z.B. lateinisch: *peccare, delinquere in aliquo/in re* bzw. *in c. acc. = gegen* (Kühner-Stegmann, *Grammatik* II, S. 563).

170 Zum Bau des Syntagma vgl. Brockelmann, *Grundriß* II, S. 439f. Vgl. auch oben I, an mehreren Stellen.

171 Vgl. zum unmittelbar vorangehenden Fall.

172 Oder: "sie geht usw.". Vgl. Virolleaud, *PU* V, S. 3 ("s'en va dans le désert").

173 Hierzu vgl. schon z.B. Lökkegaard, *Act.Or.* XXII (1955-57), S. 11; Aistleitner, *Wb*, S. 134; ferner Gordon, *Ug.lit.*, S. 53 u.ö. Vgl. ferner Gn 12:6 *ʾēlōn mōræ*; Dt 11:30 *ʾēlōnē mōræ* (daneben z.B. Gn 35:8 *ʾallōn*; Jes 2:13 *ʾallōnē* usw.) (siehe die Lexika). Zu anderer Deutung bzw. Kombination vgl. z.B. Virolleaud, *Syria* XVI (1935), S. 252 (dazu schon oben); Gray, *UF* 3 (1971), S. 62f. (dem Kontext und Stil nach kaum zutreffend).

174 Dazu vgl. aber Gordon, *Textbook*, S. 404; Aistleitner, *Wb*, S. 116; de Moor, *AOAT* 16, S. 185 mit Verweisen.

175 Vgl. Virolleaud, *Syria* XVII (1936), S. 216; Jirku, *Mythen*, S. 78; Aistleitner, *Texte*, S. 64; usw.; vgl. auch oben I, S. 57.

en in seinen Hof"; Krt:26 *y'rb bḥdrh* "er trat ein in sein Gemach"[176]; ebenso 2Aqht:V:6 *yṯb bap ṯġr* "er setzte sich ins Tor (wörtlich: er setzte sich (auf seinen Sessel) in der Öffnung des Tores)"[177]; (von Gebrauchsgegenständen) 75:II:37 *npl bmšmš* "er (Ba'l) ging in die Falle (wörtlich: fiel hinein (und blieb stecken) in der Falle)"[178]; ebenso ibid. :56 *km ibr btk mšmš* "(er fiel hinein) wie ein Rind (und blieb stecken) in der Mitte der Falle"; ferner (mit folgendem Abstraktum) Krt:159 *'rb bẓl ḫmt* "er trat ein in den Schatten des Zeltes d.h. trat ein (und verweilte) im Schatten des Zeltes"; (von Exkrementen) 601 obv. 21 *bḫrih wṯnth ql il* "in seinen Kot und Urin fiel Il"[179]; ferner (von göttlichen Körperteilen) 67:I:6-7 *lyrt* (:6) *bnpš bn ilm mt* (:7) "möchtest du hinabsteigen in den Schlund des Sohnes des Il, Mt" (vgl. oben); 67:II:3-4 *y'rb* (:3) *[b']l bkbdh bph yrd* (:4) "es tritt ein [Ba']l in sein Inneres, in seinen Mund steigt er hinab" (vgl. ebenfalls oben); ebenso 52:62 *wl'rb bphm 'ṣr šmm* "und, fürwahr, es traten ein in ihren Mund die Vögel des Himmels"; ferner nach transitiven Verben, von der Bewegung des Objektes: (von der Stadt) 602 rev. 9-11 *'zk ḏmrk l* (:9) *ak ḥtkk nmrtk btk* (:10) *ugrt* (:11) "deinen Schutz, deine Hut, sende, deine . . . , deine . . . , in die Mitte von Ugarit d.h. (zum Verweilen) in der Mitte von Ugarit!"[180]; (von der göttlichen Grabstätte) 62:17-18 *tštnn bḫrt* (:17) *ilm arṣ* (:18) "sie ('Anat) legt ihn (Ba'l) in die Höhle der Götter der Erde d.h. legt ihn (zu seiner Ruhe) in der Höhle der Götter der Erde"[181]; ebenso 67:V:5-6; 1Aqht:112, :126-127, :140-141; (von Gebäuden) 52:36 *yš[t] bbth* "er le[gt] (sie d.h. die beiden glühenden Scheite) in sein Haus d.h. brin[gt] (sie an ihre Stelle) in seinem Haus"; 1Aqht:67 *tštk bqrbm asm* "könnte sie dich legen in die Mitte des Speichers" (vgl. oben); vgl. auch 606:9[182]; 51:VI:44-45 *ṣḥ aḫh bbhth a[r]yh* (:44) *bqrb hklh* (:45) "er rief (d.h. lud ein) seine Brüder in seinen Palast, seine Ver[wa]ndten inmitten seines Tempels" (vgl. oben); ebenso 123:2, :20; vgl. auch 51:V:75-76, :91-93, :98-99; (von Gebrauchsgegenständen) 1Aqht:207 *ḥrb tšt bt'r[th]* "das Schwert legt sie in [seine] Schei[de]" (vgl. oben); ebenso Krt:71-72 *ṣ[q bg]l ḥtt* (:71) *yn bgl [ḫ]rṣ nbt* (:72) "gie[ße in einen Be]cher aus Silber Wein, in einen Becher aus [Go]ld Honig!"[183]; desgleichen ibid. :164-165; (vom Hohlraum der Hand) 51:II:32 *qḥ rṯt bdk* "nimm ein Netz in deine Hand d.h. (zum Ruhen) in deiner Hand!"; so auch 76:II:6 *qšthn aḫd bydh* "seinen Bogen nahm er in die Hand (wörtlich: in seine Hand)"[184]; 125:47 *[m]rḥh yiḫd byd* "seine [La]nze nahm er in die Hand"; 137:39 *[yuḫ]d byd mšḫt* "die Waffe [ni]mmt er in die Hand"; 603 rev. 6 *tiḫd knrh byd[h]* "sie nimmt ihre Zither in die Hand (wörtlich: in [ihre] Hand)"[185]; 2Aqht:V:26-27 *bd dnil ytnn* (:26) *qšt* (:27) "in die Hand des Dnil gibt er den Bogen"; 'nt:I:10-11 *ytn ks bdh* (:10) *krpnm bklat ydh* (:11) "sie (die Schar der Diener)[186] gibt einen Becher in seine Hand, einen Krug in seine beiden Hände"; Krt:159-160 *lqḥ* (:159) *imr dbḥ bydh* (:160) "er nahm ein Opferlamm in seine Hände"; ebenso (von der Substanz) 128:IV:25 *ḥrb*

---

176 Vgl. z.B. Virolleaud, *Keret*, S. 35; Pedersen, *Berytus* 6 (1939-41), S. 69; Jirku, *Mythen*, S. 86; Aistleitner, *Texte*, S. 89; usw.

177 Zur Stelle vgl. sonst z.B. Jirku, *Mythen*, S. 120; Aistleitner, *Texte*, S. 70; demgegenüber z.B. Gordon, *Ug. lit.*, S. 88; Schoors, *Parallels*, S. 59. Zum doppelten Aspekt des Verbs *yṯb* (= hebräisch *yšb* usw.) "sich setzen, sitzen" (dem Zusammenhang nach ist an dieser Stelle erstere Bedeutung vorzuziehen) vgl. besonders Aartun, *Tempora*, S. 44ff.

178 Vgl. Aistleitner, *Texte*, S. 56; *Wb*, S. 196; ferner z.B. Virolleaud, *Syria* XVI (1935), S. 261; Gordon, *Ug. lit.*, S. 55; demgegenüber Kapelrud, *Ugaritica* VI, S. 327.

179 Vgl. schon z.B. Loewenstamm, *UF* 1 (1969), S. 76; de Moor, *ibid.*, S. 169, 173 mit Verweisen.

180 Hierzu vgl. besonders de Moor, *UF 1* (1969), S. 176, 179 mit Verweisen; vgl. auch Gordon, *Supplement*, S. 555f.

181 Vgl. z.B. Virolleaud, *Syria* XV (1934), S. 229f.; Gordon, *Ug.lit.*, S. 43; Jirku, *Mythen*, S. 65; usw.; ferner Aistleitner, *Texte*, S. 18 ("sie setzte ihn bei in der Gruft des Gottes, in der Erde").

182 Vgl. Virolleaud, *Ugaritica* V, S. 563; de Moor, *UF* 2 (1970), S. 304f.

183 Zu dieser landläufigen Deutung vgl. z.B. Ginsberg, *ANET*, S. 143 u.ö.; Gordon, *Ug.lit.*, S. 68; Driver, *Myths*, S. 29; Jirku, *Mythen*, S. 87; Aistleitner, *Texte*, S. 90; Gray, *Krt*², S. 12; dagegen z.B. Gordon, *Ug. and Min.*, S. 103 ("from") (dazu vgl. schon oben).

184 Dazu vgl. schon Virolleaud, *Syria* XVII (1936), S. 154; Dussaud, *ibid.*, S. 286; Gordon, *Ug.lit.*, S. 50; Aistleitner, *Texte*, S. 53; van Zijl, *AOAT* 10, S. 243f.; usw.; vgl. ferner besonders oben I, S. 62 Anmerkung 2 (gegen Ginsberg, *Orientalia* VII (1938), S. 6).

185 Vgl. Virolleaud, *Ugaritica* V, S. 558f.; de Moor, *UF* 1 (1969), S. 180f.; Lipiński, *UF* 3 (1971), S. 82.

186 Siehe Aartun, *WdO*, IV,2 (1968), S. 294f.

bbšr tštn "a knife she puts into the meat"[187]; ebenso ibid. :V:8; aus der Prosa: (von einem Körperteil) 55 und 56 passim: *yṣq baph* "man gießt (es) in seine Nase d.h. gießt (es) hinein (zum Liegen) in seiner Nase"[188]; ferner (von der Schreibtafel) 2106:1-3 *spr npš d* (:1) *ʿrb bt mlk* (:2) *w b spr l št* (:2) "Liste der Seelen, die in das Haus des Königs eintraten und die nicht in die Liste gesetzt wurden" (vgl. schon oben); ebenso 54:18-19 *w št* (:18) *b spr ʿmy* (:19) "und lege (es) d.h. schreibe (es) in einem Brief an mich!"[189]. Zum Gebrauch vgl. z.B. zu hebräisch *bĕ* Ri 11:18; 1S 4:3; 9:5; 14:25; Jes 2:19; Gn 19:8; 31:33; Lv 26:41; 2K 19:28; usw.; ferner zu arabisch *bi* usw. Reckendorf, *Synt. Verh.*, an verschiedenen Stellen; Brockelmann, *Grundriß* II, S. 363 und andere.

Letzterer Gebrauch von ugaritisch *b* ist auch mehrfach in uneigentlichem Sinn nachgewiesen, wie nach intransitiven Verben, von der Bewegung des Subjektes, in der Prosa: (übertragen von der Vertretung) (d.h. im Syntagma: *ʿrb b* (vgl. oben) + N.N., auf deutsch: "in (die Stelle eines andern) eintreten = bürgen für") 1161:1-4 *spr ʿrbnm* (:1) *dt ʿrb* (:2) *b mtn bn ayaḫ* (:3) *b ḫbṯh* (:4) "Liste der Bürgen, die gebürgt haben für Mtn, den Sohn des Ayaḫ (und) für seinen *ḫbṯ*"[190]; ebenso 2046:1; 2079 passim; 2106:12-13; vgl. auch 2054 passim[191]; ebenso nach einem transitiven Verb, von der Bewegung des Objektes, dichterisch: (mit folgendem Abstraktum) 127:32 *šqlt bǵlt ydk* "du hast fallen lassen in Ungerechtigkeit o.ä. deine Hand (d.h. du hast ungerecht gehandelt)" (vgl. oben). Zum Gebrauch vgl. z.B. zu hebräisch *bĕ* Pr 26:27; Ri 15:18; 1S 18:25; usw.; vgl. auch oben mit Verweisen.

Seltener bezeichnet ugaritisch *b*, wie hebräisch *bĕ* usw., bei der Angabe des Ziels der Bewegung, *das Verweilen in der Mitte der Menge* (vgl. oben) (= deutsch: *unter* + *Akkusativ*).

Im Material ist letztere Anwendung vorläufig nur, in übertragenem Sinn, nach einem transitiven Verb, von der Bewegung des Objektes zu belegen, wie dichterisch: (Passivkonstruktion) 51:VIII:8-9 *tspr by* (:8) *rdm arṣ* (:9) "ihr sollt gerechnet werden unter diejenigen, die in die Erde hinabsteigen d.h. sollt gerechnet werden (und euch daher als Gerechnete befinden) in (der Mitte der Menge von) denen, die in die Erde hinabsteigen"[192]; ebenso 67:V:15-16. Zum Gebrauch vgl. analog z.B. zu hebräisch *bĕ* Lv 26:25; Ps 135:9; usw.; vgl. ferner oben.

Ebenso kann ugaritisch *b*, wie die etymologisch verwandten Formen im Semitischen (vgl. unten), im engsten Anschluß an den eben behandelten Gebrauch, auch zur Bezeichnung des sich Befindens *im Gefolge, in der Gefolgschaft u.ä.*, d.h. von *der Gemeinschaft, der Begleitung u. dgl.* (= deutsch: *mit* + *Dativ*), angewandt werden (sogenannte komitative Anwendung).

Im vorliegenden Material findet sich dieser Gebrauch, mit syntaktischem Bezug auf das Prädikat, in Nominalsätzen, wie dichterisch: (von dem begleitenden Gegenstand) 52:27 *hlkm bdbḥ nʿmt* "die gehen (kommen) in (Begleitung von) dem Opfer der Lieblichkeit d.h. die gehen (kommen) mit dem lieblichen Opfer"[193]; aus der Prosa: 1013:12-14 *hlny ʿmn* (:12) *mlk b ṯy ndr* (:13) *iṯt* (:14) "ich bin hier bei dem König in (Begleitung von)d.h. mit dem gelobten Geschenk"[194]; ebenso (von der Person) 1166:1-2 [*ṯ*]*mnym dd* (:1) *šʿrm b*

[187] Gordon, *Ug.lit.*, S. 76; *Textbook*, S. 94; vgl. ferner Driver, *Myths*, S. 39; Virolleaud, *Syria* XXIII (1942-43), S. 164; usw.

[188] Vgl. Virolleaud, *Syria* XV (1934), S. 75ff.; Aistleitner, *Wb*, S. 135.

[189] Vgl. z.B. Dhorme, *Syria* XIV (1933), S. 236; Rainey, *UF* 3 (1971), S. 160.

[190] Dazu Virolleaud, *PU* II, S. 188f.; Gordon, *Textbook*, S. 461; Aistleitner, *Wb*, S. 242; Eißfeldt, *Neue keilalphabetische Texte*, S. 23; Dietrich – Loretz – Sanmartín, *UF* 6 (1974), S. 467.

[191] Siehe Virolleaud, *PU* V, S. 69.

[192] Vgl. Virolleaud, *Syria* XIII (1932), S. 160; Hammershaimb, *Verb*, S. 11; Gordon, *Ug.lit.*, S. 37; *Textbook*, S. 94; Gray, *Legacy*, S. 50; Jirku, *Mythen*, S. 54.

[193] Zur Stelle vgl. ferner Gordon, *Ug.lit.*, S. 59; Driver, *Myths*, S. 123; Jirku, *Mythen*, S. 82; Aistleitner, *Texte*, S. 59; Tsumura, *Ugaritic drama*, S. 10, 58; usw.

[194] Hierzu vgl. schon oben I, S. 30 mit Verweis auf de Moor, *JNES* XXIV (1965), S. 357f.; ebenso Dietrich – Loretz – Sanmartín, *UF* 6 (1974), S. 459.

ṯydr (:2) "[ach]tzig Töpfe Gerste (sind abgeschickt) mit Ṯydr" (zum wörtlichen Sinn vgl. zu den vorangehenden Fällen)[195]. Vgl. ferner unten zu *b-m*. Zum Gebrauch vgl. analog z.B. zu hebräisch *bĕ* 1S 17:45; Gn 32:11; 1K 10:2; Dt 23:5; usw.; zu aramäisch *bV* z.B. Cantineau, *Gram. du palm. épigr.*, S. 137; Macuch, *Handbook*, S. 422; zu arabisch *bi* z.B. Qur. 26:89; 19:28(27); zu altsüdarabisch *b* Beeston, *Grammar*, S. 54; zu äthiopisch *ba* Praetorius, *Gram.*, S. 134 u.ö. Vgl. ferner besonders Brockelmann, *Grundriß* II, S. 364f.

Nur vereinzelt bezieht sich vorläufig ugaritisch *b* + Regiertem im genannten komitativen Sinn auf das Subjekt, wie in der Prosa: (von der Person) 2052:2-3 *arbʿm bḫzr* (:2) *lqḥ šʿrt* (:3) "vierzig (Personen) in (Begleitung von) Ḫzr haben die Haare gekauft (wörtlich: genommen)"[196]. Zum Gebrauch vgl. oben; ferner Brockelmann, *Grundriß* II, S. 271; usw.

Ebenso nur an zwei poetischen Stellen bezieht sich im Material ugaritisch *b* mit Regiertem komitativ auf das Objekt, nämlich: (von verschiedenen Materien) 1Aqht:145-146 *wyqḥ bhm* (:145) *aqht* (:146) "und damit (wörtlich: darin d.h. in (den betreffenden Substanzen = zusammen mit) dem Fett und den Knochen) ergreift er den Aqht heraus"[197]; ebenso 51:V:68-69 *ʿdn mṭrh* (:68) *bʿl yʿdn ʿdn ṯkt bglṯ* (:69) "Baʿl setzt die Zeit seines Regens fest, die Zeit des Umherziehens mit (wörtlich: in (Begleitung von)) Schnee"[198] (vgl. oben). Zum Gebrauch vgl. schon oben; ferner Brockelmann, *Grundriß* II, S. 271.

Ferner kann, ebenso wie analog in den verwandten Sprachen (vgl. unten), und zwar direkt an den letztbesprochenen Gebrauch anknüpfend, ugaritisch *b* dazu dienen, *das Mittel, das Werkzeug u. dgl.* einzuführen, *in dessen Berührung, Gesellung u. dgl.* eine Tätigkeit ausgeführt wird (= deutsch: *auf, in, bei, mit* + *Dativ*; *durch* + *Akkusativ*).

In eigentlichem Sinn findet sich dieser Gebrauch, mit syntaktischem Bezug auf das Prädikat, dichterisch, in Verbalsätzen nach intransitiven Verben: (von Gebrauchsgegenständen) 602 obv. 3-4 *wyḏmr* (:3) *bknr wṯlb btp wmṣlṯm* (:4) "er spielt auf der Zither und der Flöte, auf der Pauke und den Zymbeln"[199]; ebenso nach transitiven Verben: 49:I:38-39 [*t*]*šabn brḥbt* (:38) [*tš*]*abn bkknt* (:39) "[sie schö]pfen mit (wörtlich: in) Krügen, [sie schöp]fen mit (wörtlich: in) Fässern"[200]; 49:II:31-34 *bḥrb* (:31) *tbqʿnn bḥṯr tdry* (:32) *nn bišt tšrpnn* (:33) *brḥm tṭḥnn* (:34) "mit (wörtlich: an, bei) dem Schwerte schlitzt sie ihn auf, mit (wörtlich: in) der Getreideschwinge worfelt sie ihn, mit (wörtlich: in) dem Feuer verbrennt sie ihn, mit (wörtlich: an, bei) den Mühlsteinen zermalmt sie ihn"[201]; ebenso ibid. :V:12-16; ferner ʿnt:I:6-8 *ybrd ṯd lpnwh* (:6) *bḥrb mlḥt* (:7) *qṣ mri* (:8) "sie (die Schar der Diener) setzt(e) ihm eine Brust vor, mit (vgl. oben) blankem Messer (wörtlich: Schwert) das Bruststück eines Maststiers"[202]; ebenso 51:III:41-43; :VI:56-58; 2Aqht:VI:4; 67:VI:17-19 *ġr babn* (:17) *ydy psltm byʿr* (:18) *yhdy* (:19) "er zerkratzt sich die Haut mit (wörtlich: an) einem Stein, macht sich (zwei) Einschnitte mit einem rauhen (Stein)"[203]; ebenfalls 49:V:2-3 *rbm ymḫṣ bktp* (:2) *dkym ymḫṣ bṣmd*

195 Vgl. Virolleaud, *PU* II, S. 192, 225; Gordon, *Textbook*, S. 502; Aistleitner, *Wb*, S. 334.

196 Vgl. Virolleaud, *PU* V, S. 67; vgl. auch *ibid.*, S. 158.

197 Dagegen z.B. Gordon, *Ug.lit.*, S. 98; *Textbook*, S. 95f. (§ 10.5); Driver, *Myths*, S. 63; Jirku, *Mythen*, S. 134; Aistleitner, *Texte*, S. 80; Ullendorff, *Orientalia* XX (1951), S. 273 und andere; dazu vgl. schon oben.

198 Zur Lesart und Interpretation siehe schon Aartun, *WdO*, IV,2 (1968), S. 280f. mit Verweisen; ferner de Moor, *AOAT* 16, S. 148; demgegenüber Caquot und Sznycer, *Textes*, S. 411; Lipiński, *UF* 3 (1971), S. 86f.; van Zijl, *AOAT* 10, S. 107f. (nach Kapelrud, *Baal*, S. 93).

199 Vgl. Virolleaud, *Ugaritica* V, S. 581f.; de Moor, *UF* 1 (1969), S. 175f. Für Analogien aus den verwandten Sprachen vgl. unten.

200 Vgl. schon z.B. Gordon, *Ug.lit.*, S. 44; Aistleitner, *Wb*, S. 291 (ferner 152); *Texte*, S. 19; anders z.B. Driver, *Myths*, S. 111; Jirku, *Mythen*, S. 68 ("from"/"aus"); dazu vgl. oben.

201 Vgl. schon z.B. Virolleaud, *Syria* XII (1931), S. 206; Gordon, *Ug.lit.*, S. 45; *Textbook*, S. 94; Driver, *Myths*, S. 111; Jirku, *Mythen*, S. 69f.; usw.

202 Ebenso Gordon, *Ug.lit.*, S. 17; Driver, *Myths*, S. 83; Jirku, *Mythen*, S. 26; Aistleitner, *Texte*, S. 24; usw.

203 Zur Stelle siehe genauer Aartun, *WdO*, IV,2 (1968), S. 286f.; vgl. ferner Driver, *Ugaritica* VI, S. 185.

(:3) "den Großen schlägt er mit (wörtlich: an) der Klinge, den Kräftigen schlägt er mit (wörtlich: an) der Keule" (vgl. oben I, S. 52); (von einem Metall) (Passivkonstruktion) 51:I:32 *nbt bksp* "geschmückt mit (wörtlich: in) Silber"[204]; (von Körperteilen) 67:I:19-20 *bklat* (:19) *ydy ilḥm* (:20) "mit beiden Händen (wörtlich: im (Hohlraum) der beiden Hände (vgl. oben)) esse ich (sie)"[205]; (von Opfern) Krt:77-79 *šrd bʿl* (:77) *bdbḥk bn dgn* (:78) *bmṣdk* (:79) "bringe Baʿl herab mit (wörtlich: in) deinem Opfer, den Sohn des Dgn mit (wörtlich: in) deinem Speiseopfer!"[206]; ebenso ibid. :169-171; (von fließenden Substanzen) ʿnt:II:34-35 [*t*]*rḥṣ ydh bdm ḏmr* (:34) [*u*]*ṣbʿth bmmʿ mhrm* (:35) "[sie wä]scht ihre Hände im Blut der Kämpfer, ihre [Fin]ger im Blutgerinsel der Krieger"[207]; 127:10 *trḥṣ nn bdʿt* "sie wäscht ihn mit (wörtlich: in) Schweiß"[208]. Hieran schließt sich auch, wie in den verwandten Sprachen, der Gebrauch von ugaritisch *b* nach Verben der Fülle u. dgl. (= deutsch: *an*); (von der Materie als dem füllenden Gegenstand) ʿnt:I:15-16 *alp* (:15) *kd yqḥ bḫmr* (:16) "tausend Krüge umfaßt er (wörtlich: nimmt er) an Wein"[209]; ferner in Nominalsätzen: (von der Waffe) Krt:20-21 *mšbʿt hn bšlḥ* (:20) *ttpl* (:21) "ein Siebentel (von ihnen), siehe, es fiel durch den Speer (wörtlich: an, bei der Wurfwaffe)" (vgl. oben)[210]; vgl. auch 107 passim (kultischer Text)[211]; (von Körperteilen) 75:I:40-41 *bʿl ngṯhm bpʿnh* (:40) *wil hd bḫrẓʿh* (:41) "Baʿl nähert sich ihnen mit (wörtlich: in) seinen Füßen, und der Gott Hd mit (wörtlich: in) seinen Beinen"[212]; 1Aqht:160 *riš ġly bd nsʿk* "(dein) Haupt werde gesenkt durch (vgl. oben) die Hand deines Vertreibers"; vgl. ferner 613:29-30[213] (Prosatext). Zum Gebrauch vgl. analog z.B. zu hebräisch *bĕ* Jes 31:8; Ex 29:4; Lv 8:32; usw.; zu phönizisch *b* Friedrich, *Gram.*, S. 116 (2. Aufl., S. 127); zu aramäisch *bV* Cantineau, *Gram. du palm. épigr.*, S. 137; Macuch, *Handbook*, S. 422; Nöldeke, *Syr. Gram.*, S. 184f.; zu arabisch *bi* Wright II, S. 160 C-D; zu altsüdarabisch *b* Beeston, *Grammar*, S. 54; Höfner, *Gram.*, S. 141; zu äthiopisch *ba* Praetorius, *Gram.*, S. 134; usw.; vgl. ferner Brockelmann, *Grundriß* II, S. 365f.[214].

Mit syntaktischem Bezug auf das Subjekt steht letzterer Gebrauch von ugaritisch *b* vereinzelt in der Prosa, wie (vom Metall) 1122:1-2 *ṯlṯ mrkb*[*t*] (:1) *ṣpyt bḫrṣ* (:2) "drei mit (wörtlich: in) Gold überzogene Wa-

204 Ebenso z.B. Gordon, *Ug.lit.*, S. 28; *Textbook*, S. 441; Driver, *Myths*, S. 93; al-Yasin, *Lex. rel.*, S. 146; anders z.B. Jirku, *Mythen*, S. 39; Aistleitner, *Texte*, S. 37 ("von, aus"); dazu vgl. schon oben.

205 So schon z.B. Gordon, *Ug.lit.*, S. 39; Driver, *Myths*, S. 103f.; Jirku, *Mythen*, S. 57; anders z.B. Virolleaud, *Syria* XV (1934), S. 307 ("de"); Aistleitner, *Texte*, S. 15 ("aus"); dazu vgl. oben.

206 Ebenso z.B. Driver, *Myths*, S. 31; Sauren und Kestemont, *UF* 3 (1971), S. 196; van Zijl, *AOAT* 10, S. 280f.; usw.; vgl. ferner Pedersen, *Berytus* 6 (1939-41), S. 75; Gordon, *Ug.lit.*, S. 69; Jirku, *Mythen*, S. 87; Gray, *Krt*², S. 12, 38.

207 Ebenso z.B. Virolleaud, *Déesse*, S. 25; Gordon, *Ug.lit.*, S. 18; Driver, *Myths*, S. 85; Jirku, *Mythen*, S. 28; anders z.B. Cassuto, *Goddess*, S. 88f.; Ginsberg, *ANET*, S. 136; de Moor, *AOAT* 16, S. 96 ("of"); Aistleitner, *Texte*, S. 26 ("von"); dazu vgl. schon oben.

208 Vgl. schon zum unmittelbar vorangehenden Fall; anders z.B. Gordon, *Ug.lit.*, S. 81; Ginsberg, *ANET*, S. 148; Driver, *Myths*, S. 45 ("of"); Jirku, *Mythen*, S. 112; Aistleitner, *Texte*, S. 103 ("von"); Sauren und Kestemont, *UF* 3 (1971), S. 219 ("de"); usw.

209 Ebenso schon Jirku, *Mythen*, S. 26; demgegenüber aber z.B. Gordon, *Ug.lit.*, S. 17; Dahood, *Biblica* 45 (1964), S. 408 ("from"); Ginsberg, *ANET*, S. 136; Driver, *Myths*, S. 83; de Moor, *AOAT* 16, S. 67 ("of"); Aistleitner, *Texte*, S. 25 ("von"); Lipiński, *UF* 2 (1970), S. 77 ("de"); dazu vgl. schon oben.

210 Vgl. schon Gordon, *Ug.lit.*, S. 67; Ginsberg, *ANET*, S. 143; Driver, *Myths*, S. 29; Gray, *Krt*², S. 11, 33 ("by"); Jirku, *Mythen*, S. 85; Aistleitner, *Texte*, S. 89; Dietrich und Loretz, *AOAT* 18, S. 32f. ("durch").

211 Hierzu vgl. schon besonders Dhorme, *Syria* XIV (1933), S. 231f. ("par"); Gordon, *Ug.lit.*, S. 109 ("by"); usw. Zum Sprachtypus vgl. z.B. zu hebräisch *bĕ* Gn 21:23 (*bēlōhīm*); 1S 17:43 (*bēlōhāw*); zu arabisch *bi* (*bi-l-Lāhi*), und besonders zu altsüdarabisch *b* (*b* + einem Gottesnamen usw.); siehe Brockelmann, *Syntax*, S. 97 (§ 106 d); Reckendorf, *Synt. Verh.*, S. 194; Wright II, S. 175 D; Beeston, *Grammar*, S. 54; usw.

212 Vgl. schon Gordon, *Ug.lit.*, S. 54; Aistleitner, *Texte*, S. 56; Kapelrud, *Ugaritica* VI, S. 321; demgegenüber z.B. Lökkegaard, *Act.Or.* XXII (1955-57), S. 11; Gray, *UF* 3 (1971), S. 64 u.ö. Zum vorliegenden Fall vgl. auch in unseren Sprachen z.B. deutsch: "in nackten Füßen" usw.

213 Siehe de Moor, *UF* 2 (1970), S. 323f.; vgl. ferner Virolleaud, *Ugaritica* V, S. 592f.

214 Zu den oft genauen analogen Gebräuchen in unseren Sprachen, vornehmlich in älteren Sprachstadien, wie z.B. im Altgriechischen (*ʼεν*), im Althochdeutschen (*in*) usw., wobei also auch nachweisbar in allen Fällen "das Mittel rein räumlich aufgefaßt wird", siehe ausdrücklich Kühner-Gerth, *Grammatik* II, S. 464ff.

gen"[215]. Vgl. die Parallele ibid. :2 (mit angefügtem Relativsatz). Zum Gebrauch vgl. oben mit Verweisen; ferner Brockelmann, *Grundriß* II, S. 271f.

Mehrfach bezeugt ist auch schon letzterer Gebrauch von ugaritisch *b* in uneigentlicher Bedeutung. Vorläufig beziehen sich alle derartigen Fälle syntaktisch auf das Prädikat, wie dichterisch, in Verbalsätzen: (mit Abstrakten verbunden) 68:28 *bšm tgʿrm ʿṯtrt* "bei (wörtlich: im (Nennen vom)) Namen schilt ʿṮtrt"[216]; ʿnt:II:25-26 *tġdd kbdh bṣḥq ymlu* (:25) *lbh bšmḫt* (:26) "ihre Leber fließt über von (wörtlich: an) Lachen, ihr Herz ist voll von (wörtlich: an) Freude"[217]; 125:14 *bḥyk abn nšmḫ* "an deinem Leben, Vater (wörtlich: unser Vater), würden wir Freude haben"[218]; ebenso ibid. :98-99; ferner (in der Kombination: *b-(y)d* "in der Hand" (vgl. oben) = "durch (die Hand)" bzw. umschrieben: "auf Grund") 49:II:25 *la šmm byd bn ilm mt* "der Himmel (Dual) war/wurde kraftlos (bzw. matt, schwach o.ä.) in der Hand (= durch / auf Grund) des Sohnes des Il, Mt"[219]; ebenso in Nominalsätzen: 125:4-5 *uḫštk lntn* (:4) *ʿtq bd aṯt* (:5) "oder dein Eingang (ist) für den Gestank zu betreten durch = auf Grund (wörtlich: in der Hand) einer Frau"[220]; ebenso ibid. :18-19, :103-104; ebenso in der Prosa: 90:1-4 *ṯlṯ dyṣa* (:1) *bd šmmn* (:2) *largmn* (:3) *lnskm* (:4) "Metallegierung (Bronze), die verkauft wurde (wörtlich: ausging) durch die Hand d.h. durch die Vermittlung (vgl. oben) von Šmmn den Metallgießern auf Konto"[221]; ferner (von Personen) 117:17-18 *w pn* (:17) *mlk nr bn* (:18) "und das Angesicht des Königs leuchtete[222] uns (wörtlich: an uns ≐ durch / auf Grund von uns)"[223] (vgl. oben); ebenso 1015:9-10. Zum Gebrauch vgl. schon oben.

Ferner wird ugaritisch *b*, wie hebräisch *bĕ* usw., im direkten Anschluß an den unmittelbar vorangehenden Gebrauch, auch vom *Mittel*, auf dessen *Grundlage der Kauf vollzogen wird* (= deutsch: *für*), verwendet.

Vorläufig sind für diese Anwendung nur Prosabelege vorhanden, wie in Nominalsätzen, mit syntaktischem Bezug auf das Prädikat: 1097:1-5 *ʿšr štpm* (:1) *b ḫmš šmn* (:2) *ʿšrm gdy* (:3) *b ḫmš šmn* (:4) *w ḫmš ṯʿdt* (:5) "zehn Steppnadeln für (wörtlich: in o.ä.) fünf (Krüge) Öl; zwanzig Zicklein für fünf (Krüge) Öl und fünf (Einheiten) Datteln"[224]; so auch 701 obv. 1-2, :3-4; rev. 1-2[225]; 1108 passim; 1115:2-4; 1127 passim; 1138 passim; 1155:6-8; 1156:5-7; 2006:7-10; 2007:10-12; 2100 passim[226]. Zum Gebrauch vgl. analog z.B. zu hebräisch *bĕ* Gn 23:9; Lv 25:37; Hos 3:2; usw.; zu aramäisch *bV* Cantineau, *Gram. du palm. épigr.*, S. 137; Nöldeke, *Syr. Gram.*, S. 184; usw.; zu arabisch *bi* Wright II, S. 161 B-C; zu altsüdarabisch *b* Beeston, *Grammar*, S. 54; Höfner, *Gram.*, S. 142; usw.; vgl. ferner Brockelmann, *Grundriß* II, S. 366f.

Zum sonstigen Vorkommen von *b* in zahlreichen fragmentarischen Texten (meist Prosatexten) siehe ferner Virolleaud, *PU* V (1965), S. 173-200; weiter CTA:188:B:5 (unbestimmbar) sowie 601 obv. 23; 602 rev. 6-7, :8-9; 604 rev. 16-18; 607:64-65; 608:43 (zerstörte bzw. unklare poetische Texte).

215 Ebenso schon z.B. Aistleitner, *Wb*, S. 269; demgegenüber Virolleaud, *PU* II, S. 153 ("de"); dazu vgl. oben.

216 Vgl. Virolleaud, *Syria* XVI (1935), S. 34 ("par"); Gordon, *Ug.lit.*, S. 16; Driver, *Myths*, S. 83 ("by"); vgl. dagegen Aistleitner, *Wb*, S. 307 (ungedeutet).

217 Siehe schon ausführlich Aartun, *WdO*, IV,2 (1968), S. 297 mit Verweisen.

218 Vgl. ferner schon Gordon, *Ug.lit.*, S. 77; *Textbook*, S. 95 Anmerkung 1; Ginsberg, *ANET*, S. 147; Driver, *Myths*, S. 41; Greenfield, *HUCA* 30 (1959), S. 143; Gray, *Krt*², S. 22, 66; Aistleitner, *Texte*, S. 99; usw.

219 Dazu schon unter anderen Virolleaud, *Syria* XII (1931), S. 205; Gordon, *Ug.lit.*, S. 45; Driver, *Myths*, S. 111; Jirku, *Mythen*, S. 69; Kapelrud, *Goddess*, S. 68; Caquot und Sznycer, *Textes*, S. 429; vgl. ferner z.B. Ginsberg, *ANET*, S. 140; Aistleitner, *Texte*, S. 20.

220 Ebenso z.B. Driver, *Myths*, S. 41; vgl. ferner Gordon, *Ug.lit.*, S. 77; Gray, *Krt*², S. 22, 64; Pardee, *UF* 5 (1973), S. 230.

221 Vgl. besonders Aistleitner, *Wb*, S. 124, 337 mit Verweis; ferner Gordon, *Textbook*, S. 408f., 503.

222 Zum Tempusgebrauch (Präteritum (*qtl*) von der inklusiven Vergangenheit und Gegenwart) vgl. besonders Aartun, *Tempora*, S. 37f.

223 Ebenso Aistleitner, *Wb*, S. 214.

224 Vgl. schon Virolleaud, *PU* II, S. 119; Gordon, *Textbook*, S. 94; Aistleitner, *Wb*, S. 44.

225 Siehe Dahood, *An.Or.* 48, S. 31f.

226 Van Selms, *UF* 3 (1971), S. 239f., findet mehrere Belege dieses Gebrauchs im Text 1. Die Richtigkeit der Auffassung ist aber sehr zu bezweifeln.

Die erweiterte Form *b-h* des Ugaritischen ist in den bisher publizierten Texten mit Sicherheit nur einmal dichterisch nachgewiesen. An der betreffenden Stelle dient die Form zur Bezeichnung *des räumlichen Ziels* der Bewegung: 76:III:28-29 *t'l bh ǵr* (:28) *mslmt* (:29) "sie (die Göttin 'Anat) stieg auf den Berg Mslmt"[227]. Vgl. dagegen die Parallelen ibid. :29-30, :31-32 ohne *h*-Erweiterung (vgl. schon oben) sowie die Parallele ibid. :31 mit *m*-Erweiterung (vgl. unten). Mehrdeutig sind dagegen Stellen, wie 51:II:16-17; 1Aqht:93-94; 'nt:III:29-30[228]. Zur Anwendung vgl. sonst schon oben zur einfachen Form *b* (mit Analogien).

Schon an mehreren Stellen belegt ist die erweiterte Form *b-y* des Ugaritischen. Die bezeugten Gebrauchsweisen, die alle der Prosa entstammen, entsprechen ebenso bekannten Anwendungen der einfachen Form *b*. In sämtlichen Belegen bezieht sich die Form mit dem Regierten syntaktisch auf das Prädikat.

Einmal, nach einem Bewegungsverb, dient auch die erweiterte Form *b-y* der Angabe *des örtlichen Ziels*: 2059:24-25 *w anyk ṯt* (:24) *by 'ky 'ryt* (:25) "und dein zweites Schiff ist in 'Ky angekommen"[229]. Vgl. ferner oben zu *b*. Vgl. auch unten.

Ebenso an einer einzigen Stelle dient ferner ugaritisch *b-y* im weitesten Sinne zur Angabe *des räumlichen Darinnenseins*: 2059:13-14 *mtt by* (:13) *g̊šm adr* (:14) "es (das Schiff) ist bei (wörtlich: in) einem gewaltigen Regen untergegangen (wörtlich: gestorben)"[230]. Vgl. ebenfalls oben zu *b*. Vgl. auch unten.

Ferner dient endlich einmal (in einem zerstörten Text) ugaritisch *b-y* der Angabe *der Zeitdauer*: 100:7 *by šnt mlit*[231] "in einem ganzen Jahr"[232]. Zum Gebrauch vgl. ebenso weiter oben zu *b*. Vgl. außerdem auch – ebenso für die obigen Fälle – besonders zu verwandten Formtypen im Semitischen wie aramäisch *bē* < **ba-yV* Levy, *Wörterbuch* I, S. 213; Jastrow, *Dictionary*, S. 158; Aartun, *Wortstrukturen* (vgl. oben); zu altsüdarabisch *b-h-y* Beeston, *Grammar*, S. 67; usw.

Ziemlich häufig gebraucht, und zwar schon in verschiedenen Textarten, ist ferner die erweiterte Form *b-m* des Ugaritischen. Auch hier entspricht in allen Fällen der Gebrauch dem der Kurzform *b*. In gleicher Weise bezieht sich die Anwendung dieser Langform mit der Rektion ausnahmslos auf das Prädikat.

In den belegten Fällen wird ugaritisch die erweiterte Form *b-m*, zunächst in eigentlichem Sinn, einmal zur Bezeichnung *der räumlichen Nähe* verwendet, wie dichterisch, in einem Nominalsatz: (von einem Körperteil) 124:4-5 *ṯm* (:4) *ṯkm bm ṯkm aḫm* (:5) "dort (sind) Schulter an Schulter die Brüder". Zum Gebrauch vgl. schon oben zu *b*. Vgl. ferner unten.

Ferner wird die erweiterte Form *b-m* mehrfach zur Bezeichnung *des Inneren des Ortes* angewandt, wie dichterisch, in Nominal- resp. Verbalsätzen: (von Körperteilen) 75:I:12-13 *il yẓḥq bm* (:12) *lb wygmḏ bm kbd* (:13) "Il lacht(e) in (seinem) Herzen und lächelt(e) in (seiner) Leber"[233]; ebenso 1Aqht:34-35 *tbky pǵt bm lb* (:34) *tdm' bm kbd* (:35) "Pǵt weint in (ihrem) Herzen, vergießt Tränen in (ihrer) Leber"[234]; ferner (vom Erdboden) 126:III:10 *bm nr- ksmm* "(der Regen des Erhabenen (ist) lieblich für) den Emmer im frisch gebrochenen Land"[235]. Zum Gebrauch vgl. ebenso schon oben zu *b*. Vgl. ferner unten.

---

227 Vgl. schon oben I, S. 43 sowie *WdO*, IV,2 (1968), S. 290f.

228 Vgl. ebenso schon oben I, S. 43 mit Verweis auf Driver, *Myths*, S. 87 Anmerkung 14.

229 Vgl. schon oben I, S. 47 mit Verweis; anders Virolleaud, *CRGLES* VIII (1957-60), S. 65; *PU* V, S. 83; Lipiński, *Syria* XLIV (1967), S. 283.

230 Siehe schon Virolleaud, *CRGLES* VIII (1957-60), S. 65; *PU* V, S. 82; Lipiński, *Syria* XLIV (1967), S. 283; ferner oben I, S. 47.

231 Siehe Herdner, *Corpus*, S. 149 mit Verweis.

232 Vgl. Gordon, *Textbook*, S. 433; Aistleitner, *Wb*, S. 184.

233 Nach primitiver Denkweise im eigentlichen Sinne gemeint.

234 Vgl. die unmittelbar vorangehende Anmerkung.

235 Siehe ferner Aartun, *WdO*, IV,2 (1968), S. 293.

Einmal dichterisch bezeichnet ebenso *b-m* genauer *die Mitte der Menge*: (von Göttern) 602 obv. 4-5 *bm* (:4) *rqdm* (:5) "(der auf der Zither . . . spielt) unter (wörtlich: in (der Mitte von)) den Tänzern"[236]. Hierzu vgl. auch schon oben zu *b*. Vgl. ebenso unten.

Ferner dient ugaritisch *b-m* schon mehrfach zur Angabe *des räumlichen Ziels*, wie dichterisch, nach einem intransitiven Verb von der Bewegung des Subjektes: (von einem Ortsnamen) 76:III:31 *bm arr* "(sie d.h. die Göttin 'Anat stieg) auf Arr"; vgl. die Parallele ibid. :28 mit der erweiterten Form *b-h* (siehe oben), ferner die Parallelen ibid. :29-32 mit der einfachen Form *b*; ebenso nach transitiven Verben von der Bewegung des Objektes: (vom Gebäude) 1Aqht:74 *tštk bm qrbm asm* "könnte sie dich (zum Ruhen) in der Mitte des Speichers legen"[237]; (von der hohlen Hand) 76:II:7 *wqṣ'th bm ymnh* "(seinen Bogen nahm er in seine Hand) und seine Armbrust[238] in seine Rechte" (zum wörtlichen Sinn vgl. zum unmittelbar vorangehenden Fall); ebenso 125:42, :48; 128:II:17-18; 137:39. Zum Gebrauch vgl. schon oben zu *b*. Vgl. ferner unten.

Einmal in der Prosa hat endlich *b-m* in eigentlicher Bedeutung *komitativen* Sinn: (vom Geschenk) 117:14-15 *bm ṯy ndr* (:14) *iṯt 'mn mlkt* (:15) "mit (wörtlich: in (Begleitung von)) dem gelobten Geschenk bin ich bei der Königin"[239]. Zum Gebrauch vgl. schon oben zur einfachen Form *b*. Vgl. ferner für sämtliche Belege der Form *b-m* zu den analogen Gebräuchen von den entsprechenden Formtypen in den verwandten Sprachen, wie hebräisch *bĕ-mō*; arabisch *bi-mā*; altsüdarabisch *b-m*, *b-m-w*; usw. (siehe die Grammatiken und Lexika).

In uneigentlicher Bedeutung erscheint vorläufig ugaritisch *b-m* nur in der Dichtung; so in Nominalsätzen zum Ausdruck *des Darinnenseins*: (mit folgenden Abstrakten bzw. Verbalnomina verbunden) (syntagmatische Voranstellung von *b-m* + dem Regierten) Krt:31 *bm bkyh wyšn* "bei (wörtlich: in (dem Ablaufen von)) seinem Weinen schlief er ein (wörtlich: und er schlief ein)" (zum Sprachtypus vgl. näher unten); ferner 52:51 *bm nšq whr* "beim Küssen (vgl. zum vorangehenden Fall) (entsteht) Schwangerschaft (wörtlich: und Schwangerschaft (ist da))"; ebenso ibid. :56. Zum Gebrauch vgl. oben zu *b* (mit Analogien). Vgl. ferner unten.

Ferner dient schließlich *b-m*, in uneigentlichem Sinn, einmal in einem mythologischen Text zum Ausdruck *des Beweggrundes* (vgl. oben), wie (in Abhängigkeit von einem Verb der Gemütsbewegung): (vom Opfer der Schande usw.) 51:III:17 *bm ṯn dbḥm šna b'l* "zwei Opfer haßt[240] Ba'l[241] (wörtlich etwa: an bzw. auf (Grund von) zwei Opfern haßt Ba'l)". Zu dieser Anwendung vgl. ebenfalls oben zur einfachen Form *b* (mit Analogien). Vgl. ferner ebenso zu den entsprechenden Formen mit *m*-Erweiterung in den verwandten Sprachen (siehe die Grammatiken und Lexika).

Bis jetzt nur vereinzelt dichterisch belegt ist die erweiterte Form *b-n* des Ugaritischen. Mit ihrer Rektion das Prädikat eines echten Nominalsatzes bildend, dient die Form, in abstraktem Sinn, in den vorhandenen Syntagmen genauer der Angabe *des Darinnenseins*: 51:VII:54-56 *bǵlmt* (:54) [*'mm*] *ym bn ẓlmt r* (:55) [*mt*]

---

236 Vgl. Virolleaud, *Ugaritica* V, S. 551f.; de Moor, *UF* 1 (1969), S. 175f.

237 Siehe schon Virolleaud, *Danel*, S. 151; Gordon, *Ug.lit.*, S. 95; Ginsberg, *ANET*, S. 153; Driver, *Myths*, S. 61; Jirku, *Mythen*, S. 131; Aistleitner, *Texte*, S. 77; usw.

238 Zur Deutung des Wortes vgl. schon z.B. Gordon, *Ug.lit.*, S. 50; *Textbook*, S. 479; Aistleitner, *Wb*, S. 280 mit Verweis(!) (durch den Parallelismus gesichert); usw.; anders z.B. Driver, *Myths*, S. 143 mit Verweisen; Dahood, *Ug.-Heb. phil.*, S. 71; usw.

239 Hierzu siehe schon oben I, S. 30 mit Verweis auf de Moor, *JNES* XXIV (1965), S. 357f.; ebenso Dietrich – Loretz – Sanmartín, *UF* 6 (1974), S. 460f.; anders z.B. Gordon, *Ug.lit.*, S. 117 (, *Textbook*, S. 370); Aistleitner, *Wb*, an mehreren Stellen.

240 Zur Verbalsyntax (Präteritum (*qtl*) von der inklusiven Vergangenheit und Gegenwart) siehe besonders Aartun, *Tempora*, S. 37f.

241 Zum letzten Syntagma vgl. besonders arabisch *šana'a/šani'a bi-*; siehe die Lexika.

(:56) "in Dunkelheit (befindet sich) die Meeres[strecke][242], in Finsternis die Hö[hen]"[243]; ebenso Frag. VII: 53-58:7-9 (*bn ǵlmt* ‖ *bn ẓlm*[*t*])[244]. Zum Gebrauch vgl. ebenso näher oben zur einfachen Form *b* (mit Analogien).

Ferner erscheinen 2) vom Stamm *k* : *k* (Stammbildung); *kw* = *k* + *-w* (hervorhebende Partikel; siehe oben I, S. 43f.); *km* = *k* + *-m* (hervorhebende Partikel; siehe oben I, S. 51ff.); *kmt* = *k* + *-m* + *-t* (hervorhebende Partikel; siehe oben I, S. 65f.); *ik* = *k* mit präfigiertem *i* < **'ay*[245] = Partikeln der Vergleichung (auf deutsch = *wie, gleich, gemäß, entsprechend*). Zur Etymologie vgl. hebräisch *kĕ*, *kĕ-mō* (althebräisch), außerdem *kĕ-mō-ṯ* (mišnā-hebräisch); phönizisch *k*, *k-m*; aramäisch *kĕ*, *kĕ-mā* (biblisch-aramäisch), ferner *kĕ-wā-ṯ* (jüdisch-aramäisch), *'yk* (jüdisch-aramäisch; ägyptisch-aramäisch), *'aḵ*[246], *'aḵ-wā-ṯ* (syrisch) usw.; arabisch *ka*, *ka-mā*; äthiopisch (Gĕʿĕz) *ka-ma* (*ka-mā-*)[247]; tigrē *kĕ-m*; tigriña *ka-m*; altsüdarabisch *k*; akkadisch *kī*, *kī-ma*, *akī*, *akkī*; usw.[248].

Auch unter den letztgenannten Formen vom Stamm *k* des Ugaritischen ist die einfache Stammbildung *k* am gebräuchlichsten. Gleichfalls in verschiedenen syntaktischen Verbindungen angewandt, begegnet diese mit ihrer Dependenz oft als nähere Bestimmung zum Prädikat.

Vorhandene Belege dieser Art sind, dichterisch, in Verbalsätzen: (mit folgendem Pronomen als Regiertem) 1Aqht:14 *imḫ̣ṣh kd ʿl qšth* "ich schlug ihn so (wörtlich: wie dieses) wegen seines Bogens" (zum wörtlichen Sinn vgl. unten)[249]; ferner (in Verbindung mit folgendem Abstraktum bzw. Verbalnomen) 67:II:3-6 *yʿrb* (:3) [*bʿ*]*l bkbdh bph yrd* (:4) *kḫ̣rr zt ybl arṣ wpr* (:5) *ʿṣm* (:6) "es tritt [Baʿ]l ein in sein Inneres, in seinen Mund steigt er hinab (zum wörtlichen Sinn vgl. oben) gleich dem Hinuntersteigen der Olive, des Ertrages der Erde und der Frucht der Bäume"[250]; ebenso in Nominalsätzen: (mit folgendem Nomen verbunden) (von Gottheiten bzw. Sterblichen) 51:IV:50-51 *wn in bt lbʿl* (:50) *km ilm wḥẓr kbn aṯrt* (:51) "und es ist kein Haus da für Baʿl wie (für) die Götter, und (kein) Hof (für ihn) wie (für) die Söhne der Aṯrt"; ebenso 129:19-20; ʿnt:V:46-47; 601 obv. 22 *il kyrdm arṣ* "Il (ist) wie diejenigen, die in die Erde hinabsteigen"[251]; ebenso (von der Substanz bzw. dem Metall) 52:50 *hn špthm mtqtm mtqtm klrmn* "siehe, ihre Lippen (sind) süß, süß wie Weintrauben"; 124:

---

242 Siehe Aartun, *Neue Beiträge.*

243 Hierzu vgl. schon oben I, S. 64 mit Verweisen.

244 Zu anderer Auffassung der Stelle vgl. z.B. Gordon, *Textbook*, S. 464 (sprachlich-kontextlich nicht in Frage kommend).

245 Zur Morphologie vgl. Barth, *Pronominalbildung*, S. 76f., 144f.; vgl. ferner zur Phonetik Gordon, *Textbook*, S. 31 (§ 5.18).

246 Geschrieben *'yk*; siehe Nöldeke, *Syr. Gram.*, S. 16 (§ 23 C).

247 Zur selben Wortbildung ohne *m*-Erweiterung in verschiedenen Gurage-Dialekten siehe Leslau, *Orientalia* XXXVII (1968), S. 356.

248 Siehe Gesenius-Buhl, *Hw*, S. 329f., 350, 910, 913; König, *Wb*, S. 180 mit Verweis auf *Lehrgebäude* II, S. 251; Koehler-Baumgartner, *Lex.*, S. 417f., 441, 1084, 1092; Bauer-Leander, *Hist. Gram.* I, S. 651; Friedrich, *Gram.*, S. 116; Levy, *Wb* I, S. 63; II, S. 343f.; Jastrow, *Dictionary*, S. 47, 646; Dalman, *Hw*, S. 195; *Gram.*, S. 399; Nöldeke, *Syr. Gram.*, S. 99; Reckendorf, *Synt. Verh.*, S. 199f., Wright I, S. 280 A; II S. 193 A-B; Praetorius, *Gram.*, S. 137; *Tigriñasprache*, S. 234; Dillmann, *Gram.*, S. 337; Littmann, *Hb. d. Or.* III (1954), S. 372; Littmann und Höfner, *Wb*, S. 394; Leslau, *JAOS* 65 (1945), S. 196; Höfner, *Gram.*, S. 146f.; Beeston, *Grammar*, S. 55f.; von Soden, *GAG*, S. 165; *AHw*, S. 28; ferner Brockelmann, *Grundriß* I, S. 496.

249 Ebenso Gaster, *Thespis*, S. 452; Aistleitner, *Wb*, S. 146; ferner Driver, *Myths*, S. 59, 145 und andere. Zur syntagmatischen Verbindung vgl. schon oben I, S. 10.

250 Ebenso schon Driver, *Myths*, S. 105, 138; ähnlich van Zijl, *AOAT* 10, S. 164f.; anders z.B. Virolleaud, *Syria* XV (1934), S. 315f.; Dussaud, *RHR* 111 (1935), S. 6; Hammershaimb, *Verb*, S. 21; de Moor, *AOAT* 16, S. 178; usw. Zur Etymologie des Wortes *ḫrr* siehe Aartun, *Neue Beiträge.*

251 Siehe schon Loewenstamm, *UF* 1 (1969), S. 76; de Moor, *UF* 1, S. 169f.; usw.; dagegen Virolleaud, *Ugaritica* V, S. 549f.

14-15 *kksp* (:14) *l'brm zt* (:15) "wie Silber für die Durchquerenden (d.h. für die Kaufleute u. dgl.)[252] (ist) die Olive"; (mit folgendem Abstraktum als Regiertem) Krt:145 *dk n'm 'nt n'mh* "die, wie die Lieblichkeit der 'Anat (ist) ihre Lieblichkeit"; ebenso ibid. :291-292; vgl. ferner die Parallelen ibid. :146, :292-293 mit *k-m* (siehe unten); aus der Prosa, in einem Verbalsatz: (mit folgendem Abstraktum als Regiertem) R61:Ab:8-9 *ykly* (:8) *dbḥ k sprt* (:9) "er / man führt das Opfer gemäß den Vorschriften durch"[253]; so auch in einem Nominalsatz: (vom Opfer) R61:Ac:10-12 *dt nat* (:10) *w qrwn* (:11) *l k dbḥ* (:12) "das (Schlachtopfer) des Nat und des Qrwn (ist) fürwahr, entsprechend einem Schlachtopfer"[254]. Zum Gebrauch vgl. z.B. analog zu hebräisch *kĕ* (*kā*) Ri 18:4 (*kā-zō wĕ-ḵā-zæ*); Jes 5:24; Ps 77:14; usw.; zu aramäisch *kĕ* (*ka*) Esr 5:7 (*kiḏnā* < **kĕ-ḏĕnā*); Dn 2:35; 7:4; usw.; zu arabisch *ka* Qur. 2:68 (73) (*ka-ḏālika*), :69(74); Ḥam. 507:11 (Reckendorf, *Synt.Verh.*, S. 259); usw.; zu altsüdarabisch *k* Höfner, *Gram.*, S. 147; Beeston, *Grammar*, S. 55f.; vgl. ferner besonders Brockelmann, *Grundriß* II, S. 389f.

Noch häufiger stellt jedoch, wie in den verwandten Sprachen, auch ugaritisch der durch *k* regierte Ausdruck eine nähere, auf das Subjekt bezügliche, vergleichende Bestimmung dar. Solche Fälle sind, dichterisch, in Verbalsätzen: (mit Bezug auf das Subjekt des finiten Verbs) (von der Gottheit) 126:IV:3 *ḥkmt kṯr lṭpn* "du bist weise[255] wie der Stier, der Freundliche"; ebenso ibid. :2-3 (zerstört); (von Tieren) 49:VI:17-19 *ynghn* (:17) *krumm* . . . . (:18) . . . *ynṯkn kbṯnm* (:19) "sie stoßen sich wie Wildstiere, ... sie beißen sich wie Schlangen"; 125:2-3 *k[k]lb bbtk n'tq kinr* (:2) *ap ḫštk* (:3) "wie ein [Hu]nd gehen wir (wörtlich: rücken wir fort o.ä.) in deinem Hause, ja (wörtlich: auch) (vgl. unten), wie ein Köter (in) deinem Heim (wörtlich: Eintritt o.ä.)"[256]; ebenso ibid. :15-17, :100-101; 51:VIII:19-20 *klli bṯbrn* (:19) *qnh ṯḫtan* (:20) "wie ein Zicklein werdet ihr vernichtet in seinem Schlund"[257]; Krt:103-104 *kirby* (:103) *tškn šd* (:104) "wie Heuschrecken bedecken sie das Feld"; ebenso ibid. :192-194; vgl. ferner die Parallele ibid. :105 mit *k-m* (siehe unten); (mit Bezug auf ein angeführtes, besonderes Subjekt) (von Gebrauchsgegenständen) Krt:28-30 *tntkn udm'th* (:28) . . . *kmḫmšt*[258] *mṭth* (:30) "es fließen seine Tränen . . . wie Ein-Fünftel-Stücke auf (sein) Lager"[259]; vgl. die Parallele ibid. :29 mit *k-m* (siehe unten); (vom Meere) 52:33-35 *tirkm yd il kym* (:33) *wyd il kmdb ark yd il kym* (:34) *w yd il kmdb* (:35) "es werde lang die "Hand" des Il wie das Meer, und (es werde lang) die "Hand" des Il wie der Ozean. Lang wurde die "Hand" des Il wie das Meer, und (es wurde lang) die "Hand" des Il wie der Ozean"[260]; ferner in Nominalsätzen: 125:17-18 *ap ab kmtm* (:17) *tmtn* (:18) "auch Vater, wie Sterbliche wirst du sterben?"[261]; 137:37-38 *hw ybl argmnk kilm* (:37) . . . *ybl kbn*[262] *qdš mnḥyk* (:38) "er bringt dein Geschenk wie die Götter, . . . er bringt wie die Söhne des Heiligen deine Gabe"[263]; (von Tieren bzw. z.T. vom

252 Siehe Virolleaud, *Syria* XXII (1941), S. 24; ähnlich Gordon, *Ug.lit.*, S. 103; dagegen z.B. Aistleitner, *Wb*, S. 226 u.ö. (sprachlich-kontextlich fraglich).

253 Siehe Dietrich und Loretz, *Ugaritica* VI, S. 168.

254 Siehe ebenso Dietrich und Loretz, *Ugaritica* VI, S. 169.

255 Siehe Gordon, *Ug.lit.*, S. 80; Gray, *Krt*², S. 26, 73; Sauren und Kestemont, *UF* 3 (1971), S. 216; ferner Driver, *Myths*, S. 43; Aistleitner, *Texte*, S. 101; usw. Zum Tempusgebrauch vgl. Aartun, *Tempora*, S. 68ff.

256 Zur gleichen Deutung von *ap* vgl. schon z.B. Driver, *Myths*, S. 41; de Moor, *UF* 1 (1969), S. 171; Sauren und Kestemont, *UF* 3 (1971), S. 209; anders z.B. Virolleaud, *Syria* XXII (1941), S. 107f.; Gordon, *Ug.lit.*, S. 77; usw.; ferner Dahood, *UF* 1 (1969), S. 28; Pardee, *UF* 5 (1973), S. 229f.; ferner noch z.B. Ginsberg, *ANET*, S. 147; Gray, *Krt*², S. 22, 63f. Zur ganzen Frage siehe ferner Aartun, *Neue Beiträge.*

257 Vgl. Gordon, *Ug.lit.*, S. 37; *Textbook*, S. 405; ähnlich Aistleitner, *Wb*, S. 118f.

258 Zur Lesart vgl. besonders Gordon, *Textbook*, S. 250; Gray, *Krt*², S. 11, 34; ferner Herdner, *Corpus*, S. 62 mit Verweisen; Sauren und Kestemont, *UF* 3 (1971), S. 195.

259 Zum Sprachtypus (*mṭth*||*arṣh*) siehe schon oben I, S. 41.

260 Vgl. schon oben I, S. 57 mit Verweisen; ferner Tsumura, *Ugaritic drama*, S. 12, 64. Für andere Auffassungen vgl. Lökkegaard, *Act.Or.* XXII (1955-57), S. 12; van Zijl, *AOAT* 10, S. 359f.

261 Vgl. die Parallele ibid.:3-4 mit *ik* (siehe unten).

262 Zur Lesart vgl. Gordon, *Textbook*, S. 198; Herdner, *Corpus*, S. 8; dagegen z.B. Driver, *Myths*, S. 80; Gray, *Legacy*, S. 23 (*wbn*).

263 Vgl. Gordon, *Ug.lit.*, S. 14; *Ug. and Min.*, S. 45; Jirku, *Mythen*, S. 23; usw.; demgegenüber z.B. Ginsberg, *ANET*, S. 130; Driver, *Myths*, S. 81.

Holz) 49:II:23 *klli btbrnqy ḫtu hw* “wie ein Zicklein wird er vernichtet o.ä. in meinem Schlund”; ‘nt:II:9-11 *tḥth kkdrt ri[š]* (:9) *‘lh kirbym kp k qṣm* (:10) *ġrmn kp mhr* (:11) “unter ihr (sind) wie Geier die Köp[fe], über ihr wie Heuschrecken die Hände, wie abgehauene (Zweige) / Bruchstücke (der Rinde) der Platane die Hände der Krieger”[264]; (von einem Himmelskörper) 51:IV:16-17 *qdš yuḫdm šb‘r* (:16) *amrr kkbkb* (:17) “Qdš beginnt zu leuchten, Amrr (leuchtet) wie ein Stern”; ebenso einfach als Subjekt des Satzes erscheinend: (von einem Körperteil) 49:II:28-30 *klb arḫ l‘glh klb* (:28) *tat limrh km lb* (:29) *‘nt atr b‘l* (:30) “wie das Herz einer Kuh nach ihrem Kalb, wie das Herz eines Mutterschafes nach seinem Lamm, so (ist) das Herz der ‘Anat (wörtlich: wie das Herz der ‘Anat) (vgl. unten) hinter Ba‘l her”[265]; ebenso ibid. :6-9; aus der Prosa, in einem Nominalsatz: (mit folgendem Abstraktum verbunden) 54:11-12 *w yd* (:11) *ilm p kmtm* (:12) “und die Hand der Götter (lastet) hier wie der Tod”. Zum Gebrauch vgl. analog z.B. zu hebräisch *kĕ* Gn 3:5; 44:18; Jes 9:17; 42:13; 1K 22:4; usw.; zu aramäisch *kĕ* Dn 4:30; 5:11; usw.; zu arabisch *ka* Dīw. Imr. 4:14; ’Aġ. VI 50:6 (Reckendorf, *Synt. Verh.*, S. 259); usw.; vgl. ferner auch besonders Brockelmann, *Grundriß* II, S. 272 u.ö.

Ebenso drückt oft ugaritisch, wie gemeinsemitisch, der durch die Form *k* regierte Ausdruck syntaktisch einen das Objekt betreffenden Vergleich aus. Belege dieser Art sind, dichterisch, in Verbalsätzen: (von einem Tier) 51:VIII:17-18 *al y‘dbkm* (:17) *kimr bph* (:18) “nicht soll er euch behandeln wie ein Schaf in seinem Munde”; vgl. unten zu 49:II:22; (vom Opfer) 62:18-20 *tṭbḫ šb‘m* (:18) *rumm kgmn aliyn* (:19) *b‘l* (:20) “sie schlachtet siebzig Wildstiere entsprechend einem (Toten)opfer für Aliyn Ba‘l”[266]; vgl. auch ibid. :20-29; (von Lebensmitteln) 62:10 *tšt kyn udm‘t* “sie trank Tränen wie Wein”; 75:I:10 *kbd kiš tikln* “die Leber fressen sie wie einen Kuchen (von zusammengepreßten Trauben)”[267]; (von lokalen Bestimmungen) 67:VI: 20-22 *yḫrt* (:20) *kgn aplb k‘mq ytlt* (:21) *bmt* (:22) “er durchfurcht wie einen Garten die Brust, wie ein Tal pflügt er dreimal den Rücken”; ebenso 62:4-5 (vgl. unten zu *k-m*); zu 51:I:42-43 vgl. oben S. 7 und Anmerkung 58[268]; (vom Wind u. dgl.) 1Aqht:91-93 [*šṣat*] (:91) *btlt ‘nt k[rḥ npšh]* (:92) *kitl brlth* (:93) “die Jungfrau ‘Anat [ließ entweichen] wie [einen Wind seine Seele], wie einen Hauch seinen Lebensodem”[269]; zum Syntagma vgl. 3Aqht obv. 24-26, :36-37 (siehe unten zu *k-m*); ebenso in Nominalsätzen: (von der Gottheit) 2Aqht: VI:30-33 *kb‘l*[270] (:30) .... *ap a!nk*[271] *aḥwy* (:32) *aqh[t ġz]r* (:33) “gleich Ba‘l ... werde ich auch Aqh[t, dem Hel]den, Leben verleihen”[272]; (von einem Tier) 49:II:22 *‘dbnn ank [k]imr bpy* “ich behandle ihn [wie] ein Schaf in meinem Munde”; vgl. oben zu 51:VIII:17-18. Zum Gebrauch vgl. ebenso analog z.B. zu hebräisch *kĕ* Ps 79:3; Jes 51:23; Jer 18:17; usw.; zu arabisch *ka* Qur. 34:12(13); 3:43(49) (Reckendorf, *Synt. Verh.*, S. 259); usw.; vgl. ferner besonders Brockelmann, *Grundriß* II, S. 272 u.ö.

Zerstörte bzw. unklare Stellen mit *k* sind: 6:25; 8:2-3; 49:II:3-4; 76:III:6-7; 127:43; 130:2, :23; 603 obv. 8-9; 608:47; 1001 rev. 7, 12-13; 1Aqht:8-10, :88; vgl. auch RŠ 34 126:6, :22-23 (Caquot, *L’annuaire*

264 Zur Stelle vgl. näher Aartun, *WdO*, IV,2 (1968), S. 295f.; ferner Cassuto, *Goddess*, S. 86f.; Caquot und Sznycer, *Textes*, S. 393; de Moor, *AOAT* 16, S. 88f.; Dietrich und Loretz, *UF* 4 (1972), S. 30.

265 Zum Satztypus vgl. schon oben I, S. 60 Anmerkung 3. Vgl. ferner Reckendorf, *Synt.Verh.*, S. 5f.; Brockelmann, *Grundriß* II, S. 51.

266 Vgl. Gordon, *Ug.lit.*, S. 43; *Textbook*, S. 380; Jirku, *Mythen*, S. 65; van Zijl, *AOAT* 10, S. 184f.; usw.; anders z.B. Virolleaud, *Syria* XV (1934), S. 229 (“quand”); Aistleitner, *Texte*, S. 18 (“zu”); de Moor, *AOAT* 16, S. 197f. (“because”).

267 Zur Stelle siehe näher Aartun, *WdO*, IV,2 (1968), S. 287f. Für weitere Literatur vgl. z.B. Kapelrud, *Ugaritica* VI, S. 320; Gray, *UF* 3 (1971), S. 62.

268 Zu *ḥwt* “Leben(sgebiet)” siehe oben I, S. 20 Anmerkung 4 u.ö.

269 Vgl. Gordon, *Ug.lit.*, S. 96; Driver, *Myth*, S. 61; Ginsberg, *ANET*, S. 151; anders z.B. Virolleaud, *Danel*, S. 156; Jirku, *Mythen*, S. 132.

270 Zur Lesart vgl. Gordon, *Textbook*, S. 248; Herdner, *Corpus*, S. 83; dagegen z.B. Virolleaud, *Danel*, S. 207; Driver, *Myths*, S. 54 (*wb‘l*);

271 Zur Lesart vgl. ebenso Gordon, *Textbook*, S. 248; Herdner, *Corpus*, S. 83 und andere; dagegen Virolleaud, *Danel*, S. 207; Driver, *Myths*, S. 54 (*apnnk*).

272 Hierzu vgl. besonders Driver, *Myths*, S. 55 Anmerkung 5. Vgl. ferner de Moor, *AOAT* 16, S. 42; van Zijl, *AOAT* 10, S. 273f. Zum Tempusgebrauch vgl. Aartun, *Tempora*, S. 104f.

75 (1974-75), S. 427) (poetische Texte); 3:52; 1018:1-3[273]; 2094:1[274]; R61:Ag:22[275]; vgl. ferner Virolleaud, *PU* V, S. 174ff. (Prosatexte).

Die erweiterte Form *k-w* des Ugaritischen ist vorläufig nur einmal in der Prosa zu belegen. Im betreffenden Fall (in einem Nominalsatz) bezieht sich dieselbe mit ihrer Rektion syntaktisch auf das Prädikat: (mit folgendem Abstraktum bzw. Verbalnomen verbunden) 2062:B:6-7 *ḫrd ʿps aḫd kw* (:6) *sg/ʿt* (:7) "das Gebiet hat ʿPs genommen gleich einer Eroberung / Erbeutung o.ä. d.h. hat er besetzt / ausgeplündert"[276]. Zum Gebrauch vgl. schon oben zur einfachen Form *k*. Vgl. ferner zu jüdisch-aramäisch *kĕ-wā-ṯ*; syrisch *ʾaḵ-wā-ṯ*; usw. (siehe die Grammatiken und Lexika).

Besonders häufig gebraucht wird im vorliegenden Material die erweiterte Form *k-m*. Wie die einfache Form *k* (siehe oben) tritt diese mit der Rektion ebenso oft syntaktisch zum Prädikat. Beispiele dieser Art sind, dichterisch, in einem Verbalsatz: (vom Kleide) 75:II:47-48 *klbš km lpš dm a[ḫh]* (:47) *km all dm aryh* (:48) "denn er ist wie in das Kleid [seiner] Brü[der] gekleidet, wie in den Mantel seiner Verwandten"[277]; in Nominalsätzen: (von Göttern u. dgl.) 51:IV:50-51 *wn in bt lbʿl* (:50) *km ilm* (:51) "und Baʿl hat kein Haus wie die Götter (wörtlich: und kein Haus ist da für Baʿl wie (für) die Götter)"; ebenso ʿnt:V:46; vgl. die Parallelen 51:IV:51; 129:19-20; ʿnt:V:47 mit der einfachen Form *k* (siehe oben); 2Aqht:I:19-20 *din bn lh* (:19) *km aḫh w šrš km aryh* (:20) "der keinen Sohn hat wie seine Brüder und keinen Nachkommen wie seine Verwandten (wörtlich: für den kein Sohn da ist wie (für) seine Brüder und keine Wurzel wie (für) seine Verwandten)"; auch übertragen: 127:35 *km aḫt ʿrš mdw* "wie eine Schwester des Lagers (ist dir) die Krankheit"[278]; (von Tieren) 75:I:30-32 *bhm qrnm* (:30) *km ṯrm wgbṯt* (:31) *km ibrm* (:32) "Hörner haben sie wie Stiere und Buckel wie Wildrinder (wörtlich: an ihnen (sind) Hörner wie (an) Stieren und Buckel wie (an) Wildrindern)"[279]; (mit folgendem Abstraktum verbunden) 128:VI:6-7 *km* (:6) *rgm ṯrm rgm hm* (:7) "wie die Sprache von Stieren (ist) ihre Sprache"; Krt:146 *km tsm ʿṯtrt ts[m]h* "wie die Schönheit der ʿṮtrt (ist) ihre Schön[heit]"; ebenso ibid. :292-293; (in Verbindung mit folgendem Personalpronomen) 128:III:22-25 *mk bšbʿ šnt* (:22) *bn krt kmhm tdr* (:23) *ap bnt ḫry* (:24) *kmhm* (:25) "siehe, in sieben Jahren (waren) die Söhne des Krt (da) wie diejenigen, die versprochen waren, auch die Töchter der Ḥry (waren da) gleich ihnen"[280]. Zum Gebrauch vgl. analog z.B. zu hebräisch *kĕ-mō* Hi 10:21-22; 12:3 (*gam-lī lēḇāḇ kĕmōḵæm*)[281]; Ct 6:10; 7:2; zu jüdisch-aramäisch *kĕ-mā* z.B. Levy, *Wb* II, S. 343 (*diḵmāh* "(Männer,) die wie sie (die Sklavin) (sind)") (vgl. ebenso Dalman, *Hw*, S. 200); zu äthiopisch *ka-ma* (*ka-mā-*) Dillmann, *Lex.*, S. 826f.; zu akkadisch *kī-ma* von Soden, *AHw*, S. 476f. u.ö.; usw.

---

273 Zum Syntagma *k rgm špš mlk rb bʿly* vgl. besonders EA 144:21; 155:12 u.ö. *kīma qa-bi šarri bêli-ya*; siehe Knudtzon, *EA* I, S. 602, 634; II, S. 1445. Vgl. auch schon Virolleaud, *PU* II, S. 33.

274 Vgl. Virolleaud, *PU* V, S. 116f.; Gordon, *Textbook*, S. 474.

275 Vgl. Dietrich und Loretz, *Ugaritica* VI, S. 171.

276 Vgl. schon oben I, S. 44.

277 Zum betreffenden Fall vgl. schon oben I, an mehreren Stellen; ferner besonders Gordon, *Ug.lit.*, S. 55 u.ö.; vgl. sonst z.B. Virolleaud, *Syria* XVI (1935), S. 260f.; Aistleitner, *Texte*, S. 57 u.ö.; Kapelrud, *Ugaritica* VI, S. 327; Gray, *UF* 3 (1971), S. 66; usw.

278 So auch z.B. Jirku, *Mythen*, S. 113; Gray, *Krt*², S. 28; 77; anders Virolleaud, *Syria* XXIII (1942-43), S. 11 ("comme les soeurs du lit de douleur"); Gordon, *Ug.lit.*, S. 82 ("because thou art a brother of the bed of sickness"); vgl. auch *Textbook*, S. 355; ebenso al-Yasin, *Lex.rel.*, S. 165; Driver, *Myths*, S. 47 und andere; dazu vgl. schon besonders Gray, *a.a.O.* Sehr gut möglich ist aber syntaktisch die Deutung: "wie eine Schwester (ist dir) das Krankenbett". Vgl. Aistleitner, *Texte*, S. 104; Sauren und Kestemont, *UF* 3 (1971), S. 220. Vgl. sonst noch Hi 17:14 *la-š-šaḥaṯ qārāṯī ʾāḇī ʾāttā ʾimmī wa-ʾăḥōṯī lā-rimmā* verglichen mit Hi 25:6 *ʾaf kī-ʾænōš rimmā u-ḇæn-ʾāḏām tōlēʿā* (übertragen von der Schwäche des Menschen).

279 Vgl. Aistleitner, *Texte*, S. 55 und andere; vgl. ferner oben.

280 Vgl. z.B. Jirku, *Mythen*, S. 98; Aistleitner, *Texte*, S. 97; ferner Driver, *Myths*, S. 37; usw.; anders z.B. Virolleaud, *Syria* XXIII (1942-43), S. 150; Gray, *Krt*², S. 19, 60.

281 "Ich habe ebenso Verstand wie ihr (wörtlich: für mich (gibt es) auch ein Herz wie (für) euch)".

Ausgedehnt ist auch ugaritisch in den vorliegenden Texten das Vorkommen von *k-m* und dem Regierten als näherer Bestimmung zum Subjekt; so dichterisch, in Verbalsätzen: (mit folgendem Partizip bzw. Personenbezeichnung verbunden) 3Aqht obv.23-24 *špk km šiy* (:23) *dm km šḫṭ lbrkh* (:24) "vergieße, wie einer, der (Wasser o.ä.) ausschöpft (aus einem Brunnen), Blut, wie ein Schlächter (, der Blut ausgießt) auf seine Knie!"[282]; ebenso ibid. :34-35; 608:37-38 *ybky km nʿr* (:37) [*wydmʿ k*]*m ṣġr* (:38) "er weint wie ein Knabe [und vergießt Tränen w]ie ein Junge"; ebenso ibid. :40-41[283]; vgl. auch ʿnt:III:5-6[284]; (von Tieren u. dgl.) 75:II:54-55 *npl bʿl . . .* (:54) *km ṯr* (:55) "es fiel Baʿl . . . wie ein Stier"; vgl. auch ibid. :55-56; 2Aqht:VI:14 *km bṯn yqr* "er macht einen Laut o.ä. wie die Schlange"[285]; vgl. auch 1Aqht:223; Krt:105 *km ḥsn pat mdbr* "(sie bedecken das Feld wie Heuschrecken (vgl. oben zu *k*),) wie Grillen die Ränder der Wüste"; ebenso ibid. :192-193; 68:13-14 *trtqṣ bd bʿl km nš* (:13) *r buṣbʿth* (:14) "du sollst springen, tanzen o.ä. in der Hand Baʿls, wie ein Adler in seiner Faust (wörtlich: in seinen Fingern)"; ebenso ibid. :20-21; vgl. auch ibid. :15-16, :23-24; (von Gebrauchsgegenständen) 1Aqht:82-83 *wl ytk dm*[*ʿh*] *km* (:82) *rbʿt ṯqlm* (:83) "und, fürwahr, es flossen [seine] Trä[nen] wie Ein-Viertel-Seqel-Stücke"; vgl. auch Krt:28-29; (vom Wind u. dgl.) 3Aqht obv. 24-26 *tṣi km* (:24) *rḥ npšh km iṯl brlth km* (:25) *qṭr baph* (:26) "es soll entweichen wie der Wind seine Seele, wie ein Hauch sein Lebensodem, wie der Rauch aus (wörtlich: in (vgl. oben zu *b*)) seiner Nase"; ebenso ibid. :36-37; ferner in Nominalsätzen: (von einem Körperteil) 49:II:28-30 *klb arḫ lʿglh klb* (:28) *ṯat limrh km lb* (:29) *ʿnt aṯr bʿl* (:30) "wie das Herz einer Kuh nach ihrem Kalb, wie das Herz eines Mutterschafes nach seinem Lamm (siehe oben), so (ist) das Herz der ʿAnat (wörtlich: wie das Herz der ʿAnat) hinter Baʿl her"[286]; ebenso ibid. :6-9; so auch aus der Prosa: (vom Himmelskörper) 1005:2-4 *km špš* (:2) *dbrt kmt* (:3) *br ṣtqšlm* (:4) "wie die Sonne, die rein (d.h. frei) (ist), so rein (d.h. frei) (ist) Ṣtqšlm (wörtlich: wie die Sonne, die rein (ist), wie (siehe unten) die Reinheit des Ṣtqšlm)"[287]. Zum Gebrauch vgl. ebenso analog zu den entsprechenden Formen im Semitischen, wie z.B. zu hebräisch *kĕ-mō* Ex 15:5; Ps 58:5, :8; 79:5 u.ö.; Hos 13:7; Sach 10:2; Hi 6:15; 14:9; 19:22; 31:37; usw.; zu arabisch *ka-mā* Wright II, S. 177 C (193 A); zu äthiopisch *ka-ma* Dillmann, *Lex.*, S. 826f.; zu akkadisch *kī-ma* von Soden, *AHw*, S. 476f. u.ö.; usw.

Auch wird ugaritisch in den vorhandenen Texten, gleich *k* (vgl. oben), ebenso *k-m* + dem Regierten mehrfach mit syntaktischem Bezug auf das Objekt konstruiert. Derartige Belege sind, dichterisch: (mit folgendem Substantiv = Lebewesen) 3Aqht obv. 17-18 *aštk km nšr bḥb*[*šy*] (:17) *km diy btʿrty* (:18) "ich stecke / mache dich wie einen Adler in [meine / meiner] Waffen[hülle], wie einen Raubvogel in meine / meiner Scheide"; ebenso ibid. :28-29; (vom Gewächs) 52:10-11 *yšql šdmth* (:10) *km gpn* (:11) "sie ließen sein "Gefilde" fallen wie einen Weinstock"[288]; (vom Lebensmittel) 75:I:11 *ṯdn km mrm tqrṣn* "sie nagen am schweren (Organ) wie am Proviant"[289]; (mit folgender Lokalbestimmung) 62:4-5 *ṯḥrṯ km gn* (:4) *aplb* (:5) "er durchfurcht wie einen Garten die Brust"; vgl. die Parallele 67:VI:20-22 ohne *-m*; ebenso mit Bezug auf das präpositionale Objekt (Passivkonstruktion): (mit folgender Personenbezeichnung verbunden) 51:V:89-91 *ybn* (:89) *bt lk km aḫk wḥẓr* (:90) *km aryk* (:91) "es soll für dich ein Haus gebaut werden wie (für) deine Brüder und eine Wohnstätte (wörtlich: ein Hof) wie (für) deine Verwandten"[290]; 2Aqht:II:14-15 *kyld bn ly km* (:14) *aḫy wšrš km aryy* (:15)

---

282 Zur Stelle vgl. weiter Aartun, *WdO*, IV,2 (1968), S. 293f.

283 Siehe Virolleaud, *Ugaritica* V, S. 576.

284 Siehe Gordon, *Ug.lit.*, S. 18; Driver, *Myths*, S. 87; dagegen z.B. Virolleaud, *Déesse*, S. 31; Ginsberg, *ANET*, S. 136 und andere.

285 Siehe ebenso Gordon, *Ug.lit.*, S. 90; *Textbook*, S. 479f.; Aistleitner, *Wb*, S. 280; anders z.B. Virolleaud, *Danel*, S. 208; ebenso Driver, *Myths*, S. 53; Jirku, *Mythen*, S. 122.

286 Vgl. schon oben zu *k* (Präposition).

287 Vgl. ebenso schon oben zu *k*.

288 Vgl. Jirku, *Mythen*, S. 81; Caquot und Sznycer, *Textes*, S. 454; Tsumura, *Ugaritic drama*, S. 8, 34f.; *UF* 6 (1974), S. 408f. und andere; ähnlich Gordon, *Ug.lit.*, S. 59; usw.

289 Siehe ferner Aartun, *WdO*, IV,2 (1968), S. 287f.; vgl. auch oben zur Parallele mit der einfachen Form *k*; dagegen Kapelrud, *Ugaritica* VI, S. 320: *km mrm* "like fatted calves" ("plural of side form of collective *mri*") (rein willkürliche Annahme).

290 Vgl. oben.

"denn ein Sohn ist mir geboren wie meinen Brüdern und ein Nachkomme (wörtlich: eine Wurzel) wie meinen Verwandten"[291]. Zum Gebrauch vgl. ebenfalls analog zu den entsprechenden Formen in den verwandten Sprachen, wie z.B. hebräisch *kĕ-mō* Sach 9:15; Ps 29:6; Neh 9:11; zu äthiopisch *ka-ma* Dillmann, *Lex.*, S. 826f.; zu akkadisch *kī-ma* von Soden, *AHw*, S. 476f.; usw.

Zerstörte bzw. unklare Stellen mit *k-m* sind: 75:I:7, :8, :II:15, :40-41; 125:89, :90; 601 obv. 5; 607 :68-69, :73-74[292]; 1001 obv. 11, :24, :25; 2002:1-2; 1Aqht:222-223 (poetische Texte); 3:55; 310:6 (Prosatexte).

Die erweiterte Form *k-m-t* des Ugaritischen ist, wie *k-w* (vgl. oben), bisher nur einmal in der Prosa nachgewiesen. Sie erscheint mit ihrer Rektion in einem echten Nominalsatz als Subjekt: (in Verbindung mit folgendem Abstraktum) 1005:2-4 *km špš* (:2) *dbrt kmt* (:3) *br ṯ̤qšlm* (:4) "wie die Sonne (siehe oben), die rein (d.h. frei) (ist), so rein (d.h. frei) (ist) Ṯ̤qšlm (wörtlich: wie die Sonne, die rein (ist), wie die Reinheit des Ṯ̤qšlm)"[293]. Zum Gebrauch vgl. schon oben zu *k*, *k-m*; ferner zunächst zu mišnā-hebräisch *kĕ-mō-ṯ* (neben *kĕ*, *kĕ-mō*) Levy, *Wb* II, S. 343f.; Jastrow, *Dictionary*, S. 646.

Die Sonderform *ik* des Ugaritischen kommt bisher nur einmal im Epos (in einem zusammengesetzten Nominalsatz) vor. Im betreffenden Fall bezieht sich dieselbe mit dem Regierten syntaktisch auf das Subjekt: (mit folgendem Nomen (= Personenbegriff) verbunden) 125:3-4 *ap ab ik mtm* (:3) *tmtn* (:4) "auch Vater, wirst du wie Sterbliche sterben?"; vgl. die Parallele ibid. :17-18 mit der unerweiterten *k*-Form (siehe oben). Vgl. sonst zu den entsprechenden Formtypen desselben Stammes im Semitischen wie jüdisch-aramäisch und ägyptisch-aramäisch *ʼyk*; syrisch *ʼaḵ*; akkadisch *akī*, *akkī*; usw. (siehe die Grammatiken und Lexika).

Ebenso kommen vor 3) vom Stamm *l*: *l* (Stammbildung) (syllabisch bisweilen *le-e* geschrieben)[294]; *lm* = *l* + *-m* (hervorhebende Partikel; siehe oben I, S. 51ff.); *ln* = *l* + *-n* (hervorhebende Partikel; siehe oben I, S. 61ff.) = Partikeln der Beziehung (auf deutsch entsprechend: *bloßem Dativ* bzw. syntagmatischen Konstruktionen wie *für*, *in bezug auf* + *Akkusativ*; *im Verhältnis zu* + *Dativ* u. dgl.). Zur Etymologie vgl. hebräisch *lV*, *lĕ-mō*; moabitisch *l*; phönizisch *l*; aramäisch *lV*, *lĕ-mā* usw.; arabisch *li* bzw. *la*; äthiopisch (Gĕʿĕz) *la*; amharisch *la*; hararī *lV*; tigriña *lV*; tigrē *ʼĕl*; altsüdarabisch *l*, *l-n*; akkadisch *la*; usw.[295].

Auch unter den letztgenannten Formen des Ugaritischen zeigt in den vorliegenden Texten die einfache Bildung *l* eine besonders weitgehende Anwendung auf. Mangels deckender formal-funktioneller Entsprechung sind – gleich den verwandten Formen im Semitischen – auch der ugaritischen Formbildung, z.B. auf deutsch, in einer Übersetzung sehr verschiedene Bedeutungen beizulegen. Manchmal ist man sogar bei der Übertragung der Syntagmen genötigt, seine Zuflucht zu einer Umschreibung zu nehmen.

---

291 Vgl. oben; ferner Hammershaimb, *Verb*, S. 7.

292 Vgl. Virolleaud, *Ugaritica* V, S. 571f.; Caquot, *Syria* XLVI (1969), S. 252; Lipiński, *UF* 6 (1974), S. 170f.

293 Vgl. schon oben zu *k-m*. Vgl. ferner oben I, S. 67.

294 Siehe Nougayrol, *Ugaritica* V, S. 233, 351; Blau und Loewenstamm, *UF* 2 (1970), S. 25, 401. Zum Formtypus vgl. ferner oben S. 1 Anmerkung 1 zu *bi-i*.

295 Siehe Gesenius-Buhl, *Hw*, S. 370f., 387, 911f.; Koehler-Baumgartner, *Lex.*, S. 462ff., 1088f.; König, *Wb*, S. 191f.; Bauer-Leander, *Hist.Gram.* I, S. 636ff.; Donner und Röllig, *Inschriften* I, S. 33; II, S. 168ff.; Friedrich und Röllig, *Gram.*, S. 126; Bauer-Leander, *Gram.*, S. 258; Dalman, *Gram.*, S. 225f., 399; *Hw*, S. 212; Levy, *Wb* II, S. 460; Jastrow, *Dictionary*, S. 685; Nöldeke, *Syr. Gram.*, S. 183f.; *Mand. Gram.*, S. 353f.; Drower-Macuch, *Dictionary*, S. 226; Macuch, *Handbook*, S. 234, 418f.; Cantineau, *Nabatéen* I, S. 100f.; *Gram. du palm. épigr.*, S. 138; Schulthess, *Gram.*, S. 58f.; Wright I, S. 279 B-D; II, S. 147 D-148 A; Dillmann, *Gram.*, S. 346f.; Littmann, *Hb. d. Or.* III (1954), S. 371f.; Leslau, *JAOS* 65 (1945), S. 195; *Orientalia* XXXVII (1968), S. 357; Praetorius, *Amhar. Spr.*, S. 266; *ZDMG* 23 (1869), S. 471; *Tigriña-sprache*, S. 230; Höfner, *Gram.*, S. 148ff.; Beeston, *Grammar*, S. 54f.; von Soden, *GAG*, S. 164; *AHw*, S. 520; ferner besonders Brockelmann, *Grundriß* II, S. 315ff., 377ff.; Bergsträsser, *Einführung*, S. 45, 70 u.ö.

Schon in allen Hauptkategorien der Texte dient, in Übereinstimmung mit der Grundbedeutung der Form (vgl. oben), auch ugaritisch *l* zunächst ganz allgemein der Angabe *des örtlichen, begrifflichen* bzw. *zeitlichen Verhältnisses* (auf deutsch = *auf, hinter, vor, zu* u.ä. + *Dativ* oder Umschreibungen; vielfach z.B. im Englischen = *for* (Relationspartikel) + *Rektion*).

Am häufigsten drückt *l* + der Rektion in den in Frage kommenden Fällen syntaktisch eine nähere Bestimmung zum Prädikat aus. In Betracht kommende Kombinationen dieser Art sind, dichterisch, in Verbalsätzen: (von Körperteilen) ʿnt:II:11-12 *ʿtkt* (:11) *rišt lbmth* (:12) "sie befestigte die Häupter (im Verhältnis zu ihrem Rücken d.h.) hinter ihrem Rücken" (vgl. die Parallele ibid. :12-13 mit *b* d.h. markierter Lokalbezeichnung (siehe oben)); 127:48-49 *lpnk* (:48) *ltšlḥm ytm* (:49) "vor dir (wörtlich: im Verhältnis zu deinem Antlitz) läßt du nicht die Waise speisen"; ferner abstrakt (mit folgender Verneinungspartikel kombiniert) RŠ 22 225[296] *tspi širh lbl ḥrb tšt dmh lbl ks* "sie (die Göttin ʿAnat) aß sein Fleisch ohne (wörtlich: particula relationis + Negationspartikel) Messer; sie trank sein Blut ohne (wörtlich: part. rel. + Negat.) Becher"[297]; weiter (mit folgendem Zahlbegriff) 52:57 *yspr lḫmš* auf englisch: "he recites for the fifth (time)"[298]; ebenso (von der begrifflichen Relation von verschiedenen Zahlen) 67:V:19-20 *škb* (:19) *ʿmnh šbʿ lšbʿm* (:20) "er lag mit ihr siebenundsiebzigmal (wörtlich: sieben im Verhältnis zu siebzig)"[299]; ferner (mit folgendem Zeitbegriff) 602 rev. 9-11 *l* (:9) *ak*[300] *ḥtkk nmrtk btk* (:10) *ugrt lymt špš wyrḫ* (:11) auf englisch: "send your . . . , your . . . in the midst of Ugarit for the days of Špš and Yrḫ!"[301]; 1Aqht:175-178 *lymm lyrḫm* (:175) *lyrḫm lšnt ʿd* (:176) *šbʿt šnt ybk laq* (:177) *ht ǵzr* (:178) "for days, for months, for months, for years, until the seventh year[302] he wept[303] for (vgl. unten) Aqht the Hero"[304]; ibid. :167-168 *ʿwr yštk bʿl lht* (:167) *wʿlmh* (:168) "es mache dich blind Baʿl von nun an (wörtlich: in bezug auf nun < diese (Zeit)) und bis in (alle) Ewigkeit"[305]; ibid. :210-212 *lmʿr*[*b*][306] (:210) *nrt ilm špš mǵy*[*t*] (:211) *pǵt lahlm* (:212) "zur Zeit des Untergan[ges] (zum wörtlichen Sinn vgl. zum unmittelbar vorangehenden Fall) der Leuchte der Götter, Špš, gelang[te] Pǵt zu (vgl. unten) den Zelten"; ebenso in Nominalsätzen: (von Gegenständen) 52:41 *h*[*l*] *ʿṣr ṯḥrr lišt ṣḥrrt lpḥmm* "sie[he], der Vogel röstet o.ä. (im Verhältnis zum Feuer d.h.) auf dem Feuer, ist verglühend o.ä. (im Verhältnis zu den Kohlen d.h.) auf den Kohlen"; ebenso ibid. :44-45, :47-48; ferner 1Aqht:41-42 *ṭl yṭll* (:41) *lǵnbm* (:42) "der Tau taue in bezug auf die Trauben d.h. der Tau falle auf die Trauben"[307]; so auch (mit folgendem Zahlbegriff verbunden) Krt: 92-93 *hlk lalpm ḫḏḏ* (:92) *wlrbt kmyr* (:93) "siehe / gehend[308] zu Tausenden (sind) die *ḫḏḏ*-Soldaten und zu

---

296 Virolleaud, *CRGLES* VIII (1957-60), S. 66; Gordon, *Textbook*, S. 372.

297 Vgl. oben I, S. 27. Zum Sprachtypus (Relationspartikel + Negation) vgl. auch analog in unseren Sprachen z.B. den nordischen, wie norwegisch: "foruten"/"forutan"; usw.

298 Dem Kontext zufolge handelt es sich offenbar um eine fünfmalige Wiederholung des Berichtes von der Geburt der beiden Götter. Siehe auch schon z.B. Jirku, *Mythen*, S. 83 Anmerkung 8.

299 Vgl. Gordon, *Textbook*, S. 47f. (§7.40), 98 (§10.10); Aistleitner, *Wb*, S. 161. Wie bereits angegeben hat jedoch in Fällen wie diesen die Partikel *l* keine besondere additive Funktion, sondern sie drückt hier wie sonst allein die bloße Relation aus.

300 Zur Lesart siehe de Moor, *UF* 1 (1969), S. 176f.

301 Siehe schon Gordon, *Supplement*, S. 555f.

302 Vgl. Driver, *Myths*, S. 65 Anmerkung 7.

303 D.h. Kurzform von der Vergangenheit. Vgl. schon Driver, *Myths*, S. 65 und andere.

304 Ganz arbiträr gibt man im allgemeinen hier der Partikel *l* zwei polare Funktionen: "from . . . to", "von . . . zu"; so z.B. Gordon, *Ug.lit.*, S. 99; *Textbook*, S. 99 (§ 10.11); Ginsberg, *ANET*, S. 155; Driver, *Myths*, S. 65; Jirku, *Mythen*, S. 135; usw.; vgl. dagegen, in Übereinstimmung mit dem sprachlichen Ausdruck, die Umschreibung Aistleitners, *Texte*, S. 81: "tagelang, monatelang, jahrelang". Vgl. auch ähnlich Virolleaud, *Danel*, S. 171.

305 Vgl. schon oben I, S. 5.

306 Zur Lesart vgl. Herdner, *Corpus*, S. 91 verglichen mit z.B. Driver, *Myths*, S. 66.

307 Vgl. Virolleaud, *Danel*, S. 144f.; Gordon, *Ug.lit.*, S. 94; Ginsberg, *ANET*, S. 153; Aistleitner, *Texte*, S. 76; Dietrich und Loretz, *UF* 5 (1973), S. 273f.; de Moor, *UF* 6 (1974), S. 495.

308 Siehe schon oben I, S. 73.

Zehntausenden die *kmyr*-Soldaten" (vgl. oben); ebenso ibid. :180-181[309]; ebenso (mit folgendem Zeitbegriff) 49:II:26-27 *lymm* (:26) *lyrḫm rḥm ʿnt tngṯh* (:27) auf englisch: "for days, for months ʿAnat the Lass seeks him"[310]; zu ibid. :V:7-11[311] vgl. vor allem oben zu 1Aqht:175-178[312] u.ö.[313]; aus der Prosa, in einem Verbalsatz: (von einem Körperteil) 1020:3 *ḥnny lpn mlk* "begünstige mich beim König (wörtlich: begünstige mich in bezug auf das Antlitz des Königs)!"[314] (vgl. auch schon oben); ebenso in Nominalsätzen: (vom begrifflichen Verhältnis von verschiedenen Zahlen) 120:1-3 *mnḥ bd ybnn* (:1) *arbʿ mat* (:2) *l alp šmn* (:3) "das Geschenk (der Tribut) in der Hand des Ybnn (umfaßt) vierzehnhundert (wörtlich: vierhundert in bezug auf tausend) (Krüge) Öl"[315] (vgl. oben); ferner (mit folgendem Zeitbegriff) 1006:1-3 *l ym hnd* (:1) *iwrk[l] pdy* (:2) *agdn bn nrgn(?)* (:3) "von diesem Tag an (wörtlich: in bezug auf den Tag, siehe, diesen)[316] hat Iwrk[l] den Agdn, den Sohn des Nrgn(?), losgekauft"[317]; desgleichen 1008:1-5 *lym hnd* (:1) *ʿmṯtmr bn* (:2) *nqmpʿ ml[k]* (:3) *ugrt ytn* (:4) *šd kḏġdl* (:5) "von diesem Tag an (vgl. oben) hat ʿMṯtmr, der Sohn des Nqmpʿ, der Kön[ig] von Ugarit, das Feld des Kḏġdl gegeben"; 1009:1-6 *lym hnd* (:1) *ʿmṯtmr* (:2) *bn nqmpʿ* (:3) *mlk ugrt* (:4) *ytn bt annḏr* (:5) *bn ytn* (:6) "von diesem Tag an (vgl. oben) hat ʿMṯtmr, der Sohn des Nqmpʿ, der König von Ugarit, das Haus des Annḏr, des Sohnes des Ytn, gegeben". Zum Gebrauch vgl. analog z.B. zu hebräisch *lĕ* Gn 3:8 (*lĕ-rūaḥ hay-yōm*); 3:11 (*lĕ-ḇiltī*); 2Ch 15:3 (*lĕ-lō*); 34:4 (*lĕ-maʿlā*); Koh 11:6 (*lā-ʿæræḇ* ‖ *bab-boqær*); Ex 28:38 (*li-fnē* usw.); Dt 32:8 (*lĕ-mispar*); usw.; ferner zu aramäisch *lV* z.B. *līraḥ* (< **lĕ-yĕraḥ*) *ʾăḏār* Esr 6:15; ferner *l-kslw*; *l-yrḥ tḥwt* (ägyptisch-aramäisch); *l-ʿlm* (nabatäisch); *l-iuma ḏ-sup* (mandäisch); *lĕ-yawmā ḏĕ-šaḇʿā*; *lĕ-qayṭā* (syrisch); usw. (siehe Bauer-Leander, *Gram.*, S. 315f.; Cantineau, *Nabatéen* I, S. 100; Macuch, *Handbook*, S. 419; Nöldeke, *Syr. Gram.*, S. 183); zu arabisch *lV* Reckendorf, *Synt.Verh.*, S. 217f. (*li-ǧāḫimi-hā*; *li-waqti-hā*; *li-hilāli -l-muḥarrami* usw.); zu äthiopisch (Gĕʿĕz) *la* Dillmann, *Gram.*, S. 346 (*la-ʿālam*; usw.); zu altsüdarabisch *l* Höfner, *Gram.*, S. 149; Beeston, *Grammar*, S. 55 (*l-ʾrkn*; usw.); vgl. ferner besonders Brockelmann, *Grundriß* II, S. 378, 382.

Mehrfach wird aber auch in Belegen wie den genannten ugaritisch *l* + dem Regierten syntaktisch zum Subjekt noch hinzugefügt. Solche Fälle sind, dichterisch, in Nominalsätzen: (mit folgendem Zahlbegriff verbunden) (vgl. oben) 51:I:44 *dbh rumm lrbbt* "in welchem (es) Wildstiere zu Zehntausenden (gibt)"; ebenso (zum nachdrücklichen Ausdruck des begrifflichen Verhältnisses von verschiedenen kombinierten Zahlen) (vgl. oben) 75:II:49-51 *kšbʿt lšbʿm aḫh ym[ ]* (:49) *wṯmnt lṯmnym* (:50) *šr aḫyh mẓah* (:51) "denn seine siebenundsiebzig (wörtlich: sieben in bezug auf siebzig) Brüder . . . , und seine achtundachtzig (wörtlich: acht in bezug auf achtzig) Verwandten fanden ihn"[318]; desgleichen aus der Prosa: 1025:3-6 *tšʿ l ʿšrm* (:3) *lqḥ ššlmt* (:4) *ṯmn l arbʿm* (:5) *lqḥ šʿrt* (:6) "neunundzwanzig nahmen *ššlmt*[319], achtundvierzig nahmen Wolle (Haare)"; 1030:8 *arbʿ l ʿšrm ḥsnm* "vierundzwanzig *ḥsn-m* (sind da)"[320]; ibid. :10-11 *ṯṯm l mit ṯn kbd* (:10) *tgmr* (:11) "hun-

309 Vgl. Gordon, *Ug.lit.*, S. 69, 71; *Ug. and Min.*, S. 103-104, 106; *Textbook*, S. 400, 420; Aistleitner, *Texte*, S. 90, 93; *Wb*, S. 118, 151; vgl. ferner z.B. Virolleaud, *Keret*, S. 39, 75; Pedersen, *Berytus* 6 (1939-41), S. 79; Gray, *Krt*², S. 13, 41 mit Verweisen.

310 Dementsprechend auch schon Virolleaud, *Syria* XII (1931), S. 205 ("pour des jours, pour des mois" usw.); dagegen z.B. Gordon, *Ug.lit.*, S. 45; *Textbook*, S. 99 (§ 10.11); Ginsberg, *ANET*, S. 140; Jirku, *Mythen*, S. 69 ("from . . . to"/"von . . . zu"); dazu vgl. schon oben.

311 Vgl. Herdner, *Corpus*, S. 41.

312 Zur Lesart vgl. Gordon, *Textbook*, S. 169; Herdner, *Corpus*, S. 41f.; anders z.B. Driver, *Myths*, S. 112.

313 Demgemäß schon Virolleaud, *Syria* XII (1931), S. 219; dagegen z.B. Gordon, *Ug.lit.*, S. 47; *Textbook*, S. 99 (§ 10.11); Jirku, *Mythen*, S. 73; de Moor, *AOAT* 16, S. 229; usw.; dazu vgl. ebenfalls schon oben.

314 Vgl. de Moor, *JNES* XXIV (1965), S. 359f.; Dietrich – Loretz – Sanmartín, *UF* 6 (1974), S. 471f.; Krahmalkov, *JNES* XXVIII (1969), S. 262.

315 Vgl. Virolleaud, *Syria* XXI (1940), S. 274.

316 Siehe oben I, S. 69. Zum Stil vgl. akkadisch *ištu ūmi annîm* "von diesem Tag an" (von Soden, *AHw*, S. 402).

317 Vgl. Virolleaud, *PU* II, S. 19.

318 Zum ganzen Syntagma vgl. schon Gordon, *Ug.lit.*, S. 55 u.ö.; anders z.B. Aistleitner, *Texte*, S. 57; ferner Virolleaud, *Syria* XVI (1935), S. 263f.

319 Vgl. Virolleaud, *PU* II, S. 52; Gordon, *Textbook*, S. 491; Aistleitner, *Wb*, S. 317.

320 Vgl. Virolleaud, *PU* II, S. 57; Gordon, *Textbook*, S. 403; Aistleitner, *Wb*, S. 114.

dertundzweiundsechzig vollgewichtige (Silberseqel) (sind) die Anzahl"; vgl. auch 1031:15-17; 1028:12-14; 1127:5 *ṯlṯt l ʿšrm ksphm* "dreiundzwanzig (Seqel) (sind) ihr Wert (wörtlich: ihr Silber)"; 1135:6 *šbʿ l ʿšrm kkr ṯlṯ* "siebenundzwanzig Talente *ṯlṯ*-Metall (sind da)"[321]; 2107:15-16 *ʿšrm lmit ksp* (:15) *ʿl bn alkbl šb[ny]* (:16) "hundertundzwanzig (Seqel) Silber (ist) Bn Alkbl aus Šb[n] schuldig (wörtlich: (sind lastend) auf Bn Alkbl aus Šb[n])"; 1084:9-10 *ṯṯm yn ṭb w ḫmš l ʿšrm* (:9) *yn d l ṭb b ulm* (:10) "sechzig (Krüge) guter Wein und fünfundzwanzig (Krüge) schlechter Wein (befinden sich) in Ulm"; 1096:1-5 *b gt mlkt b rḥbn* (:1) *ḫmšm l mitm zt* (:2) *w bd krd* (:3) *ḫmšm l mit* (:4) *arbʿ kbd* (:5) "in Gt Mlkt in (dem Gebiet von) Rḥbn (finden sich) zweihundertundfünfzig Ölbäume, und in der Hand des Krd (gibt es) hundertundvierundfünfzig schwere (Krüge Öl)"[322]; 1127:3-4 *arbʿm l mit šmn* (:3) *arbʿm l mit tišr* (:4) "hundertundvierzig (Krüge) Öl (und) hundertundvierzig (Krüge) *tišr* (sind vorhanden)"[323]; 1107:3-4 *ṯlṯm l mit šʿrt* (:3) *l šr ʿṯtrt* (:4) "hundertunddreißig (Seqel) Wolle (sind) für (vgl. unten) den / die Vorsänger der ʿṮtrt"[324]; 2013:3 [ʿ]*šrm l mit ḫ[p]r ʿbdm* "hundertund-[zwan]zig (sind) die Rat[io]nen der Diener"; vgl. ferner auch 1088:2; 1098 passim; 1131:8; 1180:2; 2044:7-8; 2113:33-34[325]. Zum Gebrauch vgl. ebenso analog zu den verwandten Formen im Semitischen. Vgl. schon die oben angeführte Literatur.

Nur selten bezieht sich ugaritisch *l* mit der Rektion in der genannten Anwendung auf das Objekt. Solche Fälle sind, dichterisch: (vom Erdinnern) 49:II:15-17 *waṣd kl* (:15) *ġr lkbd arṣ kl gbʿ* (:16) *lkbd šdm* (:17) "und ich durchjage jeglichen Berg (, was das Innere (wörtlich: die Leber) der Erde betrifft, d.h.) im Innern der Erde, jeglichen Hügel (, was das Innere der Felder betrifft, d.h.) im Innern der Felder"[326]; ebenso 67:VI:26-28; vgl. auch (vom Kohlenfeuer) 52:35-36 verglichen mit ibid. :31 (zerstört)[327]; ebenso abstrakt (in Verbindung mit folgendem Zahlbegriff) (vgl. oben) 51:I:27-29 *yṣq ksp* (:27) *lalpm ḫrṣ yṣq* (:28) *m lrbbt* (:29) "er gießt / goß Silber zu Tausenden, Gold gießt / goß er zu Zehntausenden" (vgl. schon oben)[328]. Zum Gebrauch vgl. ebenfalls analog zu den verwandten Formen im Semitischen. Für wichtige in Frage kommende Literatur vgl. schon oben.

Sehr häufig steht ferner, wie gemeinsemitisch, auch ugaritisch *l* – dem Obigen gemäß – nach bestimmten Kategorien von Verben, um ausdrücklich *die Richtung* bzw. *das Ziel* der Handlung anzugeben (auf deutsch = *an, auf, in, gegen* + *Akkusativ*; *nach, zu* + *Dativ* u. dgl.; im Englischen ebenso mehrfach = *for* (Relationspartikel) + *Rektion*).

Besonders beliebt ist dieser Gebrauch von *l*, dichterisch, in Verbalsätzen nach intransitiven Verben resp. Bewegungsverben, d.h. zur Einführung des Ziels der Bewegung des Subjektes. Belege sind: (mit geographischen Bestimmungen verbunden) 49:II:19-20 *mġt lnʿmy arṣ* (:19) *dbr* (:20) "ich machte mich auf nach dem lieblichen Land Dbr (wörtlich: machte mich auf für / in bezug auf o.ä. (englisch: started for)[329] die Lieblichkeit des Landes Dbr)"[330]; ebenso 67:VI:5-8, :28-29 (dagegen 49:II:20; 67:VI:29-30 ohne Relationspartikel *l* d.h. mit dem bloßen Kasus der Richtung); desgleichen 1Aqht:156 *ymġ lmrrt tġll bnr* "er machte sich auf (zog weiter) nach

321 Vgl. Virolleaud, *PU* II, S. 169; Gordon, *Textbook*, S. 503; Aistleitner, *Wb*, S. 337.

322 Vgl. Virolleaud, *PU* II, S. 119.

323 Vgl. Virolleaud, *PU* II, S. 159f.; Gordon, *Textbook*, S. 496; Aistleitner, *Wb*, S. 322.

324 Vgl. Virolleaud, *PU* II, S. 142; Gordon, *Textbook*, S. 489; dagegen Aistleitner, *Wb*, S. 316 (*šr* = "Gesang"). Der Kontext fordert aber eine Personenbezeichnung.

325 Zu Zahlkombinationen ohne die Relationspartikel *l* siehe vor allem Gordon, *Textbook*, S. 47f.

326 Vgl. Driver, *Myths*, S. 111; Jirku, *Mythen*, S. 69; usw.; anders z.B. Virolleaud, *Syria* XII (1931), S. 205; Gordon, *Ug.lit.*, S. 45; Aistleitner, *Texte*, S. 20.

327 Vgl. schon z.B. Virolleaud, *Syria* XIV (1933), S. 134; anders z.B. Gordon, *Ug.lit.*, S. 60; Driver, *Myths*, S. 123; Jirku, *Mythen*, S. 82 und andere.

328 Zur poetischen Trennung des zu bestimmenden Nomens von der Präposition + dem Regierten vgl. schon Brockelmann, *Grundriß* II, S. 272 Anmerkung 1.

329 Vgl. außerdem auch englische Syntagmen (Bewegungsverb + Relationspartikel), wie "leave for, make for, march for" usw.; ebenso z.B. französisch: "partir pour" usw.

330 Vgl. ferner z.B. Gordon, *Textbook*, S. 97 (§ 10.10); Driver, *Myths*, S. 111; Jirku, *Mythen*, S. 69; Aistleitner, *Texte*, S. 20; Ginsberg, *ANET*, S. 140.

Mrrt-Tǵll-Bnr"[331]; 1Aqht:163 *ymǵ lqrt ablm* "er machte sich auf (zog weiter) nach der Stadt Ablm"[332]; Krt: 108-109 *wtmǵy ludm* (:108) *rbt wl udm ṯrrt* (:109) "und du wirst dich nach dem großen Udm und nach dem kleinen Udm begeben (englisch: and thou wilt start / march for Great Udm etc.)"[333]; vgl. die Parallele ibid. :210-211 mit bzw. ohne Relationspartikel *l*; 121:II:6 *mǵy rpum lgrnt* "die Rpum kamen zu (vgl. oben) den Tennen"; ebenso (von Gebäuden) 607:67-68 *mǵy ḥrn lbth w* (:67) *yštql lḥṭrh* (:68) "es ging Ḥrn nach (vgl. oben) seinem Hause und er begab sich nach (vgl. oben) seinem Hof"[334]; ebenso 1Aqht:170-171; 2Aqht:II:24-25 ohne bzw. mit Relationspartikel *l*; ferner 1Aqht:211-212 *mǵy[t]* (:211) *pǵt lahlm* (:212) "es ka[m] Pǵt zu den Zelten"[335]; Krt:197 *ym[ǵyn] lqdš* "sie ko[mmen] zum Heiligtum"; ʿnt:II:18 *tštql ilt lhklh* "es begibt sich die Göttin (ʿAnat) nach ihrem Tempel" (zur Parallele ibid. :17 siehe unten); vgl. auch 122:7-8; 128:III:18-19 *tity ilm lahlhm* (:18) *dr il lmšknthm* (:19) "es gingen (kamen) die Götter nach (vgl. oben) ihren Zelten, das Geschlecht des Il nach (vgl. oben) ihren Wohnsitzen"; 2Aqht:V:31-32 *tbʿ kṯr* (:31) *lahlh* (:32) "es ging fort Kṯr nach (vgl. oben) seinem Zelte" (zur Parallele ibid. :32-33 siehe unten); ferner (von Göttern u. dgl.) 127:27-28 *lk labk yṣb lk* (:27) *[la]bk* (:28) "gehe zu deinem Vater, Yṣb, gehe [zu] deinem [Va]ter!" (vgl. oben); desgleichen 75:II:57 *ittpq lawl* "gehe(t) hinaus zum Hilflosen (Baʿl)!"[336]; 51:VIII: 15-17 *al* (:15) *tqrb lbn ilm* (:16) *mt* (:17) "nicht sollt ihr euch dem Sohn des Il, Mt, nähern"[337]; ebenso (übertragen von einem Körperteil) 76:II:17 *lpnnh ydd* "er eilt o.ä. ihr entgegen (wörtlich: in bezug auf ihr Antlitz)"[338] (vgl. schon oben); so auch 1001 obv. 10 *lk lpny* "komm (gehe) mir entgegen!" (dagegen ibid. rev. 8 ohne Relationspartikel *l*)[339]; so auch nach Verben des Zurückkehrens u. dgl., wie (von der Gottheit bzw. der Person) 2Aqht:VI:42 *[ṯ]b ly laqht ǵzr ṯb ly wlk* wörtlich: "[keh]re zurück für / in bezug auf mich, o Aqht, der Held, kehre zurück für / in bezug auf mich und dich" d.h.: "[ach]te auf mich, o Aqht, der Held, achte darauf in meinem und deinem Interesse!"; ebenso ʿnt pl. VI:IV:7-8; ferner (von Gebäuden) 51: VII:42 *bkm yṯb bʿl lbhth* "dann / darauf kehrte Baʿl in seinen Palast zurück"[340]; 126:V:24-25 *ṯb bny lmṯb* *[t]km* (:24) *lkḥṯ zblk[m]* (:25) "kehret zurück, meine Söhne, in eure Behaus[ung], zum Thronsitz eur[er] Herrschaft!"[341]; ebenso (vom Gelände) 52:66 *ṯm tgrgr labnm wlʿṣm* "dort sollt ihr euch zwischen Steinen und Bäumen tummeln o.ä."[342]; vgl. auch 1001 rev. 7; so auch übertragen (in Verbindung mit folgendem Abstraktum) 127:22 *yṯb krt lʿdh* "es kehrt Krt zurück zu seiner Gewohnheit"; 51:VI:15 *ṯṯb bʿl lhwty* "du kehrst zurück, Baʿl, zu meinem Wort d.h. du wirst meinem Wort = meinem Vorschlag zustimmen"[343]; eben-

331 Vgl. Virolleaud, *Danel*, S. 165; Driver, *Myths*, S. 65; Jirku, *Mythen*, S. 134; usw.

332 Vgl. Virolleaud, *Danel*, S. 169; Driver, *Myths*, S. 65; Jirku, *Mythen*, S. 134.

333 Oder: "und du wirst nach dem großen Udm und nach dem kleinen Udm kommen/gelangen". Für die durchgehende Nicht-Unterscheidung zwischen ingressiver und durativer Aktionsart (Aspekt) im Semitischen siehe ausführlich Aartun, *Tempora*, S. 44ff. und die dort angeführte Literatur. Zum Verb *mǵy* vgl. ferner id., *UF* 6 (1974), S. 437f.

334 Vgl. schon Virolleaud, *Ugaritica* V, S. 571.

335 Vgl. Gordon, *Ug.lit.*, S. 100 (ferner *Textbook*, S. 97 (§ 10.10)); Aistleitner, *Texte*, S. 82; *Wb*, S. 9; anders Driver, *Myths*, S. 67; Jirku, *Mythen*, S. 136.

336 Zur Stelle siehe näher Aartun, *WdO*, IV,2 (1968), S. 288f. Für weitere Deutungen vgl. Kapelrud, *Ugaritica* VI, S. 328; Gray, *UF* 3 (1971), S. 67.

337 Auch das Deutsche drückt hier durch den Dativ (= dem Relationskasus) ausschließlich den näheren Bezug der Handlung aus.

338 Vgl. Virolleaud, *Syria* XVII (1936), S. 154; Gordon, *Ug.lit.*, S. 50; Aistleitner, *Texte*, S. 53; *Wb*, S. 202; usw.; anders Obermann, *Ug.myth.*, S. 43f. (*lpnnh* = *l* (Präposition) + *pnn* (Verb) + *-h* (Pronomen)) (sprachlich sowie kontextlich fernliegend; vgl. ferner die entsprechende Kombination *lpnwh* (dazu oben I, S.43)).

339 Vgl. Virolleaud, *PU* II, S. 5f.; Aistleitner, *Wb*, S. 257; dagegen Gordon, *Textbook*, S. 97 ("go before me").

340 Siehe Aartun, *BiO* XXIV (1967), S. 288; ferner oben I, S. 6f. u.ö. Für weitere Deutungen des Syntagma vgl. van Zijl, *AOAT* 10, S. 145f. mit Verweisen. (Die dort angeführten alttestamentlichen Stellen sind jedoch – syntagmatisch betrachtet – in keinem Fall vergleichbar.)

341 Vgl. Virolleaud, *Syria* XXII (1941), S. 214; Gordon, *Ug.lit.*, S. 81; Aistleitner, *Texte*, S. 102; usw.; anders z.B. Jirku, *Mythen*, S. 45 (*ṯb* von der Wurzel *yṯb*).

342 Vgl. Driver, *Myths*, S. 125; Jirku, *Mythen*, S. 84; Aistleitner, *Texte*, S. 61.

343 Zur Verbalsyntax vgl. Aartun, *Tempora*, S. 104ff.

so ibid. :VI:2, :VII:24-25; ibid. :V:104 *wṯb lmspr* "und kehre(t) zurück zur Erzählung!"[344]; ebenso übertragen nach dem Verb *sbb* "sich wenden o.ä.": 51:VI:34-35 *sb ksp lrqm ḫrṣ* (:34) *nsb llbnt* (:35) "es wandelte sich Silber zu Blöcken, Gold wandelte sich zu Ziegeln"[345]; ebenso nach Verben des Sich-Setzens, des Hinaufsteigens, wie (vom Erdboden) 67:VI:13-14 *yṯb* (:13) *lars* (:14) "er setzt sich zur Erde"; (von Gebäuden) 126:IV:14 *ʿl lṯkm bnwn* "steiget auf die Schulter des Gebäudes!"; Krt:73 *ʿl lẓr [mg]dl* "steige auf den [Tu]rm (wörtlich: steige hinauf in bezug auf den Rücken des [Tu]rmes)!"; ebenso ibid. :74, :165-166; (von Gebrauchsgegenständen) 49:I:30-31 *yṯb lkḥṯ aliyn* (:30) *bʿl* (:31) "er setzt sich auf den Thronsessel des Aliyn Baʿl"; 127:23-24 *yṯb lksi mlk* (:23) *lnḫt lkḥṯ drkt* (:24) "er setzt sich auf den Thron des Königtums, auf den Ruhesitz, auf den Thronsessel der Herrschaft"; vgl. auch 76:III:14-15; 67:VI:12-13 *yṯb* (:12) *lhdm* (:13) "er setzt sich auf den Fußschemel"; zu 67:VI:13-14 siehe oben; 121:II:4 *tʿln lmrkbthm* "sie bestiegen ihre Wagen (wörtlich: stiegen hinauf in bezug auf ihre Wagen)"; vgl. auch 123:23; 2Aqht:I:39 *lʿršh yʿl* "er stieg auf sein Bett"; ebenso nach Verben des Fallens, Sich-Niederwerfens u. dgl., wie (vom Erdboden) 68:5 *lars ypl ulny wl ʿpr ʿẓmny* "zur Erde soll fallen der Starke und zum Staube der Mächtige"[346]; ibid. :23 *wyql lars* "und er fiel zur Erde"[347]; ebenso ibid. :25-26; 49:V:4 *ymṣi lars* "er fiel (wörtlich: fand) zur Erde"[348]; ebenso (von Körperteilen) 49:I:8-9 *lpʿn* (:8) *il thbr* (:9) "zu Füßen des Il wirft sie sich nieder"[349]; ebenso 51:IV:25; 2Aqht:VI:50; 51:VIII:26-27 *lpʿn mt* (:26) *hbr* (:27) "zu Füßen des Mt werft euch nieder!"; ʿnt:III:6 *lpʿn ʿnt hbr* "zu Füßen der ʿAnat werft euch nieder!"; ʿnt:VI:18-19 *lpʿn kṯ[r]* (:18) *hbr* (:19) "zu Füßen des Kṯ[r] werft euch nieder!"; ebenso ibid. pl.IX:III:2-3; 76:II:18 *lpʿnh ykrʿ* "er kniete ihr zu Füßen"; so auch übertragen nach Verben, die eine geistige Bewegung ausdrücken, wie nach solchen des Redens, Rufens u. dgl.: (von der Gottheit) 1001 obv. 5 *hm tqrm lmt* "wenn du zu Mt redest o.ä."[350]; 49:I:15-16 *gm yṣḥ il* (:15) *lrbt aṯrt ym* (:16) "laut ruft (rief) Il zur Fürstin Aṯrt des Meeres (wörtlich: für, in bezug auf die Fürstin Aṯrt des Meeres)" (vgl. schon oben)[351]; ibid. :III:22-23 *gm yṣḥ il lbtlt* (:22) *ʿnt* (:23) "laut ruft Il zur Jungfrau ʿAnat"; 51:II:29 *gm lġlmh k[tṣḥ]* "laut zu ihren Dienern, fürwahr, [sie ruft]"; ebenso ibid.:VII:52-53; 62:10-11 *gm* (:10) *tṣḥ lnrt ilm špš* (:11) "laut ruft sie zur Leuchte der Götter, Špš"; zur entsprechenden Konstruktion der Aussageverben siehe unten; ebenso in Nominalsätzen zusammengesetzter Art: (von Gebäuden) ʿnt:II:17 *whn ʿnt lbth tmġyn* "und siehe, ʿAnat geht nach ihrem Haus" (zum wörtlichen Sinn vgl. schon oben); 2Aqht:V:32-33 *hyn tbʿ lmš* (:32) *knth* (:33) "Hyn ging fort nach seinem Wohnsitz" (vgl. oben); desgleichen 601 obv. 17-18 *il hlk lbth yštql* (:17) *lḥṭrh* (:18) "Il ging nach seinem Hause, begab sich nach seinem Hof"[352]; (vom Gebrauchsgegenstand) 51:I:24 *hyn ʿly lmpḫm* "Hyn stieg

344 Vgl. Gaster, *JAOS* 66 (1946), S. 66; Gordon, *Ug.lit.*, S. 33; Driver, *Myths*, S. 99; Ginsberg, *ANET*, S. 134; Jirku, *Mythen*, S. 47; Aistleitner, *Texte*, S. 42; *Wb*, S. 330; van Selms, *UF* 3 (1971), S. 235 (Wurzel des Verbs = *ṯwb*); dagegen Virolleaud, *Syria* XIII (1932), S. 134, 144 (Wurzel: *yṯb*). Syntaktisch faßt genauer Aistleitner, *a.a.O.*, den Ausdruck *wṯb* = Konjunktion + Afformativform (statt Konjunktion + Imperativ) auf.

345 Vgl. Ginsberg, *ANET*, S. 134; Driver, *Myths*, S. 99; Jirku, *Mythen*, S. 50; usw.; anders z.B. Gordon, *Ug. lit.*, S. 35; *Ug. and Min.*, S. 71 (*l* = "from") (nicht dem lexikalischen Sinn der Form entsprechend); vgl. schon oben.

346 Zu den Nominalformen *ulny* ‖ *ʿẓmny* vgl. oben I, S. 45f.; anders z.B. Caquot und Sznycer, *Textes*, S. 387; de Moor, *AOAT* 16, S. 126, 134 (kontextlich kaum stichhaltig).

347 Zum Verb *ql* siehe von Soden, *Wortforschung*, S. 295f.

348 Vgl. Gordon, *Ug.lit.*, S. 47; *Textbook*, S. 436 u.ö.; Ginsberg, *ANET*, S. 141; Jirku, *Mythen*, S. 73; anders z.B. Aistleitner, *Wb*, S. 192 ("er streckte Mt zu Boden").

349 Zum Sprachtypus (Verbum des Fallens/Sich-Niederwerfens usw. + Relationspartikel + Rektion) vgl. (außer den Analogien in den verwandten Sprachen; siehe unten) auch vielfach analog in unseren Sprachen, wie z.B. im Norwegischen: "kaste seg ned, falle usw. for ens fötter".

350 Vgl. Gordon, *Textbook*, S. 479f.; ferner Virolleaud, *PU* II, S. 3f.

351 Vgl. Virolleaud, *Syria* XII (1931), S. 195; Gordon, *Ug.lit.*, S. 44; Driver, *Myths*, S. 111; Jirku, *Mythen*, S. 67; Aistleitner, *Texte*, S. 19; usw. Hierzu vgl. (außer den entsprechenden Gebräuchen in den übrigen semitischen Sprachen; siehe unten) ebenso analog aus unseren Sprachen, z.B. englisch: "ask for, clamour for, call for" usw.

352 Vgl. Virolleaud, *Ugaritica* V, S. 547; Loewenstamm, *UF* 1 (1969), S. 76; de Moor, *UF* 1, S. 168f.

hinauf zum Blasebalg" (vgl. oben); (im feindlichen Sinne (vgl. oben) von der Gottheit) ʿnt:III:34-35 *mn ib yp*[ʿ] *lbʿl ṣrt* (:34) *lrkb ʿrpt* (:35) "welcher Feind erh[ob sich] gegen Baʿl, (welche) Gegnerschaft gegen den Wolkenreiter?"; ebenso ibid.:IV:48[353]; (vom Erdboden) 67:VI:8-9 *lbʿl npl la* (:8) *rṣ* (:9) "fürwahr, Baʿl ist zur Erde gefallen" (vgl. oben); übertragen (nach geistigen Bewegungsverben) (von der Gottheit) 49:VI:22-23 *ʿln špš* (:22) *tṣḥ lmt* (:23) "oben Špš ruft zu Mt" (vgl. oben); 51 Frag. VII:53-58:5-6 *gm lġlmh* (:5) *bʿl yṣḥ* (:6) "laut zu seinen Dienern Baʿl ruft"; vgl. auch 2Aqht:V:14-15; ferner (von dem Tier bzw. der Person) 128:I:5-6 *arḫ tzġ lʿglh* (:5) *bn ḫpt lumhthm* (:6) auf englisch (vgl. oben): "the heifer lows for her calf, soldiers' sons (cry) for their mothers"[354]; (von Körperteilen) 49:II:37 [*š*]*ir lšir yṣḥ* "[Re]st zu Rest schreit"[355]; ebenso in echten Nominalsätzen: (in Verbindung mit folgenden lokalen Bestimmungen (Adverb bzw. Nomen)) 49:IV:46-47 *an lan yšpš* (:46) *an lan* (:47) "wo, wohin (wirst du gehen), o Špš, wo, wohin?" (vgl. oben)[356]; 52:61-62 *špt* (:61) *lars špt lšmm* (:62) "eine Lippe zur Erde, eine Lippe zum Himmel"; ebenso 67:II:2; ferner (von einem Körperteil) 51:IV:17-18 *lpnm* (:17) *atr btlt ʿnt* (:18) "vorwärts (wörtlich: in bezug auf das Antlitz) (vgl. oben) geht die Jungfrau ʿAnat."[357]; (von Tieren) 49:II:28-30 *klb arḫ lʿglh klb* (:28) *ṯat limrh km lb* (:29) *ʿnt aṯr bʿl* (:30) auf englisch: "like (the desire of) the heart of a heifer for her calf, like (that of) the heart of an ewe for her lamb, so (was the desire of) the heart of ʿAnat (yearning) over Baʿl"[358] (zum wörtlichen Sinn des ganzen Syntagma vgl. oben zu *k/k-m* mit Verweisen); ebenso ibid.:II:6-9; vgl. auch oben zu 128:I:5-6; aus der Prosa, in Verbalsätzen: (von Gottheiten) 2:16-17 *ytši* [*lab bn il*] (:16) *ytši ldr bn il lmpḫrt bn i*[*l lṯkmn wš*]*nm hn š*[359] (:17) "es soll/möge emporsteigen (wörtlich: sich erheben) [zum Vater der Söhne des Il], es soll/möge emporsteigen zum Geschlecht der Söhne des Il, der Gesamtheit der Söhne des I[l, zu Ṯkmn und Š]nm, siehe, ein Schaf" (vgl. oben); ebenso ibid.:25-26, :33-35; zu 90:1-4 siehe schon oben; (von Körperteilen) 89:6-11 *l pʿn* (:6) *adty* (:7) *šbʿd* (:8) *w šbʿid* (:9) *mrḥqtm* (:10) *qlt* (:11) "zu Füßen meiner Herrin (vgl. oben mit Verweis) fiel ich siebenmal und siebenmal nieder (bin ich siebenmal und siebenmal niedergefallen) in der Ferne (wörtlich: von der Ferne)" (vgl. unten); ebenso 1014:5-8; 2008:4-5 *l pʿn bʿly* [*mrḥqtm*] (:4) *šbʿd w š*[*bʿid qlt*] (:5) "zu Füßen meines Herrn [fiel ich] siebenmal und sie[benmal nieder in der Ferne]"; 117:5-6 *l pʿn umy* (:5) *qlt* (:6) "zu Füßen meiner Mutter fiel ich nieder"; vgl. auch 2115:6-7; RŠ 34 124:1 (Caquot, *L'annuaire* 75 (1974-75), S. 430); 95:5-7 *l pʿn adtny* (:5) *mrḥqtm* (:6) *qlny* (:7) "zu Füßen unserer Herrin fielen wir nieder in der Ferne"; ebenso übertragen 1015:7-8 *tdʿ ky ʿrbt* (:7) *lpn špš* (:8) "sie weiß, daß ich zum Sonne(nkönig) (vgl. oben) Eintritt hatte"; ferner (mit folgendem Abstraktum) 2:27 *wṯb lmspr* "und kehre(t) zurück zur Erzählung!" (vgl. oben)[360]; 1006:19 *wṯb lunṯhm* "und sie werden(/mögen) zu ihrem Frondienst zurückkehren"[361]; ebenso zum Ausdruck des Ziels der geistigen Bewegung (vgl. oben): (von der Gottheit) 607:8 *tqru lšpš umh* "sie ruft zur Sonne, ihrer Mutter"[362]; ebenso ibid. passim; ferner in Nominalsätzen: (mit folgendem Lokaladverb) 608:12-13 *lan* (:12) [*ḫmt*] (:13) "wohin [das Gift]?"[363]; ebenso ibid.:20 (vgl. oben); (von der Gottheit) 607:1-2

353 Vgl. Gordon, *Ug.lit.*, S. 19; Ginsberg, *ANET*, S. 137; Driver, *Myths*, S. 87; Jirku, *Mythen*, S. 30; usw.; anders z.B. Aistleitner, *Texte*, S. 27f. (*lbʿl* = "oh Baʿl").

354 Vgl. Driver, *Myths*, S. 37; Gray, *Krt²*, S. 18; Sauren und Kestemont, *UF* 3 (1971), S. 205; usw.

355 Vgl. schon z.B. Virolleaud, *Syria* XII (1931), S. 206; Gordon, *Ug.lit.*, S. 45; Jirku, *Mythen*, S. 70; de Moor, *AOAT* 16, S. 208f.; anders z.B. Driver, *Myths*, S. 111; Aistleitner, *Texte*, S. 20; Gray, *Legacy*, S. 57; Kapelrud, *Goddess*, S. 68; dazu vgl. schon oben.

356 Siehe ferner oben I, S. 2 mit Verweisen.

357 Vgl. Gordon, *Ug.lit.*, S. 31; van Zijl, *AOAT* 10, S. 95f.; ähnlich Aistleitner, *Texte*, S. 40; *Wb*, S. 257; usw. Kontextlich sowie sprachlich weniger wahrscheinlich ist *lpnm* mit dem vorangehenden Syntagma zu verbinden; so z.B. Driver, *Myths*, S. 95; Ginsberg, *ANET*, S. 133; Jirku, *Mythen*, S. 44.

358 Vgl. Driver, *Myths*, S. 111; Ginsberg, *ANET*, S. 140; usw.; ebenso Virolleaud, *Syria* XII (1931), S. 205 ("pour son veau || pour son agneau").

359 Zur Lesart siehe Herdner, *Corpus*, S. 114.

360 Vgl. schon oben für weitere Auffassungen.

361 Vgl. Virolleaud, *PU* II, S. 19; Gordon, *Textbook*, S. 69 (§ 9.5); Aistleitner, *Wb*, S. 330. Vgl. näher unten zu *w* (Konjunktion).

362 Vgl. Virolleaud, *Ugaritica* V, S. 565f.

363 Vgl. Virolleaud, *Ugaritica* V, S. 576f.; vgl. auch schon oben I, S. 2 (dazu aramäisch: *lĕ-ʾān* (*lĕ-hān*); vgl. Dalman, *Gram.*, S. 218).

um pḫl pḫlt . . . (:1) *qrit lšpš umh* (:2) "die Mutter des Pḫl, Pḫlt . . . , ruft zur Sonne, ihrer Mutter" (zum Typus vgl. oben). Zum Gebrauch vgl. analog z.B. zu hebräisch *lĕ* Jos 22:4; 1K 14:12; 22:17; Ps 85:9; Ex 21:18; Jer 3:22; Jes 45:4; usw.; zu aramäisch *lV* Bauer-Leander, *Gram.*, S. 258 (vgl. z.B. *qĕreḇ* . . . *li-ṯra'* Dn 3:26); Dalman, *Gram.*, S. 226 (*l-mhpk l-sdwm*); usw.; zu arabisch *lV* Reckendorf, *Synt. Verh.*, S. 217f. (*ǧarā lV*; *zaḥafa lV*; usw.); zu äthiopisch (Gĕ'ĕz) *la* Dillmann, *Gram.*, S. 346 (*ḥōra la*; *yĕgabbĕ' la*; *yĕṣammĕ'ū la*; usw.); zu altsüdarabisch *l* Beeston, *Grammar*, S. 55 (*ẓ'nw l*); usw.; vgl. ferner Brockelmann, *Grundriß* II, S. 377f., 379 und andere.

Beliebt ist letzterer Gebrauch von *l*, ebenso wie gemeinsemitisch, auch nach transitiven Verben. Dabei wird in besonderer Weise das Ziel der Bewegung des Objektes markiert. Hierhergehörige Stellen sind, dichterisch: (vom Erdreich) 51:V:71 *šrh larṣ brqm* "(Ba'l setzt fest die Zeit . . .) (seines) Schleuderns o.ä. der Blitze (in bezug auf d.h.) zur Erde"[364]; 'nt:III:13-14 *sk šlm lkbd arṣ* (:13) *arbdd lkbd šdm* (:14) "gieße Frieden in die Mitte (wörtlich: in bezug auf die Leber) der Erde, Liebesbedürfnis[365] in die Mitte der Felder!"[366]; ebenso ibid.: IV:53-54, :68-69, :73-75; vgl. auch 125:54[367]; (von Gegenständen usw.) 51:II:8-9 *štt ḫptr lišt* (:8) *ḫbrṯ lẓr pḥmm* (:9) "sie setzte *ḫptr* (in bezug) auf das Feuer, *ḫbrṯ* (in bezug) auf die Kohlen (wörtlich: den Rücken der Kohlen)"; ebenso 52:38-39 *yšt* (:38) *lpḥm* (:39) "er stellt(e) (ihn d.h. den Vogel) auf die Kohlen"; vgl. ferner 1Aqht:51, :55, :199-200 (Herdner, *Corpus*, S. 88f.) (vom Getreide)[368]; ferner 49:III:15 *p'nh lhdm yṯpd* "seine Füße stellt er auf den Fußschemel"; ebenso 51:IV:29; 2Aqht:II:11; 'nt:II:36-37 . . . *lksat ṯlḥnt* (:36) *[l]ṯlḥn[t] hdmm ṯṯar*[369] *lhdmm* (:37) "[sie rückt(e) Stühle] an Stühle, Tische [an] Tisch[e], Schemel sie reiht(e) an Schemel"; (von Göttheiten bzw. Personen) 'nt:II:20-22 *ṯṯ'r* (:20) *ksat lmhr ṯ'r ṯlḥnt* (:21) *lṣbim hdmm lǵzrm* (:22) "sie schmeißt die Stühle auf die Krieger, schmeißt die Tische (wörtlich: das Schmeißen der Tische) auf die Soldaten, die Schemel auf die Helden"; Krt:136-137 *wṯṯb* (:136) *mlakm lh* (:137) "und lasse die Boten zu ihm (dem König Pbl) zurückkehren!"; Krt:101-102 *yb'r lṯn* (:101) *aṯth* (:102) "er (der Krieger) entfernt o.ä. zu einem anderen seine Frau"[370]; ebenso ibid.:190-191; 62:12 *'ms m' ly aliyn b'l* "lade mir auf den Aliyn Ba'l!"; zu den Typen *trḫ l*; *ytn l* siehe unten mit Verweisen; (beim Passiv) 52:52 *rgm lil ybl* "die Botschaft (wörtlich: Aussage, Nachricht) wurde Il gebracht (d.h. man brachte Il die Botschaft)"[371]; ebenso ibid.:59; vgl. 1Aqht:212-213; (von Körperteilen) 51:V:109-110 *wyṯṯb lymn aliyn* (:109) *b'l* (:110) "und man ließ (ihn) Platz nehmen zur Rechten des Aliyn Ba'l"; 51:VIII:6 *ḫlb lẓr rḥtm* "(erhebet den Berg auf ('*l*; vgl. unten) beide Hände,) den Hügel auf den Rücken der beiden Handflächen!"; ebenso 67:V:14; 2Aqht:V:27-28 *lbrkh y'db* (:27) *qṣ't* (:28) "auf seine Knie legt er (Kṯr-und-Ḫss) die Armbrust"; 137:23-24 *tǵly ilm rišthm lẓr brkthm wlkḥṯ* (:23) *zblhm*

---

364 Vgl. schon Virolleaud, *Syria* XIII (1932), S. 133; Aistleitner, *Texte*, S. 41; *Wb*, S. 316; ferner Gordon, *Ug.lit.*, S. 32; *Textbook*, S. 495; Lipiński, *UF* 3 (1971), S. 86f. und andere. Zu anderer Deutung des Syntagma vgl. van Zijl, *AOAT* 10, S. 107f.

365 Siehe Aartun, *Neue Beiträge.*

366 Vgl. Virolleaud, *Déesse*, S. 31; Obermann, *Ug.myth.*, S. 25, 40f.; Gordon, *Ug.lit.*, S. 19; Aistleitner, *Texte*, S. 27; Caquot und Sznycer, *Textes*, S. 395; ferner Løkkegaard, *Act.Or.* XXII (1955-57), S. 16; usw.

367 Vgl. Driver, *Myths*, S. 41; dazu *ibid.*, S. 87 Anmerkung 16; vgl. ferner oben I, S. 11 Anmerkung 3.

368 Vgl. Driver, *Myths*, S. 61; Aistleitner, *Texte*, S. 77; *Wb*, S. 105; usw.; vgl. aber auch Gordon, *Ug.lit.*, S. 95; Ginsberg, *ANET*, S. 153; Jirku, *Mythen*, S. 130 ("from"/"von") (von der Entfernung des Objektes; dazu vgl. näher unten).

369 Zur Lesart vgl. Herdner, *Corpus*, S. 15f.

370 Zur Stelle vgl. schon Gaster, *OLZ* XLII (1939), S. 275; Ginsberg, *Keret*, S. 16; Gordon, *Ug.lit.*, S. 69; *Textbook*, S. 375; Aistleitner, *Texte*, S. 91; *Wb*, S. 56; Sauren und Kestemont, *UF* 3 (1971); S. 198; usw. (vgl. dazu besonders die Parallele: *lm nkr* (siehe unten)); anders z.B. Driver, *Myths*, S. 31; Jirku, *Mythen*, S. 88; Gray, *Krt*², S. 13, 44. Betreffs der Etymologie des respektiven ugaritischen Verbs vgl. zu hebräisch und aramäisch *b'r* "wegräumen, wegschaffen u.ä." (siehe die Lexika sowie Aistleitner, *Wb*, S. 56).

371 Vgl. Hammershaimb, *Verb*, S. 197f.; Gordon, *Ug.lit.*, S. 61; Jirku, *Mythen*, S. 83; Aistleitner, *Wb*, S. 122; usw.; anders Virolleaud, *Syria* XIV (1933), S. 148: "(littéralement "fait porter", hif. de *ybl*)" (dem Ugaritischen fremd).

(:24) “die Götter ließen sinken ihre Häupter auf ihre Knie und auf den Thron ihres Fürstentums” (vgl. oben)[372]; ebenso ibid.:24-25; 62:14-15 *lktp* (:14) *ʿnt ktšth* (:15) “auf die Schulter der ʿAnat, fürwahr, legt sie ihn (den Gott Baʿl)”; ʿnt:III:1-2 *št rimt* (:1) *lirth* (:2) “leget Korallen an ihre Brust!”; ebenso 603 rev.6-7[373]; vgl. auch 601 rev.4; 67:VI:14-16; ferner 2Aqht:VI:36-37 (beim Passiv); 51:IV:14-15 *yštn aṯrt lbmt ʿr* (:14) *lysmsmt bmt pḥl* (:15) “er setzt Aṯrt auf den Rücken des Esels, auf den prächtigen Rücken (wörtlich: die Schönheit des Rückens) des Hengstes”; vgl. auch 1Aqht:59-60; ebenso ʿnt:I:6 *ybrd ṯd lpnwh* “man (die Schar der Diener)[374] setzt(e) ihm (dem Gott Baʿl) eine Brust vor (wörtlich: in bezug auf sein Antlitz)”[375]; ʿnt:IV:84 *šrḥq aṯt lpnnh* “er schickte ihr Frauen entgegen (wörtlich: entfernte Frauen in bezug auf ihr Antlitz)” (vgl. oben)[376]; ebenso sehr häufig von der geistigen Bewegung (vgl. oben) nach Aussageverben, wie (von Göttern/Personen) 49:III:24 *rgm lnrt il[m] šp[š]* “sage (berichte) der Leuchte der Gö[tter], der Šp[š] . . . !”[377]; 51:V:74 *lyrgm laliyn bʿl* “man soll melden dem Aliyn Baʿl . . .”[378]; 51:VII:23-24 *lrgmt lk lali* (:23) *yn bʿl* (:24) “fürwahr, ich habe dir gesagt, o Aliyn Baʿl . . .”[379]; 125:38-39 *wrgm laḫtk* (:38) *ṯtmnt* (:39) “und sage deiner Schwester, Ṯtmnt . . .!”; im mythologischen Stil oft in der Verbindung: *rgm lh* “einem etwas sagen, berichten o.ä.” ‖ *ṯny lh* “einem etwas wiederholen”, wie 51:VIII:29-32 *wrgm* (:29) *lbn ilm mt* (:30) *ṯny lydd* (:31) *il ǵzr* (:32) “und saget dem Sohne des Il, Mt, wiederholet dem Liebling des Il, dem Fürsten . . . !”[380]; ebenso 67:II:8-9; 68:7-8 *lrgmt* (:7) *lk lzbl bʿl ṯnt lrkb ʿrpt* (:8) “fürwahr, ich habe dir gesagt, o Fürst Baʿl, ich habe (dir) wiederholt, o Wolkenreiter, . . .”; ʿnt:III:8-9 *wrgm lbtlt ʿnt* (:8) *ṯny lymmt limm* (:9) “und saget der Jungfrau ʿAnat, wiederholet der Schwägerin der Völker. . .!”; ʿnt:VI:21-24 *wrgm lkṯr* (:21) *wẖss ṯny lh* (:22) *yn dḫrš* (:23) *ydm* (:24) “und saget Kṯr-und-Ḫss, wiederholet dem Hyn, dem Handwerker, . . .!”; 137:16-17 *wrgm lṯr ab[h il ṯny lpḫr]* (:16) *mʿd* (:17) “und saget dem Stier, [seinem] Vater, [Il, wiederholet der Versa]mmlung . . .!”; zu 1001 obv. 5 und der Konstruktion der Verben *ṣḥ* bzw. *qra* siehe schon oben; aus der Prosa: (von Personen) 1171:1-4 *spr ʿpsm* (:1) *dt št* (:2) *uryn* (:3) *lmlk ugrt* (:4) “Liste von Leuten (*ʿps-m*), die Uryn dem König von Ugarit (zur Verfügung) gestellt hat”; 2060:35 *w štn ly* “und schicke es mir (dem Hethiterkönig) (wörtlich: und stelle, lege es mir)!” (vgl. auch unten zum dativischen Gebrauch); ferner 118:25 *dybl lšpš* “(der Tribut,) welchen er (der König von Ugarit) der Sonne (dem Hethiterkönig) gebracht hat”; 89:14-15 *rgm tṯṯb* (:14) *l ʿbdh* (:15) “die Nachricht soll sie ihrem Diener zukommen lassen (wörtlich: soll sie in bezug auf ihren Diener zurückkehren lassen)” (vgl. oben); ebenso 95:17-18; 117:13 *w rgm ṯṯb l[y]* “und lasse [mir] die Nachricht zukommen!”; ebenso 2009:9; RŠ 34 124:6 (Caquot, *L'annuaire* 75 (1974-75), S. 430); 138:17-19 *wrgm* (:17) *ṯṯb laḫk* (:18) *ladnk* (:19) “und lasse deinem Bruder, deinem Herrn, die Nachricht zukommen!”; ebenso in Nominalsätzen nach den gleichen oder ähnlichen Verben: 2065:16-17 *w ank* (:16) *aštn . . l iḫy* (:17) “und ich werde es meinem Bruder bringen” (vgl. oben); (mit Infinitivskonstruktion) 2059:23 *w ṯṯb ank lhm* “und ich gab ihnen (die Ladung) zurück (wörtlich: ließ zurückkehren)”[381]; ferner (von einem Körperteil) in einem Verbalsatz: 1012:28-29 *p l ašt aṯty* (:28) *nʿry ṯh lpn ib* (:29) “und ich kann nicht meine Frau (und) meine Kinder (wie) Geschenke vor den Feind setzen”[382] (zum wörtlichen Sinn vgl. schon oben); vgl. ferner RŠ 34 124:28-29 (Caquot, *L'annuaire* 75 (1974-75),

---

372 Zur Stelle vgl. ferner Lökkegaard, *Act.Or.* XXII (1955-57), S. 19; de Moor, *AOAT* 16, S. 124ff.

373 Vgl. Virolleaud, *Ugaritica* V, S. 558f.; de Moor, *UF* 1 (1969), S. 180, 183; Lipiński, *UF* 3 (1971), S. 82 und andere.

374 Dazu Aartun, *WdO*, IV,2 (1968), S. 294f.

375 Dazu vgl. schon oben I, S. 43. Zum analogen Sprachtypus in unseren Sprachen vgl. z.B. norwegisch: “sette, stille noe for ens ansikt”; usw.

376 Vgl. den kontextlichen Zusammenhang; ferner besonders Obermann, *Ug. myth.*, S. 42; Aistleitner, *Wb*, S. 292; usw.; anders z.B. Cassuto, *Goddess*, S. 96f.; van Zijl, *AOAT* 10, S. 69f.; Delekat, *UF* 4 (1972), S. 12.

377 Vgl. schon oben. Auch in diesem Punkt entspricht die ugaritische (semitische) Konstruktion realiter der deutschen Ausdrucksweise (= Aussageverb + Dativ (Relationskasus)). Zur belegten ugaritischen Redeweise vgl. sonst zu den korrespondierenden akkadischen Formeln vor allem Salonen, *Stud. Or.* 38, S. 12f.

378 Vgl. oben I, S. 74.

379 Vgl. schon oben I, S. 33.

380 Zum Typus vgl. schon oben.

381 Vgl. Virolleaud, *PU* V, S. 81f.; ferner Gordon, *Textbook*, S. 80, (§ 9.29), 121 (§ 13.57).

382 Vgl. schon oben I, S. 24 mit Verweisen.

S. 431); gleichermaßen zur Angabe des Ziels der geistigen Bewegung: (von Personen) 2064:21-22 *w lḥt alpm ḥrṯm* (:21) *k rgmt ly* (:22) "und eine Pflugrinder-Tafel hast du mir, fürwahr, genannt"; zum entsprechenden Gebrauch in übertragenem Sinn (von einem Körperteil) RŠ 34 124:14-16 siehe Caquot, *L'annuaire* 75 (1974-75), S. 430f.; ferner 18:1-2 *l rb khnm* (:1) *rgm* (:2) "zum Oberpriester sprich[383] (wörtlich: dem Oberpriester sage) . . .!"; 89:1-3 *l mlkt* (:1) *adty* (:2) *rgm* (:3) "zur Königin, meiner Herrin, sprich . . . !"; ebenso 1014:1-2; 117:1-2 *l mlkt* (:1) *umy rgm* (:2) "zur Königin, meiner Mutter, sprich . . .!"; ebenso 1013:1-2 (vgl. unten); 95:1-2 *l umy adtny* (:1) *rgm* (:2) "zu meiner Mutter, unserer Herrin, sprich . . .!"; 1015:2-3 *lṯryl umy* (:2) *rgm* (:3) "zu Ṯryl, meiner Mutter, sprich . . .!"; ebenso 2009:2; 1016:2-3 [*l*] (:2) [*a*]*ḫty rgm* (:3) "[zu . . .], meiner [Schwe]ster, sprich . . .!"; 2061:2-3 *l mlk ugrt* (:2) *rgm* (:3) "zum König von Ugarit sprich . . .!"; 2059:1-2 *l mlk ugrt* (:1) *aḫy*[384] *rgm* (:2) "zum König von Ugarit, meinem Bruder, sprich . . .!"; ebenso 2159: 1-2[385]; 2008 obv.1-2 *l mlk b*[*'ly*] (:1) *r*[*gm*] (:2) "zum König, [meinem] He[rrn], sp[rich] . . . !"; ebenso 2010: 1-2; 2063:1-2; 2114:1-2 *l ḏrdn* (:1) *b'ly rgm* (:2) "zu Ḏrdn, meinem Herrn, sprich . . .!"; 2115:1-3 *l ybnn* (:1) *adny* (:2) *rgm* (:3) "zu Ybnn, meinem Herrn, sprich . . .!"; 138:2-3 *liwrpḫn* (:2) *bny aḫy*[386] *rgm* (:3) "zu Iwrpḫn, meinem Sohn, meinem Bruder, sprich . . . !"; 54:2-3 *l plsy* (:2) *rgm* (:3) "zu Plsy sprich . . .!"; 2060:2 *l 'mrpi rgm* "zu 'Mrpu sprich . . .!"; ebenso elliptisch: 1020:2 *lmlkytn* "zu Mlkytn (sprich) . . . !"[387]; in Fällen wie diesen nur selten in Nominalsätzen: 2008 obv.6-9 *ankn rgmt l b'ly* [ ] (:6) *l špš 'lm l 'ṯtrt* (:7) *l 'nt l kl il alṯ*[*y*] (:8) *nmry mlk 'lm* (:9) "ich habe meinem Herrn (meinem Ba'l), . . . , der ewigen Sonne, der 'Ṯtrt, der 'Anat, allen Göttern von Alṯ[y], (den Namen von) Nmry, dem ewigen König, genannt"[388]; 1010:1-3 *rgm* (:1) *mlk* (:2) *lḥyil* (:3) "der König teilt dem Ḥyil mit (wörtlich: die Mitteilung des Königs dem Ḥyil) . . ."[389]. Zum Gebrauch vgl. zu hebräisch *lĕ* Ex 19:7; Nu 6:26; Ps 21:4; 68:30; Gn 29:14; 1S 9:6; usw.; zu aramäisch *lV* Dn 3:24; 2:15; usw.; vgl. ferner unter anderen Brockelmann, *Grundriß* II, S. 379 u.ö.

In der gleichen Weise kann, wie öfters in den verwandten Sprachen, auch im Ugaritischen die einfache Form *l*, namentlich als particula relationis (vgl. oben), durchweg analog nach Entfernungsverben stehen zur Einführung der örtlichen Bestimmung, im Verhältnis zu der sich *die Wegbewegung* realisiert (auf deutsch = *bloßem Dativ* (casus relationis) resp. *von + Dativ*).

Mehrfach steht in Fällen wie diesen ugaritisch *l* nach intransitiven Verben, d.h. zur Bezeichnung des bezüglichen Ausgangspunktes der Entfernung des Subjektes. Hierhergehörige Beispiele sind, dichterisch: (von Gebäuden) Krt:131-133 *wng mlk* (:131) *lbty rḥq krt* (:132) *lḥẓry* (:133) "und weiche, König, von meinem Haus, entferne dich, Krt, von meinem Hof (wörtlich: weiche (im Verhältnis zu) meinem Haus usw.)!"[390]; ebenso ibid.:279-280; Krt:79-80 *wyrd* (:79) *krt lggt* (:80) "und herabsteigen soll Krt (im Verhältnis zu d.h.) vom Dach"[391]; ebenso ibid.:171-172; (von Gebrauchsgegenständen) 49:I:35-36 *yrd* (:35) *lkḥṯ aliyn b'l* (:36) "er steigt herab (im Verhältnis zu d.h.) vom Thronsessel des Aliyn Ba'l"[392]; (z.T. mit vorangestelltem Subjekt) 67:VI:11-14 *apnk lṭpn il* (:11) *dpid yrd lksi yṯb* (:12) *lhdm wl hdm yṯb* (:13) *larṣ* (:14) "dann der Freundli-

383 Vgl. Salonen, *a.a.O.*

384 Vgl. Virolleaud, *PU* V, S. 81f. Zur Form *aḫy* (statt *iḫy*) vgl. zum unmittelbar nachfolgenden Fall.

385 Dasselbe Syntagma lautet aber im letztgenannten Text *l mlk* [*u*]*grt* (:1) *iḫy rgm* (:2). Siehe Virolleaud, *PU* V, S. 191. Zur betreffenden Frage vgl. ferner Gordon, *Textbook*, S. 354.

386 Vgl. oben.

387 Oder zu ergänzen ist die Verbform der 3. Person Singular: "spricht" o.ä. (vgl. unten). Vgl. ferner Virolleaud, *PU* II, S. 40f.; Dietrich – Loretz – Sanmartín, *UF* 6 (1974), S. 471.

388 Vgl. Virolleaud, *PU* V, S. 15.

389 Als Apposition zu *rgm mlk* steht in der ersten Zeile: *tḥm* "der Entschluß" o.ä. Vgl. Virolleaud, *PU* II, S. 23f. Zur Stelle vgl. ferner Lipiński, *Syria* L (1973), S. 43f.; Dietrich – Loretz – Sanmartín, *UF* 6 (1974), S. 453f. Zur Redeformel vgl. noch Salonen, *a.a.O.*

390 Außer den analogen Sprachtypen in den verwandten Idiomen (vgl. unten) vgl. ebenso in unseren Sprachen, z.B. norwegisch: "vike for noen bzw. noe"; deutsch: "einem (Dativ d.h. Relationskasus) weichen"; usw.

391 Vgl. schon oben; ferner unten.

392 Vgl. schon zu den vorangehenden Fällen.

che, Il der Mitleidige, steigt vom (wörtlich: im Verhältnis zum) Thron herab, setzt sich (im Verhältnis zu =) auf (vgl. oben) den Schemel, und (im Verhältnis zu d.h.) vom Schemel setzt er sich (im Verhältnis zu =) zur (vgl. oben) Erde"[393]; ebenso übertragen (mit folgendem Abstraktum) 127:37-38 *rd lmlk amlk* (:37) *ldrktk aṯbnn* (:38) "steige herab vom Königsthron (wörtlich: Königswürde), (daß) ich König werde, von deinem Herrschersitz (wörtlich: Herrschergewalt), (daß) ich mich darauf setze!" (zum wörtlichen Sinn des ganzen Syntagma vgl. oben)[394]; ebenso ibid.:52-54. Zum Gebrauch vgl. analog z.B. zu hebräisch *lĕ* zunächst in altererbten Syntagmen wie *lĕ-mē-rāḥōq* < **lV-min-raḥuq-*[395]; *mi-l-ma'lā* < **min-lV-ma'la*[396]; usw.; ferner zu altarabisch *lV* Reckendorf, *Synt.Verh.*, S. 218 u.ö.; zu altsüdarabisch *l(-n)* Höfner, *Gram.*, S. 150; Beeston, *Grammar*, S. 56 (§47:4)[397]; usw.

Ebenso steht so auch in mehreren Fällen ugaritisch *l* nach transitiven Verben zur entsprechenden Bezeichnung der Relation der Entfernung des Objektes. Belege sind, dichterisch: (vom Erdboden) 2Aqht:I:28-29 *ztr 'mh lar̦ mšṣu qṭrh* (:28) *l'pr* (:29) "der ausströmen läßt o.ä. seinen Weihrauch (im Verhältnis zum Boden =) vom Boden, läßt aufsteigen (wörtlich: läßt ausgehen) sein Rauchopfer (im Verhältnis zum Staub =) vom Staub"[398]; ebenso ibid.:I:46-47, :II:1-2, :17; vgl. ferner 1Aqht:51, :55, :199-200 (Herdner, *Corpus*, S. 88f.) (vom Getreide)[399]; desgleichen (von Gegenständen) 68:12-13 *grš ym lksih* (:12) *[n]hr lkḥṯ drkth* (:13) "vertreibe Ym von seinem Thron, den [St]rom von seinem Herrschersitz!" (vgl. schon oben)[400]; vgl. auch 49:V:5-6; 'nt:IV:46-47, pl.X:IV:24-25[401]; (von einem Lebewesen) 1Aqht:146 *yb llqh* "er holte (ihn d.h. Aqht, den Helden) (im Verhältnis zu =) aus dem Adler heraus"[402]; (von Körperteilen) 137:27 *šu ilm raštkm lẓr brktkm* "erhebet, Götter, eure Häupter (im Verhältnis zu =) von euren Knien!"[403]; ebenso ibid.:29. Zum Gebrauch vgl. analog z.B. zu hebräisch *lĕ* Hi 36:3 (*'æśśā dē'ī lĕ-mē-rāḥōq*)[404]; usw.; ferner zu altarabisch *lV* Reckendorf, *Synt.Verh.*, S. 218 (*'aḫadū lahū ṯalāṯīna ba'īrā*)[405]; usw.; zu altsüdarabisch *l(-n)* (vgl. schon oben mit Verweisen); usw.

Besonders häufig dient so ferner auch ugaritisch *l*, wie gemeinsemitisch *lV*, entsprechend der Funktion desselben als particulae relationis (vgl. oben), einfach als schlichtes Merkmal der *dativischen* Beziehung, also

393 Wie zu erwarten dient hier die Partikel *l* – in einem und demselben Kontext – nach Bewegungsverben von entgegengesetzter Bedeutung zur Bezeichnung der Relation der Bewegung von etwas weg bzw. nach etwas hin(!). Vgl. ferner schon oben.

394 Zur Satzsyntax vgl. schon oben I, S. 21 Anmerkung 2.

395 D.h. kombinatorisch: Partikel der Beziehung (*lV*) + Partikel der Entfernung (*min*) + Nomen begrifflichen bzw. lokalen Sinnes (**raḥuq-*); siehe ferner die Grammatiken und Lexika. Vgl. ebenso phönizisch *l* + *m* (Friedrich, *Gram.*, S. 116 (§ 253)).

396 D.h.: Partikel der Entfernung (*min*; vgl. oben) + Partikel der Beziehung (*lV*; vgl. oben) + Nomen> Adverb lokalen Sinnes (*ma'lā*); siehe ferner die Grammatiken und Lexika.

397 Vgl. ebenfalls unten zu ugaritisch *l-n* neben *l*.

398 Zum Syntagma vgl. vor allem Aistleitner, *Texte*, S. 68; *Wb*, an mehreren Stellen; demgegenüber Ginsberg, *ANET*, S. 150; ferner Gordon, *Ug.lit.*, S. 86; Driver, *Myths*, S. 49; Jirku, *Mythen*, S. 116; usw. Für Analogien dieses Gebrauchs aus den verwandten Sprachen vgl. näher unten.

399 Vgl. oben S. 38 Anmerkung 368.

400 Vgl. ferner z.B. Gordon, *Ug.lit.*, S. 15; Driver, *Myths*, S. 81; Jirku, *Mythen*, S. 24; Aistleitner, *Texte*, S. 51; Avishur, *UF* 4 (1972), S. 7; usw.; anders z.B. Virolleaud, *Syria* XVI (1935), S. 33.

401 Zu 52:31, :35-36 vgl. schon oben.

402 Nach Ullendorff, *Orientalia* XX (1951), S. 273 ist die Verbform *yb* von der Wurzel *nbb* "ausleeren o.ä." abgeleitet; vgl. auch Gordon, *Textbook*, S. 440. Zum Sprachtypus vgl. ferner (außer den Analogien in den verwandten Sprachen; siehe unten) ebenso analog in unseren Sprachen, z.B. deutsch: "einem (Dativ d.h. Relationskasus) etwas nehmen, rauben"; usw.

403 Vgl. den Gegensatz ibid.:23-25 (siehe oben); ebenso Gordon, *Ug.lit.*, S. 13f.; Aistleitner, *Texte*, S. 49; Gray, *Legacy*, S. 23; Caquot und Sznycer, *Textes*, S. 386; de Moor, *AOAT* 16, S. 124f.; usw.; anders Lökkegaard, *Act.Or.* XXII (1955-57), S. 19.

404 "Ich will mein Wissen fernher entnehmen". Zur sprachlichen Kombination *lĕ-mē-rāḥōq* vgl. schon oben.

405 "Sie nahmen ihm dreißig Kamele".

zur Regierung dessen, dem zum *Nutzen, Vorteil* u. dgl., seltener zum *Schaden* bzw. *Nachteil* etwas ist oder geschieht (auf deutsch = *bloßem Dativ* (casus relationis) bzw. *für* (Relationspartikel) + *Akkusativ* u. dgl.).

Regelmäßig bezieht sich *l* + dem Regierten bei diesem Gebrauch syntaktisch auf das Prädikat. Belege dieser Art sind, dichterisch, in einem Verbalsatz: (mit folgendem Pronomen) (von der Person) 2124:5 *šmʿ ly* "höre(t) zu meinen Gunsten d.h. höre(t) auf mich!"[406]; ferner häufig in Nominalsätzen: (mit folgendem Nomen) (ebenso von der Person) 124:14-15 *kksp* (:14) *lʿbrm zt ḫrṣ lʿbrm* (:15) "wie Silber (ist) für die Durchquerenden die Olive, (wie) Gold (ist dieselbe) für die Durchquerenden"[407]; 125:103-104 *uḫštk lbky ʿtq* (:103) *bd aṯt* (:104) "oder dein Eingang (ist) für den Weinenden zu betreten auf Grund einer Frau" (zum wörtlichen Sinn vgl. oben zu *b*); vgl. auch ibid.:4-5 (vom Gestank)[408]; ferner 2Aqht:VI:34-35 *dm lġzr* (:34) *šrgk ḫḫm* (:35) "siehe, für einen Helden (ist) dein Lügen einfältig"[409]; (von dem Naturprodukt bzw. der Erde) 126:III:4-10 *lksm mhyt*[410] *ʿn* (:4) *larṣ m[ṭ]r bʿl* (:5) *wlšd mṭr ʿly* (:6) *nʿm larṣ mṭr b*ʿ[*l*] (:7) *wlšd mṭr ʿly* (:8) *nʿm lḥṭt bʿn* (:9) *bm nr- ksmm* (:10) "für den Emmer der ausgedehnten Feldflur (wörtlich: der Ausdehnung, Weite der Feldflur)[411], für die Erde (ist) der Re[ge]n Baʿls, und für das Feld (ist) lieblich der Regen des Erhabenen, für die Erde der Regen Baʿ[l]s. Und für das Feld (ist) lieblich der Regen des Erhabenen, für den Weizen in der Feldflur (und für) den Emmer im frisch gebrochenen Land"[412]; aus der Prosa, in Verbalsätzen, namentlich nach dem Zustandsverb *šlm* "heil, wohlbehalten sein/werden": (mit folgendem Nomen) (von der Person) 117:6-7 *l umy* (:6) *yšlm* (:7) "es sei meiner Mutter wohlbehalten" d.h. "es möge meiner Mutter gut gehen"; desgleichen (mit folgendem Pronomen) 54:4 *yšlm lk* "es sei dir wohlbehalten" d.h. "es möge dir gut gehen"[413]; ebenso 1015:4; 1016:4; 2009:3; 2059:4; 2061:4; 2159:4; in Nominalsätzen: (von Gottheiten bzw. Personen) 1:2 *alp š lil* "ein Rind (und) ein Schaf (ist) für Il"; 3:42 *dqt l ṣpn* "ein junges weibliches (Opfertier) (ist) für Ṣpn"; 9:8 [*a*]*lp lbʿl waṯrt ʿṣrm linš* "ein [Ri]nd (ist) für Baʿl und Aṯrt, zwei Vögel (sind) für Inš . . ."[414]; 19:16 *aḥt l ʿṯtrt* "ein (Opfer) (ist) für ʿṯtrt"; 173:28 *lyrḫ gdlt* "für Yrḫ (ist) eine Färse"; vgl. ebenso die Opfertexte 611; 612; 613 passim[415]; R61:B:1-2[416]; R61:C[417]; ferner 5:10-11 *ṯql ḫrṣ* (:10) *lšpš wyrḫ* (:11) "ein Seqel Gold (ist) für Špš und Yrḫ"; ebenso ibid. passim; ibid.:7-8 *šbʿ pamt* (:7) *lilm* (:8) "siebenmal (geschieht das) für die Götter"; ibid.:26 *šbʿ pamt lklhm* "siebenmal (geschieht das) für sie alle"; ferner in administrativen Texten: 59:1-2 *kd yn* (:1) *lprṯ* (:2) "ein Krug Wein (ist) für Prṯ"; vgl. auch 1084:27-30; 1087:4-6; 1088, 1089, 1090, 1091, 1092 passim[418]; 1094:1-3 *ṯlṯ mat ṯlṯm* (:1) *kbd šmn* (:2) *l kny* (:3) "dreihundertunddreißig schwere (Krüge) Öl (sind) für Kny"; ebenso 2095 passim; 171:3 *ʿšr ddm lšmʿ rgm* "zehn Krüge (sind) für den Hörer des Wortes d.h. für den Lakai"; ibid.:5 *ʿšrm dd lmḫṣm* "zwanzig Töpfe (sind) für die Schlächter"; vgl. auch ibid.:6-12; ferner 1098, 1099, 1101 passim; 93:6 *ṯlṯm sp lbnš tpnr* "dreißig Schalen (sind) für den Lakai des Tpnr"; ebenso ibid. passim; 1117:8 *l ydln šʿrt* "für Ydln (ist) Wolle"[419]; vgl. auch ibid.:5-6; ibid.:9-10 *l kṯrmlk ḫpn* (:9) *l ʿbdil*[*m*] *ḫpn*

406 Siehe schon Virolleaud, *PU* V, S. 173 ("écoute (ou écoutez)-moi!"). Vgl. ferner unten.
407 Siehe schon Virolleaud, *Syria* XXII (1941), S. 24; Gordon, *Ug.lit.*, S. 103; vgl. ferner Aistleitner, *Texte*, S. 86 und andere.
408 Siehe Driver, *Myths*, S. 41, 157 (*ntn* = "Gestank"); ferner z.B. Ginsberg, *ANET*, S. 147; Gray, *Krt*², S. 64.
409 Siehe Herdner, *Corpus*, S. 83 mit Verweisen; ferner Aartun, *Neue Beiträge*.
410 Zur Lesart siehe Herdner, *Corpus*, S. 74.
411 Vgl. schon Aartun, *WdO*, IV,2 (1968), S. 293.
412 Für andere Deutungen vgl. Aartun, *WdO*, IV,2 (1968), S. 293 mit Verweisen.
413 Zur Konstruktion siehe schon Dhorme, *Syria* XIV (1933), S. 235f. (mit Verweis auf lateinisch: "sit tibi salus!"); Friedrich, *AfO* 10 (1935-36), S. 81; Lipiński, *Syria* XLIV (1967), S. 282; Loewenstamm, *BASOR* 194 (1969), S. 52.
414 Vgl. besonders de Moor, *UF* 2 (1970), S. 318, 321 mit Verweisen. Vgl. ferner 1 rev.21-22; 173:6 u.ö. (Herdner, *Syria* XXXIII (1956), S. 105f.).
415 Siehe Virolleaud, *Ugaritica* V, S. 586ff.; de Moor, *UF* 2 (1970), S. 316ff.; Fisher, *Ugaritica* VI, S. 197ff.
416 Siehe Dietrich und Loretz, *Ugaritica* VI, S. 172f.
417 Siehe Dietrich und Loretz, *Ugaritica* VI, S. 173.
418 Siehe Virolleaud, *PU* II, S. 108ff.
419 Vgl. Gordon, *Textbook*, S. 493; Aistleitner, *Wb*, S. 312.

(:10) "für Kṯrmlk (ist) ein Kleid, für ʿBdil[m] (ist) ein Kleid"; vgl. auch ibid.:2-4, :7; 1107:1-2 *ḫpn d iqni w šmt* (:1) *l iybʿl* (:2) "ein Kleid dekoriert mit Lazurstein und Karneol (ist) für Iybʿl"[420]; ibid.:3-4 *ṯlṯm l mit šʿrt* (:3) *l šr ʿṯtrt* (:4) "hundertunddreißig (Seqel) Wolle (sind) für den/die Vorsänger der ʿṮtrt"[421]; ibid.:9-10 *šbʿ lbšm allm* (:9) *l ušḫry* (:10) "sieben Kleidungsstücke (sind) für (die Göttin) Ušḫry"[422]; ibid. rev. 11-13 *ṯlṯ mat pṯtm* (:11) *l mgmr b ṯlṯ* (:12) *šnt* (:13) "dreihundert (Seqel) Linnen (sind) für (den Gott) Mgmr in drei Jahren"[423]; vgl. auch 2101:12, :14-15[424]; 118:28 *mit iqni l mlkt* "hundert Lazursteine (sind) für die Königin"; ebenso ibid.:30, :32, :34, :39; 1143:7-12 *mit ḫmšt kbd* (:7) [*l*] *gmn bn usyy* (:8) *mit ṯṯm kbd* (:9) *l bn yšmʿ* (:10) *mit arbʿm kbd* (:11) *l liy bn ʿmyn* (:12) "hundertundfünf vollgewichtige (wörtlich: schwere) (Seqel) (sind) [für] Gmn, den Sohn des Usyy; hundertundsechzig vollgewichtige (Seqel) (sind) für den Sohn des Yšmʿ; hundertundvierzig vollgewichtige (Seqel) (sind) für Liy, den Sohn des ʿMyn"; vgl. auch 2101:2-3, :6, :24; 2110: 5-6 *ʿšrm l umdym* (:5) *ʿšr l ktl* (:6) "zwanzig (sind) für Umdym, zehn (sind) für Ktl"; (in einem Relativsatze) 90:1-4 *dyṣa* (:1) . . . . . *lnskm* (:4) "(Metall,) das ausgeliefert wurde (wörtlich: ausging) . . . . für die Metallgießer" (vgl. oben); ferner 2068:17 *bnšm dt l mlk* "Leute, die für den König (sind) d.h. dem König (zur Verfügung stehen)"[425]; ebenso ibid.:1 (etwas zerstört); vgl. auch 1076 passim; so auch (mit Auslassung des Subjektes) 166:1-2 *l rb* (:1) *kṯkym* (:2) "(es ist) für das Oberhaupt der Kṯkiter"[426]; (von Tieren) 1165 *ṯmn dd šʿrm l ḥmrm* "acht Töpfe Gerste (sind) für die Esel"; 171:1-2[427] *ʿšrm ddm kbd*[*m*] *lalpm mrim* (:1) *ṯṯ ddm lṣin mrat* (:2) "zwanzig schwe[re] Töpfe (sind) für die Mastochsen; sechs Töpfe (sind) für das fette Kleinvieh"; (übertragen von Gebäuden) 171:4 *ʿšr ddm lbt* "zehn Töpfe (sind) für das Haus"; vgl. auch 2105:3; ferner (von Gebrauchsgegenständen) 1126:6 *kd šmn l nr ilm* "ein Krug Öl (ist) für die Leuchte der Götter"; 2105:1 *lḫmš mrkbt ḫmš ʿšrh prs* "für fünf Wagen (sind) fünfzehn *prs*"[428]; vgl. auch ibid.:2. Zum Gebrauch vgl. analog z.B. zu hebräisch *lĕ* Ex 4:9; Lv 26:14 u.ö.; 1K 5:4; 1Ch 12:18 u.ö.; Pr 26:3; Jer 15:2; usw.; ferner zu aramäisch *lV* Bauer-Leander, *Gram.*, S. 258, 315; Macuch, *Handbook*, S. 418f.; Nöldeke, *Syr. Gram.*, S. 183; usw.; zu arabisch *lV* Reckendorf, *Synt.Verh.*, S. 217ff.; Wright II, S. 148; zu äthiopisch (Gĕʿĕz) *la* Dillmann, *Gram.*, S. 346f.; zu altsüdarabisch *l* Höfner, *Gram.*, S. 148; usw.; vgl. ferner Brockelmann, *Grundriß* II, S. 379ff.; Bergsträsser, *Einführung*, an mehreren Stellen.

Ebenso sehr häufig dient dementsprechend auch ugaritisch *l*, wie gemeinsemitisch *lV*, nach bestimmten transitiven Verben zur genaueren Bezeichnung des dativischen Verhältnisses des Objektes, also zur Angabe dessen, für wen, zu wessen Bestem usw. (vgl. oben) die Realisierung des direkten Objektes geschieht. Derartige Fälle sind, dichterisch: (mit folgendem Nomen bzw. Pronomen) (von der Gottheit bzw. der Person) 1Aqht:191 *qrym ab dbḥ lilm* "es hat mein Vater ein Opfer dargebracht für die Götter"; 2Aqht:VI:24-25 *ybʿl qšt lʿnt*[429] (:24) *qṣʿt lybmt limm* (:25) "er soll einen Bogen für ʿAnat anfertigen, eine Armbrust für die Schwägerin der Völker"; 2Aqht:II:29-30 *alp yṭbḫ lkṯ* (:29) *rt* (:30) "er schlachtete ein Rind für die Kṯrt"; 52:54 *ʿdb lšpš rbt wlkbkbm kn*[ ] "bereite o.ä. der Špš, der Fürstin, (ein Festmahl), und den Sternen . . . !" 601 obv.7 *yʿdb lḥm lh* "er bereitet o.ä. ihm das Brot"; vgl. auch ibid.:10, :12-13[430]; ebenso (absolut) Krt:76-77 *dbḥ lṯr* (:76) *abk* (:77) "opfere dem Stier, deinem Vater, (ein Opfer)!"; ebenso ibid.:168-169 (vgl. dazu 125:39-40, :61); 77:28-29 *yġpr ṯtr t* (:28) *rḫ lk ybrdmy* (:29) "ʿṮtr wird zustimmen, dir (dem Gott Yrḫ) Ybrdmy zur Frau zu ge-

420 Vgl. Virolleaud, *PU* II, S. 142; Gordon, *Textbook*, S. 365, 492; Aistleitner, *Wb*, S. 33, 311.
421 Vgl. Virolleaud, *PU* II, S. 142; Gordon, *Textbook*, S. 489.
422 Siehe Virolleaud, *PU* II, S. 142; Gordon, *Textbook*, S. 368; Aistleitner, *Wb*, S. 38.
423 Siehe Virolleaud, *PU* II. S. 142; Gordon, *Textbook*, S. 430; Aistleitner, *Wb*, S. 178.
424 Vgl. Virolleaud, *PU* V, S. 125.
425 Gordon, *Textbook*, S. 374: "men who are for the king". Vgl. ferner Virolleaud, *PU* V, S. 96.
426 Vgl. Gordon, *Textbook*, S. 424, 482; Aistleitner, *Wb*, S. 159, 287.
427 D.h. = 1100:1-2.
428 Siehe Virolleaud, *PU* V, S. 129; ferner Watson, *UF* 6 (1974), S. 498.
429 Zur Lesart vgl. Herdner, *Corpus*, S. 83.
430 Vgl. Virolleaud, *Ugaritica* V, S. 545f.; Loewenstamm, *UF* 1 (1969), S. 75; Gordon, *Supplement*, S. 553; demgegenüber de Moor, *UF* 1, S. 168f.; Rüger, *UF* 1, S. 203f.; Margulis, *UF* 2 (1970), S. 132f.

ben"[431] (vgl. ferner unten). Sehr ausgedehnt ist dieser Gebrauch nach dem Verb *ytn* "geben (< setzen, stellen u.ä.)"[432] (zur sonstigen Konservierung dieses alten Sprachtypus vgl. unten): 77:19-21 *watn mhrh la* (:19) *bh alp ksp wrbt ḫ* (:20) *rṣ* (:21) "und ich will als ihren Kaufpreis ihrem Vater (dem Gott Ḫrḫb) tausend (Seqel) Silber und zehntausend (Seqel) Gold geben"; 2Aqht:VI:24 *tn lkṯr wḫss* "gib (die genannten Gegenstände) dem Kṯr-und-Ḫss!"; Krt:143 *tn ly mṯt ḥry* "gib mir (dem König Krt) das Weib Ḥry!"; ʿnt:V:11 *ytn bt lbʿl* "er gibt ein Haus für Baʿl"; vgl. 1002:62; 76:III:33 *ql lbʿl ttnn* "sie gibt Baʿl (ihre) Stimme d.h. sie läßt (ihre) Stimme zu Baʿl ertönen o.ä." (vgl. ferner oben); ebenso ibid.:II:31; vgl. ferner 1Aqht:16-17. Ebenfalls steht so sehr oft *l* nach dem Verb *yld* (*wld*) "gebären": 76:III:21-22 *ibr tld* [*lbʿl*] (:21) *wrum l*[*rkb ʿrpt*] (:22) "einen Stier gebiert/gebar sie [dem Baʿl] und ein Rind [dem Wolkenreiter]"; vgl. auch ibid.:III:36-37 (beim Passiv) (in einem Nominalsatz); 128:II:23-25 *tld šbʿ bnm lk* (:23) *wṯmn ṯṯmnm*[433] (:24) *lk tld yṣb* (:25) "sie wird dir (d.h. dem König Krt) sieben Söhne gebären, und einen achten wird sie als achten schenken; sie wird dir Yṣb gebären"[434]; 128:III:20-21 *wtqrb wld bn lh* (:20) *wtqrb wld bnm lh* (:21) "und sie nähert sich der Geburt eines Sohnes für ihn, und sie nähert sich der Geburt zweier Söhne für ihn" d.h. "sie nähert sich der Geburt und schenkt ihm einen Sohn, und sie nähert sich der Geburt und schenkt ihm zwei Söhne"[435]; (beim Passiv) 2Aqht:II:14 *kyld bn ly* "denn ein Sohn ist mir (dem Helden Dnil) geboren"[436]; in einem Nominalsatz: Krt:152-153 *wld šph lkrt* (:152) *wġlm lʿbd il* (:153) "(denn in meinem Traume Il gab, in meiner Vision der Vater der Menschen) die Geburt eines Nachkommen für Krt und eines Knaben dem Diener des Il" (vgl. oben zu 128:III:20-21)[437]; ebenso ibid.:298-300; ferner bisweilen auch bei anderen Verben, wie (beim Passiv) 51:IV:62 *ybn bt lbʿl* "es soll dem Baʿl ein Haus gebaut werden"[438]; ebenso ibid.:V:89-90; ferner (übertragen vom Orte) Krt:80-82 *ʿdb* (:80) *akl lqryt* (:81) *ḥtt lbt ḫbr* (:82) "bereite o.ä. die Speise für die Stadt, den Weizen für Bt-Ḫbr!"; ebenso ibid.:172-173[439]; zu 2Aqht:V:27-28 siehe oben; ebenso (übertragen vom Körperteil) 2Aqht:V:22-25 *tʿdb imr* (:22) *bpḫd lnpš kṯr wḫss* (:23) *lbrlt hyn dḥrš* (:24) *ydm* (:25) "sie bereitet o.ä. ein Schaf aus der Herde (zum wörtlichen Sinn vgl. oben zu *b*) für den Schlund des Kṯr-und-Ḫss, für den Rachen des Hyn, des Handwerkers"; aus der Prosa: (von der Gottheit bzw. der Person) (aus kultischen Texten) 173:2 [*šmt*]*r uṯkl lil* "[la]sset Trauben für Il (den Gott) abschneiden!"[440]; 611:1-5 *id ydbḥ mlk* (:1) *lušḫ*[*r*] *ḫlmṭ* (:2) *lbbt ilbt* (:3) *š l ḫlmṭ* (:4) *w tr l qlḥ* (:5) "dann opfert der König dem Ušḫ[r]-Ḫlmṭ, dem Bbt-Ilbt: ein Schaf dem Ḫlmṭ und eine Taube dem Qlḥ"[441]; (aus administrativen Texten) 69:1-2 *skn dšʿlyt* (:1) *ṯryl ldgn* (:2) "die Stele, die Ṯryl dem (Gott) Dgn

---

431 Vgl. schon Gordon, *Ug.lit.*, S. 64; *Textbook*, S. 465; Driver, *Myths*, S. 125; Jirku, *Mythen*, S. 78; anders z.B. Virolleaud, *Syria* XVII (1936), S. 219f.; Aistleitner, *Texte*, S. 64 (kontextlich unhaltbar).

432 Entsprechendes in den verwandten Sprachen; siehe die Lexika.

433 Zur Lesart siehe schon Herdner, *Corpus*, S. 69.

434 Zur Verbalsyntax vgl. Aartun, *Tempora*, S. 104ff.

435 Zur sprachlichen Konstruktion: *qrb* + Zielobjekt vgl. z.B. arabisch: *qariba* + dem Akkusativ des Ziels (Person oder Sache) (siehe die Lexika). Vgl. ferner schon Gordon, *Ug.lit.*, S. 75; *Manual*, S. 69 (§ 9.44); *Textbook*, S. 85 (§ 9.48); Driver, *Myths*, S. 37, 165; Gray, *Krt*², S. 19; usw.; anders z.B. Virolleaud, *Syria* XXIII (1942-43), S. 154 (*w* + *ld*); ebenso Aistleitner, *Wb*, S. 127; vgl. ferner Ginsberg, *Keret*, S. 40 u.ö.; Dahood, *Ug.-Heb. phil.*, S. 25; Sauren und Kestemont, *UF* 3 (1971), S. 206f.

436 Vgl. Hammershaimb, *Verb*, S. 7; Aistleitner, *Wb*, S. 127f.; usw.

437 Vgl. auch oben S. 13 Anmerkung 121.

438 Vgl. Hammershaimb, *Verb*, S. 9; Aistleitner, *Wb*, S. 51 und andere.

439 Vgl. schon z.B. Virolleaud, *Keret*, S. 39, 45; Pedersen, *Berytus* 6 (1939-41), S. 76; Gordon, *Ug.lit.*, S. 69 u.ö.; Ginsberg, *ANET*, S. 143 u.ö.; usw.; anders z.B. Driver, *Myths*, S. 31; Gray, *Krt*², S. 12, 38; Sauren und Kestemont, *UF* 3 (1971), S. 196 ("from"/"du"); dazu vgl. schon oben. Zur Bildung des Stadtnamens Bt-Ḫbr (betreffs des Musters siehe die Grammatiken und Lexika) vgl. vielleicht die belegte akkadische Kombination *bît ḫu-bu-re* (Sauren und Kestemont, *a.a.O.*; von Soden, *AHw*, S. 352).

440 Dazu vgl. besonders Aartun, *WdO*, IV,2 (1968), S. 278f.

441 Vgl. Virolleaud, *Ugaritica* V, S. 586; de Moor, *UF* 2 (1970), S. 316; ferner Fisher, *Ugaritica* VI, S. 197. Vgl. auch schon oben I, S. 6. Zu *ḫlmṭ* vgl. etymologisch syrisch *ḥulmāṯā*; akkadisch *ḫulmiṭṭu*; ferner hebräisch *ḥomæṭ*; arabisch *ḥamaṭītun* usw. (siehe die Lexika). Vgl. ferner *pn arw d šʿly nrn l ršp gn* "the lion's face that N. has offered to R. of the Garden" (Gordon, *Textbook*, S. 486).

errichten ließ'"[442]; vgl. auch 70:1-2[443]; 1012:23-24 *lm škn hnk* (:23) *l'bdh alpm š[šw]m* (:24) "warum (vgl. unten) hat er (der Hethiterkönig), siehe, seinem Diener, (die Lieferung von) zweitausend Pf[erd]en auferlegt o.ä.?'"[444]; 1019:7-8 *iršt aršt* (:7) *laḫy lr'y* (:8) "ich habe den Wunsch gefaßt für meinen Bruder, meinen Freund'"[445]; vgl. 2064:23-24[446]; auch in der Prosa steht so *l* besonders häufig nach dem Verb *ytn* (vgl. oben): 1008:11-14 *wytn nn* (:11) *l b'ln bn* (:12) *kltn wl* (:13) *bnh* (:14) "und er gibt ihn (den Weingarten) dem B'ln, dem Sohn des Kltn, und seinem Sohn"; 1019:9-10 *wytnnn* (:9) *laḫh lr'h* (:10) "und er soll es (das Erwünschte) seinem Bruder, seinem Freund, geben"; 2008 rev.7 *atn ksp lhm* "ich gebe ihnen Silber"; 2064:20 *w ytn hm lk* "und er gibt sie (die Pferde) dir"; ferner (in zusammengesetzten Nominalsätzen) 1107:7-8 *mlbš* (:7) *ytn lhm* (:8) "Kleider wurden ihnen gegeben"; 1010:7-8 *pank atn* (:7) *'ṣm lk* (:8) "und daher gebe ich dir die Holzstämme'"[447]; 1106:61 *mlk ytn lbš lh* "der König gab ihm ein Kleid"; 2064:16-17 *w ml[k] sswm n'mm* (:16) *ytn l'bdyrḫ* (:17) "und der Kön[ig] gibt 'Bdyrḫ gute Pferde"; ebenso bisweilen nach dem Verb *št* "stellen, anbringen, -legen u.ä.": 702 obv.5-6 *wšt ibsn* (:5) *lkm* (:6) "und ich habe *ibsn* für euch angelegt"; ferner z.T. auch nach dem Verb *šm'* "hören" (vgl. oben): (mit Voranstellung der präpositionalen Bestimmung) 54:5-8 *l trġds* (:5) *w l klby* (:6) *šm't ḫti* (:7) *nḫtu* (:8) "ich habe von den Niederlagen gehört, die erlitten wurden, dem Trġds und dem Klby (zum Nachteil)'"[448]; (mit folgendem Abstraktum) (absolut) 18:17-18 *[w]ht yšm' uḫy* (:17) *lgy* (:18) "[und] siehe, mein Bruder soll (es) hören zu gunsten meiner Stimme" d.h. "er soll gehorchend auf meine Stimme hören'"[449] (vgl. auch oben); desgleichen dialektisch (von der Person) 1020:5 *yšṣa idn ly* "er besorge mir eine Erlaubnis'"[450]; ebenso auch sonst beim Kausativ: 1012:27 *w hn ibm šṣq ly* "und siehe, der Feind macht (es) mir eng d.h. der Feind bedrängt mich'"[451]; ferner (vom Gebäude bzw. Orte) 1010:5-6 *iky aškn* (:5) *'ṣm lbt dml* (:6) "wie soll ich die Holzstämme für das Haus des Dml/Bt Dml festsetzen (wörtlich: auferlegen)?'"[452]. Zum Gebrauch vgl. z.B. analog zu hebräisch *lĕ* Gn 3:18; 16:16; 19:3; Dt 28:52; 1K 13:26; 2Ch 11:1; usw.; ferner zu aramäisch *lV*; arabisch *li* bzw. *la*; äthiopisch (Gĕ'ĕz) *la*; altsüdarabisch *l*; usw. Vgl. ferner besonders Brockelmann, *Grundriß* II, S. 379ff.

Ferner dient so auch, im engsten Anschluß an den eben behandelten Gebrauch, ugaritisch *l*, ebenso wie die analogen Formen in den verwandten Sprachen, häufig zur Angabe *der Zugehörigkeit* (auf deutsch = Umschreibung mit *haben, gehören*).

Die in Frage kommenden Belege dieser Art beziehen sich syntaktisch alle auf das Prädikat. Beispiele letztgenannter Art sind in Nominalsätzen, vom Besitzer, dichterisch: (von der Gottheit bzw. der Person) (öfters in syntagmatischer Verbindung mit der Existenzpartikel *iṯ*[453] resp. der Nichtexistenzpartikel *in*[454] und dem

442 Vgl. Ebach, *UF* 3 (1971), S. 366f.; Dietrich – Loretz – Sanmartín, *UF* 5 (1973), S. 289f.; ferner Virolleaud, *CRGLES* X (1963-66), S. 59.

443 Vgl. die unmittelbar vorangehende Anmerkung.

444 Vgl. schon oben I, S. 50 u.ö.; ferner Virolleaud, *PU* II, S. 27f.; Rainey, *UF* 3 (1971), S. 160; Dietrich – Loretz – Sanmartín, *UF* 6 (1974), S. 457.

445 Vgl. Gordon, *Textbook*, S. 119 (§ 13.46), 367; Aistleitner, *Wb*, S. 37; anders Virolleaud, *PU* II, S. 40. Zum Tempusgebrauch vgl. Aartun, *Tempora*, S. 52ff.

446 Vgl. Virolleaud, *PU* V, S. 91f.; Gordon, *Textbook*, S. 367 (*aršt*), 372 (*blym alpm*).

447 Vgl. Lipiński, *Syria* L (1973), S. 42; ferner Dietrich – Loretz – Sanmartín, *UF* 6 (1974), S. 453f.

448 Vgl. sonst Dhorme, *Syria* XIV (1933), S. 235f.; Aistleitner, *Wb*, S. 118f. verglichen mit Gordon, *Ug.lit.*, S. 117; ferner Lipiński, *Syria* L (1973), S. 47. Für die Wortstellung vgl. Gordon, *Textbook*, S. 119 (§ 13.46).

449 Vgl. Gordon, *Ug.lit.*, S. 118; *Textbook*, S. 98 (§ 10.10).

450 Vgl. de Moor, *JNES* XXIV (1965), S. 359f.; Dietrich – Loretz – Sanmartín, *UF* 6 (1974), S. 471f.; demgegenüber Aistleitner, *Wb*, S. 8 (vgl. zu *idn*); Krahmalkov, *JNES* XXVIII (1969), S. 262f.

451 Siehe schon oben I, S. 53 u.ö.; vgl. ferner Virolleaud, *PU* II, S. 28; Aistleitner, *Wb*, S. 2, 270.

452 Siehe schon oben I, S. 8 mit Verweisen. Zum Syntagma vgl. ferner Dietrich – Loretz – Sanmartín, *UF* 6 (1974), S. 454f. (gegen Lipiński, *Syria* L (1973), S. 42f.).

453 Siehe oben I, S. 29f.

454 Siehe oben I, S. 19f.

Subjekt) 2Aqht:I:21 *bl iṯ bn lh* "er (Dnil) hat keinen Sohn"[455]; 51:IV:50-51 *wn in bt lbʿl* (:50) *km ilm* (:51) "und Baʿl hat kein Haus wie die Götter (wörtlich: und es ist kein Haus da für Baʿl wie (für) die Götter)"; ebenso ʿnt: V:46; 129:19 *in bt* [*ly k*]*ilm* "[ich habe] kein Haus [wie] die Götter"; (mit Voranstellung des Subjektes) ʿnt:III:17-18 *dm rgm* (:17) *iṯ ly* (:18) "siehe, ich (der Gott Baʿl) habe ein Wort (wörtlich: siehe, ein Wort ist da für mich (den Gott Baʿl))"; 1001 obv.2 *alt in ly* "ich habe keinen Thron"[456]; ebenso (in Syntagmen ohne Existenz- bzw. Nichtexistenzpartikel) Krt:15 *ṯar um akn lh* "Kinder einer Mutter, fürwahr, hatte er (wörtlich: Blutsverwandte o.ä. einer Mutter, fürwahr, für ihn (waren))"[457]; aus der Prosa: (in Verbindung mit der Existenzpartikel *iṯ* bzw. der Nichtexistenzpartikel *in* resp. *inn*) 2023:1 *bnšm dt iṯ alpm lhm* "Leute, die Rinder haben"; 306:1-2 *mdrġlm dinn* (:1) *msgm lhm* (:2) "Soldaten, die keine *msg-m* haben"[458]; vgl. auch 1035:4-5; 1125:1 *in ḥẓm lhm* "sie haben keine Pfeile"; so auch (mit Voranstellung des Subjektes) 1006:16-17 [*u*]*nṯ inn* (:16) *l*[*h*]*m* (:17) "[si]e haben keinen [Fron]dienst (zu leisten)"; (von Gegenständen) (mit Voranstellung des Prädikates) 1121:6-7 *w l ṯt mrkbtm* (:6) *inn uṯpt* (:7) "und die beiden Wagen haben keine Köcher"[459]; (ohne Existenz- bzw. Nichtexistenzpartikel) (von der Person) 1081:9 *ṯlṯ krm ubdym lmlkt* "die drei Weingärten des Ubdym gehören der Königin"; 1102:17-20 *šd iyry l ʿbdbʿl* (:17) *šd šmmn l bn šty* (:18) *šd bn arws l bn ḫlan* (:19) *šd bn ibryn l bn ʿmnr* (:20) "das Feld des Iyry gehört dem ʿBdbʿl, das Feld des Šmmn gehört dem Sohn des Šty, das Feld des Sohnes des Arws gehört dem Sohn des Ḫlan, das Feld des Sohnes des Ibryn gehört dem Sohn des ʿMnr"; vgl. auch 2030:A passim; 2089 passim; ebenso in einem Relativsatz mit Verbum finitum (als nähere Bestimmung eines zum Prädikat gehörenden präpositionalen Ausdrucks) 2106:11-13 *anyt* (:11) *d ʿrb b anyt* (:12) *l mlk gbl* (:13) "das Schiff, das bürgt (wörtlich: eintritt) für das Schiff(, das) dem König von Byblos (gehört)" (zum wörtlichen Sinn des ganzen Syntagma vgl. oben zu *b*)[460]; (vom Orte resp. der Stadt) 146:15-16 *šd bn ilšḥr* (:15) *l gt mzln* (:16) "das Feld des Sohnes des Ilšḥr gehört Gt Mzln"; vgl. auch ibid.:17-22; ebenso von der Zugehörigkeit zu einem Ganzen, dichterisch: (von der Dynastie) Krt:8-9 *dšbʿ* (:8) [*a*]*ḫm lh* (:9) "(das Königshaus ist zugrunde gegangen,) zu dem sieben [Brü]der gehörten"; (vom Mythos) 62:1 *lbʿl* "(das Folgende ist) zum Baʿl(-Zyklus) gehörend"; (vom Epos) 1Aqht:1 *l aqht* "(das Folgende ist) zum Aqht(-Epos) gehörend"; vgl. ferner 125:1; Krt:1 (zerstörte Stellen)[461]. Zum Gebrauch vgl. entsprechend z.B. zu hebräisch *lĕ* Dt 10:9; Ri 19:19; Jer 12:12; Ez 38:11; Ps 25:1; 50:10; Koh 2:7; 8:6; Esr 10:2; usw.; ferner zu aramäisch *lV*; arabisch *li* bzw. *la*; äthiopisch (Gĕʿĕz) *la*; altsüdarabisch *l*; usw. Siehe ebenfalls die einschlägigen Grammatiken und Lexika (vgl. oben); vgl. ferner Reckendorf, *Synt.Verh.*, S. 218f.; Brockelmann, *Grundriß* II, S. 380; usw.

Endlich dient so auch ugaritisch *l*, genau wie seine etymologischen Entsprechungen im Semitischen, vielfach zur Einführung des Tatbestandes, nach dem man sich bei der Ausübung der Handlung orientiert, d.h. in weitestem Sinn zur markierten Angabe der Absicht und des Ziels des Handelns = *Zweck* und *Grund* (auf deutsch = *für* (Relationspartikel) + *Akkusativ*; *zu* + *Dativ*; *wegen, bezüglich* + *Genitiv* u. dgl.; auf englisch sehr oft = *for* (Relationspartikel) + *Rektion*; usw.).

In diesem Sinne begegnet im vorliegenden Material *l* + dem Regierten ebenso meist mit syntaktischem Bezug auf das Prädikat, wie dichterisch, in Verbalsätzen: (von der Person) 125:25-26 *al* (:25) *tdm ly* (:26) auf

---

455 Zum wörtlichen Sinn siehe oben I, S. 27.

456 Hierzu siehe schon oben I, S. 20.

457 Siehe genauer oben I, S. 30. Zur Lesart *akn*, die unbedingt der keilschriftlichen Grundlage entspricht, vgl. schon Virolleaud, *Keret*, S. 34 sowie die Kopie Pl. I; Pedersen, *Berytus* 6 (1939-41), S. 67; Gordon, *Textbook*, S. 250 u.ö.; Driver, *Myths*, S. 28; usw.; dagegen liest z.B. Ginsberg, *Keret*, S. 14f. *tkn*; ebenso z.B. Herdner, *Corpus*, S. 62; Gray, *Krt*^{2}, S. 11, 32; Dietrich und Loretz, *AOAT* 18 (1973), S. 34.

458 Siehe oben I, S. 20.

459 Zur Wortstellung vgl. Gordon, *Textbook*, S. 119 (§ 13.46).

460 Vgl. ferner Eißfeldt, *Neue keilalphabetische Texte*, S. 35; Dietrich – Loretz – Sanmartín, *UF* 6 (1974), S. 473.

461 Siehe schon unter anderen Obermann, *JAOS, Supplement* 6 (1946), S. 1 Anmerkung 2; Aistleitner, *Wb*, S. 160; Ginsberg, *ANET*, S. 139ff.; Gordon, *Textbook*, S. 375 (*lbʿl*).

englisch: "do not grieve for me (auf deutsch: meinetwegen)!"[462]; ebenso ibid.:30; 1Aqht:173-174 *ybk laqht* (:173) *ġzr ydmʿ lkdd dnil* (:174) auf englisch: "he wept for Aqht the Hero, shed tears for the child of Dnil"[463]; ebenso ibid.:177-179; (mit folgendem Abstraktum bzw. Verbalnomen) Krt:119-122 *wl yšn pbl* (:119) *mlk lqr ṯigt ibrh* (:120) *lql nhqt ḥmrh* (:121) *lgʿt alp ḥrṯ* (:122) "und es schläft nicht Pbl, der König, wegen (englisch: for) des Gebrülls (wörtlich: des Lautes des Brüllens) seines Stieres, wegen (englisch: for) des Geschreis (wörtlich: des Tones des Schreiens) seines Esels, wegen (englisch: for) des Muhens des Pflugochsen"[464]; ebenso ibid.:222 -226[465]; 127:11-12 *npšh llḥm tpth* (:11) *brlth lṯrm* (:12) "sie öffnet zum Essen seinen Schlund, zum Verzehren seine Gurgel"[466]; 128:IV:27 [*llḥ*]*m lšty ṣḥtkm* "[zum Ess]en, zum Trinken habe ich euch gerufen"; ebenso ibid.:V:10, :VI:4; so auch häufig in Verbindung mit dem sächlichen Fragepronomen: 137:24-25 *lm ġltm ilm riš*[*t*] (:24) *km* (:25) "warum (wörtlich: bezüglich wessen, weswegen)[467] habt ihr, Götter, eure Häup[ter] sinken lassen?"; vgl. auch 51:VII:38-39 sowie die zerstörten Stellen: 75:II:58; 76:III:6; 125:80; ebenso im Nominalsatze: Krt:137-138 *lm ank* (:137) *ksp wyrq ḫrṣ* (:138) "was soll ich mit Silber und dem Gelb des Goldes (wörtlich: bezüglich wessen ich Silber und das Gelb des Goldes)?"; ebenso ibid.:282-283; in der Prosa, in Relativsätzen: (von Gegenständen u. dgl.) 90:1-4 *ṯlṯ dyṣa* (:1) *bd šmmn* (:2) *largmn* (:3) *lnskm* (:4) "*ṯlṯ*-Metall, das dem Šmmn ausgeliefert wurde (wörtlich: das in die Hand des Šmmn ausging)[468] als (wörtlich: in bezug auf) die Einforderung für die Metallgießer" (vgl. oben)[469]; 1143:14 *d škn l ks ilm* "(hundertundfünfzig vollgewichtige (Seqel),) die man beiseite gelegt hat für den Pokal der Götter" (vgl. oben); ferner (in Verbindung mit dem Fragepronomen) in Sätzen verbaler Art: 1010:4 *lm tlik ʿmy* "warum schickst du zu mir?"; 1012:25-26 *lm* (:25) *l ytn hm mlk* [*b*]*ʿly* (:26) "warum gibt der König, mein [H]err, sie nicht?"; 2060:16 *lm . . . . l tlk* "warum . . . kommst du nicht?"; 1022:2 *lm likt* "warum hast du geschickt?"; 2010:7 *lm* [*l*] *likt* "warum hast du [nicht] geschickt?"; RŠ 34 124:7 *lm tlikn ḫpṯ hndn* "warum hast du diesen *ḫpṯ* (wörtlich: den *ḫpṯ*, siehe diesen) geschickt?" (vgl. Caquot, *L'annuaire* 75 (1974-75), S. 430); ebenso in echten bzw. zusammengesetzten Nominalsätzen: 69:3 [*š*] *walp lakl* "[ein Schaf] und ein Rind (sind) zum Essen (bestimmt)"; 1139:1-5 *arbʿ ḥm*[*r*] (:1) *l ṯlṯ* (:2) *ṯn l brr* (:3) *arbʿ ḥmr* (:4) *l pḥ*[*m*] (:5) "vier Ese[l] (sind) für (den Transport von) *ṯlṯ*-Metall, zwei für (den Transport von) *brr*-Metall (und) vier Esel für (den Transport von) *pḥ*[*m*]-Steinen (bestimmt)"; vgl. auch ibid.:6-7 (zerstört)[470]; 1012:22-24 *w mlk bʿly* (:22) *lm škn hnk* (:23) *lʿbdh alpm š*[*šw*]*m* (:24) "und der König, mein Herr, warum hat er, siehe, seinem Diener, (die Lieferung von) zweitausend Pf[er]den auferlegt?"[471]; vgl. auch 18:13; 2010:13; 2128:7. :12 (zerstörte Texte). Zum Gebrauch vgl. entsprechend z.B. zu hebräisch *lĕ* Gn 4:23; 27:46; 42:10; Jes 36:9; usw.; zu aramäisch *lV* Bauer-Leander, *Gram.*, S. 258, 315 (biblisch-aramäisch); ferner zu mišnā-hebräisch bzw. jüdisch-aramäisch *lV* Levy, *Wb* II, S. 460; Jastrow, *Dictionary*, S. 685; zu mandäisch *l* Macuch, *Handbook*, S. 419; zu syrisch *lĕ* Nöldeke, *Syr. Gram.*, S. 183; usw.; zu arabisch *li* bzw. *la* Reckendorf, *Synt.Verh.*, S. 219f.; zu äthiopisch (Gĕʿĕz) *la* Dillmann, *Gram.*, S. 346; zu altsüdarabisch

462 Vgl. Gordon, *Ug.lit.*, S. 78; *Ug. and Min.*, S. 114; *Textbook*, S. 98 (§ 10.10); Ginsberg, *ANET*, S. 147; Driver, *Myths*, S. 41; Gray, *Krt*², S. 22; Jirku, *Mythen*, S. 105; Aistleitner, *Texte*, S. 99; usw.

463 Vgl. z.B. Gordon, *Ug.lit.*, S. 99; *Ug. and Min.*, S. 137; *Textbook*, S. 98 (§ 10.10); Ginsberg, *ANET*, S. 155; Driver, *Myths*, S. 65.

464 Vgl. Driver, *Myths*, S. 31; Gray, *Krt*², S. 14; Aistleitner, *Texte*, S. 91; *Wb*, S. 275, 281 u.ö.; dagegen z.B. Gordon, *Ug.lit.*, S. 70 ("at"); Ginsberg, *ANET*, S. 144 ("till"); dazu vgl. oben.

465 Ebenso Gordon, *Ug.lit.*, S. 72 u.ö.; Driver, *Myths*, S. 35; Gray, *Krt*², S. 16; Aistleitner, *Texte*, S. 94; dagegen z.B. Ginsberg, *ANET*, S. 145 (vgl. die unmittelbar vorangehende Anmerkung).

466 Vgl. Jirku, *Mythen*, S. 112; Aistleitner, *Texte*, S. 103; ferner z.B. Virolleaud, *Syria* XXIII (1942-43), S. 1 ("pour manger || pour dévorer"); Ginsberg, *ANET*, S. 149 ("for bread || for food"); Gray, *Krt*², S. 28 ("for meat || for food"); usw. Vgl. ferner Gordon, *Textbook*, S. 98 (§ 10.10).

467 Außer den Analogien in den verwandten Idiomen (vgl. unten) vgl. ebenso vielfach in unseren Sprachen (Relationspartikel in Verbindung mit einem Fragewort), wie z.B. im Französischen: "pourquoi?"; in den nordischen Sprachen resp. im Norwegischen: "hvorfor?"/"kvifor?" (nach Zweck und Grund fragend).

468 Vgl. oben zu *b*.

469 Vgl. ferner z.B. Aistleitner, *Wb*, S. 290.

470 Siehe Virolleaud, *PU* II, S. 171.

471 Siehe schon oben I, S. 70 u.ö.

l Höfner, *Gram.*, S. 149; Beeston, *Grammar*, S. 55; usw.; vgl. ferner Brockelmann, *Grundriß* II, S. 381 mit Verweisen.

Ganz selten taucht ugaritisch *l* + Regiertem im letztgenannten Sinn mit syntaktischem Bezug auf das Objekt auf, wie dichterisch: (mit folgendem Abstraktum verbunden) ʿnt:III:1-3 *št rimt* (:1) *lirth mšr l dd aliyn* (:2) *bʿl* (:3) auf englisch: "place corals on her chest (vgl. oben) as a gift for the love of Aliyn Baʿl"[472]; in der Prosa: (von der Person) 1020:5-6 *rʿ yšṣa idn ly* (:5) *l šmn* (:6) "mein Freund besorge mir (vgl. oben) eine Erlaubnis bezüglich Šmn"[473]. Zum analogen Gebrauch in den verwandten Sprachen vgl. schon die oben angeführten Verweise.

Zerstörte bzw. unklare (wahrscheinliche) Stellen mit *l* (Präposition) sind: 6:6-9, :15; 49:I:3; 51:VII:4; 52:3-5, :31; 68:33; 76:I:9, :III:16; 77:12; 125:45; 126:III:13; 130:16; 136:3; 601 obv.2; 602 rev.3, 5-6; 605 passim; 606:14-15; 1001 passim; 1002:13, :39; 2001 rev.8; 2Aqht:VI:8; ʿnt:IV:78-79, :V:23, pl.X:IV:3, :V:28; vgl. ferner Virolleaud, *PU* V (1965), S. 173-174; Caquot, *L'annuaire* 75 (1974-75), S. 427 (RŠ 34 126:14-15, :20) (poetische Texte); 1:19, :21; 3 passim; 5:10-14; 19-2-5, :14-15; 21:1-2; 23:3-5; 71:6-8; 92 passim; 100:1; 118:17, :38; 148:2; 173 passim; 318:3-7; 607 passim; 608 passim; 612 rev.3-4; 613:37; 1004:1-22; 1010:19-21; 1012:9; 1106 passim; 1167:1-3; 2005 rev.7-8; 2011 linker Rand 1; 2054:3; 2060:11; 2113:31-32; 2126:3; 2127:a:1-3; 2128 passim; 2130:a:1-3, :b:3; 2133, 2136 passim; 2157:3; 2158 obv.13; 2162:A:1-2, :B passim; 2167:1-2; 2170:5-6; CTA:42; CTA:I obv.8-9, 22, rev.17; CTA:63:A:3; CTA:190:A:7; CTA:198:4; R61:Ag:23; R61:E:1, :3 (Prosatexte)[474].

Die erweiterte Form *l-m* des Ugaritischen kommt in den vorhandenen Texten nur selten zur Anwendung.

Einmal dichterisch dient ugaritisch *l-m* nach einem intransitiven Verb bzw. Bewegungsverb zur Angabe *der Richtung* resp. *des Ziels* der Bewegung des Subjektes (vgl. oben): (von Gebäuden) 128:IV:21-22 *bt krt tbun* (:21) *lm mṯb*[ ] (:22) "in das Haus des Krt kommen sie, nach [seinem] Wohn[sitz]"[475] (zum wörtlichen Sinn vgl. schon oben zu *l*). Für Analogien vgl. ebenso oben zur einfachen Form *l*.

Zur Angabe der Richtung/des Ziels der Bewegung des Objektes (vgl. oben) steht ferner ugaritisch *l-m* dichterisch an folgender Stelle: (von der Person) Krt:102-103 *lm nkr* (:102) *mddth* (:103) "(er (der Krieger) entfernt o.ä. seine Frau zu einem anderen,) zu einem Fremden seine Geliebte"[476] (zur wörtlichen Bedeutung vgl. oben zu *l*). Zum Gebrauch vgl. ebenfalls oben zu *l* (mit Analogien). Vgl. auch unten zu *l-n*.

Ferner dient ugaritisch die erweiterte Form *l-m* einmal in der Prosa zur Bezeichnung der *dativischen* Beziehung (vgl. oben): (von der Person) 1076:6 [*n*]*ḥlh lm iytlm* "sein [Er]be (ist) für Iytlm d.h. (steht) Iytlm

---

472 Vgl. Gordon, *Ug.lit.*, S. 18; *Ug. and Min.*, S. 52; Gray, *Legacy*, S. 37 (*Legacy*², S. 45); van Selms, *Marriage*, S. 73; usw.

473 Siehe schon de Moor, *JNES* XXIV (1965), S. 359f.; Dietrich – Loretz – Sanmartín, *UF* 6 (1974), S. 471f.; demgegenüber Krahmalkov, *JNES* XXVIII (1969), S. 262f.

474 Eine dem hebräischen *'æl* bzw. *'ælē* (geschrieben *'ly*) (Gesenius-Kautzsch, *Gram.*, S. 314; Joüon, *Grammaire*, S. 281f.), dem phönizischen *'l* (Friedrich, *Gram.*, S. 115), dem arabischen *'ilā* (geschrieben *'ly*) (Wright I, S. 280 B) entsprechende Partikelform kennt das Ugaritische nicht.

475 Vgl. Virolleaud, *Syria* XXIII (1942-43), S. 164; Gordon, *Ug.lit.*, S. 76 u.ö.; Driver, *Myths*, S. 39; Sauren und Kestemont, *UF* 3 (1971), S. 208; ferner Gray, *Krt*², S. 20.

476 Vgl. Gordon, *Ug.lit.*, S. 69 u.ö.; Ginsberg, *ANET*, S. 144 u.ö.; Aistleitner, *Texte*, S. 91 u.ö.; Sauren und Kestemont, *UF* 3 (1971), S. 198; usw.; demgegenüber z.B. Virolleaud, *Keret*, S. 78; Driver, *Myths*, S. 31; Gray, *Krt*², S. 13, 44; usw.

(zur Verfügung) / (gehört) Iytlm'[477]. Zum Gebrauch vgl. oben zur einfachen Form *l* (mit Analogien); ferner z.B. zu hebräisch *lĕ-mō* Hi 27:14[478]; usw.

Eine zerstörte Stelle mit *l-m* ist 123:14 (Poesie).

Die erweiterte Form *l-n* des Ugaritischen kommt bisher im Material auch nur selten vor.

Nach einem transitiven Verb dient auch letztere einmal zur Angabe *der Richtung* resp. *des Ziels* der Bewegung des Objektes; so dichterisch: (von einem Gebrauchsgegenstand) 137:25 *wln kḥṯ zblkm* "(warum habt ihr sinken lassen, Götter, eure Häupter auf eure Knie) und auf den Thron eures Fürstentums?"[479] (zum wörtlichen Sinn vgl. oben zu *l*). Zum Gebrauch vgl. ebenso oben zu *l* (mit Analogien); ferner zur erweiterten Form *l-m*.

Zur Angabe des Punktes, im Verhältnis zu dem *die Entfernung* des Objektes stattfindet (vgl. oben), wird ferner ugaritisch *l-n* an der folgenden poetischen Stelle verwendet: (von einem Gebrauchsgegenstand) 137: 27-28 *ln kḥṯ* (:27) *zblkm* (:28) "(erhebet, Götter, eure Häupter von euren Knien,) vom Thron eures Fürstentums!" (zum wörtlichen Sinn vgl. näher oben zur einfachen Form *l*); ebenso ibid.:29. Zum betreffenden Gebrauch vgl. sonst oben zu *l* (mit Analogien); ferner besonders zu altsüdarabisch *l-n* Höfner, *Gram.*, S. 150; Beeston, *Grammar*, S. 56 (§47:4).

Zum Gebrauch von ugaritisch *l-n* (mit folgendem Pronomen suffixum) 607 passim (Beschwörungstext) (mehrdeutige Stellen) vgl. schon Virolleaud, *Ugaritica* V, S. 565f.[480]. Zu den möglichen Fällen 2Aqht:I:30, :II: 18-19 vgl. besonders Driver, *Ugaritica* VI, S. 184.

Ferner kommt vor 4) vom Stamm *m(n)*: *m* = Partikel der Entfernung (auf deutsch = *von, aus* + *Dativ*). Zur Etymologie vgl. hebräisch *min, mē-*; moabitisch *m*; phönizisch *mn* (mit Varianten); aramäisch *min* bzw. *men* (mit Varianten); arabisch *min*; altsüdarabisch *mn*; mehri, š̰ḫauri, soqoṭri *men* bzw. *min*; äthiopisch (Gĕʿĕz) *'ĕmna, 'ĕm ('ĕmĕnna)*; tigriña *'ĕm(m)-*; tigrē *mĕn*; usw.[481].

Die Partikel *m* kommt in der bisher bezeugten Überlieferung des Ugaritischen nur noch sporadisch vor. Die wenigen Belege, die vorhanden sind, stammen alle aus der Prosa d.h. dem jüngsten Stratum der Sprache.

Wie oft im Hebräischen tritt *m* in den belegten Fällen vielfach in lokalem Sinn in Verbindung mit dem Nomen (Adjektiv) *rḥq-m/rḥqt-m* (Maskulinum bzw. Femininum des Nomens + der Hervorhebungspartikel *-m*

---

477 Vgl. Virolleaud, *PU* II, S. 97; Gordon, *Textbook*, S. 103 Anmerkung 3; Aistleitner, *Wb*, S. 162; ferner oben I, S. 60.

478 *'im yirbū ḇānāw lĕ-mō-ḥæræḇ* "werden seine Söhne groß, (so werden sie eine Beute) des Schwertes (wörtlich: für das Schwert)".

479 Vgl. Gordon, *Ug.lit.*, S. 13; *Textbook*, S. 97, 425; Aistleitner, *Texte*, S. 49; *Wb*, S. 162; usw. Dieser Anwendung gegenüber beachte sonst besonders die Fälle 137:27-28, :29 (siehe unten). Vgl. auch analog oben zur einfachen Form *l* 67:VI:11-14.

480 Siehe ferner Gordon, *Textbook*, S. 348 (zu *'bd*); Caquot, *Syria* XLVI (1969), S. 244; Mulder, *UF* 4 (1972), S. 90.

481 Siehe Gesenius-Buhl, *Hw*, S. 433ff., 914; Koehler-Baumgartner, *Lex.*, S. 535ff., 1094f.; Donner und Röllig, *Inschriften* I, S. 33; II, S. 168ff.; Segert, *ArOr* XXIX (1961), S. 228; Friedrich und Röllig, *Gram.*, S. 126; Dalman, *Gram.*, S. 227f., 399; Nöldeke, *Syr. Gram.*, S. 98f.; Schulthess, *Gram.*, S. 58; Cantineau, *Gram. du palm. épigr.*, S. 138; *Nabatéen* I, S. 101; Macuch, *Handbook*, S. 235; Wright I, S. 280 D; Höfner, *Gram.*, S. 154; Beeston, *Grammar*, S. 56; Wagner, *Syntax*, S. 90f. u.ö.; Littmann, *Hb. d. Or.* III (1954), S. 372; Littmann-Höfner, *Wb*, S. 126; Leslau, *JAOS* 65 (1945), S. 196; Praetorius, *Tigriñasprache*, S. 231; ferner Brockelmann, *Grundriß* I, S. 497f.; Bergsträsser, *Einführung*, an mehreren Stellen.

(siehe oben))[482] "fern" auf; so in Briefen: 1012:3 [*a*]*dty mrḥqm*[483] ". . . meine [Her]rin in (wörtlich: aus) der Ferne"[484]; ferner häufig in formelhaften Redeweisen resp. Verbalsätzen mit dem Verb *ql* "(nieder)fallen": 89:6-11 *l p'n* (:6) *adty* (:7) *šb'd* (:8) *w šb'id* (:9) *mrḥqtm* (:10) *qlt* (:11) "zu Füßen (zum wörtlichen Sinn vgl. oben zu *l*) meiner Herrin fiel ich siebenmal und siebenmal nieder (/bin ich siebenmal und siebenmal niedergefallen) in (wörtlich: aus (vgl. oben)) der Ferne"[485]; ebenso 1014:5-8; 95:5-7 *l p'n adtny* (:5) *mrḥqtm* (:6) *qlny* (:7) "zu Füßen unserer Herrin sind wir niedergefallen in der Ferne"; 2008 obv.4-5 *l p'n b'ly* [*mrḥqtm*] (:4) *šb'd w š*[*b'id qlt*] (:5) "zu Füßen meines Herrn [bin ich] siebenmal und sie[benmal niedergefallen in der Ferne]"; ebenso 2063:5-8; 2115 rev.5-8 *lp'n b'ly* (:5) *ṯnid šb'd* (:6) *mrḥqtm* (:7) *qlt* (:8) "zu Füßen meines Herrn bin ich zweimal siebenmal niedergefallen in der Ferne"[486]; vgl. 1013:2-5; weiter in einem kultischen Text nach einem (absolut gebrauchten) transitiven Verb: R61:Ak:31 *w yḥdy mrḥqm* "und man (das Haus der *bn bnš*) soll (sie d.h. die Ziege) in die Ferne (wörtlich: von ferne) antreiben"[487]. Zum Gebrauch vgl. zu hebräisch *mē-* (*min*) Ex 20:18[488]; Jes 22:3[489]; 57:9[490]; usw.; zum entsprechenden Gebrauch der analogen Formen in den übrigen semitischen Sprachen vgl. z.B. Reckendorf, *Synt.Verh.*, S. 201f.; Brockelmann, *Grundriß* II, S. 397ff. und andere.

Ebenso erscheint ugaritisch *m* einmal nach einem Verb der Gemütstätigkeit zur Bezeichnung des Ausgangspunktes bzw. der Ursache der Handlung: 1015:10-11 *wum* (:10) *tšmḫ mab* (:11) "und möge die Mutter vom Vater Freude haben"[491]. Zum Gebrauch vgl. z.B. analog zu hebräisch *mē-* Pr 5:18[492].

2. Von Begriffswurzeln abgeleitete Formen

Zu dieser Kategorie gehört 1) vom Stamm *'ṯr*: *aṯr* "auf der Spur" = "nach". Zur Etymologie vgl. altsüdarabisch *'ṯr*, *b-'ṯr-h*; tigrē *'asar*; biblisch-aramäisch, syrisch, christlich-palästinisch, jüdisch-aramäisch *bāṯar* < **bV-'aṯarV*; ebenso mandäisch *batar* (*bāṯer*), palmyrenisch *btr*; usw. "auf der Spur" = "nach"[493].

Die ugaritische Form *aṯr* kommt in den bisher publizierten Texten mit Sicherheit nur in der Poesie vor. Die Belege beziehen sich alle syntaktisch auf das Prädikat; so in Verbalsätzen: (von der Gottheit) 62:7-8 *aṯr b'l nrd* (:7) *barṣ* (:8) "nach (wörtlich: auf der Spur von) Ba'l wollen wir hinabsteigen in die Erde"; 67:VI:

---

482 Zur ganzen Frage siehe oben I, S. 12, 54. Vgl. dagegen Haldar, *BiO* XXI (1964), S. 275; ferner Dietrich – Loretz – Sanmartín, *UF* 5(1973), S. 92 mit Verweisen (nicht beweiskräftig).

483 Siehe Virolleaud, *PU* II, S. 27; Aistleitner, *Wb*, S. 292. Gordon, *Textbook*, S. 218 liest auch hier gegen den Keilschrifttext *mrḥqtm*.

484 D.h. vom Standpunkt des Absenders aus.

485 Vgl. Loewenstamm, *BASOR* 188 (1967), S. 42.

486 Zur betreffenden Sprachformel vgl. ebenso fürs Akkadische z.B. Knudtzon, *EA* I, passim.

487 Anders Dietrich und Loretz, *Ugaritica* VI, S. 172. Zum sprachlichen Sinn sowie dem Sitz im Leben des kultischen Textes siehe ferner Aartun, *Eine weitere Parallele aus Ugarit zur kultischen Praxis in Israels Religion* (im Druck).

488 *way-ya'amdū mē-rāḥōq* "und sie blieben in der Ferne (wörtlich: von ferne) stehen".

489 *mē-rāḥōq bārāḥū* "in die Ferne (wörtlich: von ferne) sind sie geflohen".

490 *wat-těšallěḥī ṣīrayiḵ 'ad-mē-rāḥōq* "und du hast deine Boten in die Ferne (wörtlich: bis von ferne) gesandt".

491 Vgl. Virolleaud, *CRGLES* VI (1951-54), S. 11; *PU* II, S. 31; Gordon, *Textbook*, S. 219; Dahood, *Ug.-Heb. phil.*, S. 30; anders Greenfield, *HUCA* 30 (1959), S. 144; van Zijl, *AOAT* 10, S. 122; Dietrich – Loretz – Sanmartín, *UF* 5 (1973), S. 92; Aistleitner, *Wb*, S. 308 u.ö. (Textkorrekturen).

492 *u-śmaḥ mē-'ēšæṯ ně'ūræḵā* "und möchtest du Freude haben vom Weibe deiner Jugend!" Vgl. auch schon Virolleaud, *CRGLES* VI (1951-54), S. 11.

493 Vgl. Höfner, *Gram.*, S. 161; Beeston, *Grammar*, S. 58; Littmann-Höfner, *Wb*, S. 362; Bauer-Leander, *Gram.*, S. 261; Nöldeke, *Syr. Gram.*, S. 99; Schulthess, *Gram.*, S. 58; Dalman, *Gram.*, S. 230f., 399; Macuch, *Handbook*, S. 111 u.ö.; Cantineau, *Gram. du palm. épigr.*, S. 137; ferner Brockelmann, *Grundriß* I, S. 499.

24-25 *a*ṯ*r* (:24) *b*'*l ard bar*ṣ (:25) "nach Ba'l will ich hinabsteigen in die Erde"[494]; ebenso RŠ 34 126:20-21 (vgl. Caquot, *L'annuaire* 75 (1974-75), 427); ebenso in Nominalsätzen:49:II:8-9 *km lb* '*n*[*t*] (:8) *a*ṯ*r b*'*l* (:9) "(wie das Herz eines Mutterschafes nach seinem Lamm,) so (ist) das Herz der 'An[at] nach Ba'l" (zum wörtlichen Sinn des ganzen Syntagma vgl. oben zu *k*/*k-m*); ebenso ibid.:29-30; (von Kriegern) Krt:94-95 *a*ṯ*r* ṯ*n* ṯ*n hlk* (:94) *a*ṯ*r* ṯ*l*ṯ *klhm* (:95) syntagmatisch mehrdeutig: "nach zwei gingen zwei, nach drei alle zusammen"[495] oder: "nach zwei zwei, siehe, nach drei alle zusammen"[496]; ebenso ibid.:182-183. Vgl. ferner 2Aqht:I:29, :47, :II:2, :17; 121:II:2; 122:3, :11; 123:5, :10, :11, :21; 124:3 sowie 5:24 (kultischer Text) (zerstörte bzw. mehrdeutige Stellen)[497]. Zum entsprechenden Gebrauch der analogen Formen in den verwandten Sprachen siehe die einschlägigen Grammatiken und Lexika (vgl. oben).

Ferner erscheinen 2) vom Stamm *byn*: *bn* (Stammbildung), *bnt* = *bn* + *-t* (hervorhebende Partikel; vgl. oben I, S. 65ff. und Nachträge zum I. Teil) "zwischen, unter". Zur Etymologie vgl. hebräisch *bēn* < **baynV*, *bēnō*ṯ < **baynā-t(V)*, *bēnē-* < **bayna-y(V)*; biblisch-aramäisch *bēn*, *bēnē-*, syrisch *baynay*, *baynā*ṯ, *bē*ṯ < **bēn-t(V)* (**bayn-t(V)*), *bĕ-*ḇ*ē*ṯ, mandäisch *binat-*, *binatay*, *bit*; usw.; arabisch *bayna*; äthiopisch (Gĕʿĕz) *bayna*, *baynāt-*; altsüdarabisch *byn* (mit weiteren Varianten); usw. "zwischen, unter"[498].

Die unerweiterte Form *bn* des Ugaritischen kommt bisher nur poetisch nach finiten Verben vor. Syntaktisch bezieht sich die Form mit ihrer Rektion meist auf das Prädikat. Derartige Belege sind: (mit transitiven Verben verbunden) (von Körperteilen) 68:14-15 *hlm ktp zbl ym bn ydm* (:14) [ṯ*p*]ṯ *nhr* (:15) "schlage die Schulter des Fürsten Ym, zwischen die Hände [den Rich]ter des Stromes!"[499]; ebenso ibid.:16-17; ibid.:21-22 *hlm qdq* (:21) *d zbl ym bn* '*nm* ṯ*pt nhr* (:22) "schlage den Scheitel des Fürsten Ym, zwischen die Augen den Richter des Stromes!"; ebenso ibid.:24-25[500]; vgl. auch 1001 obv.16; 'nt:VI:3; ferner 603:5[501]; (mit intransitiven Verben verbunden) (bei geographischen Bestimmungen) 'nt:II:6-7 *t*ḫ*t*ṣ*b bn* (:6) *qrytm* (:7) "sie (die Göttin 'Anat) kämpft zwischen den beiden Städten"[502]; zu 'nt:II:30 (von Gebrauchsgegenständen) siehe unten; (von den Gliedern der Gruppe resp. von der Menschheit) (deutsch: "unter") 49:II:17-18 *npš* ḫ*srt* (:17) *bn nšm* (:18) "Lebensodem fehlt unter den Menschen"[503]; (von Raubvögeln) 3Aqht obv.21 *bn nšrm ar*ḫ*p an*[*k*] "unter den Adlern werde i[ch] schweben"[504]; ibid.:31-32 [*bn*] (:31) *nšrm tr*ḫ*p* '*nt* (:32) "[unter] den Adlern schwebt 'Anat". Zum Gebrauch vgl. analog z.B. zu hebräisch *bēn* Jos 18:11; Dt 25:1; Ri 5:16; 2K 2:11; 9:24; usw.; vgl. ferner besonders Brockelmann, *Grundriß* II, S. 408ff. mit Verweisen.

494 Zu den angeführten Fällen vgl. schon z.B. Ginsberg, *ANET*, S. 139; Aistleitner, *Texte*, S. 17; *Wb*, S. 41; Jirku, *Mythen*, S. 64; van Zijl, *AOAT* 10, S. 177 und andere; dagegen z.B. Virolleaud, *Syria* XV (1934), S. 226f., 330f.; Gordon, *Ug.lit.*, S. 42f.; *Textbook*, S. 369; Driver, *Myths*, S. 109; usw. Vgl. ferner die nachfolgenden Beispiele.

495 Hierzu vgl. schon oben I, S. 73.

496 Vgl. die vorangehende Anmerkung.

497 Vgl. Aistleitner, *Wb*, S. 41 und andere.

498 Siehe Gesenius-Buhl, *Hw*, S. 94, 898; Koehler-Baumgartner, *Lex.*, S. 121, 1057; Nöldeke, *Syr. Gram.*, S. 99; Macuch, *Handbook*, S. 236; Wright I, S. 281 C; Praetorius, *Gram.*, S. 141; Dillmann, *Gram.*, S. 356; Höfner, *Gram.*, S. 143; Beeston, *Grammar*, S. 58; ferner Brockelmann, *Grundriß* I, S. 498.

499 Vgl. Gordon, *Ug.lit.*, S. 16 u.ö.; ferner Virolleaud, *Syria* XVI (1935), S. 33; Driver, *Myths*, S. 83; usw.

500 Vgl. ausdrücklich Caquot und Sznycer, *Textes*, S. 389.

501 Vgl. zur Stelle Virolleaud, *Ugaritica* V, S. 557f.; ferner Fisher und Knutson, *JNES* XXVIII (1969), S. 157f., 163; de Moor, *UF* 1 (1969), S. 180f.; Lipiński, *UF* 3 (1971), S. 82f.; Pope und Tigay, *ibid.*, S. 118f. (abweichende Auffassungen).

502 Vgl. Gordon, *Ug.lit.*, S. 17 u.ö.; Ginsberg, *ANET*, S. 136; Driver, *Myths*, S. 85 (dazu besonders Anmerkung 4); Caquot und Sznycer, *Textes*, S. 393; de Moor, *AOAT* 16, S. 88f.; usw.; anders z.B. Virolleaud, *Déesse*, S. 14; Jirku, *Mythen*, S. 27; Aistleitner, *Texte*, S. 25 u.ö.; Kapelrud, *Goddess*, S. 49. Vgl. ferner oben.

503 Vgl. Ginsberg, *ANET*, S. 140; Driver, *Myths*, S. 111; Jirku, *Mythen*, S. 69 ("life"/"Leben"); ferner ähnlich Gordon, *Ug.lit.*, S. 45 u.ö.; anders z.B. Virolleaud, *Syria* XII (1931), S. 205; Aistleitner, *Texte*, S. 20.

504 Vgl. Gordon, *Ug.lit.*, S. 93; Ginsberg, *ANET*, S. 152; Aistleitner, *Texte*, S. 74; usw.; anders z.B. Virolleaud, *Danel*, S. 219. Zum Tempusgebrauch vgl. Aartun, *Tempora*, S. 104ff.

Seltener steht ugaritisch *bn* + dem Regierten mit syntaktischem Bezug auf das Objekt, wie (bei geographischen Bestimmungen) ʻnt:II:20 *tḫtṣb bn qrtm* "(und nicht wurde sie (die Göttin ʻAnat) satt ihres Kämpfens im Tale (vgl. oben),) des Metzelns zwischen den beiden Städten"[505]; vgl. auch ibid.:30 (von Gebrauchsgegenständen); ferner (von der Gottheit) 76:II:16 *nʻmt bn aḫt bʻl* "(und er sah die Jungfrau ʻAnat,) die lieblichste unter Baʻls Schwestern"[506]. Zum analogen Gebrauch von anderen Partikeln dieser Kategorie vgl. schon oben. Vgl. ferner Brockelmann, *Grundriß* II, S. 270ff.

Mögliche weitere Belege von ugaritisch *bn* sind: ʻnt pl.X:V:11, :23 (zerstörte Stellen).

Ein Beispiel der erweiterten Form *bn-t*[507] liegt im Material nach allem vor an der beschädigten epischen Stelle: 2Aqht:VI:13-14 *tṣb qšt bnt*[508] (:13) [ ] (:14) "der Bogen wird gestellt o.ä. zwischen . . ." oder: "sie stellt o.ä. den Bogen zwischen . . ."[509]. Zum Gebrauch vgl. oben zu *bn*; ferner zu den analogen Formtypen desselben Stammes im Semitischen (vgl. schon die obigen Verweise).

Weiter kommt vor 3) vom Stamm *bʻd*: *bʻd* "hinter". Zur Etymologie vgl. arabisch *baʻda*; altsüdarabisch *bʻd*, *bʻd-n* usw. "nach u.ä."[510].

Von der ugaritischen Form *bʻd* liegen ebenso im vorhandenen Material nur noch poetische Belege vor. Immer mit syntaktischem Bezug auf das Prädikat gebraucht, steht die Form: (mit folgendem Pronomen) (von der Gottheit) 52:70 *wptḥ hw prṣ bʻdhm* "und er öffnete einen Spalt hinter ihnen"[511]; ebenso (mit folgendem Nomen) (von einem Körperteil) 127:49-50 *bʻd* (:49) *kslk almnt* (:50) "hinter deinem Rücken (wörtlich: deinen Lenden) (ist) die Witwe". Vgl. ferner 607:70-71[512]. Zu 1019:4-6 siehe unten zu *ʻd*. Zum Gebrauch vgl. z.B. zu arabisch *baʻda* (nur übertragen, u. z. temporal) Qur. 6:6 (*min baʻdihim*); 45:4 (5) (*baʻda mawtihā*); usw. Vgl. ferner Reckendorf, *Synt. Verh.*, S. 211.

Zerstörte Stellen mit *bʻd* sind: 8:6; 126:V:5; 1002:44; vgl. auch 24:10.

Ferner sind belegt 4) vom Stamm *ʻd* (bzw. *ʻd(w/y)*[513]): *ʻd* (Stammbildung); *bʻd* = *b* (Präposition) + *ʻd* "bis". Zur Etymologie vgl. hebräisch *ʻaḏ*, *ʻăḏē* < **ʻada-y(V)* (vgl. oben I, S. 44ff.) (bzw. **ʻaday(V)*); moabi-

---

505 Vgl. Gray, *Legacy*, S. 34; Caquot und Sznycer, *Textes*, S. 393; de Moor, *AOAT* 16, S. 88f.; anders z.B. Kapelrud, *Goddess*, S. 50. Zur Syntax vgl. oben I, S. 23. Vgl. ferner analog ibid.:23-24 (dazu besonders Virolleaud, *Déesse*, S. 22; Gaster, *Thespis*, S. 212).

506 Vgl. Gordon, *Ug.lit.*, S. 50 u.ö.; Aistleitner, *Texte*, S. 53 u.ö.; ferner Herdner, *Corpus*, S. 50f.; usw.; anders z.B. Virolleaud, *Syria* XVII (1936), S. 154 (kontextlich fernliegend). Vgl. ferner ibid.:26-28, :III: 10-11.

507 Ebenso schon Driver, *Myths*, S. 52, 164.

508 Vgl. Gordon, *Textbook*, S. 248; Herdner, *Corpus*, S. 83; dagegen Virolleaud, *Danel*, S. 206; Driver, *Myths*, S. 54 (*bnth*).

509 Vgl. Gordon, *Ug.lit.*, S. 90 u.ö.; demgegenüber z.B. Driver, *Myths*, S. 53; anders Virolleaud, *Danel*, S. 208 ("ses filles").

510 Siehe Wright I, S. 281 C; Höfner, *Gram.*, S. 146; Beeston, *Grammar*, S. 57.

511 Zur besonderen Syntax des Textes vgl. Gordon, *Textbook*, S. 35 u.ö. mit Verweis auf die phönizischen Karatepe-Texte (dazu z.B. Donner und Röllig, *Inschriften* I, S. 2f.; II, S. 13, 32, 39f. u.ö.). Vgl. ferner zu Koh 4:2 (*wĕ-šabbēaḥ ʼănī*), Esth 9:1 (*wĕ-nahăfōḵ hū*) (dazu Gesenius-Kautzsch, *Gram.*, S. 361 (§ 113 gg)).

512 Siehe Astour, *JNES* XXVII (1968), S. 26; Avishur, *UF* 4 (1972), S. 3; anders Virolleaud, *Ugaritica* V, S. 572, 602.

513 Die Herkunft dieser Präposition ist, wie oft bei den Partikeln im Semitischen (vgl. Brockelmann, *Grundriß* I, S. 492ff. und andere), nicht mit Sicherheit zu bestimmen.

tisch *'d*; phönizisch, punisch *'d*; aramäisch *'aḏ* (mit Varianten); altsüdarabisch *'d, 'd-w, 'd-y* (vgl. oben I, S. 43ff.); akkadisch *adi*(, *adum, adu, ad*) "bis u.ä."[514].

Die nackte Form *'d* des Ugaritischen erscheint sowohl in der Dichtung als auch in der Prosa. An allen Stellen bezieht sich dieselbe mit ihrem Regierten syntaktisch auf das Prädikat. Dichterisch steht *'d* in Verbalsätzen nach transitiven Verben: (von Körperteilen) Krt:63-64 *rḥṣ* [*y*]*dk amt* (:63) *uṣb*[*'tk*] *'d ṯkm* (:64) "wasche deine [Hän]de bis zum Ellenbogen[515], [deine] Fin[ger] bis zur Schulter!"; ebenso ibid.:157-158; so auch übertragen (mit folgendem Abstraktum) 601 obv.3-4 *tštn y*[*n*] *'d šb'* (:3) *trṯ 'd škr* (:4) "ihr sollt We[in] trinken bis zur Sättigung, Most bis zur Trunkenheit"[516]; vgl. auch ibid.:16; ferner nach einem intransitiven Verb: (von der Zeit) 1Aqht:176-178 *'d* (:176) *šb't šnt ybk laq* (:177) *ht ġzr* (:178) "bis zum siebenten Jahre weinte er über Aqht, den Helden" (zum wörtlichen Sinn des Syntagma vgl. oben zu *l*). In der Prosa begegnet *'d* – in Verbal- bzw. zusammengesetzten Nominalsätzen – nur nach transitiven Verben: (auch immer von der Zeit) 1005:12-15 *wmnkm lyqḥ* (:12) *spr mlk hnd* (:13) *byd ṣṭqšlm* (:14) *'d 'lm* (:15) "und niemand nehme dieses königliche Schreiben aus der Hand des Ṣṭqšlm auf ewig (wörtlich: und irgendeiner nehme (nimmt) nicht das Schreiben des Königs, siehe, dieses in der Hand des Ṣṭqšlm, bis in Ewigkeit)"[517]; 1008:16-20 *bnš bnšm* (:16) *l yqḥnn bd* (:17) *b'ln bn kltn* (:18) *w bd bnh 'd* (:19) *'lm* (:20) "niemand nehme ihn (den Weingarten) aus der Hand des B'ln, des Sohnes des Kltn, und aus der Hand seines Sohnes, auf ewig" (zum wörtlichen Sinn vgl. zum unmittelbar vorangehenden Fall mit Verweis); vgl. auch 1009:8-17; 1008:11-14 *w ytn nn* (:11) *l b'ln bn* (:12) *kltn wl* (:13) *bnh 'd 'lm* (:14) "und er gibt ihn (den Weingarten) dem B'ln, dem Sohn des Kltn, und seinem Sohn, auf ewig" (vgl. oben). Zum Gebrauch vgl. analog zu hebräisch *'aḏ* Gn 3:19; Dt 12:28; Lv 25:28, :29; Jes 8:8; usw.; vgl. ferner Brockelmann, *Grundriß* II, S. 417ff.

Die zusammengesetzte Form *b-'d* kommt, im selben Sinne wie *'d* (vgl. oben), vereinzelt in der Prosa vor: (von der Zeit) 1019:4-6 *t'zzk alp ymm* (:4) *wrbt šnt* (:5) *b'd 'lm* (:6) "sie (die Götter) mögen dir Kraft für Tausende von Tagen und Zehntausende von Jahren in Ewigkeit (wörtlich: in (einem fort d.h. ununterbrochen) bis in Ewigkeit) geben"[518]. Zum Gebrauch vgl. oben zu *'d* (mit Analogien).

Überliefert sind ferner 5) vom Stamm *'lw/y*: *'l* (Stammbildung der verkürzten Wurzel); *'ln* = *'l* + *-n* (hervorhebende Partikel; vgl. I, S. 61ff.); *'lt* = *'l* + *-t* (hervorhebende Partikel; vgl. I, S. 65ff.) "über, auf". Zur Etymologie vgl. hebräisch *'al, 'ălē* < **'alay(V)*; moabitisch *'l*; phönizisch *'l, 'l-t*; punisch *'l*; aramäisch *'al* (mit Varianten); arabisch *'alā*; altsüdarabisch *'l, 'l-n, 'l-y, 'l-h-y* usw.; äthiopisch *lā'la* < **la-'alā*; tigriña *lĕ'lī* usw.; akkadisch *eli, elu, el, ili* (altakkadisch *'al*); usw. "über, auf"[519].

---

514 Siehe Gesenius-Buhl, *Hw*, S. 563f., 918; Koehler-Baumgartner, *Lex.*, S. 680f., 1106 (dazu Gesenius-Kautzsch, *Gram.*, S. 308, 314; Bauer-Leander, *Hist. Gram.* I, S. 640 mit Verweisen); Segert, *ArOr* XXIX (1961), S. 266; Friedrich und Röllig, *Gram.*, S. 125; Dalman, *Gram.*, S. 228, 399; Nöldeke, *Syr. Gram.*, S. 99 usw.; Höfner, *Gram.*, S. 171; Beeston, *Grammar*, S. 58; von Soden, *GAG*, S. 165 (§ 114 j (dazu S. 163 (§ 113 k)); *AHw*, S. 12; *CAD*, "A" I, S. 115f.; ferner Brockelmann, *Grundriß* I, S. 499 u.ö.

515 D.h. Akkusativ des Zieles; vgl. Brockelmann, *Grundriß* II, S. 282ff.

516 Vgl. Virolleaud, *Ugaritica* V, S. 545f.; de Moor, *UF* 1 (1969), S. 168; Rüger, *ibid.*, S. 203.

517 Vgl. schon oben zu *b*; ferner oben I, S. 25 u.ö.

518 Hierzu vgl. besonders oben zu den Parallelen mit der einfachen Form *'d*. Zur häufigen Komposition von *b* (Präposition) + Präposition im Semitischen vgl. z.B. Friedrich, *Gram.*, S. 116; Höfner, *Gram.*, S. 157ff.; Beeston, *Grammar*, S. 57f.; ebenso schon Gordon, *Textbook*, S. 96 (§ 10.8), 453. Zum sonstigen Vorkommen von *b* (Präposition) + Partikeln (z.B. Adverbien) neben solchen ohne präfigierten Elementen im Ugaritischen (Semitischen) vgl. schon oben I, S. 13 zu *aḫr* neben *b-aḫr* (für Analogien siehe z.B. Bauer-Leander, *Hist. Gram.*, I, S. 633). Zu anderer Auffassung vgl. Virolleaud, *PU* II, S. 40: "*b 'd 'lm*, c.-à-d. *be 'ôd 'ôlâm*"; desgleichen Aistleitner, *Wb*, S. 277. (Ein derartiges Syntagma ist aber semitisch nicht zu belegen. Auch ist *'d* = hebräisch *'ōḏ* ugaritisch nicht bezeugt.) – 62:47-49 (vgl. schon oben I, S. 51 u.ö.); 1117:7 (vgl. z.B. Virolleaud, *PU* II, S. 149) ist *'d* ein Nomen (Substantiv).

519 Siehe Gesenius-Buhl, *Hw*, S. 585f., 919; Koehler-Baumgartner, *Lex.*, S. 703f., 1107; Segert, *ArOr* XXIX (1961), S. 266; Friedrich und Röllig, *Gram.*, S. 125; Dalman, *Gram.*, S. 229, 399; Nöldeke, *Syr. Gram.*, S. 99 usw.;

Die einfache Partikel *ʿl* des Ugaritischen ist ebenso in poetischen sowie nicht-poetischen Texten belegt. Syntaktisch bezieht sich der Ausdruck mit *ʿl*, und zwar in der ursprünglichen lokalen Bedeutung der Partikel, durchgehend auf das Prädikat. Belege dieser Art sind, dichterisch, in Verbal- resp. zusammengesetzten Nominalsätzen nach transitiven Verben: (von Körperteilen) 3Aqht obv. 22-23 *hlmn ṯnm qdqd* (:22) *ṯlṯid ʿl udn* (:23) "schlage ihn (d.h. den Aqht) zweimal (auf) den Scheitel, dreimal auf das Ohr!"; ebenso ibid.:33-34; ferner 1Aqht :78-81; (vom Flammenherd) 52:14 *ʿl išt šbʿd ġzrm ṭb[ḫ g]d bḥlb* "auf dem Feuer ko[chten] (/[haben] geko[cht]) die Helden siebenmal ein [Zick]lein in Milch"; vgl. auch ibid.:15; ebenso nach transitiven Verben, die gleichzeitig eine Bewegung ausdrücken: (vom Körperteil) 51:VIII:5 *ša ġr ʿl ydm* "nehmet (wörtlich: erhebet) den Berg auf beide Hände!"; (mit folgendem Pronomen) (von der Person) 128:IV:17-18 *ʿlh ṯrh tšʿrb* (:17) *ʿlh tšʿrb ẓbyh* (:18) "sie (d.h. Ḥry) ließ seine "Stiere" zu ihm (wörtlich: über ihn) eintreten, sie ließ seine "Gazellen" zu ihm (wörtlich: über ihn) eintreten"[520]; ebenso absolut nach einem Aussageverb: 52:12 *šbʿd yrgm*[521] *ʿl ʿd* "siebenmal rezitiere man (es) zur Laute (wörtlich: über der/die Laute)"[522]; noch häufiger aber nach intransitiven Verben; (von Gebäuden u. dgl.) 1Aqht:32 *ʿl bt abh nšrm tr[ḫpn]* "über dem Hause ihres Vaters Adler sch[weben]"; ibid.:150 *hm tʿpn ʿl qbr bny* "wenn sie über das Grab meines Sohnes fliegen"; (von der Person bzw. dem Helden) 3Aqht obv.21-22 *arḫp an[k ʿ]l* (:21) *aqht* (:22) "i[ch] werde [üb]er Aqht schweben"[523]; ibid.:32 *trḫp ʿnt ʿl [aqht]* "es schwebt ʿAnat über [Aqht]"; (mit folgendem Pronomen) ibid.:30-31 *ʿlh nšr[m]* (:30) *trḫpn* (:31) "über ihm schweben die Adl[er]"; ebenso ibid.:19-20; ferner 137:21 *bʿl qm ʿl il* "Baʿl stand/stand auf[524] bei (wörtlich: über) Il"[525]; desgleichen übertragen: 2Aqht:VI:31 *ybd wyšr ʿlh* "he sings and chants over him (= für ihn)" (vgl. oben)[526]; ebenso ʿnt:I:20-21[527]; 51:VII:49-50 *aḥdy dym* (:49) *lk ʿl ilm* (:50) "ich allein (bin es), der über die Götter herrscht"[528]; so auch mehrfach nach Bewegungsverben (vgl. oben) d.h. Verben des Kommens u. dgl.: (von der Gottheit bzw. dem Helden) 128:VI:6 *ʿl krt tbun* "sie kommen zu (wörtlich: über)[529] Krt"; 125:11-12 *ʿl* (:11) *abh yʿrb* (:12) "zu seinem Vater (wörtlich: über seinen Vater)[530] tritt/trat er ein"; ebenso 127:39-40[531]; seltener in echten Nominalsätzen: 603 obv.6-7 *qrn[m]* (:6) *dt ʿlh* (:7) "die Hör[ner], welche an ihm (wörtlich: über ihm) (sind)"[532]; ʿnt:II:10 *ʿlh kirbym kp* "über ihr (der Göttin ʿAnat) (sind) wie Heuschrecken die Hände"; aus der Prosa, nach transitiven Verben, die ebenfalls eine Bewegung markieren: (von der Person) RŠ 34 124:24-26 *w ybl hw mit* (:24) *ḫrṣ w mrdt ʿl* (:25) *mlk amr* (:26) "und er brachte dem Kö-

---

Wright I, S. 280 C; Höfner, *Gram.*, S. 151f.; Beeston, *Grammar*, S. 59; Littmann, *Hb. d. Or.* III (1954), S. 372; Praetorius, *Tigriñasprache*, S. 234; von Soden, *AHw*, S. 200 u.ö.; *CAD*, "E", S. 89; ferner Brokkelmann, *Grundriß* I, S. 496f.

520 D.h.: Den geprägten Syntagmen zugrunde liegt die Sitte, daß der Gast über den Gastgeber, der beim Sitzen bzw. Liegen ist, eintritt.

521 Vgl. schon Herdner, *Corpus*, S. 98 mit Verweisen.

522 Vgl. Gordon, *Ug.lit.*, S. 59; Driver, *Myths*, S. 121; Jirku, *Mythen*, S. 81; Caquot und Sznycer, *Textes*, S. 454; anders z.B. Aistleitner, *Texte*, S. 59; *Wb*, S. 227; Delekat, *UF* 4 (1972), S. 22; Tsumura, *Ugaritic drama*, S. 8, 36ff.

523 Zur Verbalsyntax vgl. Aartun, *Tempora*, S. 104ff.

524 Zur lexikalischen Bedeutung des betreffenden Verbs vgl. ferner Aartun, *Tempora*, S. 44ff. mit Verweisen.

525 Zum Sprachtypus vgl. ähnlich oben.

526 Vgl. Ginsberg, *ANET*, S. 151; Gaster, *Thespis*, S. 285; Driver, *Myths*, S. 55; Jirku, *Mythen*, S. 123; ferner Gordon, *Ug.lit.*, S. 90 ("about her").

527 Vgl. z.B. Gordon, *Ug.lit.*, S. 17 u.ö.; Gray, *Legacy*, S. 31; Oldenburg, *Conflict*, S. 197; Lipiński, *UF* 2 (1970), S. 77; Miller, *UF* 2, S. 163; Caquot und Sznycer, *Textes*, S. 392; usw.; dagegen Virolleaud, *Déesse*, S. 3 u.ö.; Obermann, *Ug. myth.*, S. 10; Cassuto, *Goddess*, S. 84f.; usw. (*ʿl* = Verbum).

528 D.h. vom Standpunkt des erhabenen Herrschers aus; vgl. oben.

529 Vgl. schon oben.

530 Vgl. ebenfalls schon oben.

531 Zu 49:VI:22-23 siehe oben I, S. 63. Vgl. ferner z.B. Ginsberg, *ANET*, S. 141; Jirku, *Mythen*, S. 74; van Zijl, *AOAT* 10, S. 232; usw.; anders z.B. Driver, *Myths*, S. 115; Gray, *Legacy*^{2}, S. 74; Aistleitner, *Texte*, S. 23; Oldenburg, *Conflict*, S. 74; Delekat, *UF* 4 (1972), S. 23; de Moor, *AOAT* 16, S. 229.

532 Vgl. Virolleaud, *Ugaritica* V, S. 557f.; de Moor, *UF* 1 (1969), S. 180; anders z.B. Lipiński, *UF* 3 (1971), S. 82; Pope und Tigay, *ibid.*, S. 118 (unsicherer Text).

nig von Amr (wörtlich: über den König von Amr) hundert (Seqel) Gold und ein Kleidungsstück" (vgl. Caquot, *L'annuaire* 75 (1974-75), S. 431); ferner (in übertragenem Sinn von der geographischen Bestimmung) 2062:B:4 *dšt 'l ḫrdh* "den er (der König) über sein Gebiet gesetzt hat"; ebenso nach einem Aussageverb: (mit folgendem Pronomen) (von der Person) 1012:25 *rgmt 'ly ṯh* "du hast mir einen Tribut auferlegt (wörtlich: du hast über mich Geschenke ausgesprochen)"[533]; ferner nach intransitiven Verben: 1161:6-7 *dt tknn* (:6) *'l 'rbnm* (:7) "diejenigen, welche über den Bürgen sind"[534]; in zusammengesetzten bzw. echten Nominalsätzen: RŠ 24.247 *mlkn*[535] *y'zz 'l ḫpṯh* "der König soll die Oberhand haben o.ä. über seinen/seine *ḫpṯ*"[536]; (von der Zeit) 1086:2 *w'l ym kdm* "und über den (ersten) Tag hinaus d.h. für den nächsten bzw. zweiten Tag (sind) zwei Krüge"[537]. Zum Gebrauch vgl. entsprechend z.B. zu hebräisch *'al* Gn 1:2; Dt 28:2; 2S 8:15; 1K 18:39; 2K 4:37; Ez 8:1; usw.; vgl. ferner Brockelmann, *Grundriß* II, S. 391ff.

Mit syntaktischem Bezug auf das Objekt steht dagegen ugaritisch *'l* + dem Regierten im eben behandelten Sinn in Fällen, wie dichterisch: (vom Körperteil) 127:8-9 *ḫṯm t'mt 'ṯrptm* (:8) *zbln 'l rišh* (:9) "mit einem Stab schlägt sie die *'ṯrptm*, die Krankheit auf seinem Haupte"[538]; (von Personen bzw. Helden) 1Aqht: 196-197 *akly m* (:196) *kly* [*'*]*l umty* (:197) "ich will denjenigen vernichten, der meinen Verwandten vernichtete (wörtlich: ich will den über meinen Verwandten Vernichtung Bringenden vernichten)"; ebenso ibid.:202; so auch 127:47-48 *ltdy* (:47) *ṯšm 'l dl* (:48) "nicht wirfst du diejenigen nieder, die Überfälle o.ä. auf die Armen verüben" (vgl. die unmittelbar vorangehenden Fälle). Zum Gebrauch vgl. schon oben zu mehreren anderen Präpositionsformen. Vgl. ferner Brockelmann, *Grudnriß* II, S. 270ff.

Ebenso wird ferner ugaritisch *'l*, wie die entsprechenden Formen in den verwandten Sprachen, vielfach in übertragenem Sinn von *der Basis, auf der etwas ruht*: "über, auf" = "auf Grund, wegen" gebraucht; so in Verbalsätzen, dichterisch, mit syntaktischem Bezug auf das Prädikat: (von einem Gebrauchsgegenstand) 1Aqht: 14-15 *imḫṣh kd 'l qšth* (:14) *imḫṣh 'l qṣ'th* (:15) "ich schlug ihn so wegen (wörtlich: auf (der Basis)) seines Bogens, ich schlug ihn wegen (wörtlich: auf (der Basis)) seiner Armbrust"[539]; ebenso 3Aqht obv. 12-13; (von der Gottheit) (mit folgendem Pronomen) 49:V:11-15 *'lk b*[*ṯ*]*tm* (:11) *pht qlt 'lk pht* (:12) *dry bḥrb 'lk* (:13) *pht šrp bišt* (:14) *'lk* [*pht*] (:15) "deinetwegen (wörtlich: auf (Grund von) dir) habe ich Sch[an]de erfahren (wörtlich: gesehen), Schmach habe ich deinetwegen erfahren; Durchbohren mit dem Schwert habe ich deinetwegen erfahren, im Feuer das Verbrennen [habe ich] deinetwegen [erfahren]"; so auch ibid.:15-19. Zum Gebrauch vgl. ebenfalls entsprechend zu hebräisch *'al* Gn 20:3; Jer 1:16; Ps 44:23; 69:8; usw.; vgl. ferner besonders Brockelmann, *Grundriß* II, S. 393f. mit Verweisen.

Öfters wird ferner ugaritisch *'l*, wie die verwandten Formen im Semitischen, – ebenso übertragen – *zur Angabe dessen* gebraucht, *auf dem etwas lastet* (d.h. mit dem eben behandelten Gebrauch sehr nahe verwandt); so dichterisch in Nominalsätzen, mit syntaktischem Bezug auf das Prädikat: (von der Ortschaft) 1Aqht: 152-153 *ylkm qr mym d'*[*lk*] (:152) *mḫṣ aqht* (:153) "weh dir, Qr Mym, denn a[uf dir] (lastet) der Mord an

533 Vgl. Virolleaud, *PU* II, S. 27f.; Albright, *BASOR* 150 (1958), S. 36-38; dagegen Dietrich – Loretz – Sanmartín, *UF* 6 (1974), S. 457: "ich dachte mir" (sprachlich nicht zu begründen). – 1012:26 ist höchstwahrscheinlich mit Virolleaud, *PU* II, S. 27 [*b*]*'ly* zu lesen.

534 Vgl. Virolleaud, *PU* II, S. 188f.; Aistleitner, *Wb*, S. 151; anders Dietrich – Loretz – Sanmartín, *UF* 6 (1974), S. 467 (sprachlich sowie kontextlich nicht aufrechtzuerhalten).

535 D.h. Stammwort = *mlk* + *-n* = hervorhebender Partikel (siehe oben I, S. 61) oder = Possessivsuffix der 1. Person Plural (weniger wahrscheinlich).

536 Vgl. Gordon, *Textbook*, S. 404.

537 Vgl. ibid.:1, :3ff. Zur entsprechenden Bedeutung des erweiterten Adverbs *'l-m* "darüber hinaus" vgl. oben I, S. 15.

538 Vgl. schon Gordon, *Ug.lit.*, S. 81 u.ö.; Jirku, *Mythen*, S. 112 und andere; anders z.B. Ginsberg, *ANET*, S. 148; Driver, *Myths*, S. 45; Aistleitner, *Texte*, S. 103; Gray, *Krt*², S. 28, 75f.; Sauren und Kestemont, *UF* 3 (1971), S. 219; usw.

539 Vgl. schon Gordon, *Ug.lit.*, S. 94 u.ö.; Ginsberg, *ANET*, S. 153; Driver, *Myths*, S. 59; Jirku, *Mythen*, S. 129; Aistleitner, *Texte*, S. 76 u.ö.; usw.; anders z.B. Virolleaud, *Danel*, S. 137. Vgl. ferner oben zu *k*.

Aqht"; ebenso ibid.:158; so auch häufig in der Prosa (im Sinne: "über, auf" = "zu Lasten"), wie (von der Stadt) 1083:6 *arbʿm ksp ʿl qrt* "vierzig (Seqel) Silber (sind) zu Lasten der Stadt"; (von Personen) 1010:9-16 *arbʿ ʿṣm* (:9) *ʿl ar* (:10) *w ṯlṯ* (:11) *ʿl ubrʿy* (:12) *w ṯn ʿl* (:13) *mlk* (:14) *w aḥd* (:15) *ʿl atlg* (:16) "vier Baumstämme (sind) zu Lasten von Ar und drei zu Lasten von Ubrʿy und zwei zu Lasten von Mlk und einer zu Lasten von Atlg"; vgl. ferner auch 145:4-10; 1082 passim; 1132:1-2; 1137, 1144, 1146, 2034 B, 2053, 2055 passim; 2107:15-18. Zum Gebrauch vgl. besonders Brockelmann, *Grundriß* II, S. 392f. und die dort angeführten Analogien.

Zerstörte bzw. unklare Stellen mit *ʿl* sind: 6:17; 49:IV:43; 51:II:33; 67:IV:22; 121:I:9; 123:17; 125:43-44; 128:V:22; 602 obv.9; 1001 rev.5; 2Aqht:V:36; ʿnt pl.X:IV:19 (poetische Texte)[540]; 608:9, :12, :19; 2104:1, :2, :11; 2008 rev.5 (Prosatexte).

Die erweiterte Form *ʿl-n* des Ugaritischen kommt im vorliegenden Material nur zweimal in der Dichtung vor. Es steht die Form in beiden Fällen mit syntaktischem Bezug auf das Prädikat: (mit folgendem Pronomen) (von der Person) 51:IV:44 *win dʿlnh* "und niemand (ist) über ihm"; ʿnt:V:41 *in dʿln*[541] "niemand (ist) über ihm". Zum Gebrauch vgl. oben zu *ʿl* (mit Analogien).

Die erweiterte Form *ʿl-t* des Ugaritischen ist vorläufig nur einmal in der Prosa in einem etwas beschädigten Text nachweisbar: (mit folgendem Pronomen) (von der Person) 2060:31 *ib ʿltn* "der Feind (ist) über uns (d.h. überfällt uns)"[542]. Zum Gebrauch vgl. ebenfalls oben zu *ʿl* (mit Analogien).

Ferner finden sich 6) vom Stamm *ʿmm*: *ʿm* (Stammbildung); *ʿmm* = *ʿm* + *-m* (hervorhebende Partikel; vgl. oben I, S. 51ff.); *ʿmn* = *ʿm* + *-n* (hervorhebende Partikel; vgl. oben I, S. 61ff.) = Partikeln der Verbindung, des Zusammenbringens, der verknüpften Nähe (deutsch: *bei, mit* u. dgl.). Zur Etymologie vgl. hebräisch *ʿim* (vgl. auch *lĕ-ʿumma-ṯ, lĕ-ʿummō-ṯ*); biblisch-aramäisch *ʿim*; syrisch *ʿam*; usw.; altsüdarabisch *ʿm, ʿm-n*; arabisch *maʿa* (*ʿamā*); usw. "bei, mit u.ä."[543].

Die einfache Form *ʿm* des Ugaritischen ist auch schon häufig in allen Textarten bezeugt. Öfters dient die Form, in analoger Weise wie die verwandten Formen im Semitischen, entsprechend der Grundfunktion (vgl. oben) zur Angabe *der Gesellschaft, Gemeinschaft, Begleitung u. dgl.*; so dichterisch, mit syntaktischem Bezug auf das Prädikat, in Verbalsätzen nach transitiven Verben: (von Gottheiten) 67:I:24-25 *wlḥmm ʿm aḫy lḥm* (:24) *wšt ʿm a[r]y[y y]n* (:25) "und iß Brot mit meinen Brüdern und trink (zum wörtlichen Sinn vgl. unten zu *w*) [We]in mit [meinen] Gef[ährten]!"[544]; 2Aqht:VI:28-29 *ašsprk ʿm bʿl* (:28) *šnt ʿm bn il tspr yrḫm* (:29) "ich will dich zählen lassen mit Baʿl Jahre, mit dem Sohne des Il sollst du Monate zählen"[545]; 49:I:23-24 *lyʿdb mrḥ* (:23) *ʿm bn dgn* (:24) "nicht kann er die Klinge kreuzen (wörtlich: die Lanze bringen o.ä.) mit dem Sohne des Dgn"; (mit folgendem Pronomen) 67:V:6-11 *qḥ* (:6) . . . *mṭrk ʿmk šbʿt* (:8) *ġlmk ṯmn ḫnzrk* (:9)

---

540 Zu 51:VII:19-20 vgl. Herdner, *Corpus*, S. 29 mit Verweisen; ferner de Moor, *AOAT* 16, S. 159f. (unsicherer Text).

541 Vgl. oben I, S. 19; ferner Aistleitner, *Wb*, S. 231f.

542 Vgl. schon oben I, S. 67; ferner schon Dahood, *Ug.-Heb. phil.*, S. 31f. mit Verweis auf phönizisch *ʿl-t* (vgl. oben).

543 Siehe Gesenius-Buhl, *Hw*, S. 594ff., 599, 920; Koehler-Baumgartner, *Lex.*, S. 711, 713, 1109; Nöldeke, *Syr. Gram.*, S. 99; Höfner, *Gram.*, S. 152; Beeston, *Grammar*, S. 59; Wright I, S. 280 D; ferner Brockelmann, *Grundriß* I, S. 498.

544 Zur Verbalsyntax vgl. besonders Gordon, *Textbook*, S. 115 (§ 13.29).

545 Zur Stelle vgl. z.B. Virolleaud, *Danel*, S. 209 u.ö.; Gordon, *Ug.lit.*, S. 90 u.ö.; Cassuto, *ʿAnat*, S. 38 (*Goddess*, S. 47); Ginsberg, *ANET*, S. 151; Driver, *Myths*, S. 55; Gray, *Legacy*, S. 78f.; usw.; demgegenüber Gaster, *Thespis²*, S. 348 (*ʿm* = "like"); ferner van Zijl, *AOAT* 10, S. 273f. mit Verweis auf Dahood, *Biblica* 47 (1966), S. 269; *Biblica* 48 (1967), S. 542; *Psalms* II, S. 87, und auf Held, *JBL* 84 (1965), S. 280 (*ʿm* ebenso wie angeblich z.T. hebräisch *ʿim* = "wie") (rein willkürliche, auf bloßen Übersetzungen gefußte Annahme; desgleichen schon z.B. Brockelmann, *Grundriß* II, S. 415f.).

'mk pdry bt ar (:10) *'mk* (:11) "nimm . . . deine Regenschauer mit dir, deine sieben Diener, deine acht "Schweine" mit dir, Pdry, die Tochter des Lichtes, mit dir!"; ebenso nach intransitiven Verben: (von der Gottheit) 49: I:22-23 *lyrẓ* (:22) *'m b'l* (:23) "nicht kann er mit Ba'l wetteifern o.ä."[546]; 49:VI:24-25 *ik tmtḫ* (:24) *ṣ 'm aliyn b'l* (:25) "wie kannst du dich mit Aliyn Ba'l schlagen? "; (mit folgendem Pronomen) 62:8-9 *'mh trd nrt* (:8) *ilm špš* (:9) "mit ihr (d.h. 'Anat) steigt herab die Leuchte der Götter, Špš"; ferner übertragen (von der Zeit) 51:IV:41-42 *ḥkmt* (:41) *'m 'lm* (:42) "du hast dich weise gezeigt mit der Ewigkeit d.h. seit der unvordenklichen Vorzeit"[547]; desgleichen im Nominalsatze: 'nt:V:38-39 *ḥkmk* (:38) *'m 'lm* (:39) "deine Weisheit (ist) ewig (wörtlich: dein Weisesein (ist) mit der Ewigkeit)" (vgl. zum vorangehenden Beispiel); ferner (vom Erdreich) 'nt:III:21 *tant šmm 'm arṣ* "(es ist) das Seufzen o.ä. des Himmels mit der Erde"[548]; vgl. auch unten zu *'m-n*; in der Prosa, in einem Verbalsatz mit einem transitiven Verb verbunden (in absolutem Sinn) (von der Person) Gordon, *Textbook*, S. 495 (unpublizierter Text) *'m špš štn* "trink mit der Sonne!" = "mache Frieden mit dem König!"; ferner in Nominalsätzen: 1021:6-7 *wtb' ank* (:6) *'m mlakth* (:7) "und ich gehe zusammen mit ihrer Botschaft fort"; 89:12-13 *'m adty* (:12) *mnm šlm* (:13) "(ist) bei meiner Herrin jedermann wohlauf (wörtlich: welches Wohlergehen (ist) bei meiner Herrin)?"; RŠ 34 124:5-6 *ṯmny 'mk mnm* (:5) *šlm* (:6) "(ist) dort bei dir jedermann wohlauf?" (vgl. Caquot, *L'annuaire* 75 (1974-75), S. 430); 95:14-16 *ṯmny* (:14) *'m adtny* (:15) *mnm šlm* (:16) "(ist) dort bei unserer Herrin jedermann wohlauf?"; 117:11-12 *ṯmny 'm u[my]* (:11) *mnm šlm* (:12) "(ist) dort bei [meiner] Mut[ter] jedermann wohlauf?"; ebenso 1013:9-10; 1015:16-18; 2009:7-8; 2061:7-8 *ṯmny '[m] bny* (:7) *mnm š[lm]* (:8) "(ist) dort b[ei] meinem Sohn jedermann [wohl]auf?"; 2115:8-10 *'m* (:8) *b'ly mnm* (:9) *šlm* (:10) "(ist) bei meinem Herrn jedermann wohlauf? "; (mit folgendem Pronomen) 95:10-12 *hnny 'mny* (:10) *kll mid* (:11) *šlm* (:12) "hier bei uns (ist) alles in bester Ordnung"; 117:9-10 *hlny 'mn[y]* (:9) *kll šlm* (:10) "hier bei un[s] (ist) alles in Ordnung"; ebenso 2009:6-7; 1015:14-15 *'mny šlm* (:14) *kll* (:15) "bei uns (ist) alles in Ordnung"; 1013:8 *[h]lny [']mn[y š]lm* "[hi]er [b]ei un[s] (ist alles) [in Ord]nung"; 2059:6-7 *hnny 'mn* (:6) *šlm* (:7) "hier bei mir (ist alles) in Ordnung"[549]; ebenso 2061:6[550];

---

[546] Vgl. z.B. Ginsberg, *ANET*, S. 140; Gordon, *Ug.lit.*, S. 44 u.ö.; Schmidt, *Königtum*², S. 18f.; Caquot, *Syria* XXXV (1958), S. 47; anders z.B. Driver, *Myths*, S. 111 mit Verweis auf Albright (sprachlich unhaltbar); ferner Dahood, *UF* 1 (1969), S. 24 (*'m* = "like"; dazu vgl. schon oben); van Zijl, *AOAT* 10, S. 190f. (*'m* = "the kinship (or people)"; dem Kontext nicht entsprechend).

[547] Kontextlich handelt es sich um einen Erfahrungssatz mit Afformativform (ebenso wie ibid.:V:65 u.ö.); dazu Aartun, *Tempora*, S. 44ff., 73 u.ö.; ferner id., *UF* 7 (1975) (über die sogenannten neutrischen Verben im Semitischen). Das Nomen *'lm* bezieht sich somit hier, wie öfters z.B. hebräisch *'ōlām*, auf die Vorzeit (und die inklusive Gegenwart des Redenden) (gegen Gordon). Vgl. ferner die lexikalische Literatur des Hebräischen usw. Zur rein willkürlichen Deutung Dahoods, *UF* 1 (1969), S. 25f.: *'m* = "sagacity" vgl. schon Dietrich – Loretz – Sanmartín, *UF* 6 (1974), S. 44f. mit Verweisen.

[548] Vgl. Virolleaud, *Déesse*, S. 35f.; Ginsberg, *ANET*, S. 136; Jirku, *Mythen*, S. 30; usw. Vgl. ferner ebenso 'nt:IV:60, pl. IX:III:14.

[549] Vgl. schon Gordon, *Textbook*, S. 457; ferner z.B. Lipiński, *Syria* XLIV (1967), S. 283; vgl. auch RŠ 34 124:4 (Caquot, *L'annuaire* 75 (1974-75), S. 430).

[550] Loewenstamm, *UF* 5 (1973), S. 210ff., deutet die Formen *hnny/hlny*, mit Verweis auf akkadische Textbelege, = "siehe!". Dagegen sprechen jedoch, übereinstimmend mit der allgemein anerkannten Deutung der Formen, entscheidend mehrere Faktoren: 1. Ugaritisch sind folgende Korrespondenzen bezeugt: *hn* : *ṯm* = *hnny* : *ṯmny* (siehe oben I, S. 3f.). Die betreffenden Gegensätze *ṯm*, *ṯmny* können etymologisch-funktionell nur als Lokaladverbien vom Stamm *ṯm(m)* gefaßt werden (dazu oben I, S. 4f.). 2. Die Derivationsendung *-ny*, die ugaritisch allein in den Fällen: *hl-ny*, *hn-ny*, *ṯm-ny* belegt ist, ist auch sonst eben als Adverbialendung(!) bekannt, nämlich im Ägyptischen (siehe oben I, an mehreren Stellen). 3. Bei der Anwendung der genannten Redeformel (vgl. die respektiven Texte) folgt ugaritisch der Auslassung von *hl-ny*, *hn-ny* auch die Auslassung des korrespondierenden *ṯm-ny* (siehe 1015:14-20). 4. Außerhalb der genannten Redeweise findet sich *hl-ny* offenbar in der Bedeutung eines Lokaladverbs = "hier" 118: 18 (vgl. oben I, S. 3). Vgl. ferner zur erweiterten Form desselben Stammes *hl-m* = "hier" an der epischen Stelle 1Aqht:214. 5. Im Rahmen der zugrundeliegenden Redeformel handelt es sich schließlich – hier wie sonst (vgl. z.B. Syntagmen wie ugaritisch: *idk al/l ttn* bzw. *ytn pnm 'm* + Regiertem verglichen mit akkadisch: *nadānu pāna ana* + Regiertem und hebräisch: *nāṯan 'æṯ hap-pānīm 'æl* + Regiertem gegenüber *šīm*

2059:7-8 *t̠mny* (:7) *ʿmk mnm* [*š*]*lm* (:8) "(ist) dort bei dir jedermann [wohl]auf?"; ferner (vom Orte) 1083:1-3 *arbʿ ʿšrh šmn* (:1) *d lqḥt t̠lġdy* (:2) *w kd ištir ʿm qrt* (:3) "vierzehn (Krüge) Öl, die T̠lġdy gekauft (wörtlich: genommen) hat, und ein Krug *ištir* (stehen fertig zur Abgabe) bei der Stadt"[551]. Zum angeführten Gebrauch vgl. analog z.B. zu hebräisch *ʿim* Gn 35:4; 43:34; 46:4; 1S 9:19; Ps 72:5; usw.; vgl. ferner Reckendorf, *Synt. Verh.*, S. 207 zu arabisch *maʿa*; ferner Brockelmann, *Grundriß* II, S. 413ff. mit Verweisen.

Der Grundfunktion gemäß (vgl. oben) wird ferner ugaritisch *ʿm*, ebenso wie die verwandten Formen im Semitischen, auch noch nicht selten zur Angabe *des Zieles*, auf dessen Erreichen sich die Handlung bezieht (d.h. "bei" = "zu, an")[552], gebraucht.

Meist steht die Form mit Regiertem auch in diesem Sinne als nähere Bestimmung zum Prädikat. Z.T. begegnet diese Anwendung in Verbindung mit intransitiven Verben als genauere Bezeichnung der Bewegung des Subjektes, wie in der Dichtung: Krt:124 *lk ʿm krt* "gehet zu Krt!"[553]; (mit folgendem Pronomen) ʿnt:III:16-17 *ʿmy pʿnk tlsmn ʿmy* (:16) *twtḥ išdk* (:17) "zu mir sollen deine Füße eilen, zu mir sollen laufen deine Beine"[554]; ebenso ʿnt pl.IX:III:10-11[555]; so auch übertragen von der geistigen Bewegung: (Infinitivskonstruktion) 52:69 *wṣḥhm ʿm nġr mdrʿ* "und sie riefen zum Wächter der Saat"; ebenso vereinzelt in der Prosa: 2060:15-16 *ʿmy špš bʿlk* (:15) *šnt šntm lm . . . l tlk* (:16) "warum bist du . . . nicht mehr seit einem, zwei Jahren zu mir, der Sonne, deinem Herrn, gekommen (wörtlich: warum kommst du nicht mehr usw.)?"[556]; desgleichen 606:1-2, :10-11 (kultischer Text). Zum Gebrauch vgl. z.B. analog zu hebräisch *ʿim* Ps 26:4; usw.

Besonders häufig dient aber ugaritisch *ʿm* mit Regiertem im letzteren Sinne, nach transitiven Verben, der genaueren Angabe des Ziels der Bewegung des Objektes. Solche Fälle sind, dichterisch: (von Gottheiten bzw. Helden) 77:16-17 *ylak yrḫ ny*[*r*] *šmm ʿm* (:16) *ḫr*[*ḫ*]*b mlk qẓ* (:17) "es sendet Yrḫ, die Leuch[te] des Himmels, zu Ḫr[ḫ]b, dem König des Sommers: . . ."; so besonders häufig in den syntagmatischen Kombinationen: *idk al* bzw. *l* + *ttn* bzw. *ytn* + *pnm* + *ʿm* mit Rektion, wie ʿnt pl.IX:III:21-22 *idk lyt*[*n pnm ʿm ltpn*] (:21) *il dpid* (:22) "dann, fürwahr, wan[dte] er [(sein) Antlitz zum Freundlichen], Il, dem Mitleidigen"[557]; 49:I:4-5 [*id*]*k lttn pnm ʿm* (:4) [*i*]*l mbk nhrm* (:5) "[da]nn, fürwahr, wandte sie (ihr) Antlitz zu Il an den Quellen der beiden Ströme"; ebenso 51:IV:20-21; ʿnt:V:13-14; 2Aqht:VI:46-47; 49:IV:31-32 *idk lttn pnm* (:31) *ʿm nrt ilm špš* (:32) "dann, fürwahr, wandte sie (ihr) Antlitz zur Leuchte der Götter, Špš"; 51:V:84-85

ʾæt̠ hap-pānīm + Richtungsakkusativ; usw. (vgl. unten)) – ausschließlich um eine relative syntagmatische Entsprechung, nicht um eine durchgeführte etymologisch-lexikalische Identität der angewandten Wörter. Dasselbe gilt für sämtliche Einzelsprachen (vgl. schon oben), daher auch die Abweichungen resp. Unübereinstimmungen sowohl im Ugaritischen als auch im Akkadischen in der Realisation der hier in Frage kommenden Sprachformel (vgl. schon Loewenstamm, *a.a.O.*). Die traditionelle Deutung der Formen *hl-ny*/*hn-ny* = Lokaladverbien muß somit aus verschiedenen sprachlichen Gründen unbedingt aufrechterhalten werden.

551 Vgl. ebenso Virolleaud, *PU* II, S. 106. Zum Sprachtypus vgl. auch ähnlich in unseren Sprachen z.B. lateinisch: *apud oppidum*.

552 Vgl. schon Gaster, *JAOS* 70 (1950), S. 12; Driver, *Myths*, S. 142; Gordon, *Textbook*, S. 457; Aistleitner, *Wb*, S. 233.

553 Vgl. Gordon, *Ug.lit.*, S. 70 u.ö.; Jirku, *Mythen*, S. 88; Aistleitner, *Texte*, S. 91 u.ö.; Dahood, *Ug.-Heb. phil.*, S. 32; usw.; anders z.B. Virolleaud, *Keret*, S. 41, 83; Pedersen, *Berytus* 6 (1939-41), S. 94; Ginsberg, *ANET*, S. 144; Driver, *Myths*, S. 31; Gray, *Krt*², S. 14; Sauren und Kestemont, *UF* 3 (1971), S. 199 (*lk* = Präp. + Suffix).

554 Vgl. Gordon, *Ug.lit.*, S. 19 u.ö.; Ginsberg, *ANET*, S. 136; Jirku, *Mythen*, S. 29; Aistleitner, *Texte*, S. 27; usw.; demgegenüber Driver, *Myths*, S. 87.

555 Desgleichen in der Prosa: RŠ 34 124:22-23 *ybnn hlk* (:22) *ʿm mlk amr* (:23) "Yabnin est allé chez le roi d'Amourrou" (Caquot, *L'annuaire* 75 (1974-75), S. 430).

556 Vgl. Virolleaud, *PU* V, S. 84f. Zum Tempusgebrauch vgl. Aartun, *Tempora*, S. 92ff.

557 Vgl. schon oben I, an mehreren Stellen. Zur Redeweise vgl. ferner akkadisch: *nadānu pāna ana* + Rektion z.B. EA 73:37-38 (dazu von Soden, *AHw*, S. 702); hebräisch: *nāt̠an ʾæt̠ hap-pānīm ʾæl* + Rektion Dn 9:3, gegenüber: *śīm ʾæt̠ hap-pānīm* + Richtungsakkusativ Gn 31:21.

idk lttn pnm (:84) *'m b'l mrym ṣpn* (:85) "dann, fürwahr, wandte sie (ihr) Antlitz zu Ba'l auf die Höhen des Ṣpn"; ebenso 'nt:IV:81-82; 3Aqht rev.20-21 *idk lttn [pnm]* (:20) *['m] aqht ġzr* (:21) "dann, fürwahr, wandte sie [(ihr) Antlitz zu] Aqht, dem Helden"; 67:I:9-11 *idk* (:9) *lytn pnm 'm b'l* (:10) *mrym ṣpn* (:11) "dann, fürwahr, wandten sie (ihr) Antlitz zu Ba'l auf die Höhen des Ṣpn"; ibid.:II:13-14 *idk* (:13) *lytn pn[m] 'm bn ilm mt* (:14) "dann, fürwahr, wandten sie (ihr) Ant[litz] zum Sohne des Il, Mt"; 137:13-14 *[idk pnm]* (:13) *al ttn 'm pḫr m'd* (:14) "[dann] sollt ihr, fürwahr, [das Antlitz] wenden zur Versammlung"; ebenso (vom Orte) 51: VIII:1-4 *idk al ttn pnm* (:1) *'m ġr trġzz* (:2) *'m ġr ṯrmg* (:3) *'m tlm ġṣr arṣ* (:4) "dann, fürwahr, sollt ihr das Antlitz wenden zum Berge Trġzz, zum Berge Ṯrmg, zu *tlm ġṣr* der Erde"; aus der Prosa: (von der Person) 138: 6-8 *iky lḥt* (:6) *spr dlikt* (:7) *'m ṯryl* (:8) "wie (steht es mit) den Brief-Tafeln, die ich zu Ṯryl gesandt habe?"[558]; 2060:17-19 *w lḥt akl ky* (:17) *likt 'm špš* (:18) *b'lk* (:19) "und eine Speise-Tafel hast du, fürwahr, an die Sonne, deinen Herrn, geschickt"; (mit folgendem Pronomen) 1012:33-36 *w mlk b'ly bnš* (:33) *bnny 'mn* (:34) *mlakty hnd* (:35) *ylak 'my* (:36) "und der König, mein Herr, wird einen Angestellten als Vermittler zusammen mit dieser meiner Botschaft (wörtlich: zusammen mit meiner Botschaft, siehe, dieser) zu mir senden"; 2009:5-6 *lḥt šlm k lik[t]* (:5) *umy 'my* (:6) "eine Gruß-Tafel, fürwahr, hat die Mutter zu mir geschi[ckt]"; ferner (absolut) 2008 rev.7-8 *'d* (:7) *ilak 'm mlk* (:8) "bis ich zum König sende"[559]; 54:10-11 *w lak* (:10) *'my* (:11) "und (daher) sende zu mir!"; 1010:4 *lm tlik 'my* "warum sendest du zu mir?"; (negativ) 2128 rev.7 *[lm] l likt 'my* "[warum] hast du nicht zu mir gesandt?"; ferner 1013:16-18 *w hm ḫt* (:16) *'l w likt* (:17) *'mk* (:18) "wenn der Hethiter aufsteigt, werde ich zu dir senden"[560]; so auch 1015:19-20 *'my tṯṯb* (:19) *rgm* (:20) "du lassest mir die Nachricht zukommen (wörtlich: zu mir zurückkehren)"; ebenso beim Passiv: 1021:4 *wht luk 'm ml[kt]* "und siehe, sie sind zur Köni[gin] gesandt worden"; nur vereinzelt nominal: 2062:A:1-2 *tḥm ydn 'm mlk* (:1) *b'lh* (:2) "die Mitteilung des Ydn an den König, seinen Herrn". Vgl. ferner 607 passim (kultischer Text)[561]. Zum Gebrauch vgl. zu hebräisch *'im* Jos 22:7; Gn 31:24; Ex 23:1; usw.

Ganz vereinzelt bezieht sich ugaritisch *'m* + dem Regierten im letzteren Sinne syntaktisch auf die präpositionale Bestimmung des Verbs; so in einem administrativen Text: (von der Person) 54:18-19 *w št* (:18) *b spr 'my* (:19) "und schreibe (wörtlich: lege) (sie d.h. die Nachricht) in einem Brief an mich!"[562]. Zur syntaktischen Kombination vgl. auch oben zu anderen Präpositionen.

Zerstörte bzw. unklare Stellen mit *'m* sind: 6:20; 49:V:8-10; 67:I:22-23; 77:44, :48-49; 128:I:4; 3Aqht obv.6 (poetische Texte); 118:2; 158:6; 1089:4; 2009:12-14; 2065:13-14; 2127:b:1; 2128:2, :10-11; 2129 rev.9, :13; 2171:3; RŠ 34 124:12-13 (Prosatexte).

Die erweiterte Form *'m-m* des Ugaritischen kommt in den bisher veröffentlichten Texten nur einmal in der Dichtung vor; so vom *Ziel* der Bewegung des Objektes: (von der Person) Krt:301-302 *idk pnm* (:301) *lytn 'mm pbl* (:302) "dann, fürwahr, wandten sie (ihr) Antlitz zu Pbl"[563]. Zum Sprachtypus vgl. schon oben zu *'m*.

Die erweiterte Form *'m-n*, die ziemlich häufig zur Anwendung kommt, wird in allen Fällen zum Ausdruck *der Gesellschaft, Gemeinschaft, Begleitung* gebraucht.

---

558 Zum Syntagma vgl. oben I, S. 46; ferner Dietrich – Loretz – Sanmartín, *UF* 6 (1974), S. 455; demgegenüber Lipiński, *Syria* L (1973), S. 45.

559 Vgl. Virolleaud, *PU* V, S. 15.

560 Zur Verbalsyntax vgl. schon Gordon, *Textbook*, S. 115 (§ 13.29). Vgl. ferner unten.

561 Zu 607:2-3 u.ö. vgl. besonders Caquot, *Syria* XLVI (1969), S. 243; Blau und Greenfield, *BASOR* 200 (1970), S. 15; de Moor, *UF* 2 (1970), S. 303 Anmerkung 1; Mulder, *UF* 4 (1972), S. 89; Rainey, *JAOS* 94 (1974), S. 189; Lipiński, *UF* 6 (1974), S. 169f.; dagegen Virolleaud, *Ugaritica* V, S. 566, 606; Astour, *JNES* XXVII (1968), S. 13-16 u.ö.; dementsprechend oben I, S. 41.

562 Vgl. schon Dhorme, *Syria* XIV (1933), S. 236; Rainey, *UF* 3 (1971), S. 160f. Zur Redeweise vgl. ähnlich z.B. EA 151:50-51 (siehe Knudtzon, *EA* I, S. 624).

563 Vgl. oben I, S. 60 u.ö.

Meist bezieht sich auch letztere mit der Rektion syntaktisch auf das Prädikat, wie dichterisch, in Verbal- bzw. Nominalsätzen: (von einem Tier) (mit folgendem Pronomen) 67:V:19-20 *škb* (:19) *ʻmnh* (:20) "er (der Gott Baʻl) lag mit ihr (der Kuh)"; (von der Gottheit) 77:32 *ʻmn nkl ḫtny* "mit Nkl (ist) mein Heiraten"[564]; (von Himmelskörpern) ʻnt:III:22 *thmt ʻmn kbkbm* "((es ist) das Seufzen o.ä. des Himmels mit der Erde,) der Ozeane mit den Sternen"; vgl. oben zur Parallele mit *ʻm*; ferner in der Prosa: (von der Person) (öfters mit der verbal flektierten Form *iṯt* (vgl. oben I, S. 29ff.) verbunden) 117:14-15 *bm ṯy ndr* (:14) *iṯt ʻmn mlkt* (:15) "ich bin bei der Königin mit dem gelobten Geschenk"[565]; 1013:12-14 *hlny ʻmn* (:12) *mlk b ṯy ndr* (:13) *iṯt* (:14) "ich bin hier bei dem König mit dem gelobten Geschenk"[566]; auch sonst: 702 rev.6 *ṯql dʻmnk* "ein Seqel, der bei dir (ist)"[567]; 1083:4-5 *ʻšt ʻšrh šmn* (:4) *ʻmn bn aġlmn* (:5) "elf (Krüge) Öl (befinden sich) bei dem Sohn des Aġlmn"; 1143:1 *mitm ksp ʻmn b[n] ṣdqn* "zweihundert (Seqel) Silber (befinden sich) bei dem So[hn] des Ṣdqn"; ibid.:3-4 *mit ksp ʻmn* (:3) *bn ulbtyn* (:4) "hundert (Seqel) Silber (befinden sich) bei dem Sohn des Ulbtyn"[568]. Zum Gebrauch vgl. ebenfalls oben zu *ʻm* mit Analogien; ferner zu altsüdarabisch *ʻm-n* Höfner, *Gram.*, S. 152; usw.

Einmal in der Prosa steht dagegen ugaritisch *ʻm-n* mit Regiertem mit syntaktischem Bezug auf das Objekt: (von Personen) 1012:33-36 *w mlk bʻly bnš* (:33) *bnny ʻmn* (:34) *mlakty hnd* (:35) *ylak ʻmy* (:36) "und der König, mein Herr, soll einen Angestellten als Vermittler zusammen mit dieser meiner Botschaft (wörtlich: zusammen mit meiner Botschaft, siehe, dieser) zu mir senden"[569]. Zum Gebrauch vgl. ebenso mehrfach oben; ferner Brockelmann, *Grundriß* II, S. 270f.

Zerstörte Stellen mit *ʻm-n* sind: 118:7, :11-12 (Prosastellen).

Auch kommt vor 7) vom Stamm *qdm*: *qdm* "vor". Zur Etymologie vgl. mišnā-hebräisch *qoḏæm*; aramäisch *qVdVm* (biblisch-aramäisch, jüdisch-aramäisch *qo̊ḏām*; christlich-palästinisch *quḏām*; mandäisch *qudam*; syrisch *qĕḏām* usw.; palmyrenisch und nabatäisch *qdm*); äthiopisch (Gĕʻĕz) *qĕdma*; tigrē *qadam*; altsüdarabisch *b-qdm, b-qdm-y, ʻd-y qdm*; usw.; ferner akkadisch *qudmiš* "vor"[570].

Für den Gebrauch der ugaritischen Form *qdm* liegen bisher nur vereinzelte dichterische Belege vor. Syntaktisch steht die Form mit ihrer Rektion zum Prädikat; so in einem Verbalsatz: (von der Gottheit) (mit folgendem Pronomen) 51:V:107 *št alp qdmh* "er setzte ein Rind vor ihn (Kṯr-und-Ḫss)"; ebenso ʻnt:IV:85; ferner in einem Nominalsatz: (von einem Körperteil) 51:VII:40 *ʻn bʻl qdm ydh* "die Augen Baʻls (sind) vor seinen Händen"[571]. Zum Gebrauch vgl. z.B. zu biblisch-aramäisch *qo̊ḏām* Dn 2:9-11; 4:4; usw.

---

564 Vgl. Virolleaud, *Syria* XVII (1936), S. 222; Gordon, *Ug.lit.*, S. 64 u.ö.; van Selms, *Marriage*, S. 14; Driver, *Myths*, S. 125; Jirku, *Mythen*, S. 78; Caquot und Sznycer, *Textes*, S. 449; Delekat, *UF* 4 (1972), S. 23; anders Aistleitner, *Wb*, S. 119, 233 u.ö.

565 Vgl. oben I, S. 30 Anmerkung 3; ferner Dietrich – Loretz – Sanmartín, *UF* 6 (1974), S. 460f.; anders z.B. Driver, *Ugaritica* VI, S. 181.

566 Vgl. die vorangehende Anmerkung.

567 Vgl. Miller, *AnOr* 48, S. 38.

568 Zu *ʻmn* = *ʻm* + *-n* (Suffix der 1. Person Singular) vgl. oben zu *ʻm*; ferner Gordon, *Textbook*, S. 457.

569 Vgl. schon oben I, S. 69; ferner Dietrich – Loretz – Sanmartín, *UF* 6 (1974), S. 457.

570 Siehe Dalman, *Hw*, S. 371f.; Bauer-Leander, *Gram.*, S. 262; Schulthess, *Gram.*, S. 58; Drower – Macuch, *Dictionary*, S. 406; Nöldeke, *Syr. Gram.*, S. 99; Cantineau, *Gram. du palm. épigr.*, S. 139; *Nabatéen* I, S. 102; Littmann, *Hb. d. Or.* III (1954), S. 372; Littmann – Höfner, *Wb*, S. 259; Leslau, *JAOS* 65 (1945), S. 197; Höfner, *Gram.*, S. 159f.; Beeston, *Grammar*, S. 57f.; von Soden, *GAG*, S. 168.

571 Vgl. Gordon, *Ug.lit.*, S. 36 u.ö.; Driver, *Myths*, S. 101; Caquot und Sznycer, *Textes*, S. 417; van Zijl, *AOAT* 10, S. 145f.; usw.; anders z.B. de Moor, *AOAT* 16, S. 164f.

Ebenso erscheint 8) vom Stamm *tḥt*: *tḥt* "unter". Zur Etymologie vgl. hebräisch *taḥat*, *taḥtē-* (<**taḥta-y(V)*) (vgl. oben I, S. 44f.); phönizisch *tḥt*; aramäisch *tVḥVt* usw. (biblisch-aramäisch *min-tĕḥōt* (< **tVḥawtV*), *tĕḥōtō-* < **tVḥawta-w(V)-*[572]; jüdisch-aramäisch *tĕḥōtō*; mandäisch *(a)tutia*; syrisch *tĕḥōtay*, *la-tḥōtaw-*, *tĕḥēt* < **tuḥaytV*, *lĕ-taht-*, *taḥtay*; usw.); arabisch *taḥta*, *tuḥayta*; äthiopisch (Gĕʿĕz) *tāḥta*, *tāḥtē-*; altsüdarabisch *b tḥt*, *bn tḥt*, *tḥty* usw. "unter"[573].

Die Form *tḥt* des Ugaritischen ist schon in verschiedenen Textarten überliefert. Bisher bezieht sich der Gebrauch derselben lediglich auf das Prädikat.

Im eigentlichen Sinn erscheint die Form, dichterisch, in Verbalsätzen nach transitiven Verben: (von Körperteilen) 2Aqht:VI:44-45 *ašqlk tḥt* (:44) [*pʿny*] (:45) "ich will dich fallen lassen unter [meine Füße]"; (von Gebrauchsgegenständen) 601 obv.8 *ylmn ḫtm tḥt tlḥnt* "er schlägt ihn mit dem Stab unter den Tischen"[574]; ebenso nach intransitiven Verben: (von Körperteilen) 1Aqht:109 *tqln tḥ*[*t*] *pʿny* "sie sollen fallen unt[er] meine Füße"[575]; ebenso ibid.:115-116, :124, :129-130, :138, :143-144; (von Gebrauchsgegenständen) 68:6-7 *yġr*[576] (:6) *tḥt ksi zbl ym* (:7) "es sinkt nieder unter den Thron der Fürst Ym"[577]; 601 obv.5-6 *yqtqt tḥt* (:5) *tlḥnt* (:6) "er kriecht o.ä. unter den Tischen"[578]; ferner in Nominalsätzen: (vom Innern der Erde) ʿnt:IV:79-80 *tn mtpdm* (:79) *tḥt ʿnt arṣ* (:80) "zwei Schichten o.ä. (sind) unter den Quellen der Erde"[579]; ebenso ibid. pl.IX: III:20; (mit folgendem Pronomen) (von der Gottheit) ʿnt:II:9 *tḥth kkdrt ri*[*š*] "unter ihr (der Göttin ʿAnat) (sind) wie Geier die Häup[ter]"[580]. Zum Gebrauch vgl. entsprechend z.B. zu hebräisch *taḥat* Gn 18:4; Ex 24:4; Ri 1:7; Ps 8:7; 18:39; 2S 2:23; usw.; vgl. ferner besonders Brockelmann, *Grundriß* II, S. 416 mit Verweisen.

Vereinzelt wird ugaritisch *tḥt*, wie hebräisch *taḥat* bzw. *taḥtē-*, ebenso in übertragenem Sinn verwendet, wie dichterisch, in Verbalsätzen: (von Personen) 2Aqht:V:6-7 *ytb bap tġr tḥt* (:6) *adrm* (:7) "er setzt sich vor den Eingang des Tores (wörtlich: in die Öffnung des Tores) unter die Würdenträger"; ebenso 1Aqht:22-23; ferner im Sinne: "unter" = "an Stelle von", wie 133:5-6 *lytn lhm tḥt bʿl* (:5) *h* (:6) ". . . soll ihnen gegeben werden statt Baʿl"[581]; vgl. ferner RŠ 34 126:21-25 (Caquot, *L'annuaire* 75 (1974-75), S. 427); so auch in der Prosa, in Nominalsätzen: 1053:1-3 *yʿdd tḥt bn arbn* (:1) *ʿbdil tḥt ilmlk* (:2) *qly tḥt bʿln nsk* (:3) "Yʿdd (ist) an Stelle von Bn (dem Sohn des) Arbn, ʿBdil (ist) an Stelle von Ilmlk, Qly (ist) an Stelle von Bʿln, dem

572 Siehe oben I, S. 43f.

573 Siehe Gesenius-Buhl, *Hw*, S. 876, 930; Koehler-Baumgartner, *Lex.*, S. 1026, 1136; Friedrich und Röllig, *Gram.*, S. 126; Dalman, *Gram.*, S. 229, 399; Macuch, *Handbook*, S. 235 u.ö.; Brockelmann, *Lex. syr.*, S. 821; Wright I, S. 281 D; Praetorius, *Gram.*, S. 138; Höfner, *Gram.*, S. 156ff.; Beeston, *Grammar*, S. 58; ferner Brockelmann, *Grundriß* I, S. 499.

574 Vgl. Loewenstamm, *UF* 1 (1969), S. 74; de Moor, *ibid.*, S. 168f.; *UF* 2 (1970), S. 348f.; dagegen Virolleaud, *Ugaritica* V, S. 547; Margulis, *UF* 2, S. 132f.

575 Zur Etymologie des Verbs (vgl. auch oben zum Kausativ *šql*) vgl. schon von Soden, *SVT* (1967), S. 295f.

576 Zur Lesart siehe Virolleaud, *Syria* XVI (1935), S. 30; Herdner, *Corpus*, S. 11; dagegen Gordon, *Textbook*, S. 180 (*kġr*).

577 Vgl. Gordon, *Ug.lit.*, S. 15 u.ö.; demgegenüber z.B. Driver, *Myths*, S. 81: "he sank under the throne of Prince Yam" (dem Kontext nach weniger wahrscheinlich; vgl. besonders 68:7f.).

578 Vgl. Loewenstamm, *UF* 1 (1969), S. 74; Margulis, *UF* 2 (1970), S. 132f.; dagegen de Moor, *UF* 1, S. 168f. (sprachlich-kontextlich nicht überzeugend).

579 Vgl. Gordon, *Ug.lit.*, S. 21 u.ö.; Driver, *Myths*, S. 89 u.ö.; Aistleitner, *Texte*, S. 29 u.ö.

580 Vgl. Gordon, *Ug. and Min.*, S. 50; *Textbook*, S. 418; vgl. ferner Virolleaud, *Déesse*, S. 16; Ginsberg, *ANET*, S. 136; Gaster, *Thespis*, S. 449; Driver, *Myths*, S. 85; Dietrich und Loretz, *UF* 4 (1972), S. 30; usw.

581 Siehe oben I, S. 42.

Schmied"[582]. Zum Gebrauch vgl. analog zu hebräisch *taḥat* Jes 10:4; Gn 22:13; Ex 21:23; Ps 45:17; Hi 34: 26; usw.; vgl. ferner Brockelmann, *Grundriß* II, S. 416f.

Zerstörte Stellen mit *tḥt* sind: 51:VII:58; 51 Frag.VII:53-58:11 (poetische Texte)[583].

Endlich erscheint 9) vom Stamm *yd*: *yd* "nebst" (< *"Hand, Seite"). Zur Etymologie vgl. zunächst akkadisch *idi* (*idē*) "neben u.ä." (< *"Hand, Seite")[584].

Vorläufig kommt ugaritisch *yd* nur in Prosatexten vor. Syntaktisch steht die Form mit dem Regierten in den vorhandenen klaren Fällen (Nominalsätzen) regelmäßig zum Subjekt, wie (von Gebrauchsgegenständen) 1121:1-5 *ṯmn mrkbt dt* (:1) *'rb bt mlk* (:2) *yd apnthn* (:3) *yd ḥẓhn* (:4) *yd trhn* (:5) "acht Wagen, die nebst ihren Rädern, nebst ihren Pfeilen, nebst ihren *tr-m* in das Haus des Königs einfuhren"[585]; (von Personen) 2038:1-3 [*b*] *gt ṯpn 'šr ṣmdm* (:1) *w ṯlṯ 'šr bnš* (:2) *yd ytm yd r'y ḥmrm* (:3) "[in] Gt Ṯpn (gibt es) zehn Gespanne und dreizehn Angestellte nebst einer Waise und einem Eselhirten"; 2080:4-5 *yrḫm yd ṯn bnh* (:4) *b'lm w ṯlṯ n'rm w bt aḥt* (:5) "Yrḫm nebst seinen zwei Söhnen, den Arbeitern, und drei Jungen und einer Tochter (ist da)"[586]; 2103:7-8 *'št 'šr b gpn* (:7) *yd 'dnm* (:8) "elf (Leute) (befinden sich) in Gpn nebst den *'dn-m*"[587]. Zum Gebrauch vgl. zu akkadisch *idi* (sowie *qadu(m)*) (vgl. oben). Zur Syntax vgl. ferner Brockelmann, *Grundriß* II, S. 270ff.

Zerstörte bzw. unklare Beispiele mit *yd* sind: 164:1-7; 329:14-18; 1008:7-10; 1098:35, :40-42; 2045: 2, :7; 2049:2-5[588].

Nach dem Obigen weist somit das Ugaritische, morphologisch betrachtet, durchgehend ursemitisch ererbte Präpositionen auf. Ganz vereinzelt kommen einzelsprachlich entwickelte Typen vor (*yd*). Auch der Gebrauch der Formen entspricht im allgemeinen dem altsemitisch überlieferten. Charakteristisch fürs Ugaritische ist immerhin die besonders ausgedehnte Verwendung der Form *l*, z.T. auf Kosten anderer altererbter Formbildungen (wie z.B. *m(n)*).

---

582 Vgl. schon Aistleitner, *Wb*, S. 325; dagegen Virolleaud, *PU* II, S. 79: "obéissant à" (statt *tḥt* wäre aber in dem Sinne der Ausdruck *bd/byd* zu erwarten, was auch Virolleaud zugibt).

583 62:45-46 ist die Form *tḥtk* kontextlich nach allem als ein Verb zu fassen. Vgl. schon Gordon, *Textbook*, S. 399 u.ö.; dagegen z.B. Virolleaud, *Syria* XV (1934), S. 238 (Präposition + Suffix).

584 Siehe von Soden, *AHw*, S. 365; *CAD*, "I-J", S. 13.

585 Vgl. Virolleaud, *PU* II, S. 152; Gordon, *Textbook*, S. 101 (§ 10.17); Aistleitner, *Wb*, S. 124.

586 Vgl. Virolleaud, *PU* V, S. 106.

587 Vgl. Virolleaud, *PU* V, S. 127 (mit Verweis auf Gordon, *Manual*, 1381); demgegenüber Gordon, *Textbook*, S. 381: "(2103:7) *gpn* (8) *yd 'dnm* || place names" (dazu vgl. besonders den Kontext).

588 170:8-9 ist *yd* mit Virolleaud, *PU* II, S. 67 (gegen Aistleitner, *Wb*, S. 124) als ein reguläres Nomen im Dual zu betrachten. Zum betreffenden Syntagma: *yd N.N. lqḥ* vgl. akkadisch: *qātā N.N. leqūm* (von Soden, *AHw*, S. 911). – Die belegten Formen *qrb*, *tk* (mit bzw. ohne vorangestellte Präposition) haben in analoger Weise wie die verwandten hebräischen Bildungen *qæræḇ*, *tāwæḵ/tōḵ* (Gesenius-Buhl, *Hw*, S. 726, 872; usw.) in ihrem charakteristischen Gebrauch noch durchgehend ihren nominalen Charakter erhalten, und werden daher hier schlechthin als Nomina betrachtet.

II. KONJUNKTIONEN

Auch bei den Konjunktionen gibt es ugaritisch, wie gemeinsemitisch, was die Herkunft betrifft, zwei Haupttypen von Formen, solche, die von Deuteelementen resp. Demonstrativstämmen deriviert, und solche, die von Begriffswurzeln abgeleitet sind. Der Reihe nach behandeln wir zuerst die Vertreter ersterer, dann diejenigen letzterer Bildungsart.

1. Von Deuteelementen abgeleitete Formen

Hierher gehören Formen a) koordinierender, b) koordinierender bzw. subordinierender, und c) nur subordinierender Funktion.

a) Koordinierende Formen

Zunächst begegnen 1) vom Stamm *w*: *w* (Stammbildung); *wm* = *w* + *-m* (hervorhebende Partikel; vgl. oben I, S. 51ff.); *wn* = *w* + *-n* (hervorhebende Partikel; vgl. oben I, S. 61ff.) "und". Zur Etymologie vgl. hebräisch *wV*; moabitisch *w*; phönizisch *w*; aramäisch *wV*; arabisch *wa*; altsüdarabisch *w*; äthiopisch (Gĕ'ĕz) *wa*; tigrē *wa*; hararī *wa*; tigriña *wĕn*; akkadisch *u*; usw. "und"[589].

Die einfache Form *w* ist die häufigste Konjunktion des Ugaritischen wie der anderen semitischen Sprachen. Sie ist in allen Hauptkategorien der Texte belegt, und dient im weitesten Sinne dazu, *Einzelwörter*, *Ausdrücke* oder *Sätze* zu verbinden.

Als koordinierende Partikel von Einzelwörtern verbindet ugaritisch *w* zunächst Nomina (Substantiva bzw. Adjektiva) in allen Kasus und Status.

Belege von durch *w* koordinierten Formen im Status absolutus bzw. constructus des Nominativs sind, dichterisch, ohne nähere Bestimmungen, in Verbalsätzen: 51:IV:48-50 *yṣḥ* (:48) *aṯrt wbnh ilt wṣbrt* (:49) *aryh* (:50) "es riefen Aṯrt und ihre Söhne, die Göttin und die Schar ihrer Angehörigen"; ebenso ʿnt:V:44-45; 52:53 *yldy šḥr wšl[m]* "geboren sind Šḥr und Šl[m]"[590]; 601 obv.18-19 *yʿmsn nn ṯkmn* (:18) *wšnm* (:19) "es

[589] Siehe Gesenius-Buhl, *Hw*, S. 189f., 904; Koehler-Baumgartner, *Lex.*, S. 244f., 1070; Segert, *ArOr* XXIX (1961), S. 264; Friedrich und Röllig, *Gram.*, S. 129; Dalman, *Gram.*, S. 240, 401; Nöldeke, *Syr. Gram.*, S. 98; Schulthess, *Gram.*, S. 56f.; Cantineau, *Gram. du palm. épigr.*, S. 139; *Nabatéen* I, S. 103; Macuch, *Handbook*, S. 245; Wright I, S. 290 D; Höfner, *Gram.*, S. 166; Beeston, *Grammar*, S. 60f.; Dillmann, *Gram.*, S. 363; Leslau, *JAOS* 65 (1945), S. 201; Littmann, *ZS* 1 (1922), S. 72 u.ö.; Praetorius, *Tigriñasprache*, S. 252f.; von Soden, *GAG*, S. 170f.; ferner Brockelmann, *Grundriß* I, S. 502; Gordon, *Textbook*, S. 105 (dazu S. 106 Anmerkung 3 mit Verweis auf ägyptisch *ỉw*); Young, *JNES* XII (1953), S. 248f.; van Zijl, *OTWSA* 10 (1967) (mir nicht zugänglich).

[590] Siehe schon oben I, S. 46 mit Verweisen. Übereinstimmend mit der ugaritischen Textgrundlage faßt man im allgemeinen *šḥr wšlm* als die Namen von zwei verschiedenen Gottheiten auf; demgegenüber de Moor *UF* 2 (1970), S. 312: Šaḥaru-and-Šalimu; vgl. auch *ibid.*, S. 196.

tragen ihn (wörtlich: bürden sich ihn auf o.ä.) Ṯkmn und Šnm"[591]; 51:VII:53-54 *ʿn* (:53) [*gpn*] *wugr* (:54) "schaut her [Gpn] und Ugr!"; ebenso Frag. VII:53-58:6-7; 67:I:11-12; ʿnt:III:33[592]; ebenso oft bei Doppelnamen: 51:IV:8 *yšmʿ qd*[*š*] *wamr*[*r*] "es hört (es) Qd[š]-und-Amr[r]"[593]; ebenso ibid.:13; ibid.:V:103 *ylak*[594] *kṯr wḫss* "es wurde gesandt Kṯr-und-Ḫss"[595]; ebenso ibid.:106, :120, :VI:1, :3, :14-15, :VII:21; 62:52; 68:7; ʿnt pl.IX:III:17; 2Aqht:V:25-26; ebenso mit näheren Bestimmungen: 126:IV:11-13 *šmʿ lngr il il*[*š*] (:11) *ilš ngr bt bʿl* (:12) *waṯtk ngrt ilht* (:13) "höret, o Handwerker-Gott Il[š], Ilš, Handwerker im Hause (wörtlich: des Hauses)[596] des Baʿl, und deine Frauen, die Handwerker-Göttinnen!"; ferner 52:33-34 *tirkm yd il kym* (:33) *wyd il kmdb* (:34) "es werde lang die "Hand" des Il wie das Meer, und die "Hand" des Il wie die Flut"[597]; ibid.: 34-35 *ark yd il kym* (:34) *wyd il kmdb* (:35) "es wurde lang die "Hand" des Il wie das Meer, und die "Hand" des Il wie die Flut"; ebenso zur Verbindung von gleichartigen Typen als Apposition: 602 obv.1-2 *wyšt* (:1) [*il*] *gṯr wyqr* (:2) "und er möge trinken [der Gott], der kraftvolle und majestätische"[598]; ferner in Nominalsätzen, ohne nähere Bestimmungen, wie bei Namen: 52:8 *mt wšr yṯb* "Mt-und-Šr sitzt da"[599]; 62:51 *kṯr wḫss yd* "Kṯr-und-Ḫss eilte"[600]; 77:37-38 *nkl wib* (:37) *dašr* (:38) "Nkl-und-Ib (ist) diejenige, die ich besingen will"[601]; 601 obv. 9 *ʿṯtrt w ʿnt ymǵy* "ʿṮtrt und ʿAnat kamen"[602]; ibid.:22-23 *ʿnt* (:22) *w ʿṯtrt tṣdn* (:23) "ʿAnat und ʿṮtrt gehen auf die Jagd"; auch sonst: Krt:135-136 *udm ytnt il wušn* (:135) *ab adm* (:136) "Udm (ist) ein Geschenk des Il und eine Gabe des Vaters der Menschheit"; auch ibid.:258-259; ibid.:277-278 ohne *w*; ibid.:137-140 *lm ank* (:137) *ksp wyrq ḫrṣ* (:138) *yd mqmh wʿbd* (:139) *ʿlm* (:140) "was soll ich mit Silber und dem Gelb des Goldes, einem Teil ihres Besitztums und einem ewigen Diener (wörtlich: warum ich das Silber und das Gelb des Goldes usw.)?"; ebenso ibid.:282-285; ibid.:201-202 *iṯt aṯrt ṣrm* (:201) *wilt ṣdynm* (:202) "so wahr Aṯrt von Tyrus da ist und die Göttin der Sidonier!"[603]; vgl. auch 62:50; ebenso 124:8-9 *ṯm ṯmq rpu bʿl*

---

591 Vgl. de Moor, *UF* 1 (1969), S. 169, 173; Jirku, *ZAW* 82 (1970), S. 279; van Zijl, *AOAT* 10, S. 353f.; dagegen z.B. Loewenstamm, *UF* 1, S. 76; Rüger, *UF* 1, S. 203; Margulis, *UF* 2 (1970), S. 133; ferner Gordon, *Textbook*, S. 502; de Moor, *UF* 2, S. 197, 312. Vgl. sonst unten zu 1:3 *gdlt ilhm ṯkmn wšnm*.

592 Siehe besonders Gordon, *Textbook*, S. 351, 381; Aistleitner, *Wb*, S. 6, 68. Vgl. ferner de Moor, *UF* 2 (1970), S. 227 u.ö.

593 Dazu ʿnt:VI:11 *qdš amrr* ohne koordinierende Konjunktion, d.h. asyndetische Verbindung, welche im Ugaritischen (Semitischen) als solche Hand in Hand mit der syndetischen geht (gegen de Moor, *UF* 2 (1970), S. 228 (isolierte Betrachtung der Fälle)). Vgl. ferner zunächst Gordon, *Textbook*, S. 477; Aistleitner, *Wb*, S. 274.

594 Geschrieben ist *yakl*; siehe Virolleaud, *Syria* XIII (1932), S. 132; Gordon, *Textbook*, S. 172; dazu Herdner, *Corpus*, S. 27.

595 Siehe besonders Gordon, *Textbook*, S. 403, 424; Aistleitner, *Wb*, S. 115, 159. Vgl. ferner de Moor, *UF* 2 (1970), S. 227f. u.ö. Zur Asyndese: *kṯr ḫss* vgl. Whitaker, *Concordance*, S. 369; de Moor, *a.a.O.* Vgl. ferner schon oben.

596 Oder: **b-bt* > *bt*. Vgl. oben I, S. 12.

597 Vgl. schon Gordon, *Ug.lit.*, S. 60 u.ö.; Jirku, *Mythen*, S. 82 und andere; anders z.B. Aistleitner, *Texte*, S. 60 u.ö.

598 Vgl. Virolleaud, *Ugaritica* V, S. 553; de Moor, *UF* 1 (1969), S. 175f.; van Zijl, *AOAT* 10, S. 355.

599 Vgl. schon z.B. Gordon, *Textbook*, S. 431, 494 u.ö.; Driver, *Myths*, S. 121 u.ö.; Tsumura, *Ugaritic drama*, S. 8, 31f.; *UF* 6 (1974), S. 408f.; ferner Caquot und Sznycer, *Textes*, S. 453; usw.; anders z.B. Aistleitner, *Wb*, S. 198, 315.

600 Zum Syntagma vgl. Gordon, *Ug.lit.*, S. 49 u.ö.; dagegen Virolleaud, *Syria* XV (1934), S. 238f. Zur Deutung des Doppelnamens als Mehrzahl vgl. z.B. Mulder, *UF* 4 (1972), S. 86 ("Kṯr und Ḫss sind . . .").

601 Vgl. Tsevat, *JNES* XII (1953), S. 62 mit Verweis auf Ginsberg, *Orientalia* VIII (1939), S. 318; ferner Gordon, *Ugaritica* VI, S. 282; Caquot und Sznycer, *Textes*, S. 449; usw. Vgl. auch de Moor, *UF* 2 (1970), S. 228 u.ö.

602 Vgl. Virolleaud, *Ugaritica* V, S. 545f.; ferner de Moor, *UF* 2 (1970), S. 228 u.ö.

603 Vgl. Driver, *Myths*, S. 33; Sauren und Kestemont, *UF* 3 (1971), S. 202; usw.; vgl. auch oben I, S. 76; anders z.B. Fisher, *UF* 3, S. 27 (Textkorrektur); ferner Driver, *Ugaritica* VI, S. 181-184 (*iṯt* = "generous gift").

mhr bʿl (:8) *wmhr ʿnt* (:9) “dort (sind) Ṯmq, Rpu Baʿl, die Krieger o.ä. Baʿls und die Krieger o.ä. der ʿAnat”[604]; vgl. auch RŠ 34 126:31-32 (siehe Caquot, *a.a.O.*); ebenso mit näheren Bestimmungen: 62:48-49 *ʿdk kṯrm ḫbrk* (:48) *wḫss dʿtk* (:49) “dein Zeuge (ist) Kṯr, dein Gefährte, und Ḫss deine Bekanntschaft”[605]; 75:I:30-32 *bhm qrnm* (:30) *km ṯrm wgbṯt* (:31) *km ibrm* (:32) “sie haben Hörner wie Stiere und Buckel wie Wildrinder (wörtlich: an ihnen (sind) Hörner wie (diejenigen) der Stiere usw.)”; aus der Prosa, in Verbalsätzen, ohne nähere Bestimmungen: 1156:3-7 *lqḥ bʿlmʿḏr* (:3) *w bn ḫlp* (:4) *miḫd* (:5) *b arbʿ* (:6) *mat ḫrṣ* (:7) “es kauften (wörtlich: nahmen) Baʿlmʿḏr und der Sohn des Ḫlp *miḫd* für vierhundert (Seqel) Gold” (zum wörtlichen Sinn vgl. oben zu *b*); ebenso 1155:3-8; ebenso in Nominalsätzen: 1:6 *ṯkmn wšn[m] š* “Ṯkmn und Šn[m][606]: ein Schaf”; 1:7-8 *dr il wp[ḫ]r*[607] *bʿl* (:7) *[g]dlt* (:8) “das Geschlecht des Il und die Ver[samm]lung des Baʿl: eine Färse”[608]; 113:14-15 *aġt* (:14) *w qmnz* 1(:15) “Aġt und Qmnz: 1”[609]; ebenso ibid.:18-19, :49; 119:5 *aṯt w ṯn bnh b bt iwrpzn* “die Frau und zwei seiner Söhne (befinden sich) im Hause des Iwrpzn”; ebenso ibid. passim[610]; 608:15 *y[r]ḫ w ršp yisp ḥmt* “Y[r]ḫ und Ršp sammelten das Gift”; ebenso ibid. passim[611]; 1048:1-10 *grgš* (:1) *w lmdh* (:2) *aršmg* (:3) *w lmdh* (:4) *iyṯr* (:5) *[w] lmdh* (:6) *[y]nḥm* (:7) *[w] lmdh* (:8) *[i]wrmḫ* (:9) *[w] lmdh* (:10) “Grgš und sein(e) Lehrling(e); Aršmg und sein(e) Lehrling(e); Iyṯr [und] sein(e) Lehrling(e); [Y]nḥm [und] sein(e) Lehrling(e); [I]wrmḫ [und] sein(e) Lehrling(e)”[612]; ebenso 1049:1-12; 1099:9-18; 1063:3 *snb wnḫlh* “Snb und sein Erbe”; ebenso ibid. passim; 2163 passim; 2011:20 *ʿdn w ildgn ḥṭbm* “ʿDn und Ildgn: Holzhauer”[613]; vgl. ferner 2040 passim; 2068 passim; 2072 passim; 2082:9; 2083 passim; 2086:8; 2079:3-4 *ḏmry w pṯpṯ ʿrb* (:3) *b yrm* (:4) “Ḏmry und Pṯpṯ bürgten für Yrm” (zum wörtlichen Sinn des Syntagma vgl. oben zu *b*); ebenso ibid.:5-8; desgleichen 1:4 *dqt šrp wšlmm* “ein Mutterschaf (ist) Brand- und Friedensopfer”[614]; 1:5 *alp wš* “ein Rind und ein Schaf”[615]; vgl. auch z.B. 1:9; 5:6-7, :12, :15; 9:2; 69:3; 609 passim; 612 passim; 613 passim; R61:Ab:6-7[616]; ferner 321:I:2 *mṭpṭ ṯt qštm w ṯn q[l]ʿm* “Mṭpṭ: zwei Bogen und zwei Schl[eu]dern”[617]; ebenso ibid. passim; ibid.:4 *ġdyn qšt w qlʿ* “Ġdyn: ein Bogen und eine Schleuder”; ebenso ibid. passim; vgl. auch 1124:2-5; 2050:3-5; ferner 111:1 *qrt ṯqlm wnṣp* “die Stadt: zweiundeinhalb Seqel”; ebenso ibid. :4; vgl. ferner 1110:6; 1164:1-3; 1127:13 *ṯlṯt w ṯlṯt ksph* “sechs (wörtlich: drei und drei) (Seqel sind) dessen (Wert an) Silber”[618]; ebenso mit näheren Bestimmungen: 119:7 *ṯt aṯtm adrtm w pġt aḥt b[bt]* “zwei vornehme Frauen und ein Mädchen (befinden sich) im [Hause des]”[619]; vgl. auch 2081:3-4; 702 rev. 8-11 *ypḥ iḫršp* (:8) *bn uḏrnn* (:9) *w ʿbdn* (:10) *bn sgld* (:11) “Zeuge: Iḫršp, der Sohn des Uḏrnn, und ʿBdn, der Sohn des Sgld”[620]; zu 1:3 (Koordinierung von gleichartigen Gliedern als Apposition siehe unten zu Genitiv)[621]; ferner: durch *w* verbundene, ungleiche Typen bzw. syndetische Verbindung von derartigen Kombinationen mit be-

---

604 Vgl. Virolleaud, *Syria* XXII (1941), S. 21; Gordon, *Ug.lit.*, S. 103 u.ö.; Aistleitner, *Texte*, S. 85 u.ö.; van Zijl, *AOAT* 10, S. 280; usw.

605 Vgl. schon oben I, S. 51 u.ö.; ferner Caquot, *Syria* XXXVI (1959), S. 98; vgl. sonst noch Mulder, *UF* 4 (1972), S. 86 (kontextlich-syntaktisch schwer aufrechtzuerhalten).

606 Vgl. schon oben.

607 Zur Lesart siehe Herdner, *Corpus*, S. 118 mit Verweisen.

608 Vgl. unter anderen Gordon, *Ug.lit.*, S. 111 u.ö.

609 Vgl. Virolleaud, *Syria* XXI (1940), S. 135f.; Gordon, *Textbook*, S. 363, 478; Aistleitner, *Wb*, S. 31, 278.

610 Vgl. Virolleaud, *Syria* XXI (1940), S. 267f.

611 Vgl. Virolleaud, *Ugaritica* V, S. 576f.

612 Vgl. Virolleaud, *PU* II, S. 76; Gordon, *Textbook*, S. 428; Aistleitner, *Wb*, S. 171.

613 Vgl. Virolleaud, *PU* V, S. 18f.

614 Weniger wahrscheinlich handelt es sich hier um eine Genitivverbindung (dazu vgl. unten); vgl. ferner z.B. 5:6-7. Vgl. sonst Gordon, *Ug.lit.*, S. 111; Levine, *JCS* 17 (1963), S. 107.

615 Vgl. z.B. Dussaud, *Syria* XII (1931), S. 70; Gordon, *Ug.lit.*, S. 111; Levine, *JCS* 17 (1963), S. 107f.

616 Vgl. Dietrich und Loretz, *Ugaritica* VI, S. 168.

617 Vgl. Thureau-Dangin, *RA* XXXVII (1940-41), S. 108.

618 Vgl. Virolleaud, *PU* II, S. 159.

619 Vgl. Virolleaud, *Syria* XXI (1940), S. 269.

620 Vgl. Miller, *AnOr* 48, S. 38; Dahood, *ibid.*, S. 51.

621 Vgl. schon Gordon, *Ug.lit.*, S. 111.

sonderen Zahlkonstruktionen in allen resp. mehreren oder nur einem von den koordinierten Gliedern: aus der Dichtung, in einem Verbalsatz: 52:62-63 *wlʿrb bphm ʿṣr šmm* (:62) *wdg bym* (:63) "und fürwahr, es traten in ihren Mund hinein die Vögel des Himmels und die Fische im Meere"[622]; aus der Prosa, in Nominalsätzen: 119: 21 *aṯt w bnh w pǵt aḥt b bt m*[ ] "die Frau und sein Sohn und ein Mädchen (befinden sich) im Hause des M[ ]"; ebenso ibid. passim; 1024 rev.4-5 *ṯmn ḫzr* (:4) *w arbʿ ḥršm* (:5) "acht "Schweine" und vier Handwerker"[623]; ebenso ibid.:7; 1029:1-4 *tšʿ ṯnnm* (:1) *w arbʿ ḫsnm* (:2) *ʿšr mrum*[624] (:3) *w šbʿ ḫsnm* (:4) "neun *ṯnn-m* und vier *ḫsn-m*; zehn Kommandeure und sieben *ḫsn-m*"[625]; ebenso ibid.:11-13; 1030:1; 2048:19-21 *b ḫrbǵlm ǵlm*[*n*] (:19) *w trhy aṯth* (:20) *w mlky bnh* (:21) "in Ḫrbǵlm (befinden sich) Ǵlm[n] und Trhy, seine Frau, und Mlky, sein Sohn"[626]; ebenso 2080 passim; 2079:7-8 *ydn bn ilrpi* (:7) *w ṯbʿm ʿrb b* ʿ[ ] (:8) "Ydn, der Sohn des Ilrpu, und Ṯbʿm bürgten für . . ." (zum wörtlichen Sinn vgl. oben zu *b*); ferner 63:1-2 *khnm tšʿ* (:1) *bnšm w ḥmr* (:2) "die Priester, neun Angestellte und ein Esel"; ebenso ibid.:3-4; 1080:5-6 *ṯmgdl yknʿmy w aṯth* (:5) *w bnh w alp aḥd* (:6) "Ṯmgdl, der Yknʿmite, und seine Frau und sein Sohn und ein Rind"; ebenso ibid. passim[627]; 1098 passim; 2038 passim; 2040 passim; 2044 passim; ferner 1079:1-2 *arbʿ ʿšrh šd* (:1) *w kmsk* (:2) "vierzehn Felder und ein *kmsk*"[628]; ebenso ibid. passim; vgl. auch 2100:9-11; ferner 1083:1-3 *arbʿ ʿšrh šmn* (:1) *d lqḥt ṯlǵdy* (:2) *w kd ištir ʿm qrt* (:3) "vierzehn (Krüge) Öl, die Ṯlǵdy gekauft hat (wörtlich: genommen hat), und ein Krug *ištir* (sind) bei der Stadt"[629]; ebenso 2092 passim; 2100:19-20; 1084:1-3 *ḫmš ʿšr yn ṭb* (:1) *w tšʿm kdm kbd yn d l ṭb* (:2) *w arbʿm yn ḫlq b gt sknm* (:3) "fünfzehn (Krüge) guter Wein und neunzig schwere Krüge Wein, der nicht gut (ist), und vierzig (Krüge) verdorbener Wein (befinden sich) in Gt Sknm"[630]; ebenso ibid. passim; vgl. auch 1086; ferner 321:II:45 *bn arz a*[*r*]*bʿ qšt w arb*[ʿ] *qlʿm* "der Sohn des Arz: v[ie]r Bogen und vier Schleudern"; ebenso ibid.:III:21; 2047 passim; vgl. auch 1121:8-9; 1122 passim; 1123 passim; 2053 passim; ferner 701 rev.3-4; 1109:2-3, :4-7; CTA:134:3 *ṯlṯ spm wʿšr lḥm* "drei Schalen und zehn Brote"[631]; 1143:1-2 *mitm ksp ʿmn b*[*n*] *ṣdqn* (:1) *w kkrm ṯlṯ* (:2) "zweihundert (Seqel) Silber (befinden sich) bei dem So[hn] des Ṣdqn und zwei Talente (vom Metall) *ṯlṯ*"[632]; ebenso ibid.:3-5. Zur syndetischen Kombination des Nominativs mit dem Akkusativ siehe unten. Zum behandelten Gebrauch vgl. analog z.B. zu hebräisch *wĕ* Gn 6:19; 7:13; 44:20; Jes 30:33; Hos 10:8; usw.; ferner zu arabisch *wa* Reckendorf, *Synt. Verh.*, S. 446ff.; zu altsüdarabisch *w* Beeston, *Grammar*, S. 60; zu akkadisch *u* von Soden, *GAG*, an mehreren Stellen; usw.; vgl. ferner besonders Brockelmann, *Grundriß* II, S. 462ff. mit Verweisen.

Belege der durch *w* verbundenen Formen im Status absolutus bzw. constructus des Akkusativs sind, dichterisch, ohne nähere Bestimmungen, in Verbalsätzen: (zur Verbindung der durch eine hervorhebende Partikel in den Akkusativ versetzten Glieder des Subjektes) 49:I:11-13 *tšmḫ ht* (:11) *aṯrt wbnh ilt wṣb* (:12) *rt aryh* (:13) "es freuen sich (freuten sich), siehe, Aṯrt und ihre Söhne, die Göttin und die Schar ihrer Gefährten"[633]; ebenso (zur Verbindung von direkten Objekten) 51:VII:50-51 *lymru* (:50) *ilm wnšm* (:51) "fürwahr,

---

622 Vgl. Virolleaud, *Syria* XIV (1933), S. 136; Jirku, *Mythen*, S. 84; Aistleitner, *Texte*, S. 60; usw. Vgl. auch oben; demgegenüber Tsumura, *Ugaritic drama*, S. 16, 83.

623 Vgl. Gordon, *Textbook*, S. 401; ferner Virolleaud, *PU* II, S. 47f.; Aistleitner, *Wb*, S. 111; Miller, *UF* 2 (1970), S. 179.

624 D.h. Nominativ(!) Plural (ebenso 1028:7); vgl. sonst Gordon, *Textbook*, S. 44f.; Brockelmann, *Grundriß* II, S. 274f.

625 Siehe Virolleaud, *PU* II, S. 55f.

626 Vgl. Virolleaud, *PU* V, S. 63.

627 Vgl. Virolleaud, *PU* II, S. 99f.

628 Vgl. Virolleaud, *PU* II, S. 98f.

629 Vgl. Virolleaud, *PU* II, S. 106. Vgl. auch oben.

630 Vgl. Virolleaud, *PU* II, S. 107f. (dazu z.B. Gordon, *Textbook*, S. 450 (zu *sknm*)).

631 Vgl. Eißfeldt, *Neue keilalphabetische Texte*, S. 11.

632 Vgl. Virolleaud, *PU* II, S. 173.

633 Zur Syntax vgl. schon oben I, S. 68ff.; vgl. ferner Reckendorf, *Synt. Verh.*, S. 354ff.; Brockelmann, *Grundriß* II, S. 17.

er regiert über Götter und Menschen"[634]; 52:52 *tldn šḥr wšlm* "sie gebären Šḥr und Šlm"[635]; 77:1 *ašr nkl wib* "ich will besingen Nkl-und-Ib"[636]; vgl. auch 137:35; 124:12-13 *šql ṯrm* (:12) *wmri ilm* (:13) "er fällte Stiere und fette Widder"; vgl. auch 51:VI:41-42; 76:III:10-11 *blt p btlt ʿn[t]* (:10) *wp nʿmt aḫt [bʿl]* (:11) "er durchbrach den "Mund" der Jungfrau ʿAn[at] und den "Mund" der lieblichsten der Schwestern [des Baʿl]"[637]; ferner 51:I:30 *yṣq ḫym wtbṯḫ* "er gießt/goß *ḫym* und *tbṯḫ*"[638]; Krt:126-127 *qḥ ksp wyrq ḫrṣ* (:126) *yd mqmh wʿbd ʿlm* (:127) "nimm das Silber und das Gelb des Goldes, einen Teil ihres Besitztums und einen ewigen Diener (wörtlich: einen Diener der Ewigkeit)!"; ebenso ibid.:250-251, :269-271; ebenso (zur Verbindung von Akkusativen des Ortes) 62:2-3 *[ps]ltm [byʿr]* (:2) *thdy lḥm wdqn* (:3) "sie macht sich (zwei) [Einsch]nitte [mit einem rauhen] (Stein) an (beiden) Wange(n) und am Kinn"[639]; ebenso 67:VI:18-19[640]; desgleichen (zur Verbindung von Zeitakkusativen) 125:36-38 [ ]*m*[ ] *ṣba rbt* (:36) *špš wtgh nyr* (:37) *rbt* (:38) "... beim Untergang der Fürstin Špš und beim Schein der Leuchte, der Fürstin"[641]; 51:VI:24-25 *hn ym wṯn tikl* (:24) *išt bbhtm* (:25) "siehe, einen Tag und einen zweiten frißt das Feuer am Palast"; ebenso 124:21; 127:21-22; 2Aqht:II:32-33; 121:II:5 *tlkn ym wṯn* "sie gehen einen Tag und einen zweiten"; ebenso Krt:106, :113-114, :194-195, :207, :216-218; ferner in Nominalsätzen: (zur Verbindung von Akkusativen des Ausrufs) 52:7 *šlm mlkt ʿrbm wṯnnm* "(mögen) Frieden (haben) die Königin, die *ʿrb-m* und die *ṯnn-m*!"[642]; ebenso (in einem rhythmisch gebauten kultischen Text) 610 obv. 1-13 *[šlm] ab wil[m]* (:1) ... *dgn wbʿl* (:4) *ṯṯ*[643] *wkmṯ* (:5) *yrḫ wksa* (:6) ... *ṯkmn wšnm* (:8) *kṯr wḫss* (:9) ... *šḫr wšlm* (:11) *ngh wsrr* (:12) *ʿd wšrr* (:13) "[Heil] dem Vater und den Gött[ern], ... Dgn und Baʿl, Ṯṯ und Kmṯ, Yrḫ und Ksu, ... Ṯkmn und Šnm, Kṯr-und-Ḫss[644], ... Šḫr und Šlm, Ngh und Srr, ʿD und Šrr!"[645]; vgl. die Parallelen ibid. :7, :10, :14 ohne *w*; vgl. auch 107:4-5[646]; ferner mit näheren Bestimmungen, in Verbalsätzen: (zur Verbindung von direkten Objekten) 126:IV:4-5 *ṣḥ ngr il ilš il[š]* (:4) *watṯh ngrt [i]lht* (:5) "rufe den Handwerker-Gott Ilš, Il[š] und seine Frauen, die Handwerker-[Gött]innen!"; Krt:133-134 *al tṣr* (:133) *udm rbt wudm ṯrrt* (:134) "nicht sollst du bedrängen Udm, das große, und Udm, das kleine"[647]; ebenso ibid.:256-258, :275-277; ibid.:205-206 *ṯnh kspm* (:205) *atn w ṯlṯth ḫrṣm* (:206) "das Zweifache davon will ich geben an Silber und das Dreifache davon an Gold"[648]; ebenso zur Verbindung von gleichartigen Gliedern als Apposition: 52:1-2 *iqra ilm nʿ[mm]* (:1) *wysmm* (:2) "ich will die lieb[lichen] und die schönen

634 Siehe schon oben I, S. 34 mit Verweisen.

635 Vgl. oben.

636 Vgl. ebenfalls oben.

637 Zum Text vgl. besonders ibid.:II:15ff. Möglich ist aber an der hiesigen Stelle mit Aistleitner, *Texte*, S. 54 statt *aḫt [bʿl]* (vgl. z.B. die Kopie des Textes in *Syria* XVII (1936)) *aḫt[h]* zu lesen. Vgl. ferner besonders Aistleitner, *Wb*, S. 50; Kapelrud, *Goddess*, S. 96.

638 Vgl. Virolleaud, *Syria* XIII (1932), S. 118; Gordon, *Textbook*, S. 401, 496; Aistleitner, *Wb*, S. 111f., 323f.; ferner Caquot und Sznycer, *Textes*, S. 404.

639 Zur Syntax vgl. z.B. Brockelmann, *Grundriß* II, S. 338ff.; vgl. ferner den nachfolgenden Verweis.

640 Siehe schon ausführlich Aartun, *WdO*, IV,2 (1968), S. 286f.; ferner Driver, *Ugaritica* VI, S. 185.

641 Für die Syntax vgl. Brockelmann, *Grundriß* II, S. 341ff.

642 Vgl. unter anderen Gordon, *Ug.lit.*, S. 58f. u.ö.; Caquot und Sznycer, *Textes*, S. 453; ähnlich z.B. Dussaud, *Syria* XVII (1936), S. 62; Aistleitner, *Texte*, S. 59. Dieses Beispiel kann aber auch verbaler Art sein (so z.B. Driver, *Myths*, S. 121; Jirku, *Mythen*, S. 81). Vgl. ferner zu 100:3-6.

643 Geschrieben ist *ṯṯ*. Zur Lesart vgl. de Moor, *UF* 2 (1970), S. 314 mit Verweis auf 607:36 und 608:16; ferner Dietrich – Loretz – Sanmartín, *UF* 6 (1974), S. 28; dagegen Virolleaud, *Ugaritica* V, S. 584f.; Astour, *JAOS* 86 (1966), S. 278 (*ʿṭ*).

644 Vgl. oben.

645 Vgl. besonders Astour, *JAOS* 86 (1966), S. 282.

646 Vgl. schon Aistleitner, *Texte*, S. 108; Gordon, *Ug.lit.*, S. 109 u.ö.; ferner Dhorme, *Syria* XIV (1933), S. 231f. Zur Deutung vgl. besonders die letzte Hälfte des Textes, die offenbar eidliche Ausrufe mit *b* (wie vielfach analog im Altsüdarabischen; siehe Höfner, *Gram.*, S. 142f.; Beeston, *Grammar*, S. 54) enthält.

647 Zu den verschiedenen Deutungen der Stelle vgl. schon Herdner, *Syria* XXIII (1942-43), S. 279f. mit Verweisen; ferner besonders Gordon, *Textbook*, S. 507 mit Verweis auf altägyptisch: "*šrr* "to be little"," akkadisch: "*šerru* "little, offspring"". Für diese Deutung des betreffenden Adjektivs spricht zunächst der gegensätzliche Parallelismus.

648 Vgl. schon oben I, S. 52.

Götter anrufen"[649]; 51:V:80 *wbn bht ksp wḫrṣ* "und baue einen Palast aus Silber und Gold!"[650]; ebenso ibid. :95-96; 77:19-21 *watn mhrh la* (:19) *bh alp ksp wrbt ḫ* (:20) *rṣ* (:21) "und ich will geben als ihren Kaufpreis ihrem Vater tausend (Seqel) Silber und zehntausend (Seqel) Gold"[651]; ebenso zur Verbindung von ungleichen Typen: (Präposition + Adverb (< *Pronomen) + *w* + Zeitakkusativ ohne nähere Bestimmung) 1Aqht:167-168 *'wr yštk b'l lht* (:167) *w'lmh* (:168) "blind soll dich Ba'l machen von nun an und bis in (alle) Ewigkeit" (zum wörtlichen Sinn vgl. oben zu *l*; vgl. auch oben I, S. 5); ebenso in Nominalsätzen: (Constructus-Verbindung mit Nomen regens im Nominativ + *w* + Zeitakkusativ ohne nähere Bestimmung) 52:42 *a[ṯ]tm aṯt il aṯt il w'lmh* "die beiden Fr[au]en (sind) Frauen des Il, Frauen des Il und (zwar) für ewig"; ebenso ibid.:48-49; ibid.:45-46 *btm bt il bt il* (:45) *w'lmh* (:46) "die beiden Töchter (sind) Töchter des Il, Töchter des Il und (zwar) für ewig"[652]; aus der Prosa, ohne resp. mit näheren Bestimmungen, in Verbalsätzen: (zur Verbindung von direkten Objekten) 55:28-30 *dblt yṯnt wṣmqm yṯn[m]* (:28) *wqmḥ bql yṣq aḥdh* (:29) *baph* (:30) "alte Feigenkuchen und alt[e] Rosinen und Mehl aus Hülsenfrüchten schütte man als eine Einheit (d.h. zusammen) in sein Maul (wörtlich: in seine Nase)"[653]; ferner (zur Verbindung von Zeitakkusativen) 1019:4-5 *t'zzk alp ymm* (:4) *wrbt šnt* (:5) "sie (die Götter) mögen dir Kraft geben (für) Tausende von Tagen und Zehntausende von Jahren"[654]; ebenso (zur Verbindung von Adverbien (< modalen Akkusativen mit Rektionen)) 89:6-11 *l p'n* (:6) *adty* (:7) *šb'd* (:8) *w šb'id* (:9) *mrḥqtm* (:10) *qlt* (:11) "zu Füßen meiner Herrin bin ich siebenmal und siebenmal niedergefallen in der Ferne" (zum wörtlichen Sinn vgl. oben zu *m(n)*; vgl. auch oben I, S. 16)[655]; ebenso 1014:5-8; 2008 obv. 4-5; vgl. ferner die Parallele 2063:5-8 ohne *w*; ferner in zusammengesetzten bzw. echten Nominalsätzen: (zur Verbindung von direkten Objekten) 1006:1-11 *l ym hnd* (:1) *iwrkl pdy* (:2) *agdn bn nrgn(?)* (:3) *wynḥm aḫh* (:4) *w b'ln aḫh* (:5) *w ḥṯṯn bnh* (:6) *w btšy bth* (:7) *w ištrmy* (:8) *bt 'bdmlk* (:9) *w snt* (:10) *bt ugrt* (:11) "von diesem Tag an (zum wörtlichen Sinn vgl. oben zu *l*) hat Iwrkl den Agdn, den Sohn des Nrgn(?), und Ynḥm, seinen Bruder, und B'ln, seinen Bruder, und Ḥṯṯn, seinen Sohn, und Btšy, seine Tochter, und Ištrmy, die Tochter des 'Bdmlk, und Snt, die Tochter des Ugrt, losgekauft"[656]; ebenso (zur Verbindung von Zeitakkusativen) 109:4 *ṯlrby yrḫ w hm[š ym]m* "Ṯlrby: einen Monat und fün[f Ta]ge"; ebenso ibid. passim; vgl. ferner RŠ 34 124:24-26 (Caquot, *a.a.O.*). Zum Gebrauch vgl. analog z.B. zu hebräisch *wĕ* Gn 3:18; 22:3; Ex 24:18; Lv 16:5; 1S 17:41; 25:36; usw.; zu arabisch *wa* Reckendorf, *Synt. Verh.*, S. 446ff.; zu altsüdarabisch *w* Beeston, *Grammar*, S. 60; usw.; zu akkadisch *u* von Soden, *GAG*, an mehreren Stellen; usw.; vgl. ferner Brockelmann, *Grundriß* II, S. 462ff. mit Verweisen.

Belege des Gebrauchs von ugaritisch *w* zur Verbindung von Formen im Status absolutus bzw. constructus des Genitivs sind, dichterisch, ohne nähere Bestimmungen, in Verbalsätzen: 2Aqht:V:16-18 *'db* (:16) *imr bpḫd lnpš k[ṯ]r* (:17) *wḫss* (:18) "bereite o.ä. ein Schaf aus der Herde (zum wörtlichen Sinn vgl. oben zu *b*) für den Schlund des K[ṯ]r-und-Ḫss!"[657]; ebenso ibid.:22-23, :VI:24; 'nt:VI:21-22, pl. IX:III:4; ferner 67:II:4-6 *bph yrd* (:4) *kḫrr zt ybl arṣ wpr* (:5) *'ṣm* (:6) "in seinem Mund steigt er hinab gleich dem Hinuntersteigen der Olive, des Ertrages[658] der Erde und der Frucht der Bäume"[659]; 601 obv.21 *bḫrih wṯnth ql il* "in seinen Kot und Urin fiel Il"[660]; 602 obv.3-4 *wyḏmr* (:3) *bknr wṯlb btp wmṣltm* (:4) "und er spielt auf Zither und Flöte, auf

649 Vgl. Virolleaud, *Syria* XIV (1933), S. 132; Gaster, *JAOS* 66 (1946), S. 51; Gordon, *Ug.lit.*, S. 58 u.ö.; Driver, *Myths*, S. 121; Aistleitner, *Texte*, S. 58 u.ö.; Caquot und Sznycer, *Textes*, S. 453; usw. Zum Text vgl. sonst Gordon, *Textbook*, S. 174; Herdner, *Corpus*, S. 98.

650 Zur Syntax vgl. Brockelmann, *Grundriß* II, S. 308ff.

651 Vgl. zum vorangehenden Fall.

652 Zu den beiden letztangeführten Fällen vgl. sonst oben I, S. 41.

653 Vgl. Virolleaud, *Syria* XV (1934), S. 76f.; Gordon, *Ug.lit.*, S. 129; usw.

654 Vgl. Virolleaud, *PU* II, S. 39f.

655 Vgl. ferner unter anderen Dahood, *Ug.-Heb. phil.*, S. 13.

656 Vgl. Virolleaud, *PU* II, S. 18f.

657 Vgl. oben.

658 D.h. asyndetisch verbunden. Zur Kombination vgl. z.B. Brockelmann, *Grundriß* II, S. 455ff.

659 Vgl. schon oben zu *k* (Präposition).

660 Vgl. Loewenstamm, *UF* 1 (1969), S. 76; de Moor, *ibid.*, S. 169, 173; anders Virolleaud, *Ugaritica* V, S. 549; Margulis, *UF* 2 (1970), S. 133f.

Tamburin und Cymbeln"; 602 rev.9-12 *l* (:9) *ak*[661] *ḥtkk nmrtk btk* (:10) *ugrt lymt špš wyrḫ* (:11) *wn'mt šnt il* (:12) auf englisch: "send your . . . , your . . . in the midst of Ugarit for the days of Špš and Yrḫ and the goodness of the years of Il!"[662]; ebenso zur Koordinierung von gleichartigen Gliedern als Apposition: 51:III: 17-21 *bm ṯn dbḥm šna b'l ṯlṯ* (:17) *rkb 'rpt dbḥ* (:18) *bṯt wdbḥ* (:19) *dnt wdbḥ tdmm* (:20) *amht* (:21) "zwei Opfer haßt[663] Ba'l, drei der Wolkenreiter: das Opfer der Schande und das Opfer der Niedrigkeit und das Opfer des Mißbrauchs der Mägde"[664]; ebenso in Nominalsätzen: (Koordinierung von Gliedern ohne nähere Bestimmungen): 601 obv.20 *b'l qrnm wdnb ylšn* "der Hörner und Schwanz besitzt (wörtlich: der Besitzer von Hörnern und Schwanz), schmäht (ihn)"[665]; 52:13 *wšd šd ilm šd aṯrt wrḥm* "und das "Feld" (ist) das "Feld" des Il, das "Feld" der Aṯrt-und-Rḥm"[666]; ebenso ibid.:28; 125:10-11 [*k*]*rt bnm il špḥ* (:10) *lṭpn wqdš* (:11) "[K]rt (ist) der Sohn des Il, der Sprößling (Nachkomme) des Freundlichen und Heiligen"; ebenso ibid.:110-111; ferner mit näheren Bestimmungen, in Verbalsätzen: 607:63-64 *idk pnm lytn tk aršḫ rbt* (:63) *waršḫ ṯrrt* (:64) "dann, fürwahr, begab er sich (wörtlich: wandte er sein Antlitz) nach Aršḫ dem großen und Aršḫ dem kleinen (wörtlich: in die Mitte von Aršḫ dem großen usw.)"[667]; Krt:210-211 *ymġy ludm rbt* (:210) *wudm* [*ṯr*]*rt* (:211) "sie kamen nach Udm dem großen und Udm dem [klei]nen"[668]; für Belege in zusammengesetzten Nominalsätzen vgl. 607 passim[669]; Krt:150-153, :296-300 (vgl. oben zu *l*); desgleichen aus der Prosa, ohne nähere Bestimmungen, in Nominalsätzen: 5:10-11 *ṯql ḫrṣ* (:10) *lšpš wyrḫ* (:11) "ein Seqel Gold (ist) für Špš und Yrḫ"; ebenso ibid.:13-14; 9:8 [*a*]*lp lb'l waṯrt* "ein [Ri]nd (ist) für Ba'l und Aṯrt"; R61:Ab:4-5 *dt nat* (:4) *w ytnt* (:5) "das (Schlachtopfer) des Nat und des Ytnt"[670]; R61:Ac:10-12 *dt nat* (:10) *wqrwn* (:11) *l k dbḥ* (:12) "das (Schlachtopfer) des Nat und des Qrwn, fürwahr, (ist) entsprechend einem Schlachtopfer"[671]; 1107:1-2 *ḫpn d iqni w šmt* (:1) *l iyb'l* (:2) "ein mit Lazurstein und Karneol besetztes Oberkleid (ist) für Iyb'l"[672]; vgl. ferner 1:3 (als Apposition)[673]; ebenso mit näherer Bestimmung: 95:3-4 *tḥm tlmyn* (:3) *w aḫtmlk 'bdk* (:4) "die Mitteilung (der Entschluß) des Tlmyn und Aḫtmlk, deiner Diener". Zum Gebrauch vgl. z.B. analog zu hebräisch *wĕ* Ex 14:24; 1S 16:12; Dt 9:1; usw.; zu arabisch *wa* Reckendorf, *Synt.Verh.*, S. 446ff.; zu altsüdarabisch *w* Beeston, *Grammar*, S. 60; zu akkadisch *u* von Soden, *GAG*, S. 170 u.ö.; usw.; vgl. ferner Brockelmann, *Grundriß* II, S. 462ff. und andere.

Bisweilen verbindet ugaritisch *w* ebenso einen nominalen und einen durch ein Demonstrativpronomen regierten Ausdruck, wie dichterisch, in einem Nominalsatz: 67:II:12 *'bdk an wd'lmk* "dein Diener (bin) ich, und (zwar) dein für ewig (wörtlich: und derjenige deiner Ewigkeit)"; ebenso ibid.:19-20. Zum Gebrauch vgl. vor allem zu aramäisch *wV + dV* mit Rektion (siehe die Grammatiken und Lexika).

Sehr oft werden ferner im Ugaritischen, wie entsprechend in den verwandten Sprachen, syntagmatische, vornehmlich präpositionale Ausdrücke durch *w* verbunden; so zunächst dichterisch, ohne nähere Bestim-

661 Zur Lesart vgl. de Moor, *UF* 1 (1969), S. 176.

662 Vgl. Gordon, *Supplement*, S. 555f. (mit Verweis auf Ps 90:15 *yĕmōṯ* ‖ *šĕnōṯ*); Blau und Greenfield, *BASOR* 200 (1970), S. 13; ferner de Moor, *UF* 1 (1969), S. 176f.; anders Parker, *UF* 2 (1970), S. 246f.

663 Zur Verbalsyntax (Afformativform in Erfahrungssätzen) vgl. besonders Aartun, *Tempora*, S. 68ff.

664 Vgl. Gordon, *Ug.lit.*, S. 30 u.ö.; Ginsberg, *ANET*, S. 132; Driver, *Myths*, S. 95; Jirku, *Mythen*, S. 42; usw.

665 Vgl. de Moor, *UF* 1 (1969), S. 169, 173; *UF* 2 (1970), S. 350; vgl. sonst Loewenstamm, *UF* 1, S. 76; ferner Virolleaud, *Ugaritica* V, S. 547ff.; Rüger, *UF* 1, S. 203, 206; Margulis, *UF* 2, S. 133.

666 Vgl. Aistleitner, *Texte*, S. 59 u.ö.; Caquot und Sznycer, *Textes*, S. 454; ferner Driver, *Myths*, S. 121; Jirku, *Mythen*, S. 81; Tsumura, *Ugaritic drama*, S. 10, 39f.; demgegenüber Virolleaud, *Syria* XIV (1933), S. 133; Gaster, *JAOS* 66 (1946), S. 52, 63; Gordon, *Ug.lit.*, S. 59 u.ö.

667 Vgl. Virolleaud, *Ugaritica* V, S. 571; Lipiński, *UF* 6 (1974), S. 170. Vgl. auch oben.

668 Vgl. schon oben.

669 D.h. in Fällen wie 607:19-20 usw. Hierzu vgl. näher oben.

670 Vgl. Dietrich und Loretz, *Ugaritica* VI, S. 168.

671 Vgl. Dietrich und Loretz, *Ugaritica* VI, S. 169.

672 Vgl. Virolleaud, *PU* II, S. 142.

673 Vgl. z.B. Gordon, *Ug.lit.*, S. 111 und andere.

mung, in Verbalsätzen: (zur Verbindung von Gliedern bestehend aus Präposition + Nomen) 52:66 *ṯm tgrgr labnm wlʿṣm* "dort sollt ihr euch zwischen Steinen und Bäumen tummeln o.ä."[674]; 76:III:30-31 *wtʿl bkm barr* (:30) *bm arr wbṣpn* (:31) "und sie (die Göttin ʿAnat) stieg auf den Hügel[675], auf Arr[676], auf Arr und auf Ṣpn"[677]; 137:23-24 *tġly ilm rišthm lẓr brkthm wlkḥṯ* (:23) *zblhm* (:24) "es ließen sinken die Götter ihre Häupter auf ihre Knie und auf den Thron ihres Fürstentums"; ebenso ibid.:24-25; dagegen ibid.:27-28 ohne *w*; vgl. ferner Krt:197-199; ebenso (zur Verbindung von Gliedern bestehend aus Präposition + Pronomen) 2Aqht: VI:42 *ṯb ly wlk* "besinne dich in meinem und in deinem Interesse!" (zum wörtlichen Sinn des Syntagma vgl. oben zu *l*); ebenso mit näherer Bestimmung: (zur Koordinierung von Präposition + Nomina) Krt:108-109 *wtmġy ludm* (:108) *rbt wl udm ṯrrt* (:109) "und du wirst kommen[678] nach Udm dem großen und nach Udm dem kleinen"[679]; ebenso (zur Koordinierung von ungleichen Typen dieser Art) 52:54 *ʿdb lšpš rbt wlkbkbm* "bringet (ein Opfer) dar o.ä. für Špš, die Fürstin, und für die Sterne!"; ferner finden sich bei diesem Gebrauch auch sehr oft dichterische Sonderfälle: (syndetische Koordinierung von syntagmatischen Kombinationen bestehend aus Präposition mit Regiertem (Nomen/Pronomen) und Subjekt bzw. Objekt) (oder die Komponenten der koordinierten Glieder erscheinen in umgekehrter Reihenfolge) 68:5 *larṣ ypl ulny wl ʿpr ʿẓmny* "zur Erde soll fallen der Starke und zum Staube der Mächtige"; 2Aqht:II:14-15 *kyld bn ly km* (:14) *aḫy wšrš km aryy* (:15) "denn geboren wird mir ein Sohn wie meinen Brüdern und ein Nachkomme wie meinen Gefährten"[680]; 51:IV: 62-V:63 *ybn bt lbʿl* (:62) *km ilm wḥẓr kbn aṯrt* (:63) "es werde erbaut ein Haus für Baʿl gleich den (übrigen) Göttern[681] und eine Wohnstätte (wörtlich: Vorhof o.ä.) (für ihn) gleich den Söhnen des Aṯrt"[682]; ebenso ibid.: 89-91; ʿnt:V:11-12; 76:II:23-25 *hm bʿp* (:23) *ntʿn barṣ iby* (:24) *wbʿpr qm aḫk* (:25) "siehe, im Flug stießen wir zur Erde meine Feinde/meinen Feind und in den Staub die/den Gegner deines Bruders"[683]; Krt:190-191 *ybʿr lṯn aṯth* (:190) *wlnkr mddt* (:191) "er bringt zu einem anderen seine Frau und zu einem Fremden die Geliebte"[684]; dagegen ibid.:101-103 ohne *w*; ibid.:214-215 *sʿt bšdm ḥṭb* (:214) *wbgrnm ḥpšt* (:215) "nimm gefangen o.ä. auf dem Felde den Holzhauer und auf der Tenne die Sammlerin!"[685]; ebenso ibid.:216-217; 76: III:21-22 *ibr tld* [*lbʿl*] (:21) *wrum l*[*rkb ʿrpt*] (:22) "einen Stier gebar sie [dem Baʿl] und ein Rind [dem Wolkenreiter]"; ebenso ibid.:36-37; vgl. 607:64-65[686]; Frag.51:VII:53-58:3-5 *wtn bt lbʿl km* (:3) [*i*]*lm wḥẓr kbn* (:4) [*a*]*ṯrt* (:5) "und gib ein Haus dem Baʿl wie den (übrigen) [Gött]ern und eine Wohnstätte (vgl. oben) wie den Söhnen der [A]ṯrt!"; 76:II:6-7 *qšthn aḫd bydh* (:6) *wqṣʿth bm ymnh* (:7) "seinen Bogen[687] nahm er in die Hand (wörtlich: in seine Hand) und seine Armbrust in die Rechte (wörtlich: in seine Rechte)"; ferner (mit Voranstellung des ersten Komponenten des zweiten Gliedes) 51:V:107-108 *št alp qdmh mra* (:107) *wtk pnh* (:108) "er setzte/stellte ein Rind vor ihn hin und ein Mastkalb mitten vor sein Gesicht"[688]; ebenso ʿnt:IV:85-

---

674 Zum wörtlichen Sinn vgl. oben zu *l* (Präposition).

675 Siehe näher Aartun, *WdO*, IV,2 (1968), S. 291f.

676 D.h. Asyndese; vgl. Brockelmann, *Grundriß* II, S. 455ff.

677 Vgl. ferner oben zu *b* || *b-m*.

678 Zur Verbalsyntax vgl. besonders Aartun, *Tempora*, S. 104ff.

679 Vgl. schon oben.

680 Zur Syntax vgl. oben zu *k-m* (Präposition).

681 Vgl. oben.

682 Vgl. ebenfalls oben.

683 Vgl. Aistleitner, *Texte*, S. 53 u.ö.; ferner z.B. Virolleaud, *Syria* XVII (1936), S. 154, 161f.; Gordon, *Ug.lit.*, S. 50.

684 Vgl. schon oben zu *l* (Präposition).

685 Vgl. schon oben zu *b* mit Verweisen; vgl. auch oben I, S. 54.

686 Vgl. Virolleaud, *Ugaritica* V, S. 571; Gordon, *Supplement*, S. 554.

687 Siehe schon oben I, S. 62 (gegen Ginsberg, *Orientalia* VII (1938), S. 6).

688 Vgl. schon z.B. Gordon, *Ug.lit.*, S. 33 u.ö.; Gaster, *Thespis*, S. 174; Ginsberg, *ANET*, S. 134; van Zijl, *AOAT* 10, S. 124f.; usw.; dagegen z.B. Virolleaud, *Syria* XIII (1932), S. 145f.; Young, *JNES* XII (1953), S. 252; Driver, *Myths*, S. 99; Jirku, *Mythen*, S. 47; Aistleitner, *Texte*, S. 42. Zur Wortstellung (dominierende Vorstellung) vgl. analog in den verwandten Sprachen z.B. Brockelmann, *Grundriß* II, S. 442ff. Vgl. ferner Goetze, *JBL* LX (1941), S. 355f.; Pope, *JAOS* 73 (1953), S. 95-98; Wernberg-Möller, *JSS* 3 (1958), S. 321-326.

86; ebenso in zusammengesetzten bzw. echten Nominalsätzen: Krt:24-25 *wbtm hn špḥ yitbd* (:24) *wbpḫyrh yrṯ* (:25) "und in Gänze, siehe, die Sippe ging zugrunde und in ihrer Gesamtheit die Erben (wörtlich: in dessen Gesamtheit der Erbe)"[689]; 126:III:5-9 *larṣ m[ṭ]r bʿl* (:5) *wlšd mṭr ʿly* (:6) *nʿm larṣ mṭr bʿ[l]* (:7) *wlšd mṭr ʿly* (:8) *nʿm* (:9) "lieblich (ist) für die Erde der Re[ge]n Baʿls und für das Feld der Regen des Erhabenen; lieblich (ist) für die Erde der Regen Baʿ[l]s und für das Feld der Regen des Erhabenen"; 51:III:21-22 *kbh bṯt ltbṯ* (:21) *wbh tdmm amht* (:22) "denn darin wurde, fürwahr, Schande gesehen und darin der Mißbrauch der Mägde"; vgl. Krt:92-93, :180-181[690]; 75:I:40-41 *bʿl ngṯhm bpʿnh* (:40) *wil hd bḫrẓʿh* (:41) "Baʿl näherte sich ihnen mit seinen Füßen und der Gott Hd mit seinen Beinen o.ä."[691]; 3Aqht obv.18-19 *aqht [km yṯb]* (:18) *llḥm wbn dnil lṯrm* (:19) "Aqht, [wenn er sich setzt] zum Essen und der Sohn des Dnil zum Speisen, . . ."[692]; vgl. die Parallele ibid.:29-30 ohne *w*; ferner 51:IV:50-51 *wn in bt lbʿl* (:50) *km ilm wḥẓr kbn aṯrt* (:51) "und Baʿl hat kein Haus wie die Götter und keine Wohnstätte (vgl. oben) wie die Söhne der Aṯrt (wörtlich: und das Nichtsein des Hauses (ist) für Baʿl usw.)"[693]; 2 Aqht:I:19-22 *din bn lh* (:19) *km aḫh w šrš km aryh* (:20) *bl iṯ bn lh km aḫh wšrš* (:21) *km aryh* (:22) "der keinen Sohn hat wie seine Brüder und einen Nachkommen (wörtlich: Wurzel) wie seine Gefährten[694]. Nicht hat er einen Sohn wie seine Brüder und einen Nachkommen (wörtlich: Wurzel) wie seine Gefährten (wörtlich: nicht (ist) ihm die Existenz eines Sohnes usw.)"[695]; ferner (zur Verbindung von verschiedenartigen Typen) 51:V:68-70 *wnap ʿdn mṭrh* (:68) *bʿl yʿdn ʿdn ṯkt bglṯ* (:69) *wtn qlh bʿrpt* (:70) "und auch setzt Baʿl die Zeit seines Regens fest, die Zeit des Umherziehens mit Schnee und des Ertönens (wörtlich: des Gebens) seiner Stimme in den Wolken"[696]; 601 obv.10-11 *ʿṯtrt tʿdb nšb lh* (:10) *wʿnt ktp* (:11) "ʿṮtrt bereitet o.ä. einen *nšb* für ihn und ʿAnat eine Schulter (d.h. einen Schulterteil)"[697]; aus der Prosa, ohne nähere Bestimmung, in einem Verbalsatz: (zur Verbindung von Gliedern bestehend aus Präposition + Nomen) 54:5-8 *l trǵds* (:5) *w l klby* (:6) *šmʿt ḫti* (:7) *nḫtu* (:8) "was Trǵds und Klby betrifft, habe ich von den Niederlagen gehört, die erlitten wurden" (des Näheren vgl. oben zu *l*); ferner in Nominalsätzen: 1018:20-22 *w urk ym bʿly* (:20) *l pn amn w l pn* (:21) *il mṣrm* (:22) "und (es sei) die Länge der Tage meines Herrn vor (dem Gott) Amn und vor den Göttern von Ägypten"[698] (vgl. oben zu *l*); 1101:11 *dd l alṯt w l lmdth* "ein Topf (Maß) (ist) für Alṯt und ihr(e) Lehrmädchen"[699]; 2053:18-21 *ṯlṯm ar[bʿ]* (:18) *kbd ksp* (:19) *ʿl tgyn* (:20) *wʿl aṯth* (:21) "vi[er]unddreißig vollgewichtige (Seqel) Silber (sind) zu Lasten des Tgyn und zu Lasten seiner Frau"[700]; ebenso mit näherer Bestimmung: 2107:17-19 *ʿšrm ksp ʿl* (:17) *wrt mtny wʿl* (:18) *prdny aṯth* (:19) "zwanzig (Seqel) Silber (sind) zu Lasten des Wrt aus Mtn und zu Lasten der Prdny, seiner Frau"[701]; ferner (zur Verbindung von ungleichen Typen dieser Art), in einem Verbalsatz: 1008:11-14 *w ytn nn* (:11) *l bʿln bn* (:12) *kltn wl* (:13) *bnh* (:14) "und er hat es (das Feld) dem Bʿln, dem Sohn des Kltn, und seinem Sohn gegeben"; ebenso in Nominalsätzen: 1008:16-20 *bnš bnšm* (:16) *l yqḥnn bd* (:17) *bʿln bn kltn* (:18) *w bd bnh ʿd* (:19) *ʿlm* (:20) "niemand nehme es aus der Hand des Bʿln, des Sohnes des Kltn, und aus der Hand seines Sohnes auf ewig" (zum wörtlichen Sinn vgl. oben zu *b*); ebenso 1009:1-17; ebenso vereinzelt: (zur Verbindung von Wortgruppen bestehend aus Objekt + folgendem syntagmatischem Ausdruck (vgl. oben)) 611:1-6 *id ydbḥ*

689 Vgl. schon oben zu *b* mit Verweisen.
690 Vgl. schon oben I, S. 73 (mehrdeutige Stellen).
691 Vgl. schon oben zu *b* mit Verweisen.
692 Vgl. Virolleaud, *Danel*, S. 219; Gordon, *Ug.lit.*, S. 93 u.ö.; Ginsberg, *ANET*, S. 152; Driver, *Myths*, S. 57; usw.
693 Vgl. schon oben; ferner I, S. 19.
694 Vgl. schon oben; ferner I, S. 20.
695 Vgl. schon oben; ferner I, S. 27, 29f.
696 Vgl. schon Aartun, *WdO*, IV,2 (1968), S. 280f.; ferner Gordon, *Ug.lit.*, S. 32 u.ö.; Aistleitner, *Texte*, S. 41 u.ö.; usw.
697 Vgl. Loewenstamm, *UF* 1 (1969), S. 75; ferner de Moor, *ibid.*, S. 168f.; *UF* 2 (1970), S. 349; Margulis, *UF* 2, S. 132f.; usw.
698 Vgl. Virolleaud, *PU* II, S. 34; Gordon, *Textbook*, S. 366 u.ö.; Aistleitner, *Wb*, S. 35 u.ö.
699 Vgl. Virolleaud, *PU* II, S. 128; Gordon, *Textbook*, S. 360 u.ö.; Aistleitner, *Wb*, S. 24 u.ö.
700 Vgl. Virolleaud, *PU* V, S. 68; ferner oben zu *ʿl* (Präposition).
701 Vgl. Virolleaud, *PU* V, S. 130.

mlk (:1) . . . *š l̮ḫlmṯ* (:4) *wtr lqlḥ* (:5) *wš ḥll ydm* (:6) "dann opfert der König . . . ein Schaf für Ḫlmṯ[702] und eine Turteltaube für Qlḥ und ein Schaf (für) den mit reinen (wörtlich: statthaften, gesetzmäßigen o.ä.) Händen"[703]. Zum Gebrauch vgl. analog zu hebräisch *wĕ* Hg 1:11; Ex 4:15; Jos 9:2; Esr 4:3; Gn 35:2; 2S 17:15; 17:24; 2K 19:28; Ps 69:9; Jes 2:3; Hi 33:22; usw.; zu arabisch *wa* Reckendorf, *Synt.Verh.* sowie *Syntax,* an mehreren Stellen; zu altsüdarabisch *w* Beeston, *Grammar,* S. 60; usw.; vgl. ferner besonders Brockelmann, *Grundriß* II, S. 464f. mit Verweisen. Vgl. auch schon oben.

Ebenso dient in sehr ausgedehntem Maße ugaritisch *w,* wie gemeinsemitisch *wV,* zur Verbindung von Sätzen verschiedenster Art.

Belege von der Koordinierung von gleichgestellten Sätzen, namentlich Verbalsätzen konstatierender Art, sind, dichterisch: (Verbalsatz mit Afformativform + Verbalsatz mit Afformativform) 51:VI:55-56 *ʿd lḥm šty ilm* (:55) *wpq mrġṯm ṯd* (:56) "bis daß gegessen (und)[704] getrunken hatten die Götter und getrunken hatten diejenigen, die da saugen an der Brust"[705]; ebenso 67:IV:12-13; 67:I:9 *tbʿ wl yṯb ilm* "es gingen fort und verweilten nicht die beiden Götter"[706]; ebenso ibid.:II:13; vgl. die Parallele 137:19 ohne *w*; Krt:164-166 *yṣq bgl ḥṯṯ yn* (:164) . . . *wʿly* (:165) *lẓr mgdl* (:166) "er goß in einen Becher aus Silber Wein . . . und er stieg auf den Turm"[707] (vgl. oben zu *l*); Krt:14 *aṯt trḫ wtbʿt* "ein Weib heiratete er und sie ging fort d.h. aber sie verließ ihn (starb)"[708]; ferner (Verbalsatz mit Afformativform + Verbalsatz mit Präformativform) 607:67-68 *mġy ḥrn lbth w* (:67) *yštql lḥṭrh* (:68) "es begab sich/gelangte Ḥrn nach seinem Haus und er wandte (wendet) sich o.ä. nach seinem Wohnsitz (wörtlich: Vorhof o.ä.)"; vgl. die Parallele 601 obv.17-18 u.ö. ohne *w*[709]; ferner (Verbalsatz mit Präformativform [*yqtl(-)*] + Verbalsatz mit Präformativform [*yqtl(-)*]) 49:I:6-8 *tgly ḏd* (:6) *il wtbu qrš* (:7) *mlk ab šnm* (:8) "sie gelangt nach dem Wohnort o.ä.[710] des Il und kommt nach dem Wohnsitz o.ä.[711] des Königs, des Vaters des Šnm"; ebenso 51:IV:23-24; 127:4-5; 129:4-5; 2Aqht:VI:48-49; ʿnt pl. IX:III:23-24; zu ʿnt:V:15-16 (*yqtl* + *yqtl-*) vgl. unten; 49:I:8-9 *lpʿn* (:8) *il thbr wtql* (:9) "zu Füßen des Il wirft sie sich nieder und fällt hin"[712]; ebenso 51:IV:25; 129:5-6; 2Aqht:VI:50; 49:I:11 *tšu gh wtṣḥ* "sie erhebt ihre Stimme und ruft"; ebenso ibid.:IV:33; 51:II:21, :V:87-88; 128:III:27; 2Aqht:VI:16, :53; 3Aqht rev.23; ʿnt:III:32-33; 49:III:17 *yšu gh wyṣḥ* "er erhebt seine Stimme und ruft"; ebenso ibid.:V:10-11, :VI:13; 51:IV:30, :VII:22; 67:VI:22; 76:II:19; 127:15-16, :40-41; 1Aqht:117-118, :122, :131-132, :136, :148, :157, :164-165, :181-182; 2Aqht:II:11-12; Krt:303-304 *tšan* (:303) *ghm wtṣḥn* (:304) "sie (Dual) erheben ihre Stimme und rufen"[713]; 49:I:35-37 *yrd* (:35) *lkḥṯ aliyn bʿl* (:36) *wymlk barṣ* (:37) "er steigt herab vom Thronsessel (zum

702 Wörtlich: "für die Eidechse" (Virolleaud, *Ugaritica* V, S. 586; Gordon, *Supplement*, S. 552; Astour, *JAOS* 86 (1966), S. 283; Fisher, *Ugaritica* VI, S. 197f.), aber hier als Name verwendet. Vgl. Gordon, *a.a.O.*; de Moor, *UF* 2 (1970), S. 316.

703 Vgl. besonders de Moor, *a.a.O.*

704 Zur asyndetischen Verbindung vgl. Brockelmann, *Grundriß* II, S. 471ff.

705 Vgl. schon z.B. Gordon, *Ug.lit.*, S. 35 u.ö.; Jirku, *Mythen*, S. 50; usw.; anders z.B. Ginsberg, *ANET*, S. 134; Aistleitner, *Texte*, S. 44 u.ö.

706 Vgl. schon z.B. Driver, *Myths*, S. 103; Jirku, *Mythen*, S. 57; ferner Gordon, *Ug. and Min.*, S. 75; Ginsberg, *ANET*, S. 138; Caquot und Sznycer, *Textes*, S. 420; usw.; anders z.B. Aistleitner, *Texte*, S. 14 u.ö. (dem Parallelismus nach weniger wahrscheinlich).

707 Vgl. ferner noch den weiteren Kontext: :166 *rkb*, : 167 *nša*, :168 *dbḥ*, :169 *šrd*.

708 Vgl. schon z.B. Ginsberg, *ANET*, S. 143 u.ö.; Gordon, *Ug.lit.*, S. 67 u.ö.; Jirku, *Mythen*, S. 85; Sauren und Kestemont, *UF* 3 (1971), S. 194; usw.; anders z.B. Pedersen, *Berytus* 6 (1939-41), S. 66; Aistleitner, *Texte*, S. 89; Gray, *Krt*², S. 11, 32; Dietrich und Loretz, *AOAT* 18, S. 32. Zur lexikalischen Bedeutung des Verbs *tbʿ* (auch sonst im Semitischen) = "weggehen, sich begeben u.ä." (an zahlreichen Stellen belegt) siehe die Lexika.

709 Vgl. Virolleaud, *Ugaritica* V, S. 547f., 571f.; Blau und Greenfield, *BASOR* 200 (1970), S. 11.

710 Vgl. Aartun, *Neue Beiträge.*

711 Vgl. Aartun, *Neue Beiträge.*

712 Vgl. ibid.:10: *yqtl-* + Energicus; dazu siehe unten.

713 Vgl. Gordon, *Textbook*, S. 75 u.ö.; Aistleitner, *Wb*, S. 214f. u.ö.; anders z.B. Hammershaimb, *Verb*, S. 119, 165.

wörtlichen Sinn vgl. oben zu *l*) des Aliyn Ba'l und herrscht auf der Erde"[714]; 49:III:15-16 *p'nh lhdm yṯpd* (:15) *wyprq lṣb wyṣḥq* (:16) "seine Füße auf den Schemel (vgl. oben zu *l*) er stützt (wörtlich: stellt o.ä.) und er öffnet das Gehege (seiner Zähne) und lacht"[715]; ebenso 51:IV:28; 2Aqht:II:10; 51:IV:29-30 *p'nh lhdm yṯpd wykrkr* (:29) *uṣb'th* (:30) "seine Füße auf den Schemel er stützt (vgl. oben) und er rollt mit seinen Fingern (d.h. dreht Däumchen o.ä.)"[716]; ibid.:26 *tšthwy wtkbdh* "sie verneigt sich und ehrt ihn"; vgl. die Parallele 49:I:10 mit Energicus (siehe näher unten); 51:V:82-83 *td'ṣ* (:82) *p'nm wtr arṣ* (:83) "sie (die Göttin 'Anat) stampft(e) mit den Füßen und es erzittert(e) die Erde"[717]; ebenso 2Aqht:VI:46; 'nt:V:12-13; 51:V:108-110 *t'db ksu* (:108) *wyṯṯb lymn aliyn* (:109) *b'l* (:110) "es wurde ein Stuhl bereitgestellt und er wurde zur Rechten des Aliyn Ba'l gesetzt" (vgl. oben zu *l*); 52:16 *tlkm rḥmy wtṣd* "es ging Rḥmy und sie durchjagte . . ."; ibid.:58 *tqtnṣn wtldn* "sie (die beiden Frauen des Il) mühen sich ab und gebären"; vgl. auch 67:V:15-17; 67:VI:12-14 *yṯb* (:12) *lhdm wl hdm yṯb* (:13) *lar*ṣ (:14) "er setzt sich auf den Schemel und vom Schemel setzt er sich zur Erde" (zum wörtlichen Sinn der Syntagmen vgl. oben zu *l*); 68:26 *tnġṣn pnth wydlp tmnh* "erschüttert werden seine Gelenke o.ä. und es schrumpft o.ä. seine Gestalt"; vgl. auch ibid.:27; 76:I:36-37 *wn ymġy aklm* (:36) *wymẓa 'qqm* (:37) "und es kamen die beiden Fresser und es gelangten dahin[718] die Verzehrer (wörtlich: Zerreisser o.ä.)"; 76:II:11 *tšu knp wtr b'p* "sie erhebt die Flügel und schnellt im Flug dahin"; ibid.:13-15 *wyšu 'nh aliyn b'l* (:13) *wyšu 'nh wy'n* (:14) *wy'n btlt 'nt* (:15) "und er erhebt seine Augen Aliyn Ba'l, und er erhebt seine Augen und sieht, und er sieht die Jungfrau 'Anat"; ebenso ibid.:26-29; ibid.:17-18 *lpnnh ydd wyqm* (:17) *lp'nh ykr' wyql* (:18) "er eilt ihr entgegen und hält (bleibt stehen)[719], kniet ihr zu Füßen und wirft sich hin (wörtlich: fällt hin)" (zum wörtlichen Sinn der Syntagmen vgl. oben zu *l*); 76:III:18 *tlk wtr* "sie geht und sie schnellt (im Gang)"; ibid.:28-30 *t'l bh ġr* (:28) *mslmt bġr tliyt* (:29) *wt'l bkm barr* (:30) "sie (die Göttin 'Anat) stieg auf den Berg[720] Mslmt, auf den Berg Tliyt, und sie stieg auf den Hügel[721], auf Arr"; 127:20-21 *tṭbḫ imr w[y]lḥm*[722] (:20) *mgṯ wyṯrm* (:21) "sie (d.h. Ḥry) schlachtet ein Lamm und [er] ißt, ein junges Lamm (schlachtet sie) und er labt sich"; 128:II:23-24 *tld šb' bnm lk* (:23) *wṯmn tṯtmnm*[723] (:24) "sie wird dir sieben Söhne gebären und einen achten wird sie als achten schenken"; 128:III:20-21 *wtqrb wld bn lh* (:20) *wtqrb wld bnm lh* (:21) "und sie nähert sich der Geburt eines Sohnes für ihn und sie nähert sich der Geburt zweier Söhne für ihn" d.h. "sie nähert sich der Geburt und schenkt ihm einen Sohn und sie nähert sich der Geburt und schenkt ihm zwei Söhne"[724]; 602 obv.3-4 *dyšr wyḏmr* (:3) *bknr wṯlb* (:4) "der singt und spielt auf der Zither und Flöte"[725]; vgl. auch 2Aqht:VI:31-32; 'nt:I:18; 607:7 *y'db ksa wyṯb* "er rückt (wörtlich: stellt bereit o.ä.) einen Stuhl und setzt sich"; ebenso ibid. passim[726]; 1Aqht:63-64 *bṣql yḥ[bq]*

714 Zur Stelle vgl. ferner Virolleaud, *Syria* XII (1931), S. 196; Ginsberg, *ANET*, S. 140; usw.; demgegenüber z.B. Driver, *Myths*, S. 111; Aistleitner, *Texte*, S. 19; usw.

715 Vgl. besonders Ullendorff, *Orientalia* XX (1951), S. 271f.; ferner Gordon, *Textbook*, S. 429 u.ö.; anders z.B. Aistleitner, *Wb*, S. 172 u.ö.

716 Vgl. ferner Gordon, *Textbook*, S. 423.

717 Hierzu vgl. z.B. Gordon, *Ug.lit.*, S. 33 u.ö.; Driver, *Myths*, S. 97; usw. (Koordination); dagegen z.B. Ginsberg, *ANET*, S. 133; Jirku, *Mythen*, S. 46; Aistleitner, *Texte*, S. 41; usw. (Subordination) (dem Typus nach, wie gemeinsemitisch, unter allen Umständen syntaktisch = *w* + Indikativ; vgl. Brockelmann, *Grundriß* II, S. 484ff.).

718 Vgl. besonders Gordon, *Textbook*, S. 436 u.ö.; Aistleitner, *Wb*, S. 192f. u.ö.

719 Zur lexikalischen Bedeutung des Verbs *qm* "stehen, aufstehen u.ä." (gemeinsemitisch) vgl. schon Aistleitner, *Wb*, S. 277f. Zur ganzen Frage vgl. ferner Aartun, *Tempora*, S. 44ff.

720 Siehe schon oben I, S. 43.

721 Siehe näher Aartun, *WdO*, IV,2 (1968), S. 291f.

722 Geschrieben ist *wlḥm*. Nach Ausweis der Parallele ibid.:17-18 ist wahrscheinlich das Präformativ *y*- ausgefallen; vgl. schon Virolleaud, *Syria* XXIII (1942-43), S. 8; Herdner, *Corpus*, S. 77.

723 Zur Lesart vgl. Herdner, *Corpus*, S. 69.

724 Vgl. schon oben zu *l* (Präposition).

725 Vgl. Virolleaud, *Ugaritica* V, S. 551f.; Gordon, *Supplement*, S. 551; de Moor, *UF* 1 (1969), S. 175f.; van Zijl, *AOAT* 10, S. 355.

726 Siehe Virolleaud, *Ugaritica* V, S. 565f.

(:63) *wynšq* (:64) "die Ähre o.ä. er [umfa]ßt und küßt"[727]; ebenso ibid.:70-71; ibid.:130 *ybq' kbdh wyḥd* "er schneidet auf sein Inneres und prüft o.ä."[728]; ebenso ibid.:116, :144; ibid.:134 *tpr w tdu* "du fliehst und fliegst"[729]; ibid.:146 *ybky wyqbr* "er weint und begräbt (ihn)"; ibid.:207-208 *ḥrb tšt bt'r[th]* (:207) *w'l tlbš npṣ att* (:208) "das Schwert steckt sie in [dessen] Schei[de] und zieht darüber das Kleid einer Frau an"; 2Aqht: I:15 *y'l wyškb* "er stieg empor und legte sich hin"; 2Aqht:II:30-31 *yšlḥm ktrt wy* (:30) *ššq bnt h[l]l snnt* (:31) "er gab zu essen den Ktrt und gab zu trinken den Töchtern des H[l]l, den Schwalben"; ebenso ibid.:32-34, :34-36, :37-38; ibid.:V:10-11 *hlk ktr* (:10) *ky'n wy'n tdrq ḫss* (:11) "den Gang des Ktr, fürwahr, er sieht und er sieht das Kommen des Ḫss"[730]; ibid.:VI:41 *tṣḥq 'nt wblb tqny* "sie lacht 'Anat und in (ihrem) Herzen sie plant/schafft"; Krt:26-27 *ybky* (:26) *bṯn rgmm wydm'* (:27) "er weint, während er die Worte wiederholt, und er vergießt Tränen"; vgl. ferner ibid.:34-35, :99-101, :188-189; ibid.:156 *yrtḥṣ wyadm* "er wäscht sich und schminkt sich rot"; ebenso 1Aqht:203-204; 'nt:II:23-24 *wt'n* (:23) *tḫtṣb wtḥdy 'nt* (:24) "und sie sieht das Metzeln und freut sich 'Anat"[731]; (mit Negation) 'nt:III:24-25 *rgm ltd' nšm wltbn* (:24) *hmlt arṣ* (:25) "ein Wort, (das) die Menschen nicht kennen und die Mengen der Erde nicht verstehen"[732]; ebenso (mit satzeinleitendem *w* (siehe unten) und Voranstellung eines syntagmatischen Ausdrucks im ersteren der koordinierten Sätze) Krt:118-124 *whn špšm* (:118) *bšb' wl yšn pbl* (:119) *mlk* (:120) . . . *wylak* (:123) *mlakm* (:124) "und siehe, bei Sonnenaufgang am siebenten (Tage) und es schläft nicht Pbl, der König (vgl. schon oben mit Verweisen), . . . und er sendet Boten"; ferner (Sätze mit *yqtl* + Sätzen mit *yqtl-*) 128:V:18-20 *'rb špš lymġ* (:18) *krt ṣbia*[733] *špš* (:19) *b'lny wymlk* (:20) "zum Untergang der Sonne, fürwahr, gelangte Krt, zum Sinken der Sonne unser Herr, und er herrscht (wird herrschen)[734] . . ."[735]; 'nt:V:15-16 *tgl ḏd il wtbu* (:15) *[qr]š m[l]k ab [šnm]* (:16) "sie gelangte nach dem Wohnort o.ä. (vgl. oben) des Il und kommt nach dem [Wohn]sitz o.ä. (vgl. oben) des

---

727 Vgl. z.B. Virolleaud, *Danel*, S. 151; Gordon, *Ug.lit.*, S. 95; Gaster, *Thespis*, S. 298; Ginsberg, *ANET*, S. 153; Aistleitner, *Texte*, S. 77; usw. (konstatierende Sätze); dagegen z.B. Driver, *Myths*, S. 61; Jirku, *Mythen*, S. 131 (Finalsätze) (nicht dem Kontext gemäß). Die Parallele ibid.:70-71 haben auch die letztgenannten Forscher ganz richtig konstatierend aufgefaßt.

728 Zur Deutung der Form *yḥd* vgl. schon z.B. Gaster, *Thespis*, S. 300f. ("inspects"); Aistleitner, *Texte*, S. 79f. ("prüfte"); ferner *Wb*, S. 100 ("nachsehen, prüfen"). Im Kontext handelt es sich unbedingt um eine Langform (*yqtl-*) (vgl. auch die Parallelen), die also etymologisch von einer Wurzel mediae *w/y* abzuleiten ist. Auf vergleichender Basis ist dieselbe mit arabisch *ḥāḏa* (II *w*) "bewachen, überwachen, hüten, beaufsichtigen u.ä." (Freytag, *Lex.* I, S. 439; Kazimirski I, S. 509) zu verbinden. Vgl. auch schon Aistleitner, *a.a.O.*

729 Zum Gebrauch von *yqtl-* (konstatierende Langform) in solchen Fällen vgl. Aartun, *Tempora*, S. 108f.

730 Zum Stil vgl. z.B. Gordon, *Textbook*, S. 137 (§ 13.117) u.ö.; Schoors, *AnOr* 49, S. 1-70; Welch, *UF* 6 (1974), S. 422.

731 Siehe schon z.B. Gaster, *Thespis*, S. 212; Caquot und Sznycer, *Textes*, S. 393; ähnlich Virolleaud, *Déesse*, S. 22f. Vgl. auch die Variante 131:6; ferner 'nt:II:19-20 sowie den weiteren Zusammenhang ibid.:25f. Zur Etymologie der Verbform *tḥdy* vgl. hebräisch *ḥāḏā*; aramäisch *ḥăḏī* neben *ḥăḏā* (jüdisch-aramäisch) usw.; akkadisch *ḫadû(m)* "sich freuen" (Virolleaud, *Déesse*, S. 22f.; Cassuto, *Goddess*, S. 86f., 119 mit Verweis auf *Orientalia* VII (1938), S. 285 Anmerkung 1 (zum Wechsel *ḥ/ḫ*: ug. *ḥš*; akk. *ḫâšu*; äthiop. *ḥōsa*); Aistleitner, *Wb*, S. 100; usw.); anders z.B. Gordon, *Textbook*, S. 394; ferner Gray, *Legacy*, S. 34; Dahood, *UF* 1 (1969), S. 27; Delekat, *UF* 4 (1972), S. 20; usw.: *ḥdy* < **ḥḏy* "sehen"; dagegen entscheidend phonetisch aramäisch und arabisch **ḥzy/w* verglichen mit hebräisch **ḥzy/w* "sehen, schauen" (siehe die Lexika).

732 Vgl. schon oben I, S. 23f.

733 Zum Schriftbild vgl. schon oben I, S. 47 Anmerkung 3.

734 Vgl. besonders ibid.:21 *wy[ ]y* (d.h. Langform (*yqtl-*) von der Nicht-Vergangenheit). Zum Tempusgebrauch vgl. Aartun, *Tempora*, S. 92ff.

735 Wie allgemein erkannt, handelt es sich in allen Fällen um konstatierende Aussagen. Erstere Verbform (*ymġ* = Kurzform von der Vergangenheit) konstatiert das schon Geschehene, demgegenüber drückt ferner wie üblich im Ugaritischen (Semitischen) die Form *ymlk* (nach Ausweis der Parallele ibid.:21 (vgl. die vorangehende Anmerkung) = Langform von der Nicht-Vergangenheit) das Präsentisch-Futurische aus. Zum eventuellen reflektierten Sachverhältnis der Aussagen vgl. besonders Gray, *Krt*², S. 63. Vgl. ferner oben I, S. 34, 45f.

Kö[ni]gs, des Vaters [des Šnm]"; zu den häufigen Parallelen mit *yqtl-* + *yqtl-* (49:I:6-8; usw.) vgl. oben; ferner (konstatierende Verbalsätze + konstatierenden Nominalsätzen zusammengesetzter bzw. echter Art) 52:12 *šbʿd yrgm ʿl ʿd wʿrbm tʿnyn* "siebenmal rezitiert man es zur Laute (vgl. oben zu *ʿl*) und die *ʿrb-m* antworten"; 2Aqht: VI:38 [*w*]*mt kl amt wan mtm amt* "[und] den Tod aller sterbe ich und ich werde gewißlich sterben"[736]; ʿnt:II: 4-6 *wtqry ġlmm* (:4) *bšt ġr whln ʿnt tm* (:5) *tḥṣ bʿmq* (:6) "und sie trifft die Jünglinge am Fuße des Berges und siehe, ʿAnat kämpft im Tale"[737]; 77:30-31 *wyʿn* (:30) *yrḫ nyr šmm wnʿ*[*n*] (:31) "und es antwortete Yrḫ, die Leuchte des Himmels, und es wurde geantwortet (wörtlich: und das Geantwortetwerden)"[738]; noch häufiger (konstatierende Nominalsätze zusammengesetzter bzw. echter Art + konstatierenden Verbalsätzen) 75:II:50-52 *wṯmnt lṯmnym* (:50) *šr aḫyh mẓah* (:51) *wmẓah šr ylyh* (:52) "und achtundachtzig seiner Verwandten fanden ihn und es fanden ihn seine Angehörigen"; RŠ 22 225 *ʿnt hlkt w šnwt* "'Anat ging und sie beeilte sich"[739]; 68:6-7 [*b*]*ph rgm lyṣa bšpth hwth wttn gh yġr*[740] (:6) *tḥt ksi* (:7) "[aus] seinem Munde kam, fürwahr, das Wort, von seinen Lippen die Rede (zum wörtlichen Sinn vgl. oben zu *b*), und es erhebt sich/erhob sich[741] seine Stimme, (indem) er unter den Thron sinkt"[742]; 1Aqht:129-130 *bʿl ṯbr diy hwt wyql* (:129) *tḥt pʿnh* (:130) "Baʿl zerbrach die Flügel von ihm und er fällt/fiel zu seinen Füßen (wörtlich: unter seine Füße)" (vgl. oben); 52:44-45 *hl ʿṣr tḥrr lišt* (:44) *wṣḥrrt lpḥmm* (:45) "siehe, der Vogel röstet/röstete auf dem Feuer und ist/wurde verglühend auf den Kohlen"[743] (vgl. oben zu *l*); ebenso ibid.:47-48; vgl. die Parallele ibid.:41 ohne *w*; Krt:35-37 *wbḥlmh* (:35) *il yrd bḏhrth* (:36) *ab adm wyqrb* (:37) "und in seinem Traume Il steigt/stieg herab, in seiner Vision der Vater der Menschen, und er nähert sich"; 49:II:15-16 *an itlk waṣd kl* (:15) *ġr lkbd arṣ* (:16) "ich durchwandere und ich durchjage jeden Berg im Innern der Erde" (vgl. oben zu *l*); ebenso 75:I:34; 68:11 *kṯr ṣmdm ynḥt wypʿr šmthm* "Kṯr bringt (zwei) Keulen herbei und nennt ihre Namen"; ebenso ibid.:18; 75:I:12-13 *il yẓḥq bm* (:12) *lb wygmḏ bm kbd* (:13) "Il lacht/lachte in (seinem) Herzen und er lächelt/lächelte in (seiner) Leber"[744]; 2Aqht:II:9 *pnm tšmḫ wʿl yṣhl pi*[*t*] "es freute sich das Antlitz und oben leuchtet(e) die Schlä[fe]"; 1Aqht:145-146 *iṯ šmt iṯ ʿẓm wyqḥ bhm* (:145) *aqht* (:146) "es ist vorhanden Fett, es sind vorhanden Knochen und er ergreift aus ihnen Aqht" (zum wörtlichen Sinn vgl. oben zu *b*); ʿnt:III:17-19 *dm rgm* (:17) *iṯ ly w argmk* (:18) *hwt w aṯnyk* (:19) "siehe, ich habe ein Wort (wörtlich: ein Wort ist für mich) und ich werde es dir sagen, eine Kunde (habe ich) und ich werde sie dir wiederholen"[745]; ebenso ibid.:IV:57-58, pl.IX:III:12-13; vgl. ferner RŠ 34 126:15-17 (Caquot, *a.a.O.*); ebenso (konstatierende Nominalsätze zusammengesetzter bzw. echter Art + konstatierenden Nominalsätzen zusammengesetzter bzw. echter Art) ʿnt:IV:77 *atm bštm wan šnt* "ihr habt gezögert und ich habe mich beeilt"[746]; ebenso ibid.:pl.IX:III:18; 52:32-33 *hlh tṣḥ ad ad* (:32) *whlh tṣḥ um um* (:33) "siehe, die (eine) ruft: "Vater, Vater!", und siehe, die (andere) ruft: "Mutter, Mutter!"[747]; ibid.:39-43 *hm aṯtm tṣḥn* (:39) *ymt mt* (:40) . . . *whm* (:42) *a*[*ṯ*]*tm tṣḥn y ad ad* (:43) "siehe, die beiden Frauen rufen: "O Mann, Mann!" . . . und siehe, die beiden Fr[au]en rufen: "O Vater, Vater!""[748]; 604 obv. 2-5 *npš* (:2)

[736] Vgl. z.B. Aistleitner, *Texte*, S. 72; *Wb*, S. 198; usw. Zur Verbalsyntax vgl. Aartun, *Tempora*, S. 92ff.

[737] Vgl. schon oben zu *b*.

[738] Möglich ist auch die Lesart *wn ʿ*[*n*] (siehe unten). Vgl. ferner Gordon, *Ug.lit.*, S. 64 u.ö. (zur Syntax besonders *Textbook*, S. 80 (§ 9.29)); Jirku, *Mythen*, S. 78; Caquot und Sznycer, *Textes*, S. 449; usw. Für andere Vorschläge z.B. Herdner, *Syria* XXIII (1942-43), S. 282ff.; Driver, *Myths*, S. 124f. Es fordert aber der Kontext deutlich einen Ausdruck der Aussage resp. des Antwortens.

[739] Siehe Gordon, *Textbook*, S. 492.

[740] Zur Lesart vgl. Virolleaud, *Syria* XVI (1935), S. 30; Herdner, *Corpus*, S. 11.

[741] Zum Wechsel der Verbformen vgl. auch oben.

[742] Syntaktisch bildet der Satz mit der Verbform *yġr* einen Zustandssatz, der durch die Korrespondenz mit dem Nominalsuffix des Subjektes des Leitsatzes diesem Satze untergeordnet ist. Zur Konstruktion vgl. ferner Brockelmann, *Grundriß* II, S. 501ff.

[743] Vgl. besonders Gordon, *Textbook*, S. 399, 473f.; Aistleitner, *Wb*, S. 107, 266.

[744] Vgl. z.B. Gordon, *Textbook*, S. 380, 407, 473 u.ö.; Aistleitner, *Wb*, S. 67, 266, 271.

[745] Zur Syntax vgl. Aartun, *Tempora*, S. 104ff.

[746] Vgl. besonders Gordon, *Ug.lit.*, S. 21; *Textbook*, S. 492 u.ö.; Ginsberg, *ANET*, S. 137; ferner Virolleaud, *Déesse*, S. 62ff.; usw.

[747] Vgl. schon oben I, S. 73.

[748] Vgl. schon oben I, S. 71.

npš lbim (:3) *thw wnpš* (:4) *anḫr bym* (:5) "eine Seele (d.h. ein Lebewesen) erregt (wörtlich: erregte)[749] die Seele (d.h. das Verlangen, Begehren) der Löwen und die Seele (d.h. das Verlangen, Begehren) des Pottwals (ist) im Meere"[750]; Krt:154-155 *krt yḫt wḥlm* (:154) *'bd il whdrt* (:155) "Krt wacht auf o.ä. und (es war) ein Traum, der Diener des Il (wacht auf o.ä.) und (es war) eine Vision"; 49:III:2-3 *whm ḥy a[liyn b'l]* (:2) *whm iṯ zbl b'[l arṣ]* (:3) "und wenn am Leben (ist) A[liyn Ba'l] und wenn vorhanden ist der Fürst, der He[rr der Erde]"; 51:IV:43-44 *mlkn aliy[n] b'l* (:43) *ṯpṭn win d'lnh* (:44) "unser König (ist) Aliy[n] Ba'l, unser Richter, und niemand ist über ihm"; 52: 68-69 *wngš hm ngr* (:68) *mdr' wṣḥhm 'm ngr mdr'* (:69) "und sie trafen den Wächter der Saat und sie riefen zum Wächter der Saat" (vgl. oben zu '*m*)[751]; ibid.:70-71 *wpth hw prṣ b'dhm* (:70) *w'rb hm* (:71) "und er öffnete einen Spalt hinter ihnen und sie traten ein"[752]; 75:I:30-33 *bhm qrnm* (:30) *km ṯrm wgbtt* (:31) *km ibrm* (:32) *wbhm pn b'l* (:33) "sie haben Hörner wie Stiere und Buckel wie Wildrinder und sie haben Ba'ls Gesicht" (zum wörtlichen Sinn vgl. oben zu *b*); 3Aqht rev.24 *at aḫ wan [aḫtk]* "du (bist) mein Bruder und ich (bin) [deine Schwester]"; 'nt:III:19-20 *rgm* (:19) *'ṣ wlḫšt abn* (:20) "(es ist) das Wort des Baumes und das Lispeln des Steines (ist es)"[753]; ebenso ibid.:IV:58-59; 130:18-19; aus der Prosa: (Verbalsatz mit Afformativform + Verbalsatz mit Afformativform) (reguläre Relativsätze) 2106:1-3 *spr npš d* (:1) *'rb bt mlk* (:2) *w b spr l št* (:3) "Liste der Seelen, die in das Haus des Königs eintraten und (die) nicht in die Liste gesetzt wurden"; zu 117:14-17 siehe unten; ebenso (Verbalsatz mit Präformativform + Verbalsatz mit Präformativform) 55:27 *kyraš wykhp mid [ššw]* "wenn [das Pferd] mit dem Kopf wirft und sehr scharrt"[754]; 611:1-8 *id ydbḥ mlk* (:1) . . . *wtlḥm att* (:8) "dann opfert der König . . . und die Frau ißt"[755]; ferner (Verbalsatz mit Präformativform + Verbalsatz mit Afformativform in futurischem Sinn) 1006:17-19 *'d tṯṯbn* (:17) *ksp iwrkl* (:18) *wtb lunṯhm* (:19) "(sie haben keinen Frondienst zu leisten,) bis sie das Geld des Iwrkl zurückerstatten und zu ihrem Frondienst zurückkehren werden"[756]; ebenso (Verbalsatz mit Afformativform + Nominalsatz zusammengesetzter resp. echter Art) 117:14-18 *bm ṯy ndr* (:14) *iṯt 'mn mlkt* (:15) *w rgmy lḥ* (:16) *lqt w pn* (:17) *mlk nr bn* (:18) "ich bin bei der Königin mit dem gelobten Geschenk und meine Worte habe ich, fürwahr, geglättet und das Angesicht des Königs leuchtete[757] uns"[758]; 1021:4-7 *wht luk 'm ml[kt]* (:4) *tgsdb šmlšn* (:5) *wtb' ank* (:6) *'m mlakth* (:7) "und siehe, Tgsdb (und) Šmlšn[759] wurden zur Köni[gin] gesandt und ich mache mich auf den Weg zusammen mit ihrer Botschaft"; ferner (Nominalsatz mit Afformativ- bzw. Präformativform als Prädikat + Verbalsatz mit Afformativ- bzw. Präformativform als Prädikat) 1006:1-14 *l ym hnd* (:1) *iwrkl pdy* (:2) *agdn bn nrgn(?)* (:3) *wynḥm aḫh* (:4) . . . *w pdyh[m]* (:12) *iwrkl mit* (:13) *ksp* (:14) "von diesem Tag an (zum wörtlichen Sinn vgl. oben zu *l*) hat Iwrkl den Agdn, den Sohn des Nrgn(?), und Ynḥm, seinen Bruder, losgekauft . . . und Iwrkl hat s[ie] losgekauft (für) hundert (Seqel) Silber"; R61:Ak:30-31 *bt bn bnš yqh 'z* (:30) *w yḥdy mrḥqm* (:31) "(dann) soll das Haus der *bn bnš* eine Ziege nehmen und es soll (sie) in die Ferne antreiben"[760] (zum

---

[749]   Zum Tempusgebrauch (Gebrauch von präteritalen Verbformen in Erfahrungssätzen) vgl. Aartun, *Tempora*, S. 68ff.

[750]   Vgl. de Moor, *UF* 1 (1969), S. 184ff.; Greenstein, *The Gaster Festschrift*, S. 159-160; ferner Virolleaud, *Ugaritica* V, S. 559ff.

[751]   Vgl. ferner besonders Gordon, *Textbook*, S. 35 (§ 6.3); vgl. auch schon oben.

[752]   Vgl. die vorangehende Anmerkung.

[753]   Vgl. Virolleaud, *Déesse*, S. 35f.; Gordon, *Ug.lit.*, S. 19; Ginsberg, *ANET*, S. 136; Driver, *Myths*, S. 87; Jirku, *Mythen*, S. 29; anders z.B. Aistleitner, *Texte*, S. 27 u.ö.

[754]   Siehe Aartun, *Neue Beiträge*.

[755]   Vgl. schon oben I, S. 6; ferner de Moor, *UF* 2 (1970), S. 316f.; anders z.B. Fisher, *Ugaritica* VI, S. 197.

[756]   Oder: "und sie mögen zu ihrem Frondienst zurückkehren" (Wunsch resp. Befehl). Vgl. schon oben, ferner unten.

[757]   Zur Syntax (Anwendung von Afformativform zum Ausdruck der inklusiven Vergangenheit und Gegenwart) vgl. Aartun, *Tempora*, S. 40f.

[758]   Zum Syntagma vgl. schon oben zu *b* und '*m-n*; ebenso I, S. 30; anders Dietrich — Loretz — Sanmartín, *UF* 6 (1974), S. 461 (Textkorrektur).

[759]   Vgl. Gordon, *Textbook*, S. 498; anders Aistleitner, *Wb*, S. 327. Zur Asyndese vgl. schon oben an mehreren Stellen.

[760]   Zum Tempusgebrauch (Indikativ zum Ausdruck eines Befehls u. dgl.) vgl. Aartun, *Tempora*, S. 108f. Vgl. auch Gesenius — Kautzsch, *Gram.*, S. 328.

wörtlichen Sinn vgl. oben zu *m(n)*); ferner (Nominalsatz zusammengesetzter bzw. echter Art + Nominalsatz zusammengesetzter bzw. echter Art) 1107:5-8 *mlbš ṯrmnm* (:5) *k yṯn w b bt* (:6) *mlk mlbš* (:7) *ytn lhm* (:8) "die Kleider der *ṯrmn-m* waren, fürwahr, alt d.h. schäbig o.ä. geworden und im Hause des Königs wurden ihnen Kleider gegeben"[761]; 1015:6-10 *umy* (:6) *td' ky 'rbt* (:7) *lpn špš* (:8) *wpn špš nr* (:9) *by mid* (:10) "meine Mutter weiß, daß ich zum Sonnen(könig) Eintritt hatte, und das Angesicht des Sonnen(königs) leuchtete mir sehr"[762]; 95:10-14 *hnny 'mny* (:10) *kll mid* (:11) *šlm* (:12) *w ap ank* (:13) *nḫt* (:14) "hier bei uns (ist) alles in bester Ordnung und auch ich habe mich ausgeruht/bin zur Ruhe gekommen"; zu 2061:9-14 siehe unten; 400:I:3-4 *nrn 7* (:3) *w nḥlh 5* (:4) "Nrn 7 und sein Erbe 5"; ebenso ibid. passim; 1062:8-9; 2016:I:7-8; 701 obv.1-4 *šb' kkr š'r* (:1) *b kkr aḏdd* (:2) *wbkkr ugrt* (:3) *ḫmš kkrm* (:4) "sieben Talente Gerste für ein aschdodisches Talent und für ein ugaritisches Talent fünf Talente (Gerste)"[763]; 1010:9-16 *arb' 'ṣm* (:9) *'l ar* (:10) *w ṯlṯ* (:11) *'l ubr'y* (:12) *w ṯn 'l* (:13) *mlk* (:14) *w aḥd* (:15) *'l atlg* (:16) "vier Holzstämme (sind) zu Lasten des Ar und drei (sind) zu Lasten des Ubr'y und zwei (sind) zu Lasten des Mlk und einer (ist) zu Lasten des Atlg"; 1096:1-5 *b gt mlkt b rḥbn* (:1) *ḫmšm l mitm zt* (:2) *w bd krd* (:3) *ḫmšm l mit* (:4) *arb' kbd* (:5) "in Gt Mlkt im (Gebiete von) Rḥbn (gibt es) zweihundertundfünfzig Ölbäume und in der Hand des Krd (befinden sich) hundertundvierundfünfzig schwere (Krüge Öl)"[764]; vgl. auch 1098 passim; 1110:1-3 *alpm pḥm ḫm[š] mat kbd* (:1) *bd tt w ṯlṯ ktnt bdm tt* (:2) *w ṯmnt ksp hn* (:3) "zweitausend Edelsteine (zum Werte von) fü[nf]hundert vollgewichtigen (Seqeln) (befinden sich) in der Hand des Tt und drei Röcke (befinden sich) in der Hand des Tt und ihr Wert (wörtlich: ihr Silber) (beträgt) acht (Seqel)"; ebenso ibid.:4-6; vgl. auch 1108:1-3; 2101:2-5, :12-15; 1141:1-5 *tš' ṣmdm* (:1) *ṯlṯm bd* (:2) *ibrtlm* (:3) *w pat aḥt* (:4) *in bhm* (:5) "neun Flächen Ackerland (befinden sich) in der Hand des Ibrtlm und eine Ecke (für die Armen) gibt es nicht darauf"[765]; vgl. auch 1086:1-5; 1161:1-9 *spr 'rbnm* (:1) *dt 'rb* (:2) *b mtn bn ayaḫ* (:3) . . . . *w mnm šalm* (:5) *dt tknn* (:6) *'l 'rbnm* (:7) *hn hmt* (:8) *tknn* (:9) "Liste der Bürgen, die für Mtn, den Sohn des Ayaḫ, Bürgschaft leisteten . . . , und irgend jemand fragt, welche über den Bürgen sind, siehe, diese sind es"[766]; 1013:8-10 *[h]lny* [']*mn*[*y š*]*lm* (:8) *w ṯmn*[*y 'm u*]*my* (:9) *mnm* [*šlm*] (:10) "[hi]er [b]ei un[s] (ist) (alles) [wohl]auf und (ist) dor[t bei] meiner [Mutt]er jedermann [wohlauf]?" (zum wörtlichen Sinn vgl. oben); vgl. ferner RŠ 34 124:22-29 (Caquot, *a.a.O.*). Zum Gebrauch vgl. analog z.B. zu hebräisch *wĕ* Gn 2:5, :6, :13-14, :25; Ex 19:1-2; Nu 24:10; Ps 2:1, :5; 22:3, :15; 51:5, :6; 110:4; 130:7; Jes 32:15[767]; usw.; zu arabisch *wa* Reckendorf, *Synt.Verh.* sowie *Syntax*, an mehreren Stellen; zu altsüdarabisch *w* Beeston, *Grammar*, S. 60; usw.; vgl. ferner Brockelmann, *Grundriß* II, S. 484ff. mit Verweisen.

Mehrfach dient auch schon in verschiedenen Textarten ugaritisch *w* der Verbindung von konstatierenden Sätzen mit Versicherungssätzen. Beispiele sind, dichterisch: (Verbalsatz mit Afformativ- bzw. Präformativform + Verbalsatz mit Energicus) 67:V:19-22 *škb* (:19) *'mnh šb' lšb'm* (:20) . . . . *w[th]rn wtldn mṯ* (:22) "er lag mit ihr siebenundsiebzigmal . . . und [sie empf]ängt und gebärt ein Junges"[768]; 49:I:10 *tšthwy wtkbdnh* "sie verneigt sich und ehrt ihn"; ebenso 2Aqht:VI:50-51; 2Aqht:VI:30-31 *yš'* (:30) *r wyšqynh* (:31) "er bewirtet (ihn/sie) und gibt ihm/ihr zu trinken"[769]; ebenso 'nt:I:9; 2Aqht:VI:31-32 *ybd wyšr 'lh* (:31) *n'm[n wt]'nynn* (:32) "es spielt und singt für ihn (zum wörtlichen Sinn vgl. oben zu *'l*) der Liebli[che und sie] ant-

---

761 Vgl. z.B. Aistleitner, *Wb*, S. 138, 141, 168.

762 Vgl. schon oben.

763 Siehe Dahood, *AnOr* 48, S. 31f.

764 Vgl. Virolleaud, *PU* II, S. 119.

765 Vgl. schon Gordon, *Textbook*, S. 474, 503. Zum Ausdruck *ṣmdm ṯlṯm* vgl. 1S 14:14 *ṣæmæḏ śāḏǣ*.

766 Zur Stelle vgl. besonders Aistleitner, *Wb*, S. 151, 299; ferner Gordon, *Textbook*, S. 418, 486. Vgl. auch oben I, an mehreren Stellen; anders Dietrich – Loretz – Sanmartín, *UF* 6 (1974), S. 467 (gegen den Kontext).

767 Vgl. ferner besonders Gordon, *Textbook*, S. 68ff., 115ff.

768 Vgl. Virolleaud, *Syria* XV (1934), S. 326 und andere; dagegen Gordon, *Ug.lit.*, S. 42 (Subordination) (nicht durch den Kontext unterstützt).

769 Vgl. Gordon, *Ug.lit.*, S. 90; *Textbook*, S. 462 u.ö.; Gaster, *Thespis*, S. 285; Ginsberg, *ANET*, S. 151; Lipiński, *UF* 2 (1970), S. 80; usw.

wortet ihm"[770]; 'nt:I:4-5 *yṯ'r* (:4) *w yšlḥmnh* (:5) "sie (die Schar der Diener) bereitet (Essen) vor und speist ihn"[771]; vgl. auch 51:III:12, :13; ebenso (Verbalsatz mit Energicus + Verbalsatz mit Präformativform (*yqtl-*)) 'nt:II:23-24 *mid tmtḫṣn wt'n* (:23) *tḫtṣb wtḥdy 'nt* (:24) "gar sehr sie kämpft und sie sieht das Metzeln und freut sich 'Anat"[772]; ibid.:38 [*t*]*ḫspn mh wtrḥṣ* "[sie] schöpft Wasser und wäscht sich"; ebenso ibid.:IV:86; 607:61-62 *bḫrn pnm trġnw wtṯkl* (:61) *bnwth* (:62) "dem Ḥrn das Antlitz sie zerschlägt o.ä. und sie beraubt ihn der Mannbarkeit"[773]; ferner (zusammengesetzter Nominalsatz mit Präformativform als Prädikat + Verbalsatz mit Energicus) 127:25-26 *ap yṣb yṯb bhkl* (:25) *wywsrnn ggnh* (:26) "auch Yṣb sitzt im Palast[774] und es gibt ihm Anweisung sein Inneres"; ebenso (zusammengesetzter Nominalsatz mit Energicus als Prädikat + Verbalsatz mit Afformativform) 'nt:II:17-19 *whln 'nt lbth tmġyn* (:17) . . . *wl šb't tmtḫṣh b'mq* (:19) "und siehe, 'Anat gelangt nach ihrem Haus . . . und nicht war/wurde sie satt ihres Kämpfens im Tale"[775]; aus der Prosa: (Verbalsatz mit Energicus + Verbalsatz mit Präformativform des Indikativs) 1020:9-10 *aḫnnn* (:9) *wiḫd* (:10) "ich werde ihn verunmöglichen und fassen"[776]; ebenso (zusammengesetzter Nominalsatz mit Präformativform als Prädikat + Verbalsatz mit Energicus) 1008:1-14 *lym hnd* (:1) *'mṯtmr bn* (:2) *nqmp' ml*[*k*] (:3) *ugrt ytn* (:4) *šd kḏġdl* (:5) . . . . *w ytn nn* (:11) *l b'ln bn* (:12) *kltn wl* (:13) *bnh* (:14) "von diesem Tag an (zum wörtlichen Sinn vgl. oben zu *l*) hat 'Mṯtmr, der Sohn des Nqmp', der Kön[ig] von Ugarit, das Feld des Kḏġdl gegeben . . . und er gibt es (das Feld) dem B'ln, dem Sohn des Kltn, und seinem Sohn". Zum Gebrauch vgl. analog z.B. zu hebräisch *wĕ* Jer 5:22; Hi 31:15; usw.; vgl. ferner Joüon, *Grammaire*, S. 533f.; usw.

Bisweilen dient aber auch ugaritisch *w* in den vorhandenen Texten zur Verbindung von gleichgestellten Versicherungssätzen; so dichterisch: (Verbalsatz mit Energicus + Verbalsatz mit Energicus) 62:16-17 *tbkynh* (:16) *wtqbrnh* (:17) "sie beweint ihn und begräbt ihn"; 67:V:22 *w*[*th*]*rn wtldn mṯ* "und [sie empf]ängt und gebärt ein Junges"[777]; (Verbalsatz mit Energicus + Infinitivskonstruktion mit Energicus-Endung) 601 obv.18-19 *y'msn nn ṯkmn* (:18) *wšnm wngšnn*[778] *ḥby* (:19) "es tragen ihn Ṯkmn und Šnm und es drängt/treibt o.ä. ihn Ḥby"[779]; ebenso (Koordinierung von Sätzen mit Relativsätzen mit Energicus als Subjekt) 601 obv.6-8 *il dyd'nn* (:6) *y'db lḥm lh wdlyd'nn* (:7) *ylmn ḫtm tḥt ṯlḥn* (:8) "der Gott, der ihn kennt, bereitet ihm Essen, und derjenige, der ihn nicht kennt, schlägt ihn mit dem Stabe unter dem Tische"[780]. Zum Gebrauch vgl. z.B. analog zu arabisch *wa* Qur. 4:118-119; 9:76(75); 36:17(18); usw.; vgl. ferner Reckendorf, *Synt.Verh.* bzw. *Syntax*, an mehreren Stellen.

Ferner werden aber auch öfters im Material konstatierende Sätze und Aufforderungs- bzw. Wunschsätze mit *w* aneinander gefügt, wie dichterisch: (Verbalsatz mit Afformativ- bzw. Präformativform + Verbalsatz mit Jussiv bzw. Imperativ) 51:IV:33-34 *rġb rġbt wtġt*[ ] (:33) *hm ġmu ġmit w's*[ ] (:34) "du hast wahrlich

770 Vgl. Gordon, *Ug.lit.*, S. 90; *Textbook*, S. 248; Herdner, *Corpus*, S. 83; usw.; anders z.B. Virolleaud, *Danel*, S. 207f.

771 Vgl. Aartun, *WdO*, IV,2 (1968), S. 294f.

772 Hierzu vgl. besonders Virolleaud, *Déesse*, S. 20ff.; Gaster, *Thespis*, S. 212; usw. Vgl. ferner schon oben.

773 Vgl. oben I, S. 44; ferner Virolleaud, *Ugaritica* V, S. 570f.; Lipiński, *UF* 6 (1974), S. 170 (das Subjekt der beiden finiten Verben ist aber die Göttin Špš. Die Auffassung der beiden Verbformen als Passivformen kann aber nicht ausgeschlossen werden). Vgl. ferner oben.

774 Vgl. schon oben.

775 Vgl. schon oben.

776 Hierzu vgl. besonders de Moor, *JNES* XXIV (1965), S. 359f.; Dietrich – Loretz – Sanmartín, *UF* 6 (1974), S. 471f.; anders Krahmalkov, *JNES* XXVIII (1969), S. 262f.

777 Vgl. schon oben.

778 Siehe besonders de Moor, *UF* 1 (1969), S. 169f. mit Verweis auf 67:II:7 *ṯt' nn* || *yraun* ibid.:6 (dazu de Moor, *JNES* XXIV (1965), S. 358f.); dagegen Virolleaud, *Ugaritica* V, S. 547; Loewenstamm, *UF* 1, S. 72; Rüger, *ibid.*, S. 203; Margulis, *UF* 2 (1970), S. 133f.

779 Vgl. Loewenstamm, *UF* 1 (1969), S. 76 (mit Verweis auf Ullendorff, *JSS* 7 (1962), S. 340); Margulis, *UF* 2 (1970), S. 136; anders de Moor, *UF* 1, S. 169ff.; Rüger, *ibid.*, S. 203f.

780 Vgl. ähnlich Loewenstamm, *UF* 1 (1969), S. 74; demgegenüber de Moor, *ibid.*, S. 168f.; Rüger, *ibid.*, S. 203f.; Margulis, *UF* 2 (1970), S. 132f.

Hunger[781] und du sollst . . ./und mögest du . . . , siehe, du hast wahrlich Durst[782] und . . .!"; ebenso (mit satzeinleitendem *w* (vgl. unten) und Voranstellung eines syntagmatischen Ausdrucks) Krt:107-110 *mk špšm* (:107) *bšb' wtmǵy ludm* (:108) *rbt wl udm trrt* (:109) *wgr nn 'rm* (:110) "siehe, bei Sonnenaufgang am siebenten, und du wirst kommen (wörtlich: du kommst)[783] nach Udm dem großen und nach Udm dem kleinen, und greife die Städte an!"[784]; ferner (Verbalsatz mit Imperativ/Infinitivus absolutus + Verbalsatz mit Afformativform) 67:I:24-25 *wlḥmm 'm aḫy lḥm* (:24) *wštt*[785] *'m a[r]y[y y]n* (:25) "und iß mit meinen Brüdern Brot und trinken wirst (= sollst) du mit [meinen] Ge[fähr]ten [We]in"[786]; ebenso (Verbalsatz mit Imperativ + echtem Nominalsatz) 137:27-28 *šu ilm raštkm lẓr brktkm* . . . (:27) *wank 'ny mlak ym* (:28) "erhebet, Götter, eure Häupter von euren Knien (zum wörtlichen Sinn vgl. oben zu *l*) . . . und ich antworte (= werde antworten (vgl. oben)) den Boten des Ym"; aus der Prosa: (Verbalsatz mit Afformativ- bzw. Präformativform + Verbalsatz mit Jussiv bzw. Imperativ) 1019:12-14 *ttn wtn* (:12) *wlttn* (:13) *wal ttn* (:14) "du gibst (es) und gib (es) d.h. dann gib (es sofort), und du gibst (es) nicht und du sollst (es) nicht geben d.h. dann sollst du darauf verzichten"[787]; 2114:12-13 *qrtn ḫlq* (:12) *w d' d'* (:13) "unsere Stadt hat er ausgeplündert o.ä. und wisse, wisse!"[788]; ferner (echter Nominalsatz + Verbalsatz mit Imperativ) 54:16-19 *w mnm* (:16) *rgm d tšm'* (:17) *tmt w št* (:18) *b spr 'my* (:19) "und welche auch die Nachricht (ist), die du dort hörst, und lege (sie) in einen Brief an mich d.h. berichte (sie) mir brieflich!"[789]; 1013:9-11 *w tmn[y 'm um]y* (:9) *mnm [šlm]* (:10) *w rgm ttb [l]y* (:11) "und (ist) dor[t bei] meiner [Mutt]er jedermann [wohlauf]? Und lasse mir die Nachricht zukommen!"; ebenso 2009 obv.7-9; ferner (konstatierender Nominalsatz zusammengesetzter bzw. echter Art + zusammengesetztem Nominalsatz (Aufforderungssatz) mit *yqtl(-)*) 1005:8-15 *nqmd mlk ugrt* (:8) *ktb spr hnd* (:9) . . . *wmnkm lyqḥ* (:12) *spr mlk hnd* (:13) *byd ṣtqšlm* (:14) *'d 'lm* (:15) "Nqmd, der König von Ugarit, hat diesen Brief (wörtlich: den Brief, siehe, diesen (vgl. oben)) geschrieben und niemand nehme dieses königliche Schreiben aus der Hand des Ṣtqšlm (wörtlich: und irgendjemand nehme (nimmt) nicht das Schreiben des Königs, siehe, dieses, (nunmehr) in der Hand des Ṣtqšlm) (vgl. oben zu *b*) auf ewig"[790]; 2061:9-14 *ky lik bny* (:9) *lḥt akl 'my* (:10) *midy wǵbny* (:11) *w bny hnkt* (:12) *yškn anyt* (:13) *ym* (:14) "daß mein Sohn Speisetafeln an mich gesandt hat, (ist) meine Kraft resp. Mächtigkeit o.ä. und mein Betrug resp. Versehen o.ä. (d.h. findet seinen ursächlichen Zusammenhang in meinem eigenen Versäumnis) und mein Sohn, siehe, er soll Schiffe des Meeres liefern (oder: liefert/wird liefern Schiffe des Meeres)"[791]; ebenso (zusammengesetzter Nominalsatz (Aufforderungssatz) mit *yqtl(-)* bzw. *yqtln* + konstatierendem Nominalsatz) 1009:12-18 *mnk* (:12) *mnkm l yqḥ* (:13) *bt hnd bd* (:14) [*'b*]*dmlk* (:15) . . . [*wb*]*d bnh* [']*d 'lm* (:17) [*wu*]*nt in*[*n*] *bh* (:18) "niemand, niemand nehme (nimmt) ['B]dmlk

---

781 Zur Verbalsyntax (Gebrauch von *qtl* (Afformativform) zum Ausdruck der inklusiven Vergangenheit und Gegenwart) vgl. Aartun, *Tempora*, S. 40f., 42ff.

782 Vgl. die vorangehende Anmerkung.

783 Für den Tempusgebrauch vgl. Aartun, *Tempora*, S. 104ff. Zur Wortstellung des Satzes (dominierende Vorstellung) vgl. besonders Brockelmann, *Grundriß* II, S. 442ff. Vgl. ferner schon oben.

784 Vgl. Gordon, *Ug.lit.*, S. 69 u.ö.; Ginsberg, *ANET*, S. 144; Driver, *Myths*, S. 31, 146; Dahood, *UF* 1 (1969), S. 20; usw.; anders z.B. Pedersen, *Berytus* 6 (1939-41), S. 90; Jirku, *Mythen*, S. 88; Gray, *Krt*^{2}, S. 13, 46; Sauren und Kestemont, *UF* 3 (1971), S. 198.

785 Zur Lesart vgl. Virolleaud, *Syria* XV (1934), S. 306 (mit Kopie); Gordon, *Textbook*, S. 178; Driver, *Myths*, S. 104; usw.; dagegen Herdner, *Corpus*, S. 33 (*wštm*) (d.h. entsprechend der Parallele).

786 Oder: "und möchtest du trinken . . ." (Aufforderung = Wunsch; vgl. oben, ferner Aartun, *Tempora*, S. 74f.). Vielleicht liegt jedoch hier ein Chiasmus (Gordon, *Textbook*, S. 137 und andere) vor: *lḥm* ‖ *wštt*; so z.B. Jirku, *Mythen*, S. 57. Vgl. sonst besonders Gordon, *Textbook*, S. 115 Anmerkung 1. Zum Sprachtypus vgl. ferner ähnlich oben zu 1006:17-19 (Prosatext).

787 Vgl. Virolleaud, *PU* II, S. 40. Zum Tempusgebrauch vgl. analog in den verwandten Sprachen z.B. Gesenius – Kautzsch, *Gram.*, S. 329; Brockelmann, *Grundriß* II, an mehreren Stellen (besonders S. 155).

788 Vgl. Virolleaud, *PU* V, S. 137. Zur Kombination 1006:17-19 vgl. schon oben.

789 Zur Sprachformel vgl. schon oben.

790 Hierzu siehe schon oben I, an verschiedenen Stellen.

791 Vgl. ebenfalls schon oben I, an verschiedenen Stellen; demgegenüber z.B. Dietrich – Loretz – Sanmartín, *UF* 5 (1973), S. 96.

dieses Haus ab (und das Feld aus der Hand des . . .) [und aus] der Hand seines Sohnes [au]f ewig, [und Fro]ndienst gibt es nicht darauf" (zum wörtlichen Sinn der Syntagmen vgl. oben zu *b* mit Verweisen); 1008:16-21 *bnš bnšm* (:16) *l yqḥnn bd* (:17) *bʿln bn kltn* (:18) *w bd bnh ʿd* (:19) *ʿlm wunṯ* (:20) *in bh* (:21) "niemand nehme es (das Feld) aus der Hand (vgl. oben zu *b*) des Bʿln, des Sohnes des Kltn, und aus der Hand seines Sohnes auf ewig, und Frondienst gibt es nicht darauf". Zum Gebrauch vgl. z.B. analog zu hebräisch *wĕ* Ps 26:6; 34:6; Dt 33:7; Gn 6:21; 2S 7:5; 19:34; usw.; vgl. ferner besonders Brockelmann, *Grundriß* II, S. 484ff. mit Verweisen.

Ebenso werden ferner oft ugaritisch, wie gemeinsemitisch, selbständige Aufforderungs- bzw. Wunschsätze durch *w* angereiht, wie dichterisch: (Verbalsatz mit Subjunktiv/Energicus/Jussiv + Verbalsatz mit Subjunktiv/Jussiv) 49:III:18-19 *aṯbn ank wanḫn* (:18) *wtnḫ birty npš* (:19) "ich will mich setzen und ich will mich ruhen, und es ruhe in meiner Brust die Seele"; ebenso 2Aqht:II:12-14; vgl. ferner 1Aqht:109-110, :124-125, :138-139; 2Aqht:I:25-26 *tmrnn lbny bnwt* (:25) *wykn bnh bbt* (:26) "du mögest ihm Kraft verleihen, o Schöpfer der Geschöpfe, und es sei sein Sohn im Hause"[792]; 51:VII:17-19 *ypth ḫln bbhtm* (:17) *ur[b]t bqrb hkl* (:18) *m wy[p]tḥ bdqt ʿrpt* (:19) "es werde geöffnet ein Fenster im Palast, eine Lu[k]e in der Mitte des Tempels, und es werde ge[öff]net ein Spalt in den Wolken"; 68:22-23 *yprsḥ ym* (:22) *wyql larṣ* (:23) "es sinke Ym nieder und er falle zur Erde"; 125:30 *tbkn wtdm ly* "sie soll mich beweinen und über mich stöhnen"[793]; 601 obv.2-3 *tlḥmn* (:2) *ilm wtštn* (:3) "ihr möget essen, Götter, und ihr möget trinken"[794]; vgl. auch 602 obv.1-2[795]; Krt: 62 *t[r]ḥṣ wtadm* "du sollst dich waschen und schminken"; 2003:3 *w l tikl w l tš[t]* "und du sollst nicht essen und nicht trin[ken]"[796]; 77:18-21 *tʿrbm bbh* (:18) *th watn mhrh la* (:19) *bh alp ksp wrbt ḫ* (:20) *rṣ* (:21) "sie (Nkl-Ib) möge eintreten in seinen Palast und ich will geben als ihren Kaufpreis ihrem Vater tausend (Seqel) Silber und zehntausend (Seqel) Gold"; ferner (Verbalsatz mit Imperativ + Verbalsatz mit Subjunktiv/Jussiv/Energicus) 49:I:17-18 *tn* (:17) *aḥd b bnk wamlkn* (:18) "gib (mir) einen unter deinen Söhnen (vgl. oben zu *b*) und ich will ihn zum Herrscher machen"; 52:71-72 *wtn* (:71) *wnlḥm* (:72) "so (wörtlich: und) gib (es d.h. das Brot) und wir wollen essen"[797]; ibid.:72 *[w]tn wnšt* "[so] gib (ihn d.h. den Wein) und wir wollen trinken"[798]; 127: 17-18 *ṯbḫ imr* (:17) *wilḥm mgṯ witrm* (:18) "schlachte ein Lamm und ich will essen, ein Schlachtvieh und ich will speisen"[799]; ibid.:29-30 *ištm[ʿ]* (:29) *wtqġ [udn]* (:30) "hö[re] und es sei aufmerksam [das Ohr]"; ebenso ibid.:42; 2Aqht:VI:17-18 *[i]rš ksp watnk* (:17) *[ḫrṣ waš]lḥk* (:18) "[wün]sche (dir) Silber und ich will es dir geben, [Gold und ich will es] dir [sch]icken"; vgl. auch ibid.:27-28; ferner 607:72[800]; 1Aqht:215 *qḥn wtšqyn yn* "bringet (wörtlich: nehmet) sie (d.h. Pġt) und ihr sollt (ihr) zu trinken geben Wein"[801]; ebenso ibid.:216-217; ferner (Verbalsatz mit Imperativ + Verbalsatz mit Imperativ) 51:VIII:5-8 *ša ġr ʿl ydm* (:5) *ḫlb lẓr rḥtm* (:6) *wrd btḫptt* (:7) *arṣ* (:8) "nehmet den Berg auf beide Hände, den Hügel auf die beiden Handflächen, und stei-

792 Gordon, *Ug.lit.*, S. 86 u.ö. faßt diese Verbindung = Hauptsatz + Nebensatz auf; dagegen mit Recht z.B. Driver, *Myths*, S. 49; Jirku, *Mythen*, S. 116 (Parataxe wie gewöhnlich im Semitischen; vgl. unten).

793 Zum wörtlichen Sinn vgl. oben zu *l*. Vgl. ferner die Parallele ibid.:25-26 ohne koordinierende Partikel.

794 Ebenso Virolleaud, *Ugaritica* V, S. 545f.; de Moor, *UF* 1 (1969), S. 168; Margulis, *UF* 2 (1970), S. 132, 134; dagegen Loewenstamm, *UF* 1, S. 73 (Koordinierung von konstatierenden Sätzen; dazu vgl. oben); vgl. ferner ähnlich Rainey, *JAOS* 94 (1974), S. 185f. Die Verbformen = Pl.f. statt Pl.m.; vgl. akkadisch.

795 Vgl. de Moor, *UF* 1 (1969), S. 175f.; van Zijl, *AOAT* 10, S. 355f.; dagegen Virolleaud, *Ugaritica* V, S. 551f.

796 Hierzu vgl. schon oben I, S. 25; ferner Virolleaud, *PU* V, S. 6; Eißfeldt, *Neue keilalphabetische Texte*, S. 9.

797 Zum Sprachtypus vgl. schon oben I, S. 21 Anmerkung 2 mit Analogien aus den verwandten Sprachen.

798 Vgl. die unmittelbar vorangehende Anmerkung.

799 Vgl. zu den beiden letztangeführten Fällen.

800 Dazu besonders Astour, *JNES* XXVII (1968), S. 26; Avishur, *UF* 4 (1972), S. 3; anders z.B. Fisher, *UF* 3 (1971), S. 356; Lipiński, *UF* 6 (1974), S. 170.

801 Oder die Form *qḥn* ist Energicusform des Imperativs; vgl. die Parallele ohne *-n*.

get hinab in die Unterwelt der Erde!"[802]; ebenso 67:V:13-15; 51:VIII:26-30 *lp'n mt* (:26) *hbr wql* (:27) *tšthwy wk* (:28) *bd hwt wrgm* (:29) *lbn ilm mt* (:30) "zu Füßen des Mt werft euch nieder und fallet hin, – es sollt ihr euch verneigen[803], – und ehret ihn und saget zum Sohne des Il, Mt!"; ebenso 'nt:III:6-8; :VI:18-22, pl.IX:III:2-4; 52:6 *lḥm blḥm ay wšty bḫmr yn ay* "esset Brot, wo (dieses zu finden ist o.ä.), und trinket Wein, wo (dieser zu finden ist o.ä.)!"[804]; 75:I:17-20 *qḥ* (:17) *ksank ḥdgk* (:18) *ḫtlk wẓi* (:19) *baln* (:20) "nimm deine Sänfte o.ä., deinen Sattel, deine Windeln, und geh hinaus in den Hain!" (vgl. oben zu *b*)[805]; 76:III:34-35 *bšrt il bš[r b]'l* (:34) *wbšr ḥtk dgn* (:35) "die frohe Botschaft des Il ver[nimm, Ba]'l, und vernimm (sie), Sprößling des Dgn!"[806]; 1Aqht:120 *pr wdu* "fliehet und flieget!"; Krt:71-74 *ṣ[q bg]l ḥtṯ* (:71) *yn bgl [ḫ]rṣ nbt* (:72) . . . *w'l lẓr [mg]dl* (:74) "gie[ße in einen Bech]er aus Silber Wein, in einen Becher aus [Go]ld Honig, . . . und steige auf den [Tu]rm!" (zum wörtlichen Sinn vgl. oben zu *l*); ibid.:130-132 *qḥ krt šlmm* (:130) *šlmm wng mlk* (:131) *lbty* (:132) "nimm, Krt, Friedensgeschenke in Frieden und weiche, König, von meinem Haus!" (vgl. ebenfalls oben zu *l*)[807]; vgl. auch RŠ 34 126:18-19, :21-22 (Caquot, *a.a.O.*); ferner (zusammengesetzter Nominalsatz mit Jussiv bzw. Energicus + Verbalsatz mit Jussiv bzw. Subjunktiv) 1Aqht:123-124 *b'l yṯbr diy [hwt]* (:123) *wyql tḥt p'ny* (:124) "Ba'l möge zerbrechen [seine] Flügel und er falle nieder zu meinen Füßen"; 49: III:6-8 *šmm šmn tmṭrn* (:6) *nḫlm tlk nbtm* (:7) *wid'* (:8) "der Himmel soll regnen Fett, die Flüsse sollen führen Honig und ich soll wissen"[808]; so auch (mit satzeinleitendem *w* (vgl. unten) und Voranstellung des Subjektes) Krt:85-87 *'dn ngb wyṣi* (:85) *ṣbu ṣbi ngb* (:86) *wyṣi 'dn m'* (:87) "es soll ausziehen das gemusterte Kriegsvolk[809], die gemusterten Kerntruppen[810], und es soll ausziehen das Kriegsvolk in Reih und Glied"[811]; ebenso ibid.:176-178; ferner (Verbalsatz mit Imperativ/Infinitivskonstruktion mit imperativischer Bedeutung + zusammengesetztem Nominalsatz) 'nt:III:25-26 *atm wank* (:25) *ibǵyh* (:26) "komm und ich will es suchen"[812]; ebenso ibid.:IV:62-63, pl.IX:III:16; aus der Prosa: (Verbalsatz mit Imperativ + Verbalsatz mit Imperativ) 2060:34-35 *aṯr iṯ bqṯ* (:34) *w štn ly* (:35) "suche das, was ist, und berichte mir es (brieflich)!"[813]; ferner (Verbalsatz mit Imperativ + Verbalsatz mit Jussiv) 1019:15-16 *tn ks yn* (:15) *wištn* (:16) "gib einen Becher Wein und ich will ihn trinken"; ebenso (zusammengesetzter Nominalsatz mit Jussiv + zusammengesetztem Nominalsatz resp. Verbalsatz mit Jussiv) 2065:19-21 *w uḫy* (:19) *y'msn ṯmn* (:20) *w [u]ḫy al yb'rn* (:21) "und möge mein Bruder mir dort geben (wörtlich: und möge mein Bruder mich dort beladen (mit dem, was ich wünsche)) und mö-

802 Zur Deutung des Ausdrucks *btḫpṯt* vgl. Virolleaud, *Syria* XII (1931), S. 224; Gordon, *Ug.lit.*, S. 37; *Textbook*, S. 404; Aistleitner, *Texte*, S. 46; *Wb*, S. 116; Astour, *Ugaritica* VI, S. 14; ferner Gaster, *Thespis*, S. 183, 448 und andere.

803 Syntaktisch bildet dieser Satz einen Zustandssatz; dazu vgl. besonders Brockelmann, *Grundriß* II, S. 501ff.

804 Vgl. schon oben I, S. 2.

805 Vgl. ferner Gaster, *Thespis*, S. 219, 450; Gray, *JNES* X (1951), S. 148; *UF* 3 (1971), S. 62; ferner Gordon, *Ug.lit.*, S. 53 u.ö.; Aistleitner, *Texte*, S. 55 u.ö.; usw.

806 Vgl. z.B. Gordon, *Ug.lit.*, S. 51; *Textbook*, S. 377; Ginsberg, *ANET*, S. 142; ferner Dussaud, *Syria* XVII (1936), S. 289f.; van Zijl, *AOAT* 10, S. 252f.; dagegen z.B. Virolleaud, *Syria* XVII, S. 166; Aistleitner, *Texte*, S. 54 u.ö.

807 Zum Syntagma vgl. Gordon, *Textbook*, S. 490 u.ö.; Aistleitner, *Wb*, S. 306 u.ö.; Gray, *Krt*², S. 14, 53; usw.

808 Zum Wechsel zwischen asyndetischer und syndetischer Beiordnung vgl. schon mehrfach oben.

809 Vgl. besonders Virolleaud, *CRGLES* VII (1954-57), S. 1f.; Gordon, *Textbook*, S. 441 zu *ngb*: "Mari *ṣa-bu-šu ṣi-di-tam na-gi-ib* "his army is supplied with provisions"" (nach Virolleaud); vgl. sonst besonders Gray, *Krt*², S. 13, 38f.

810 Zum Sprachtypus vgl. z.B. hebräisch *qoḏæš haq-qŏḏāšīm* Ex *26:33; 'æḇæḏ 'ăḇāḏīm* Gn 9:25; usw. (dazu z.B. Gesenius – Kautzsch, *Gram.*, S. 451f.).

811 Wörtlich: "der sich ausdehnende, breite Mannschaftsstand" (Aartun, *Neue Beiträge*). Für sonstige Deutungen vgl. Driver, *Myths*, S. 159; Gray, *Krt*², S. 39.

812 Anders z.B. Obermann, *Ug.myth.*, S. 49f.; dagegen schon z.B. Herdner, *RES* (1942-43), S. 39; Gordon, *Ug.lit.*, S. 19 u.ö.; Ginsberg, *ANET*, S. 136; Aistleitner, *Wb*, S. 39f.; Caquot und Sznycer, *Textes*, S. 395; van Zijl, *AOAT* 10, S. 59; usw.; vgl. ferner oben I, S. 57.

813 Zum wörtlichen Sinn vgl. schon oben; vgl. ferner Virolleaud, *PU* V, S. 84ff.; Rainey, *UF* 3 (1971), S. 162 (mit Verweis auf EA 143:13-17).

ge mein [Bru]der mich nicht vertilgen o.ä."[814]; 1013:20-24 *w at* (:20) *umy al tdḥl* (:21) *w ap mhkm* (:22) *b lbk al* (:23) *tšt* (:24) "und du meine Mutter sollst dich nicht fürchten und auch sollst du dir nicht irgend etwas zu Herzen nehmen"; ferner (zusammengesetzter Nominalsatz mit Jussiv + Verbalsatz mit Energicus) 1015:10-12 *wum* (:10) *tšmḫ mab* (:11) *wal trḫln* (:12) "und möge die Mutter vom Vater Freude haben und du sollst nicht abreisen"[815]; ebenso (zusammengesetzter Nominalsatz mit Indikativ (vgl. oben)/Jussiv + Verbalsatz mit Imperativ) 138:15-19 *wh[t] aḫy* (:15) *bny yšal* (:16) *ṯryl wrgm* (:17) *ṯṯb laḫk* (:18) *ladnk* (:19) "und sie[he], mein Bruder, mein Sohn, soll die Ṯryl fragen[816] und lasse deinem Bruder, deinem Herrn, Nachricht zukommen!"[817]. Zum Gebrauch vgl. analog z.B. zu hebräisch *wĕ* Gn 1:9; 17:2; 1K 18:41; Ex 33:13; Dt 28:3; 2S 20:6; usw.; zu aramäisch *wĕ* Dn 2:9[818]; zu arabisch *wa* Qur. 43:83; 2:55 (58); usw.[819]; vgl. ferner besonders Brockelmann, *Grundriß* II, S. 485f.

Wie entsprechend *wV* in den verwandten Idiomen dient auch ugaritisch *w*, bei verschiedenen satzsyntaktischen Kombinationen, ebenso zur Verbindung von Satzeinheiten, bei denen - nach unserem Sprachgefühl – von der Koordinierung von Untergeordnetem und Übergeordnetem die Rede ist.

Derartige Fälle sind, dichterisch: (konstatierender, temporaler Verbalsatz (Nebensatz) + konstatierendem Verbalsatz (Hauptsatz)) 606:1-3 *kymġy adn* (:1) *ilm rbm ʿm dtn* (:2) *wyšal mṯpṭ yld* (:3) "als der Herr der großen Götter zu Dtn kommt, so (wörtlich: und) fragt er nach der Gerichtsentscheidung über den Jungen"[820]; ferner (Präposition + Infinitiv als Regiertem in der Funktion eines Nebensatzes + verbalem Versicherungssatz resp. konstatierendem Verbal- bzw. Nominalsatz) 51:II:12 *bnši ʿnh wtphn* "beim Erheben ihrer Augen d.h. als sie ihre Augen erhebt, da (wörtlich: und) sieht sie"[821]; ebenso 1Aqht:28-29, :76; 1Aqht:120 *bnši ʿnh wyph* "als er seine Augen erhebt, da bemerkt er"; ebenso ibid.:105, :134-135; 2Aqht:V:9-10; Krt:31 *bm bkyh wyšn* "während er weint, da schläft er ein"; 52:51 *bm nšq whr* "beim Küssen und Schwangerschaft (ist da) d.h. während er (die Frauen) küßt, werden sie schwanger"[822]; ebenso ibid.:56; ibid.:56 *[b]ḥbq wḥ[m]ḥmt* "[während] der Umarmung und Empf[än]gnis (ist da) d.h. [während] er (die Frauen) umarmt, empfangen sie"; vgl. die Parallele ibid.:51 ohne *w*; ebenso (konstatierender (d.h. realer), nominaler Bedingungssatz + verbalem Aufforderungssatz) 52:71-72 *hm [iṯ] lḥm wtn* (:71) *wnlḥm* (:72) "wenn Brot [vorhanden ist], so (wörtlich: und) gib (es) und wir wollen essen"; ibid.:72 *hm iṯ [yn w]tn wnšt* "wenn vorhanden ist [Wein], [so] gib (ihn) und wir wollen trinken"; ebenso aus der Prosa: (konstatierender (d.h. realer), nominaler Bedingungssatz + konstatierendem Verbalsatz) 1013:16-20 *w hm ḫt* (:16) *ʿl w likt* (:17) *ʿmk w hm* (:18) *l ʿl w lakm* (:19) *ilak* (:20) "und

---

814 Vgl. schon oben I, S. 4f., 21.

815 Oder: "sie soll nicht abreisen"; anders Virolleaud, *PU* II, S. 31 (kontextlich weniger wahrscheinlich); siehe ferner Aartun, *Neue Beiträge*. Vgl. auch oben zu *m(n)* (Präposition).

816 Siehe oben I, S. 71 Anmerkung 6.

817 Vgl. Gordon, *Ug.lit.*, S. 118 und andere.

818 Zum Typus vgl. sonst Bauer-Leander, *Gram.*, S. 352.

819 Siehe sonst vor allem Reckendorf, *Synt.Verh.*, an mehreren Stellen (z.B. S. 327 usw.); ferner Aartun, *Sentences with specific particles and the subjunctive in Arabic* (noch nicht erschienen).

820 Vgl. Virolleaud, *Ugaritica* V, S. 563f.; de Moor, *UF* 2 (1970), S. 304f.; Astour, *UF* 5 (1973), S. 36.

821 Zum Sprachtypus vgl. besonders Gordon, *Textbook*, S. 95 (§ 10.4); Brockelmann, *Orientalia* X (1941), S. 231. – Zur Etymologie des finiten Verbs *tphn* vgl. schon besonders Aistleitner, *Wb*, S. 254 mit Verweis auf arabisch *bāha* (dazu z.B. Kazimirski, *Dictionnaire* I, S. 181); ferner ähnlich Coote, *UF* 6 (1974), S. 1ff. (die Schlußfolgerung aber analogielos); anders de Moor, *JNES* XXIV (1965), S. 356. Nach Ausweis mehrerer anderer finiten Verbformen im Ugaritischen (siehe oben I, S. 46) ist die Form *phy* (118:15), wenn nicht reguläre Nebenform zum gewöhnlichen Bildungstypus: *ph* < **pw/yh* (zu derartigen Erscheinungen im Semitischen vgl. die Lexika), vielleicht = *ph* (Afformativform) + *-y* (hervorhebender Partikel) zu deuten.

822 In Fällen wie diesen die Konjunktion *w* isoliert = einer Existenzpartikel ("es ist/war") zu deuten (so z.B. Dahood, *Ug.-Heb. phil.*, S. 35 mit Verweis auf Gordon, *Textbook*, S. 106 Anmerkung 3) ist reine Willkür. Zu derartigen syndetischen Kombinationen vgl. sonst besonders Brockelmann, *Grundriß* II, S. 673f. u.ö.

wenn der Hethiter sich aufmacht, so (wörtlich: und) werde ich dir senden, und wenn er sich nicht aufmacht, so wahrlich sende ich (dir)"[823]. Zum Gebrauch vgl. zunächst analog zu hebräisch *wĕ* Brockelmann, *Syntax*, S. 159 mit Verweisen; ferner zu altsüdarabisch *w* Beeston, *Grammar*, S. 60; zu äthiopisch (Gĕʿĕz) *wa* Praetorius, *Gram.*, S. 147; usw. Vgl. sonst Brockelmann, *Grundriß* II, S. 672f. (mit zahlreichen Belegen).

Endlich kann auch ugaritisch *w*, wie gemeinsemitisch *wV*, bei loser Anknüpfung an das Vorhergehende oder beim Eintritt einer neuen Gedankenreihe, einfach als Introduktion des Folgenden dienen.

Beispiele dieser Art sind, dichterisch: (konstatierende Verbalsätze: *w* + Afformativform) 52:62-63 *wlʿrb bphm ʿṣr šmm* (:62) *wdg bym* (:63) "und fürwahr, es traten in ihren Mund hinein die Vögel des Himmels und die Fische im Meere"[824]; ferner (*w* + Präformativform = *w* + *yqtl*) 49:I:21-22 *wyʿn lṭpn il d[p]i* (:21) *d* (:22) "und es antwortete der Freundliche, Il, der [Mit]leidige"; ebenso ibid.:33; 51:IV:58, :V:111, :120, :125, :VI:1, :14-15, :VII:14-15, :37-38; 67:I:11-12; 77:23-24, :30-31; 121:II:7; 122:8; 126:IV:10, :V: 23; 129:24; 137:36; 1Aqht 197-198, :214:215; 2Aqht:VI:20, :33; 3Aqht obv.11, rev.15; Krt:281; ʿnt pl.IX: III:17, :X:IV:13; 49:I:19 *wtʿn rbt aṯrt ym* "und es antwortete die Fürstin Aṯrt des Meeres"; ebenso ibid.:IV: 41, :45; 51:IV:40, :V:64; 128:IV:26, :VI:3; 1Aqht:190; 2Aqht:VI:25-26, :52-53; 3Aqht obv.16; ʿnt pl.VI: IV:6, :V:27, :37; ebenso (mit Voranstellung eines syntagmatischen Ausdrucks) 1Aqht:179-180 *bšbʿ* (:179) *šnt wyʿn [dnil mt] rpi* (:180) "im siebenten Jahre, da (wörtlich: und) antwortete [Dnil], der Rpu-[Mann]"[825]; vgl. 49:V:8-10; ebenso (*w* + Präformativform = *w* + *yqtl-*) 76:III:5 *wyʿny aliyn [bʿl]* "und es antwortet Aliyn [Baʿl]"; ebenso 125:83; 127:54; 128:I:8; 604 obv.1-2[826]; 76:II:3 *wtʿnyn ġlm bʿl* "und es antworten die Diener (wörtlich: Jünglinge) Baʿls"; ibid.:13 *wyšu ʿnh aliyn bʿl* "und er erhebt seine Augen Aliyn Baʿl"; ebenso ibid.:14; 1Aqht:148 *wyšu gh* "und er erhebt seine Stimme"; 76:II:26 *wtšu ʿnh btlt ʿnt* "und sie erhebt ihre Augen die Jungfrau ʿAnat"; ebenso ibid.:27; 128:III:27 *wtšu gh* "und sie erhebt ihre Stimme"; 127:2 *wttbʿ šʿtqt* "und es macht sich auf Šʿtqt"; ibid.:10 *wttb* "und sie kehrt zurück"[827]; ibid.:14-15 *wypqd* (:14) *krt ṯʿ* (:15) "und es gibt Befehl Krt Ṯʿ"; 128:III:20 *wtqrb wld bn lh* "und sie nähert sich der Geburt und schenkt ihm einen Sohn (wörtlich: und sie nähert sich der Geburt eines Sohnes für ihn)"[828]; ibid.:25-26 *wtḫss aṯrt* (:25) *ndrh* (:26) "und es gedenkt o.ä. Aṯrt seines Gelübdes"[829]; 1Aqht:184-185 *wyq[ry]* (:184) *dbḥ ilm* (:185) "und er brin[gt dar] ein Opfer für die Götter"; vgl. auch ʿnt:II:4-5; RŠ 34 126:14 (Caquot, *a.a.O.*); ebenso (mit Voranstellung eines syntagmatischen Ausdrucks) Krt:107-109 *mk špšm* (:107) *bšbʿ wtmġy ludm* (:108) *rbt wl udm ṯrrt* (:109) "siehe, bei Sonnenaufgang am siebenten, da (wörtlich: und) kommst du (= wirst du kommen)[830] nach Udm dem großen und nach Udm dem kleinen"[831]; ibid.:118-120 *whn špšm* (:118) *bšbʿ wl yšn pbl* (:119) *mlk* (:120) "und siehe, bei Sonnenaufgang am siebenten, und es schläft nicht Pbl, der König"[832]; ebenso Krt:221-223; ferner (*w* + näherer Bestimmung zum Prädikat + Präformativform (*yqtl-*)) 2Aqht: VI:38 [*w*]*mt kl amt* "[und] den Tod aller sterbe ich"; ferner auch (konstatierende Nominalsätze zusammengesetzter bzw. echter Art: *w* + Prädikat = einem Verbum infinitum) 52:70 *wptḥ hw prṣ bʿdhm* "und er

823 Vgl. Virolleaud, *PU* II, S. 29; Gordon, *Textbook*, S. 69 (§ 9.5), 79 (§ 9.27), 115 (§ 13.29); anders de Moor, *JNES* XXIV (1965), S. 358; vgl. ferner Dietrich – Loretz – Sanmartín, *UF* 6 (1974), S. 459.

824 Vgl. schon oben an mehreren Stellen.

825 Zur Konstruktion vgl. schon oben.

826 Siehe Virolleaud, *Ugaritica* V, S. 559.

827 Vgl. Gordon, *Ug.lit.*, S. 81 u.ö.; Driver, *Myths*, S. 45; usw.; ähnlich Virolleaud, *Syria* XXIII (1942-43), S. 1, 7; Jirku, *Mythen*, S. 112; anders Aistleitner, *Texte*, S. 103; *Wb*, S. 140.

828 Siehe näher oben zu *l* (Präposition).

829 Vgl. Ginsberg, *ANET*, S. 146 u.ö.; Driver, *Myths*, S. 37f.; Jirku, *Mythen*, S. 98; usw.; ähnlich Gordon, *Ug.lit.*, S. 75.

830 Zur Verbalsyntax vgl. Aartun, *Tempora*, S. 104ff.

831 Näheres vgl. schon oben.

832 Anders z.B. Ginsberg, *ANET*, S. 144 u.ö.; dagegen unter anderen Gordon, *Ug.lit.*, S. 70 u.ö.; Driver, *Myths*, S. 31; Jirku, *Mythen*, S. 88; usw.; vgl. auch oben I zu *l* (Negation).

öffnete einen Spalt hinter ihnen"[833]; vgl. die Parallelen ibid. passim; 49:I:25 *w'n rbt aṯrt ym* "und es antwortet(e) die Fürstin Aṯrt des Meeres"[834]; ebenso ibid.:II:13; 51:VI:7; 52:73; 68:7; 3Aqht rev.22 *wṣḥq btlt 'nt* "und es lacht(e) die Jungfrau 'Anat"; ebenso (*w* + Konjunktion + Prädikat) 49:III:2 *whm ḥy a[liyn b'l]* "und wenn am Leben (ist) A[liyn Ba'l]"[835]; ferner (*w* + Subjekt) 75:II:50-51 *wṯmnt lṯmnym* (:50) *šr aḫyh mẓah* (:51) "und achtundachtzig seiner Anverwandten fanden ihn"; 76:III:36 *w ibr lb'l [yl]d* "und ein Stier wurde Ba'l [gebor]en"; 52:13 *wšd šd ilm* "und das "Feld" (ist) das "Feld" des Il"; vgl. auch 3Aqht rev.16-17; ebenso (*w* + hervorhebender Partikel + Subjekt) 52:46 *whn aṯtm tṣḥn y mt mt* "und siehe, die beiden Frauen rufen: "O Mann, Mann!""; 1Aqht:169 am Rand *whn bt yṯb lmspr* "und siehe, Haus (wird rezitiert): man kehrt zurück zur Erzählung"[836]; weiter (verbale Versicherungssätze: *w* + Energicus) 2Aqht:VI:32 *[wt]'nynn* "[und sie] antwortet ihm"[837]; 606:4 *wy'ny nn* "und er antwortet ihm"[838]; ebenso ibid.:13-14; so auch (Aufforderungssätze u. dgl. verbaler bzw. nominaler Art: *w* + Negation + Jussiv) 2003:3 *w l tikl* "und du sollst nicht essen"[839]; ferner (*w* + Jussiv, mit Voranstellung eines syntagmatischen Ausdrucks = dem Subjekt) Krt: 85 *'dn ngb wyṣi* "es soll ausziehen das gemusterte Kriegsvolk"[840]; ebenso ibid.:176; ferner (*w* + Imperativ/Infinitiv) 51:V:80 *wbn bht ksp wḫrṣ* "und baue einen Palast aus Silber und Gold!"; ebenso ibid.:95-96; ibid. :104 *wṯb lmspr* "und kehre(t) zurück zur Erzählung!"[841]; ibid.:VIII:14-15 *wnġr* (:14) *'nn ilm* (:15) "und gebet acht, Diener o.ä. der Götter!"; Frag.VII:53-58:3-4 *wtn bt lb'l km* (:3) *[i]lm* (:4) "und gib ein Haus dem Ba'l gleich den [Gött]ern!"; vgl. auch 2Aqht:VI:18-19; 67:I:24 *wlḥmm 'm aḫy lḥm* "und iß mit meinen Brüdern Brot!"[842]; 3Aqht rev.17 *wtb'* "und gehe!"; Krt:110 *wgr nn 'rm* "und greife die Städte an o.ä.!"[843]; vgl. die Parallele ibid.:212 ohne *w*; ibid.:136-137 *wṯṯb* (:136) *mlakm lh* (:137) "und schicke zurück Boten zu ihm!"; vgl. auch ibid.:79-80; (*w* + Subjekt) 67:V:6-7 *wat qḥ* (:6) *'rptk* (:7) "und du, nimm deine Wolken!"; aus der Prosa: (konstatierende Verbal- bzw. Nominalsätze: *w* + Prädikat = Afformativform) 702 obv.5-6 *wšt ibsn* (:5) *lkm*[844] (:6) "und ich habe *ibsn* für euch angelegt"[845]; ebenso (*w* + hervorhebender Partikel + Prädikat = Afformativform) 1021:4-5 *wht luk 'm ml[kt]* (:4) *tġsdb šmlšn* (:5) "und siehe, Tġsdb (und) Šmlšn sind zur König[in] gesandt worden"; ferner (*w* + Präposition mit Rektion + Prädikat = Präformativform) 1021:8 *wb 'ly skn yd' rgmh* "und beim Aufsteigen des Oberaufsehers o.ä. wird er sein Wort kennen lernen"[846]; ebenso (*w* + Negation + Prädikat = Präformativform) 1019:13 *wlttn* "und du gibst nicht"; ferner (*w* + Subjekt) 702 rev.1-2 *wšm mn* (:1) *rb* (:2) "und Šmmn (ist) das Oberhaupt"[847]; 1012:22-24 *w mlk b'ly* (:22) *lm škn hnk* (:23) *l'bdh alpm* *š[šw]m* (:24) "und der König, mein Herr, warum hat er, siehe, seinem Diener, (die Lieferung von) zweitausend

833 Zur Syntax vgl. schon oben zu *b'd* (Präposition).

834 Zur Konstruktion vgl. besonders Gordon, *Textbook*, S. 121 (§ 13.57).

835 Anders z.B. Ginsberg, *ANET*, S. 140; Driver, *Myths*, S. 113; Jirku, *Mythen*, S. 71; Aistleitner, *Texte*, S. 20; usw.; dagegen schon z.B. Gordon, *Ug.lit.*, S. 46; *Textbook*, S. 107 (§ 12.3); de Moor, *UF* 1 (1969), S. 201 (dem Kontext entsprechend; vgl. besonders ibid.:10ff., wie auch de Moor ausdrücklich hervorhebt); ferner Caquot und Sznycer, *Textes*, S. 430; usw.

836 Siehe näher oben I, S. 68f.

837 Tatsächlich handelt es sich hier um einen Übergangsfall zwischen fester und loser Verbindung mit dem Vorhergehenden; vgl. auch schon oben.

838 Vgl. Virolleaud, *Ugaritica* V, S. 563f.; de Moor, *UF* 2 (1970), S. 304.

839 Vgl. Virolleaud, *PU* V, S. 6.

840 Vgl. schon oben.

841 Vgl. schon oben.

842 Vgl. ebenfalls schon oben.

843 Vgl. schon oben; ferner oben I, S. 62, 76.

844 Zur Lesart vgl. schon Miller, *AnOr* 48, S. 37; Dahood, *ibid.*, S. 51.

845 Vgl. Miller und Dahood, *a.a.O.* Die von Dahood vertretene futurische Auffassung des Verbs entspricht aber nicht dem Kontext.

846 Ebenso Lipiński, *UF* 5 (1973), S. 199; vgl. ferner Virolleaud, *PU* II, S. 42f.

847 Vgl. schon Miller, *ibid.*, S. 37f.; anders Dahood, *ibid.*, S. 51f. (dem Kontext nach fernliegend; vgl. schon obv. 2-4, ferner rev. 2ff.). Zum alleinstehenden Titel *rb* vgl. besonders die Inschrift in alphabetischer Keilschrift aus Tell Kāmid el-Lōz: *lrb* "dem Oberhaupt (wörtlich: Großen) (gehörig)"; siehe genauer Wilhelm, *UF* 5 (1973), S. 284f.

Pf[erd]en auferlegt?"[848]; ibid.:33-36 *w mlk bʿly bnš* (:33) *bnny ʿmn* (:34) *mlakty hnd* (:35) *ylak ʿmy* (:36) "und der König, mein Herr, wird einen Angestellten als Vermittler zusammen mit dieser meiner Botschaft (wörtlich: zusammen mit meiner Botschaft, siehe, dieser)[849] zu mir senden"[850]; 1:4 *wšlmm* "und Friedensopfer (sind)"[851]; ebenso 9:7, :15; 173:15; 609 obv.10; 613:10-11, :15, :28; 54:11-12 *w yd* (:11) *ilm p kmtm* (:12) "und die Hand der Götter (lastet) hier wie der Tod"; ibid.:16-17 *w mnm* (:16) *rgm* (:17) "und welche auch die Nachricht (ist)"; 1015:16-18 *wmnm* (:16) *šlm ʿm* (:17) *umy* (:18) "und (ist) bei meiner Mutter jedermann wohlauf?" (zum wörtlichen Sinn vgl. oben); vgl. ferner 145:16-23; ebenso (*w* + hervorhebender Partikel + Subjekt) 1012:27 *w hn ibm šṣq ly* "und siehe, der Feind bedrängt mich"; ferner (*w* + Konjunktion + Subjekt) 13 rev.3 *whm at tr[gm]* "und wenn du sa[gst]"; ebenso obv.5; 1013:16-17 *w hm ḫt* (:16) *ʿl* (:17) "und wenn der Hethiter sich aufmacht"; ebenso ibid.:18-19; ferner (*w* + Objekt) 2060:17-19 *w lḥt akl ky* (:17) *likt ʿm špš* (:18) *bʿlk* (:19) "und eine Speise-Tafel, fürwahr, hast du geschickt an den Sonnenkönig (wörtlich: die Sonne), deinen Herrn"; vgl. auch 2059 an mehreren Stellen[852]; ebenso RŠ 34 124:14-16 (Caquot, *a.a.O.*); so auch (Aufforderungssätze u. dgl. verbaler bzw. nominaler Art: *w* + Prädikat = dem Energicus) 1019:9-10 *wytnnn* (:9) *laḫh lrʿh* (:10) "und er soll es seinem Bruder, seinem Freunde, geben"[853]; vgl. auch 1008:11-14; ebenso (*w* + Imperativ) 2:27 *wṯb lmspr* "und kehre(t) zurück zur Erzählung!" (vgl. oben); 54:10-11 *w lak* (:10) *ʿmy* (:11) "und sende mir!" (vgl. oben zu *ʿm*); ferner (*w* + Subjekt) 2059:26-27 *w aḫy mhk* (:26) *b lbh al yšt* (:27) "und mein Bruder soll sich nicht irgend etwas zu Herzen nehmen"[854]; ebenso (*w* + hervorhebender Partikel + Subjekt) 138:10-12 *wht aḫy* (:10) *bny yšal* (:11) *ṯryl* (:12) "und siehe, mein Bruder, mein Sohn, soll Ṯryl fragen"[855]; ebenso (*w* + Objekt) 117:13 *w rgm ṯṯb l[y]* "und lasse [mir] die Nachricht zukommen!"; gleichfalls (*w* + Bekräftigungspartikel + Objekt) 1010:17-18 *wl ʿṣm* (:17) *tspr* (:18) "und fürwahr, die Holzstämme, sollst du zählen"[856]. Zum Gebrauch vgl. analog z.B. zu altsüdarabisch *w* Beeston, *Grammar*, S. 61; vgl. ferner besonders Brockelmann, *Grundriß* II, an mehreren Stellen.

Zerstörte bzw. unklare Beispiele mit *w* sind: 6 passim; 33:5, :7; 44:2; 49:II:2, :IV:42-44, :V:8-10, :20-21, :26; 51:II:27, :40, :III:7-8, :41, :IV:3, :VI:18-21, :VII:20, :VIII:47; 52:5, :25-26, :30, :63-64, :76; 67:I:23, :II:21, :III:14, :20-21, :IV:2, :19; 68:3, :33; 75:II passim; 76:II:20, :29, :III:4, :25-26; 77:10, :38-39, :47; 125:45, :50, :66, :70, :75, :78, :87; 126:III:2, :V:4; 127:31, :43-44, :58; 128:II:5, :10, :IV:23, :V:15, :21; 129:6-7, :13, :15, :18-19; 130:4, :19, :21; 132:1-2, :5; 133:11-12; 134:5, :7, :9, :13; 136:2; 137:18, :42; 1001 passim; 1002 passim; 601 rev.1-2, :4-6; 604 rev.12, :18-19; 605 obv.1, :3-4; 606:5-6, :8-10, :14-16; 607:72-74; 608:34; 1Aqht:9, :11, :17, :78, :82, :96-97, :106-107, :109-110; 2Aqht:I:6-7, :42-44, :VI:7; 3Aqht obv.7, :14-15, :39-42; rev.12-13; ʿnt:II:2-4, III:5-6, pl.:VI:IV:8, pl.:IX:II:17, pl.:X:IV:15, :31, :V:12, :15; 2001 passim; 2125 passim; RŠ 34 126:26-30 (Poesie); 1 passim; 2 passim; 3 passim; 5 passim; 9 passim; 10:4; 12:2; 13 passim; 18:18-22; 21:3; 22:8; 23 passim; 26 passim; 40:5; 48:5; 55 passim; 56 passim; 70:3; 80:II passim; 96:12; 98:3, :6; 100:9; 101:4, :6; 102:10-12, :15; 103:29; 104 rev.2; 105 obv.5; rev.3, :5; 118:9, :16, :21; 119:2, :7-8, :11, :16-21, :26-30; 138:14; 145 passim; 153:1, :6; 173 passim; 303:10; 304:11; 309 passim; 314 obv.2-4, :14-17; 325:3; 329 passim; 334:4, :7; 609 obv.5; 610 obv.1, :16; 1012:12, :15, :20, :37-39; 1013:14-15; 1016:13-14; 1017:4, :6; 1018:15; 1019:17; 1021:9, :14; 1022:8; 1023:5; 1063:8-9; 1079:17; 1080:9-10; 1081:10; 1082:4; 1086:1; 1093:11; 1112:4, :14; 1118:1-3, :13; 1139:5-7; 1151:14; 1179:2-3; 2004:33, :36; 2005 obv. passim; 2007:8; 2008 passim; 2009 obv.12; 2011:31; 2012:26; 2015 rev.3; 2016:II

848 Vgl. schon oben I, S. 70; ferner Dietrich – Loretz – Sanmartín, *UF* 6 (1974), S. 457.
849 Vgl. schon oben I, S. 69.
850 Vgl. ferner oben zu *ʿm* (Präposition).
851 Vgl. Gordon, *Ug.lit.*, S. 111; ferner zu analogen Stellen z.B. de Moor, *UF* 2 (1970), S. 323 und andere.
852 Vgl. ferner die mit *w* eingeleiteten verschiedenartigen Syntagmen 613:11, :19, :24 (de Moor, *UF* 2 (1970), S. 323); usw.
853 Vgl. Virolleaud, *PU* II, S. 39f.
854 Vgl. schon oben I, S. 49.
855 Vgl. schon oben I, S. 71.
856 Vgl. schon oben I, S. 33.

rev.3-4; 2033 rev.5; 2043:5; 2044 passim; 2046:8; 2049:3-9; 2054 rev.21, :23; 2057:3; 2059:18; 2060 passim; 2061:15; 2062 passim; 2063 passim; 2064 passim; 2065:7; 2084:7; 2092:18; 2094:5-6; 2101:26-28; 2104:1-2, :4-5; 2113:23-25; 2114:5-7; 2116:7, :13; 2123:3; 2127 b:2, :6; 2128 rev.12; 2129 passim; 2142:4; 2158 passim; 2159:9; 2163 passim; CTA:I:13; CTA:42; CTA:61:4-5; CTA:191:2; CTA:204:B:2; R61:Ae:16, :Af:19, :Ag:23; RŠ 34 124:12-13; ibid. linker Rand:4-5 (Prosa).

Die erweiterte Form *w-m* des Ugaritischen ist bisher nur einmal in der Prosa nachgewiesen. Im betreffenden Fall dient die Form der Koordinierung von zwei gleichgeordneten konstatierenden Verbalsätzen (mit Afformativ- bzw. Präformativform): 702 obv.5-8 *wšt ibsn* (:5) *lk(!)m wm ag* (:6) *rškm* (:7) *b bty* (:8) "und ich habe *ibsn* für euch angelegt und ich vertreibe euch von (wörtlich: in) meinem Haus (, wo ihr jetzt zu Hause seid)"[857] (vgl. schon oben zu *b*). Zum Gebrauch vgl. schon oben zu *w* mit Analogien.

Mehrfach bezeugt, aber nur in der Poesie, ist die erweiterte Form *w-n* des Ugaritischen.

Letztere verbindet einmal zwei gleichgeordnete konstatierende Sätze (Verbalsätze mit Präformativform = *yqtl*): 75:I:35-36 *yḥ pat md!br* (:35) *wn ymġy aklm* (:36) "er (der Gott Ba'l) begab sich in die Gegend (wörtlich: die Grenzen) der Steppe und es kamen die Fresser"[858]. Zum Gebrauch vgl. oben zu *w* mit Verweisen. Vgl. ferner zur angehängten Form *-wĕn* in der Tigriña-Sprache (zur Verbindung von gleichgeordneten konstatierenden Sätzen)[859].

Sonst dient die Form *w-n*, wie mehrfach die einfache Form *w* (siehe oben), an mehreren deutlich erschließbaren Stellen, bei loser Verbindung, zur Einführung des Folgenden, wie in Nominalsätzen: (*w-n* + Subjekt in echten Nominalsätzen) 51:IV:50-51 *wn in bt lb'l* (:50) *km ilm* (:51) "und nicht hat Ba'l ein Haus wie die Götter"; ebenso 'nt:V:46; 129:22 *wn in aṯt* "und eine Frau ist nicht vorhanden"[860]; ebenso (*w-n* + Konjunktion + Objekt in einem zusammengesetzten Nominalsatz) 51:V:68-69 *wnap 'dn mṭrh* (:68) *b'l y'dn* (:69) "und auch die Zeit seines Regens setzt Ba'l fest"[861]. Zum Gebrauch vgl. oben zu *w*; ferner zu tigriña *-wĕn* (zum häufigen Gebrauch desselben zur Anknüpfung eines Satzes, der einen Fortschritt in der Erzählung ausdrückt).[862]

Zerstörte Fälle mit *w-n* sind: CTA:28:11; CTA:210:A:4. Vgl. vielleicht auch 77:30-31 (siehe oben)[863].

Ferner kommen vor 2) vom Stamm *p*: *p* (Stammbildung); *pn* = *p* + *-n* (hervorhebende Partikel; siehe oben I, S. 61ff.) "und, und daher, dann". Zur Etymologie vgl. "jaudisch" *p, p'*; aramäisch (palmyrenisch und

---

857 Miller, *AnOr* 48, S. 37f. faßt *wm* = *whm* (d.h. mit Elision von *h*) "und wenn" auf; dagegen schon Dahood, *ibid.*, S. 51f.: *wm* = *w* + *-m*. Zum Formtypus vgl. sonst schon oben I, S. 61 u.ö., und Nachträge zu I.

858 Zur Verbform *yḥ* vgl. schon Aistleitner, *Wb*, S. 204.

859 Siehe Praetorius, *Tigriñasprache*, S. 350. Die *Nachstellung* der korrespondierenden Konjunktionsform in der Tigriña-Sprache ist als sprachliches Phänomen keineswegs unik. Vgl. z.B. analog die durchgehende Nachstellung der sonst im Semitischen konsequent vorgestellten Negationsform *lā* in der Mehri-Sprache; dazu näher Brockelmann, *Grundriß* II, S. 184; Wagner, *Syntax*, S. 33f.

860 Zu den letztangeführten Fällen vgl. schon oben I, an mehreren Stellen. 129:22 liest van Selms, *UF* 2 (1970), S. 257 *p(!)n* (dagegen z.B. Gordon, *Textbook*, S. 196; Herdner, *Corpus*, S. 10; usw.).

861 Vgl. Aistleitner, *Wb*, S. 31, 229 u.ö.; ferner Aartun, *WdO*, IV,2 (1968), S. 280f.; anders z.B. Gordon, *Ug.lit.*, S. 32 u.ö.; Caquot und Sznycer, *Textes*, S. 411; ferner Delekat, *UF* 4 (1972), S. 23 (analogielos).

862 Dazu vgl. ebenfalls Praetorius, *a.a.O.*

863 Siehe sonst Whitaker, *Concordance*, S. 251. Zu 77:31 vgl. Gordon, *Textbook*, S. 110 (§ 12.9).

nabatäisch) *p*; arabisch *fa*; altsüdarabisch *f* "und, und dann u.ä."[864]. Vgl. ferner zu hebräisch *pæn* < **pV* + *-n* (vgl. oben)[865].

Wie durchgehend in den verwandten Sprachen, die ebenso Partikelformen derselben Wurzel besitzen, dient ugaritisch die einfache Form *p*, im Gegensatz zu *w* (siehe oben), immer nur zur Verbindung von Sätzen, namentlich Verbal- und Nominalsätzen. In allen Fällen wird grundsätzlich durch die Form *p* das Fortschreiten der Ereignisse unterstrichen.

An den vorhandenen Stellen dient *p* mehrmals der Weiterführung oder Fortsetzung der schlichten Erzählung. Beispiele dieses Gebrauchs (Beiordnung von konstatierenden verbalen und nominalen Sätzen) sind, aus der Dichtung: (*p* + Prädikat = *yqtl*) 2Aqht:I:16 *pyln* ". . . und er verbrachte die Nacht"[866]; (*p* + Prädikat = einem Nomen) 51:IV:59-60 *pʿbd an ʿnn aṯrt* (:59) *pʿbd ank aḫd ulṯ*[867] (:60) "(und es antwortete der Freundliche, Il, der Mitleidige:) Und (bin) ich ein Sklave, ein Diener o.ä. der Aṯrt, und (bin) ich ein Sklave, einer der eine Kelle hält?"[868]; (*p* + Subjekt) 67:I:14-15 *pnp š*[869] *npš lbim* (:14) *thw* (:15) "(eine Botschaft des Sohnes des Il, Mt, . . .:) Und ein Lebewesen (wörtlich: Seele) erregt (wörtlich: erregte)[870] das Verlangen (wörtlich: die Seele) der Löwen"[871]; (*p* + Partikel) 67:I:19-20 *pimt*[872] *bkl[a]t* (:19) *ydy ilḥm* (:20) "und in Wahrheit esse ich mit meinen b[ei]den Händen"[873]; aus der Prosa: (*p* + Negation + Prädikat = *yqtl-*) 1012:28-29 *p l ašt aṯty* (:28) *nʿry ṯh lpn ib* (:29) "(und siehe, der Feind bedrängt mich.) Und ich kann nicht meine Frau (und) meine Kinder (wie) Geschenke vor den Feind setzen"[874]; (*p* + Subjekt) 1010:7-8 *pank atn* (:7) *ʿṣm lk* (:8) "(wie soll ich die Holzstämme für das Haus des Dml/Bt Dml festsetzen (wörtlich: auferlegen o.ä.)?) Und daher gebe ich dir die Holzstämme"[875]; ebenso RŠ 34 124:8-9 (Caquot, *L'annuaire* 75 (1974-75), S. 430). Zum Gebrauch vgl. analog z.B. zu arabisch *fa* Reckendorf, *Synt. Verh.*, S. 455ff.; zu altsüdarabisch *f* Höfner, *Gram.*, S. 171; Beeston, *Grammar*, S. 61f.; usw.; vgl. ferner auch besonders Brockelmann, *Grundriß* II, S. 486ff.

Oft dient ferner ugaritisch *p*, ebenso in analoger Weise wie die entsprechenden Formen in den verwandten Sprachen, zur Verbindung von konstatierenden und nicht-konstatierenden Sätzen resp. Aufforderungssätzen, oder auch von zwei beigeordneten Aufforderungs- bzw. Wunschsätzen, verbaler oder nominaler Art, wie

---

864 Siehe Friedrich, *Gram.*, S. 162 u.ö.; Cantineau, *Gram. du palm. épigr.*, S. 139; *Nabatéen* I, S. 103; Wright I, S. 290 Df.; Höfner, *Gram.*, S. 171; Beeston, *Grammar*, S. 61f. Zum angeblichen Vorkommen von *pV* im Althebräischen vgl. z.B. Dahood, *Biblica* 38 (1957), S. 310-312; *Ug.-Heb. phil.*, S. 35; Garbini, *Il semitico di nord-ovest* (1960), S. 167 (dagegen id., *Biblica* 38 (1957), S. 419-427); van Zijl, *OTWSA* 10 (1967) (mir nicht zugänglich); *AOAT* 10, S. 101. Wie an anderer Stelle gezeigt werden soll, sind jedoch sämtliche der ausdrücklich beanspruchten Stellen ganz anders zu fassen.

865 Zur traditionellen etymologischen Erklärung der hebräischen Partikel *pæn* vgl. z.B. Gesenius-Buhl, *Hw*, S. 645; König, *Wb*, S. 365; Koehler, *Lex.*, S. 764f.; Joüon, *Grammaire*, S. 519; usw. Dagegen spricht zunächst die Bedeutung, aber auch der syntaktische Gebrauch. Auf konstatierender Basis hat dementsprechend schon Bergsträsser erkannt und nachdrücklich hervorgehoben, was die syntaktische Kombination der Form betrifft (siehe id., *Einführung*, S. 45): "eigentlich Hauptsätze einführend, was noch oft deutlich ist".

866 Vgl. Gordon, *Textbook*, S. 428 u.ö.; Aistleitner, *Wb*, S. 172 u.ö.

867 Zur Lesart vgl. Virolleaud, *Syria* XIII (1932), S. 131 (Pl. XXVI, S. 128); Driver, *Myths*, S. 96; Herdner, *Corpus*, S. 26 (*pʿbd*); dagegen Gordon, *Textbook*, S. 171 und andere (*pʿdb*) (demnach oben I, S. 48).

868 Vgl. Driver, *Myths*, S. 97; Jirku, *Mythen*, S. 46. Sprachlich arbiträr betrachtet van Zijl, *AOAT* 10, S. 101f. die Partikel *p* in diesem Fall = einer Interjektion.

869 Zur Lesart vgl. Herdner, *Corpus*, S. 33.

870 Zur Verbalsyntax vgl. schon oben.

871 Siehe ferner Virolleaud, *Ugaritica* V, S. 559f.; de Moor, *UF* 1 (1969), S. 184f. zur Parallele 604 obv.2-4.

872 Vgl. schon Herdner, *Corpus*, S. 33; de Moor, *UF* 1 (1969), S. 184.

873 Vgl. schon oben I, S. 14; ferner de Moor, *UF* 1 (1969), S. 201f. und 185f.

874 Vgl. schon oben I, S. 24; ferner Dietrich – Loretz – Sanmartín, *UF* 6 (1974), S. 457.

875 Vgl. Virolleaud, *PU* II, S. 24; Dietrich – Loretz – Sanmartín, *UF* 6 (1974), S. 453.

dichterisch: (*p* + Prädikat) 49:I:2 *pštbm* "... und knebele!"[876]; 1Aqht:154 *'nt brḥ p'lmh 'nt pdr dr* "nun (sei) ein Flüchtling und für (alle) Ewigkeit (sollst du es sein), nun und von Geschlecht zu Geschlecht"[877]; ebenso ibid.:161-162, :167-168; (*p* + Subjekt) 'nt:I:2-4 *prdmn 'bd ali[yn]* (:2) *b'l sid zbl b'l* (:3) *arṣ qm* (:4) "(sen[ket] nicht [eure Häupter]!) Dann erhob sich die Schar der Diener des Ali[yn] Ba'l, der Dienstknechte des Fürsten, des Herrn der Erde"[878]; (*p* + Objekt) Krt:142 *pd in bbty ttn* "(was soll ich mit Silber und dem Gelb des Goldes usw.?) Und daher das, was nicht in meinem Hause ist, sollst du (mir) geben"; ebenso ibid.: 287-288; ferner aus der Prosa: (*p* + Prädikat) 138:12-13 *prgm* (:12) *lmlk šmy* (:13) "(und siehe, mein Bruder, mein Sohn, soll Ṯryl fragen.) Und sage dem König meinen Namen!"; 1020:7 *piḫdn gnryn* "(mein Freund besorge mir eine Ermächtigung o.ä. bezüglich Šmn, wo er (ist),) und ich, Gnryn, fasse ihn"[879]. Zum Gebrauch vgl. ebenso analog z.B. zu arabisch *fa* Reckendorf, *Synt. Verh.*, S. 455ff. u.ö.; vgl. ferner besonders Brockelmann, *Grundriß* II, S. 486ff.

Zerstörte bzw. unklare Stellen mit *p* sind: 67:I:26, :IV:1; 604 rev.16-17; 1003:11 (poetische Texte); 100:4; 1018:17; RŠ 34 124:19 (wie oft analog z.B. arabisch *fa* (Nöldeke, *ZGr*, S. 111f.), altsüdarabisch *f* (Beeston, *Grammar*, S. 61) zur Einleitung des Nachsatzes von einem Bedingungssatz mit *im*); ibid. linker Rand: 1-2 (Caquot, *L'annuaire* 75 (1974-75), S. 430f.) (Prosatexte).

Die erweiterte Form *p-n* des Ugaritischen kommt vorläufig nur einmal in der Poesie vor. Wie öfters die einfache Form *p* (vgl. oben) bringt sie im betreffenden Fall einen Fortschritt in der Erzählung: (*p-n* + präpositionalem Objekt + Prädikat usw.) 601 obv.12-13 *pn lmgr lb t'dbn* (:12) *nšb* (:13) "(der Pförtner des Hauses des Il schilt sie.) Dann bereiten sie für die Zustimmung des Herzens[880] ein *nšb* (||für den Köter (Hund) bereiten sie eine Schulter)"[881]. Zum Gebrauch vgl. oben zu *p* mit Verweisen[882].

Weiter erscheinen 3) vom Stamm *ap*: *ap* (Stammbildung); *apn* = *ap* + *-n* (hervorhebende Partikel; siehe oben I, S. 61ff.); *apnk* = *ap* + *-n* + *-k* (hervorhebende Partikel; siehe oben I, S. 47ff.); *apnnk* = *ap* + *-n* + *-n* + *-k* "auch, ebenfalls, doch, dann o.ä." Zur Etymologie vgl. hebräisch *'af*, *'af-kī*; phönizisch *'p*; aramäisch *'f*/*'p*: biblisch-aramäisch *'af*, jüdisch-aramäisch *'af*, *'ūf*, mandäisch *ap*, syrisch *'āf* (mit Variante), christlich-palästinisch *'ōf*; usw. "auch, noch, sogar u.ä."[883].

Bedeutungsmäßig stehen die letztgenannten Formbildungen den Versicherungspartikeln (vgl. oben I, S. 29ff.) sehr nahe. Durch den tatsächlichen Gebrauch kommt jedoch, ebenso wie in den verwandten Sprachen, auch im Ugaritischen deren Charakter als hinzufügende und z.T. abgeschwächt als bloß weiterführende Partikeln immer noch deutlich zum Vorschein.

---

876 Zu anderer Lesart vgl. Herdner, *Corpus*, S. 39 mit Verweis auf Virolleaud, *Syria* XV (1934), S. 236 (hypothetische Annahme). Vgl. ferner z.B. zu 49:II:18 (*npš*) u.ö.

877 Vgl. schon oben I, S. 14, 41.

878 Siehe Aartun, *WdO*, IV,2 (1968), S. 294f. sowie oben I, S. 43; anders z.B. Caquot und Sznycer, *Textes*, S. 391; de Moor, *AOAT* 16, S. 67f.

879 Vgl. de Moor, *JNES* XXIV (1965), S. 359f.; Dietrich – Loretz – Sanmartín, *UF* 6 (1974), S. 471f.; ferner Krahmalkov, *JNES* XXVIII (1969), S. 262f.

880 D.h.: abstractum pro concreto. Zur Ausdrucksweise vgl. vor allem akkadisch *mi-gir libbi* (siehe z.B. von Soden, *AHw*, S. 651).

881 Zur hier vertretenen Deutung der Form *pn* vgl. ähnlich de Moor, *UF* 1 (1969), S. 168, 171. Vgl. ferner besonders den Kontext ibid.:9-11, :14f.; dagegen z.B. Virolleaud, *Ugaritica* V, S. 545f.; Loewenstamm, *UF* 1, S. 75; Rüger, *ibid.*, S. 203; Margulis, *UF* 2 (1970), S. 132f.

882 Ebenso an der mythologischen Stelle 129:22 liest van Selms, *UF* 2 (1970), S. 257 *p(!)n*; vgl. dagegen oben zu *w-n* mit Verweisen.

883 Siehe Gesenius-Buhl, *Hw*, S. 57, 896; Koehler-Baumgartner, *Lex.*, S. 74f., 1053; Friedrich, *Gram.*, S. 119; Dalman, *Gram.*, S. 240f., 401; Macuch, *Handbook*, S. 245; Nöldeke, *Syr. Gram.*, S. 98; Schulthess, *Gram.*, 57; usw.

Die einfache Bildung *ap* introduziert resp. verbindet im Material nur selten Einzelwörter bzw. Ausdrücke. Derartige Belege sind, dichterisch: (*ap* + Subjekt) 67:IV:6 *i ap b*ʿ[*l*] "wo (ist) denn (wörtlich: auch) Baʿ[l]?"[884]; ferner (zur Verbindung von direkten Objekten) 51:VI:40-41 *ṯbḫ alpm* [*ap*] (:40) *ṣin* (:41) "er schlachtete Rinder, [auch] Kleinvieh"; ebenso 124:12; vgl. die Parallelen 51:VI:41-42 sowie 124:12-13 mit der Konjunktion *w* (siehe oben); ferner (zur Verbindung von präpositionalen Bestimmungen, und zwar mit Voranstellung des ersten Gliedes des zweiten kombinierten Ausdrucks) 125:2-3 *k*[*k*]*lb bbtk n*ʿ*tq kinr* (:2) *ap ḫštk* (:3) "wie ein [Hu]nd gehen wir (wörtlich: rücken wir fort o.ä.) in deinem Hause, ja (wörtlich: auch) wie ein Köter (in) deinem Heim (wörtlich: Eintritt o.ä.)"[885]; ebenso ibid.:15-17, :100-101; so auch ʿnt:V:33-35 *y*ʿ*ny* (:33) *il bšb*ʿ*t ḥdrm bṯmnt* (:34) *ap sgrt* (:35) "es antwortet Il, in den sieben Zimmern, ja (wörtlich: auch) in den acht Gemächern"[886]; ebenso ibid.:18-20. Zum Gebrauch vgl. z.B. zu hebräisch *ʾaf* Ps 108:2; Dt 33:20; 2S 20:14.

Häufiger dient ugaritisch die einfache Form *ap* der Hinzufügung von Sätzen verbaler oder nominaler Art. Meist werden dadurch konstatierende Sätze eingeführt, wie dichterisch: 51:I:20-21 *ap mṯn rgmm* (:20) *argmk* (:21) "auch ein anderes Wort werde ich dir sagen (wörtlich: sage ich dir)"[887]; ebenso ʿnt:IV:75-76 (mit Energicus); 67:VI:25-26 *ap* (:25) ʿ*nt ttlk* (:26) "auch ʿAnat streift herum o.ä."; 125:3-4 *ap ab ik mtm* (:3) *tmtn* (:4) "auch, Vater, wie Sterbliche wirst du gewißlich sterben (wörtlich: stirbst du gewißlich)?"[888]; ebenso ibid.:17-18, :102; ibid.:9-10 *ap* (:9) [*k*]*rt bnm il* (:10) "auch/doch (ist) [K]rt der Sohn des Il"; ebenso ibid.:110; 127:25 *ap yṣb yṯb bhkl* "auch Yṣb sitzt im Palast"[889]; 128:III:24-25 *ap bnt ḥry* (:24) *kmhm* (:25) "auch die Töchter der Ḥry (waren) gleich ihnen"; 137:20-21 *ap ilm la*[*kl*] (:20) *yṯb* (:21) "auch saßen die Götter beim Ess[en]" (zum wörtlichen Sinn vgl. oben zu *l*); vgl. auch ibid.:38, :43; 2Aqht:VI:32-33 *ap ank*[890] *aḥwy* (:32) *aqh*[*t ġz*]*r* (:33) "auch verleihe ich Aqh[t, dem Held]en, (ewiges) Leben"; ebenso (mit vorangestellter Konjunktion) 51:V:68-69 *wnap* ʿ*dn mṭrh* (:68) *b*ʿ*l y*ʿ*dn* (:69) "und auch die Zeit seines Regens setzt Baʿl fest"[891]; zur häufigen syntagmatischen Kombination *apnk . . . ap hn* siehe unten zu *apnk*; aus der Prosa: 1021:2-3 *ap ksphm* (:2) *lyblt* (:3) "auch ihren Sold, fürwahr, habe ich gebracht"; 2114:10-11 *ap krmm* (:10) *ḫlq* (:11) "auch die Weingärten hat er zerstört (/sind zerstört worden)"[892]; ebenso (mit vorangestellter Konjunktion) 95:13-14 *w ap ank* (:13) *nḫt* (:14) "und ich bin auch zur Ruhe gekommen (/habe micht ausgeruht)"; 2065 rev.18-20 *w ap ank mnm* (:18) *ḫsrt w uḫy* (:19) [*y*]ʿ*msn ṯmn* (:20) "und auch ich, was auch immer mir mangelt (wörtlich: mangelte/hat gemangelt)[893], und möge mein Bruder mir dort [ge]ben (wörtlich: und möge mein Bruder mich dort [be]laden (mit dem, was ich wünsche))"[894]. Der Einführung von Aufforderungssätzen dient dagegen ugaritisch *ap* in Fällen, wie dichterisch: 1Aqht:16-17 *ap qšth lttn* (:16) *ly* (:17) "auch seinen Bogen sollst du (soll man) mir geben"[895]; vgl. vielleicht auch 62 rev.41-44[896]; 137:13 *aphm tb*ʿ *ġlm*[*m al ṯṯb*]

884 Vgl. schon oben I, S. 2.

885 Siehe schon oben. Zu *ap* vgl. ferner schon z.B. Driver, *Myths*, S. 41; de Moor, *UF* 1 (1969), S. 171; Sauren und Kestemont, *UF* 3 (1971), S. 209.

886 Siehe ebenfalls schon oben; ferner besonders Aistleitner, *Texte*, S. 31; *Wb*, S. 32 und andere. Zur Wortstellung (dominierende Vorstellung) vgl. besonders Brockelmann, *Grundriß* II, S. 439ff. Vgl. sonst vielfach analog zur Konjunktion *w* (siehe oben).

887 Vgl. Aistleitner, *Texte*, S. 37; *Wb*, S. 31, 290 und andere. Vgl. ferner Aartun, *Tempora*, S. 104ff.

888 Vgl. schon oben; ferner z.B. Virolleaud, *Syria* XXII (1941), S. 107; Gray, *Krt*², S. 22; Pardee, *UF* 5 (1973), S. 230; usw.

889 In seinem *Manual*, S. 164 liest Gordon *lhkl*; dagegen *Textbook*, S. 194 *bhkl* (entsprechend dem Keilschrifttext).

890 Vgl. oben.

891 Vgl. schon oben.

892 Vgl. Virolleaud, *PU* V, S. 137.

893 D.h. Afformativform von der inklusiven Vergangenheit und Gegenwart. Dazu vgl. näher Aartun, *Tempora*, S. 40f. u.ö.

894 Vgl. schon oben I, S. 4f.

895 Vgl. oben I, S. 74.

896 Vgl. ebenfalls oben I, S. 74.

"auch siehe, gehet, Dien[er, verweilet nicht]!"; aus der Prosa: (mit vorangestellter Konjunktion) 1013:22-24 *w ap mhkm* (:22) *b lbk al* (:23) *tšt* (:24) "und auch sollst du dir nicht irgend etwas zu Herzen nehmen". Zum Gebrauch vgl. analog z.B. zu hebräisch *'af* Lv 26:16; Dt 33:3; 15:17; usw.

Zerstörte bzw. unklare Stellen mit *ap* sind: 68:2; 128:III:28; 2Aqht:I:2; 3Aqht obv.26-27, rev.5; ʿnt pl. X:IV:26; 1001 rev.9 (poetische Texte); 13 rev.5 (*ap ht*); 27:6; 42:2; 1012:15-16, :20-21; 2008 rev.5; 2127 :b:6 (Prosatexte).

Die erweiterte Form *ap-n* dient mit Sicherheit einmal in der Dichtung der Anknüpfung des einzelnen Satzteils (des zweiten koordinierten Objektes): ʿnt:I:23-25 *yʿn pdry* (:23) *bt ar apn ṭly* (:24) [*bt*] *rb* (:25) "er (Baʿl) sieht Pdry, die Tochter des Lichtes, auch/dann Ṭly, [die Tochter] des Regens"[897]. Zum Gebrauch vgl. oben zu *ap*.

Ein zerstörter Fall mit *ap-n* findet sich 125:119; vgl. vielleicht auch 2Aqht:I:2[898] (dazu vgl. oben).

Beliebt ist dagegen im vorliegenden Material die Anwendung der erweiterten Form *ap-n-k*. Vorläufig dient diese aber nur dichterisch zur Einführung von Nominalsätzen konstatierender Art. Belege sind: 49:I:28-29 *apnk ʿṯtr ʿrẓ* (:28) *yʿl bṣrrt ṣpn* (:29) "auch/dann stieg ʿṮtr, der Furchtbare, auf die Höhe(n) des Ṣpn"; 67: VI:11-12 *apnk lṭpn il* (:11) *dpid yrd lksi* (:12) "dann stieg der Freundliche, Il, der Mitleidige, vom Thron herab" (zum wörtlichen Sinn des Syntagma vgl. oben zu *l*); 125:46-47 *apnk ġzr ilḥu* (:46) [*m*]*rḥh yiḫd byd* (:47) "dann nahm der Held Ilḥu seine [La]nze in die Hand"; 128:II:8-9 [*ap*]*nk krt ṯʿ* ʿ[ ]*r* (:8) *bbth yšt* (:9) "[da]nn legt(e) Krt Ṯʿ ... in sein Haus"; 1Aqht:38-39 *apnk dnil mt* (:38) *rpi yṣly* (:39) "dann betet Dnil, der Rpu-Mann"; 2Aqht:V:28-29 *apnk mṯt dnty* (:28) *tšlḥm* (:29) "dann die Frau Dnty gibt/gab zu essen". Besonders beliebt ist im Aqht-Gedicht die syntagmatische Kombination: *apnk* ... + *ap hn* ... (vgl. oben), wie 1Aqht: 19-21 *apnk dnil* (:19) [*m*]*t rpi ap*[*h*]*n ġ*[*z*]*r* (:20) [*mt hrn*]*my ytšu* (:21) "dann Dnil, der Rpu-[Ma]nn, ja (wörtlich: auch (vgl. oben)), [sie]he, der He[l]d, [der Mann aus Hrn]my[899], erhebt sich"; ebenso 2Aqht:V:4-6; 2Aqht: II:27-29 *apnk dnil* (:27) *mt rpi ap hn ġzr mt* (:28) *hrnmy alp yṭbḫ* (:29) "dann Dnil, der Rpu-Mann, ja, siehe, der Held, der Mann aus Hrnmy, schlachtet(e) ein Rind"; 2Aqht:V:13-15 *apnk dnil* (:13) *mt rpi aphn ġzr mt* (:14) [*h*]*rnmy gm laṯth kyṣḥ* (:15) "dann Dnil, der Rpu-Mann, ja, siehe, der Held, der Mann aus [H]rnmy, laut, fürwahr, zu seinem Weibe ruft"; 2Aqht:V:33-35 *apnk dnil m*[*t*] (:33) *rpi aphn ġzr mt* (:34) *hrnmy qšt yqb*[ ] (:35) "dann Dnil, der Rpu-Ma[nn], ja, siehe, der Held, der Mann aus Hrnmy, den Bogen ...". Zum Gebrauch vgl. ebenfalls oben zur einfachen Form *ap*; vgl. ferner vor allem zu hebräisch *'af-kī* (siehe die Grammatiken und Lexika).

Eine zerstörte Stelle mit *ap-n-k* ist Krt:227-229.

Die erweiterte Form *ap-n-n-k* kommt vorläufig nur einmal dichterisch in einem schwer beschädigten Text vor: 122:5 *apnnk yrp*[ ] "dann ..."[900]. Vgl. oben zu *ap, apn, apnk*.

Ebenso kommen vor 4) vom Stamm *'w*: *u* < **'aw*[901]; *uk* = *u* + *-k* (hervorhebende Partikel; siehe oben I, S. 47ff.); *uky* = *u* + *-k* + *-y* (hervorhebende Partikel; siehe oben I, S. 44ff.) "oder". Zur Etymologie vgl. he-

[897] Vgl. schon oben I, S. 65; ferner Cassuto, *Goddess*, S. 84f.; Gray, *Legacy*, S. 31; Caquot und Sznycer, *Textes*, S. 392; de Moor, *AOAT* 16, S. 81f.; usw.

[898] Vgl. Aistleitner, *Wb*, S. 31; Herdner, *Corpus*, S. 79 mit Verweisen.

[899] Dazu vgl. schon ausführlich oben.

[900] Siehe schon oben I, S. 50, 65.

[901] Zur Monophthongisierung sämtlicher Diphthonge im Ugaritischen siehe schon Gordon, *Textbook*, S. 31 (§ 5.18).

bräisch *'ō* < **'aw*; jüdisch-aramäisch *'ō* < **'aw*; palmyrenisch, nabatäisch usw. *'w*; syrisch *'aw*, *'awkēṯ* < **'aw-ka-y-t(V)*; arabisch und äthiopisch *'aw*; altsüdarabisch *'w*; akkadisch *ū* < **'aw* "oder"[902].

Die Anwendung der ugaritischen Formen vom Stamm *'w* entspricht, wie bereits die angegebene Bedeutung verrät, der der verwandten Bildungen derselben Wurzel im Semitischen.

Zur Gegenüberstellung zweier alternierender oder sich ausschließender nominaler Glieder dient, wie gemeinsemitisch, die parallele Kombination der einfachen Form: *u . . . u*. Belege sind, dichterisch: 51:VII:43 *umlk ublmlk* "entweder (wörtlich: oder) König oder Nicht-König"[903]; 52:63-64 *y'db uymn* (:63) *ušmal bphm* (:64) "sie (d.h. die Vögel und die Fische) wurden zubereitet o.ä. (als Speise) entweder rechts oder links in ihrem Munde"[904]; aus der Prosa (kultischer Text): (von der Alternierung von präpositionalen Ausdrücken) 2:23 *ubapkm ubq[ṣ]rt*[905] *npškm ubqṭt tqṭṭ* "entweder in eurem Unglück o.ä.[906] oder in eurer Not[la]ge (wörtlich: Bed[rückt]heit an der Seele)[907] oder in der Übertretung o.ä. (, die) ihr verübet (wörtlich: verübtet)"[908]; ebenso ibid.:31-32 u.ö. Zum Gebrauch vgl. analog z.B. zu hebräisch *'ō* Ex 22:9; Lv 21:18-20; zu jüdisch-aramäisch *'ō* Dalman, *Gram.*, S. 241; vgl. ferner Levy, *Wb* I, S. 36; Jastrow, *Dictionary*, S. 20; usw.

Alleinstehend dient ugaritisch die einfache Form *u* mehrfach dazu, Disjunktion von konstatierenden Sätzen anzugeben. Solche Beispiele sind, dichterisch: 125:4-5 *uḫštk lntn* (:4) *'tq bd aṯt* (:5) "oder dein Eingang (ist) für den Gestank zu betreten auf Grund einer Frau?"[909]; ebenso ibid.:18-19; ibid.:103-104 *uḫštk lbky 'tq* (:103) *bd aṯt* (:104) "oder dein Eingang (ist) für den Weinenden zu betreten auf Grund einer Frau?"; ibid.:22 *uilm tmtn* "oder sterben Götter?"; ebenso ibid.:105; aus der Prosa (kultischer Text): 2:11 *utḫṭi[n]*[910] "oder ihr verfehl[et] euch"; ebenso ibid.:14-15. Zum Gebrauch vgl. analog z.B. zu hebräisch *'ō* Nu 5:14; 11:8; Hi 38:28; usw.; zu arabisch *'aw* Reckendorf, *Synt. Verh.*, an mehreren Stellen; vgl. ferner besonders Brockelmann, *Grundriß* II, S. 492f.

Zerstörte Stellen mit *u* sind: 128:III:29; 133 rev.6; RŠ 34 126:12, :26 (Caquot, *a.a.O.*) (poetische Texte); 13:6, :7, :10; 1018:2-3; 2009 obv.12-13; RŠ 34 124 linker Rand:1-2 (*p u*; dazu z.B. altsüdarabisch *f'w* neben *'w* (Beeston, *Grammar*, S. 62)) (vgl. ferner Caquot, *a.a.O.*) (Prosatexte).

Die erweiterte Form *u-k* des Ugaritischen kommt vorläufig nur zweimal in einem zerstörten Prosatext vor: 2060:6 *uk škn* "oder der Statthalter"[911]; ibid.:8 *uk nġr* "oder der Hüter"[912]. Vgl. oben zu *u*. Vgl. ferner schon Gordon, *Textbook*, S. 356.

Einmal in einem beschädigten Prosatext erscheint bisher die erweiterte ugaritische Form *u-k-y*: 1018: 5-6 *uky* (:5) [ ] (:6) "oder . . ."[913]. Vgl. oben zu *u*, *u-k*. Vgl. ebenso schon Gordon, *Textbook*, S. 356.

---

902 Siehe Gesenius-Buhl, *Hw*, S. 14; Koehler, *Lex.*, S. 17f.; Dalman, *Gram.*, S. 241, 401; Cantineau, *Gram. du palm. épigr.*, S. 139; *Nabatéen* I, S. 103; Nöldeke, *Syr. Gram.*, S. 98; Wright I, S. 293 B; Dillmann, *Gram.*, S. 363; Höfner, *Gram.*, S. 163; Beeston, *Grammar*, S. 62; von Soden, *GAG*, S. 171.

903 Vgl. oben I, S. 26; ferner Hoftijzer, *UF* 4 (1972), S. 157.

904 Vgl. Driver, *Myths*, S. 123f.; anders z.B. Gordon, *Ug.lit.*, S. 61; Tsumura, *Ugaritic drama*, S. 16, 84f.

905 Zur Lesart vgl. Herdner, *Corpus*, S. 114.

906 Siehe Aartun, *Neue Beiträge.*

907 Vgl. 127:34, :47 *qṣr npš* "bedrückt an der Seele d.h. notleidend".

908 D.h. Kurzform von der Vergangenheit. Vgl. sonst z.B. Gordon, *Textbook*, S. 477 u.ö.

909 Vgl. schon Driver, *Myths*, S. 41, 157. Vgl. auch oben; anders Pardee, *UF* 5 (1973), S. 230 ("and").

910 Vgl. Herdner, *Corpus*, S. 114.

911 Vgl. Virolleaud, *PU* V, 84f.

912 Vgl. ebenso Virolleaud, *PU* V, S. 84f.

913 Vgl. schon oben I, S. 47, 50.

b) Koordinierende bzw. subordinierende Formen

Von dieser Art finden sich im vorliegenden Material allein vom Stamm *k*: *k* (Stammbildung); *ky* = *k* + -*y* (hervorhebende Partikel; siehe oben I, S. 44ff.); *km* = *k* + -*m* (hervorhebende Partikel; siehe oben I, S. 51ff.). Zur Etymologie vgl. hebräisch *kī*; phönizisch-punisch *k* (mit Varianten); moabitisch *ky*; aramäisch *ky*; äthiopisch (Gĕʿĕz) *ka-ma*; tigriña *kĕ*, *ka-m*; tigrē *kĕ-m*; akkadisch *kī*, *kī-ma*[914].

Wie in den verwandten Sprachen, besonders im Hebräischen, tritt auch ugaritisch die einfache Form *k* noch weitgehend als koordinierende Partikel auf. Dies ist deutlich in Fällen, in welchen *k* syntaktisch selbständige Hauptsätze einführt. Die konstatierende Bedeutung der Form ist in Belegen wie diesen, auf deutsch, grundsätzlich etwa: "die Tatsache, daß = denn".

Belege der genannten Art sind, aus der Poesie: (Anwendung von *k* zur Einführung von Verbal- bzw. Nominalsätzen) 51:III:21 *kbh bṯt ltbṯ* "denn (wörtlich: Tatsache ist, daß) darin wurde, fürwahr, Schande gesehen"[915]; 51:VII:41 *ktġḏ arz bymnh* "(die Augen Baʿls (sind gerichtet) auf seine Hand (wörtlich: (sind) vor seiner Hand).) Denn . . . der Speer (wörtlich: die Zeder) in seiner Rechten"[916]; 67:I:27-29 *ktmḫṣ* (:27) [*ltn bṯn br*]*ḥ tkly* (:28) [*bṯn ʿqltn*] (:29) "denn du schlägst [Ltn, die flüch]tige [Schlange], bereitest ein Ende (der gewundenen Schlange]"[917]; vgl. ebenso ibid.:1-2; 2Aqht:II:14 *kyld bn ly* "denn ein Sohn ist mir geboren"; Krt:39 *kybky* "(was ist über Krt gekommen?)[918] Denn er weint"[919]; ebenso 68:29 *kšbyn zb*[*l ym*] "denn unser Gefangener (war) der Fü[rst Ym]"[920]; vgl. ferner 1001 obv.4; 1Aqht:46-47[921]. Wie im Hebräischen findet sich auch dichterisch, in derselben Funktion, die parallele Kombination: *k . . . k*, wie (ebenso Sätze verbaler bzw. nominaler Art einführend) 75:II:47-49 *klbš km lpš dm a*[*ḫh*] (:47) *km all dm aryh* (:48) *kšbʿt lšbʿm aḫh ym*[ ] (:49) "denn er ist gekleidet wie in das Kleid [seiner] Brü[der], wie in den Mantel seiner Anverwandten. Denn seine siebenundsiebzig Brüder . . ."[922]; 49:I:13-15 *kmt aliyn* (:13) *bʿl kḫlq zbl bʿl* (:14) *arṣ* (:15) "denn tot ist Aliyn Baʿl; denn zugrundegegangen ist der Fürst, der Herr der Erde"[923]; ibid.:III:20-21 *kḥy aliyn bʿl*

914 Siehe Gesenius-Buhl, *Hw*, S. 341f.; Koehler, *Lex.*, S. 431f.; Muilenburg, *HUCA* XXXII (1961), S. 144ff.; Friedrich, *Gram.*, S. 119; Donner und Röllig, *Inschriften* I, S. 33; II, S. 168ff.; Jean und Hoftijzer, *Dictionnaire*, S. 117f.; Praetorius, *Gram.*, S. 155; *Tigriñasprache*, S. 259; Leslau, *JAOS* 65 (1945), S. 200; von Soden, *GAG*, S. 170.

915 Vgl. schon oben zu *b*.

916 Anders z.B. Ginsberg, *ANET*, S. 135; Driver, *Myths*, S. 101; Jirku, *Mythen*, S. 52; Caquot und Sznycer, *Textes*, S. 417; van Zijl, *AOAT* 10, S. 145f.; usw. Dem Kontext nach bildet aber der *k*-Satz eine selbständige Einheit = der Begründung des vorangehenden Satzes.

917 Zum wörtlichen Sinn vgl. ähnlich z.B. Gaster, *Thespis*, S. 187f. Die gewöhnliche subordinierende Auffassung von *k* an dieser Stelle ist an und für sich berechtigt (vgl. unten). Im Kontext scheinen jedoch auch hier die beiden Sätze syntaktisch selbständige Einheiten zu bilden = schildernden Konstatierungen von "historischen Vorgängen" als nachdrücklichen Begründungen.

918 Siehe schon oben I, S. 42.

919 Zum Text vgl. näher Herdner, *Corpus*, S. 62.

920 Vgl. z.B. Gordon, *Ug.lit.*, S. 16 u.ö.; al-Yasin, *Lex. rel.*, S. 131; Schmidt, *Königtum*, S. 12; de Moor, *AOAT* 16, S. 127; vgl. dagegen Hammershaimb, *Verb*, S. 70 u.ö.; Obermann, *Ug.myth.*, S. 16; Aistleitner, *Wb*, S. 300 und andere.

921 Dazu vgl. näher z.B. Gaster, *Thespis*, S. 297; Ginsberg, *ANET*, S. 153; usw.; anders z.B. Gordon, *Ug.lit.*, S. 95 u.ö.; Driver, *Myths*, S. 61; Jirku, *Mythen*, S. 130; usw. (Subordination); vgl. schon oben.

922 Vgl. schon Gordon, *Ug.lit.*, S. 55 u.ö.; anders z.B. Virolleaud, *Syria* XVI (1935), S. 263; Aistleitner, *Texte*, S. 57; *Wb*, S. 167. Vgl. ferner schon oben I, S. 55.

923 Vgl. ebenfalls schon Gordon, *Ug.lit.*, S. 44 u.ö.; ferner Ginsberg, *ANET*, S. 140; Aistleitner, *Texte*, S. 19; usw.; anders z.B. Virolleaud, *Syria* XII (1931), S. 195f.; Driver, *Myths*, S. 111; usw. (Subordination); dazu vgl. oben.

(:20) *kiṯ zbl bʿl arṣ* (:21) "denn Aliyn Baʿl lebt; denn vorhanden ist der Fürst, der Herr der Erde"[924]; ʿnt:II: 26-28 *kbd ʿnt* (:26) *tšyt kbrkm tġll bdm* (:27) *ḏmr* (:28) "denn in der Hand der ʿAnat (ist) der Sieg; denn die Knie sie wälzt im Blute der Kämpfer"[925]; vgl. auch 1001 rev.13 mit ʿnt:III:19-20; ferner vielleicht 68:29-30[926]. Zum Gebrauch vgl. zunächst zu hebräisch *kī* Gn 5:24; 30:13; 41:49; Ps 6:3; 27:10; Jes 6:5; 15:5-6; usw.[927]

Als konstatierende Partikel leitet ferner die einfache Form *k* des Ugaritischen, genau wie die entsprechenden Formen in den verwandten Sprachen, auch vielfach Sätze ein, die – nach unserem Sprachgefühl – syntaktisch im Verhältnis zu anderen Sätzen als untergeordnete Glieder zu betrachten sind. Kombinatorisch steht zunächst bei dieser Anwendung der *k*-Satz an mehreren Stellen entweder als Subjekt oder als Objekt bzw. als genauere Bestimmung des übergeordneten Objektes.

Belege dieses Gebrauchs von *k* sind, aus der Dichtung: (*k*-Satz als Subjekt) (bisher nur nominale Typen vorhanden) 125:81-82 *mn yrḫ km[rṣ]* (:81) *mn kdw kr[t]* (:82) "wie viele Monate (ist es her), daß kr[ank] (ist), wie viele, daß leidend (ist) Kr[t]?"[928]; ibid.:84-85 *ṯlṯ yrḫm km[rṣ]* (:84) *arbʿ kdw k[rt]* (:85) "drei Monate (ist es her), daß (er) kr[ank] (ist), vier, daß leidend (ist) K[rt]"; ferner (*k*-Satz als Objekt) verbale und nominale Typen vorhanden) 67:V:17 *kmtt* "(und die Götter sollen wissen,) daß du gestorben bist"[929]; 125:33 *krḥmt* "(ich weiß,) daß sie mitleidig ist"[930]; 49:III:8-9 *kḥy aliyn bʿl* (:8) *kiṯ zbl bʿl arṣ* (:9) "(und ich wisse,) daß Aliyn Baʿl lebt, daß der Fürst, der Herr der Erde, vorhanden ist"; ebenso (mit syntaktischem Bezug auf das übergeordnete Objekt) 3Aqht rev.16 *kanšt* "(ich habe dich erkannt, Tochter,) daß du freundlich o.ä. bist"; ebenso ʿnt:V:35; so auch (mit Bezug auf das präpositionale Objekt) 51:V:104-105 *ktlakn* (:104) *ġlmm* (:105) "(und kehre(t) zurück zur Erzählung,) daß die Diener (wörtlich: Jünglinge) gesandt werden"[931]; zum Typus vgl. auch unten zu *k-y*; aus der Prosa: (*k*-Satz als Subjekt) (verbale und nominale Satztypen) 2009:10-12 *w mndʿ k ank* (:10) *aḥš mġy mndʿ* (:11) *k iḫr* (:12) "und vielleicht (ist es so), daß ich die Ankunft beschleunige, vielleicht (ist es so), daß ich (sie) verzögere"[932]; ferner (*k*-Satz als Objekt) 1012:21 *k iḫd* [ ] "(er weiß,) daß ich . . . nehme". Zum Gebrauch vgl. analog zu hebräisch *kī* Gn 1:10; 22:12; 24:14; 37:26; 41:32; usw.; vgl. ferner Brockelmann, *Grundriß* II, an mehreren Stellen; *Syntax*, S. 151f.; Bergsträsser, *Einführung*, S. 45.

Nicht selten hat ferner ugaritisch, wie gemeinsemitisch, der durch *k* angeknüpfte Satz – nach unserem Sprachgefühl – die Funktion eines Adverbialsatzes, namentlich die eines Zeit- oder Bedingungssatzes. Die bisherigen ugaritischen Typen folgen allesamt Mustern, die aus den verwandten Sprachen bekannt sind.

924 Vgl. schon z.B. Gordon, *Ug.lit.*, S. 46 u.ö.; Ginsberg, *ANET*, S. 140; Driver, *Myths*, S. 113; Gray, *Legacy*, S. 59; *Ugaritica* VI, S. 300; Caquot und Sznycer, *Textes*, S. 431; de Moor, *AOAT* 16, S. 216; usw.; anders z.B. Virolleaud, *Syria* XII (1931), S. 213f. (Subordination); dazu vgl. oben.

925 Vgl. schon z.B. Gordon, *Ug.lit.*, S. 18 (dazu *Textbook*, S. 393, 499); de Moor, *AOAT* 16, S. 94 mit Verweisen; anders z.B. Driver, *Myths*, S. 85; Aistleitner, *Texte*, S. 26; usw. Vgl. sonst schon oben.

926 Vgl. Gordon, *Ug.lit.*, S. 16; *Textbook*, S. 180; Herdner, *Corpus*, S. 12; anders Virolleaud, *Syria* XVI (1935), S. 31; Driver, *Myths*, S. 82; dazu vgl. auch schon oben.

927 Zu Sätzen mit hebräisch *kī* vgl. sonst besonders Bergsträsser, *Einführung*, S. 45. Dasselbe gilt für ugaritisch *k* (semitisch *kV*). Vgl. ferner unten.

928 Vgl. schon Gordon, *Ug.lit.*, S. 79; Driver, *Myths*, S. 43; Jirku, *Mythen*, S. 106; Aistleitner, *Texte*, S. 100; usw.; dagegen Virolleaud, *Syria* XXII (1941), S. 129f.; Gray, *Krt²*, S. 24, 70. Vgl. dazu aber besonders den Kontext ibid.:84-85. Zum *k*-Satz als Subjekt siehe sonst Gordon, *Textbook*, S. 107 (§ 12.3).

929 Zum Kontext vgl. auch besonders Herdner, *Corpus*, S. 36.

930 D.h. Verbalsatz mit Afformativform; vgl. z.B. Aistleitner, *Wb*, S. 291; ferner Aartun, *Tempora*, S. 44f. sowie *UF* 7 (1975) an mehreren Stellen. Zum *k*-Satz als Objekt siehe sonst Brockelmann, *Orientalia* X (1940), S. 239; Gordon, *Textbook*, S. 107 (§ 12.3).

931 Vgl. Ginsberg, *ANET*, S. 134; Gordon, *Ug. and Min.*, S. 69; Caquot und Sznycer, *Textes*, S. 412; usw.; dagegen z.B. Driver, *Myths*, S. 99; Jirku, *Mythen*, S. 47; Aistleitner, *Texte*, S. 42 (Temporalsätze). Der *k*-Satz gibt aber offenbar einen schon berichteten (konstatierten) Punkt in der Erzählung an.

932 Anders Virolleaud, *PU* V, S. 17 (ebenso id., *CRGLES* VII (1954-57), S. 2). Zu *mndʿ* vgl. akkadisch *minde*, *midde* usw. "vielleicht" (von Soden, *AHw*, S. 655); ebenso schon van Selms, *Marriage*, S. 132f.

Beispiele der letztgenannten Verwendung von ugaritisch *k* sind vorläufig, dichterisch: (mit der Funktion eines Temporalsatzes) 606:1-2 *k ymġy adn* (:1) *ilm rbm ʿm dtn* (:2) "als (< die Tatsache, daß) der Herr der großen Götter zu Dtn kommt . . ."[933]; 2Aqht:II:6 *kšbʿt yn* "(der dich trägt,) wenn (< in dem/jedem Fall, daß) du an Wein satt geworden bist"; ebenso ibid.: 20; vgl. auch ibid.:I:31-32; ibid.:VI:30 *kyḥwy* "(mit dem Sohne des Il wirst du Monate zählen, gleich Baʿl,) wenn er lebt"[934]; zu 67:I:1-2, :27-28; 1Aqht:46-47 vgl. oben; aus der Prosa: (mit der Funktion eines Temporal- resp. Bedingungssatzes) 1106:58 *k ypdd mlbš* ". . . , wenn das Kleid abgetragen ist"; ebenso ibid.:60; 2004:10 *k tʿrb ʿṯtrt šd bt [m]lk* ". . . , wenn ʿṮtrt des Feldes das Haus des [Kö]nigs betritt"[935]; ebenso 5:1-2; 609:18; 2004:11 *k tʿrbn ršpm bt mlk* "wenn die *ršp-m* das Haus des Königs betreten"; vgl. auch ibid.:14; R61:D:3-4 *k ypth̲ yrk[t]* (:3) *hn[d]* (:4) "wenn er die[se] Innensei[te] (wörtlich: die Innensei[te], siehe, die[se])[936] öffnet"[937]; R61:C:1 *l agpṯr k yqny ġzr b alḏyy* "für Agpṯr, (in dem Fall, daß =) wenn er einen Burschen in Alḏyy[938] erwirbt"[939]; ferner (in Pferdetexten) 55:27 *kyraš wykhp mid [ššw]* "(gesetzt den Fall, daß =) wenn [das Pferd] den Kopf wirft und (mit dem Huf) scharrt"[940]; ebenso 56:21, :32-33; 56:12 *k yiḫd [akl ššw]* "wenn [das Pferd Nahrung] zu sich nimmt"; ebenso ibid.:17; ibid.:23 *k ygʿr [ššw]* "wenn [das Pferd] wiehert". Zum Gebrauch vgl. analog zu hebräisch *kī* Ps 32:3; Gn 4:12; Ex 21:2; 21:35; usw.; vgl. ferner Brockelmann, *Grundriß* II, an verschiedenen Stellen; *Syntax*, S. 157 u.ö.; Bergsträsser, *Einführung*, S. 45.

Zerstörte resp. unklare Stellen mit *k* sind: 6:14, :24, :25; 49:I:24; 1Aqht:13; 2Aqht:V:36 (poetische Texte); 32:3, :5; 55 passim; 56:8; 1022:3; 2064:27 (Prosatexte).

Die erweiterte Form *k-y* des Ugaritischen erscheint in der bisher bekannten Überlieferung nur in der Prosa. Wie die einfache Stammbildung *k* (vgl. oben) führt *k-y*, subordinierend, zunächst vereinzelt einen Subjektssatz ein, wie 2061:9-10 *ky lik bny* (:9) *lḥt akl ʿmy* (:10) "daß mein Sohn eine Speise-Tafel an mich geschickt hat, . . ."[941]; ferner introduziert es einmal einen Objektssatz, wie 1015:7-8 *ky ʿrbt* (:7) *lpn špš* (:8) "(und meine Mutter soll wissen,) daß ich zum Sonnenkönig Eintritt hatte"; ebenso einzeln einen konstatierenden Satz als nähere Bestimmung eines übergeordneten Objektes, wie 2060:19-20 *ky akl* (:19) *bḫwtk inn* (:20) "(und eine Speise-Tafel, fürwahr, hast du an den Sonnenkönig, deinen Herrn, geschickt,) daß es keine Speise in deinem Gebiet[942] gibt"[943]. Zum Gebrauch vgl. oben zur einfachen Form *k* mit Analogien.

Eine zerstörte Stelle mit *k-y* findet sich 1021:13 (Prosatext).

Die erweiterte Form *k-m* kommt bis jetzt, ebenso mit subordinierender Funktion, nur in der Poesie vor. In allen Fällen führt die Form Adverbialsätze ein: 124:10-11 *km tdd* (:10) *ʿnt ṣd* (:11) "wenn ʿAnat auf die Jagd geht, . . ."[944]; vgl. ferner 601 rev.3[945]; (mit vorangestelltem Subjekt) 3Aqht obv.29 *aqht km yṯb*

---

933 Vgl. Virolleaud, *Ugaritica* V, S. 563f. (*CRGLES* IX (1960-63), S. 90); de Moor, *UF* 2 (1970), S. 304f.; Astour, *UF* 5 (1973), S. 36.

934 Vgl. Virolleaud, *Danel*, S. 209; Gordon, *Ug.lit.*, S. 90 u.ö.; Gray, *Legacy*, S. 79; de Moor, *AOAT* 16, S. 42; van Zijl, *AOAT* 10, S. 273f.; Delekat, *UF* 4 (1972), S. 21; usw.

935 Vgl. Virolleaud, *PU* V, S. 7f.

936 Zum Sprachtypus vgl. oben I, S. 69.

937 Vgl. Dietrich und Loretz, *Ugaritica* VI, S. 174.

938 Vgl. schon oben.

939 Vgl. ähnlich Dietrich und Loretz, *Ugaritica* VI, S. 173.

940 Siehe Aartun, *Neue Beiträge*.

941 Zum Kontext vgl. Virolleaud, *CRGLES* VIII (1957-60), S. 91; *PU* V, S. 87.

942 Vgl. schon oben I, S. 20 Anmerkung 4 u.ö.

943 Gerade in einem Fall wie diesem sind auch nach unserem Sprachgefühl die Grenzen zwischen Gleichstellung (d.h. "denn es gibt keine Speise in deinem Gebiet"; vgl. oben) und Unterordnung (vgl. oben) fließend. Vgl. ferner Virolleaud, *PU* V, S. 84f.

944 Vgl. schon z.B. Driver, *Myths*, S. 145 u.ö.; Aistleitner, *Wb*, S. 143 u.ö.; usw.

945 Vgl. Loewenstamm, *UF* 1 (1969), S. 72f.; anders de Moor, *ibid.*, S. 169f.

llḥ[m] "als Aqht sich zum Ess[en] setzt, . . ."[946]; vgl. auch ibid.:18-19[947]. Zum Gebrauch vgl. ebenso oben zur einfachen Form *k* mit Analogien.

c) Subordinierende Formen

Von dieser Art findet sich 1) vom Stamm *'n*: *im* < **'in* + *-m* (hervorhebende Partikel; siehe oben I, S. 51ff.)[948] "wenn". Zur Etymologie vgl. hebräisch *'im* (< **'in* + *-m(V)*); phönizisch *'m* (< **'Vn* + *-m(V)*); äthiopisch *'ĕm-ma* (< **'in* + *-ma*); tigriña *'ĕn-ta* (< **'in* + *-ta* (hervorhebende Partikel; vgl. oben I, S. 65ff.)); tigrē *'ĕm* (< **'imm* < **'in* + *-m(V)*) usw. verglichen mit arabisch *'in* neben *'im-mā* (< **'in-mā*)[949]; aramäisch *'Vn* mit Varianten: jüdisch-aramäisch *'in* neben *'im* (vgl. oben), *'ī*[950]; syrisch *'en*; christlich-palästinisch *'en* (*'n*, *'yn*); palmyrenisch *'n*; usw. "wenn"[951].

Die Form *im* ist ugaritisch im vorliegenden Material mit Sicherheit nur in der Prosa belegt. Sie leitet in den gegebenen Fällen zusammengesetzte Nominalsätze ein: 1020:8 *im mlkytn yrgm* 'wenn Mlkytn (es) sagt (befiehlt), . . ."[952]; RŠ 34 124:9-12 *im bn qb/d'* (:9) *im bn alyy im* (:10) *mšm't mlk* (:11) [*l*] *tlkn* (:12) "si le fils de Qb/d' ou (wörtlich: si) le fils de Alyy ou (wörtlich: si) le garde du roi [ne] viennent [pas], . . ."; desgleichen ibid.:17-19 (siehe Caquot, *L'annuaire* 75 (1974-75), S. 430f.). Vgl. ferner unten zu *hm*. Zum Gebrauch vgl. analog z.B. zu hebräisch *'im* Lv 3:1; 4:3; Ri 6:37; 2S 10:11; usw.

Ferner kommt vor 2) vom Stamm *hn*: *hm* <**hn* (Stammbildung) + *-m* (hervorhebende Partikel; siehe oben I, S. 51ff.) "wenn". Zur Etymologie vgl. hebräisch *hēn*; aramäisch *hVn* (biblisch-aramäisch sowie jüdisch-aramäisch *hen*; mandäisch *hin*; palmyrenisch, nabatäisch *hn*); altsüdarabisch *hn* (Stammbildung), *hm* (< **hn* + *-m*)[953], *hmw* (< **hn* + *-m* + *-w*)[954]; usw. "wenn"[955].

---

946 Vgl. Gordon, *Textbook*, S. 107 (§ 12.3) u.ö.; Aistleitner, *Wb*, S. 143 u.ö.; usw. Zur Wortstellung vgl. schon oben; ferner z.B. Nöldeke, *ZGr*, S. 86f.

947 Zur zerstörten Stelle 51:VII:6 vgl. de Moor, *AOAT* 16, S. 156.

948 Zur Phonetik vgl. Gordon, *Textbook*, S. 32 (§ 5.22). Vgl. ferner die unmittelbar nachfolgende Anmerkung.

949 Wie im Äthiopischen ist auch im Arabischen diese Lautänderung (regressive totale Assimilation von *n* in Kontaktstellung) als eine besondere Sandhi-Erscheinung zu betrachten. Dasselbe ist wohl auch nach allem in diesem Fall für das Ugaritische, Hebräische, Phönizische und Aramäische anzunehmen. Für Analogien vgl. sonst besonders Brockelmann, *Grundriß* I, S. 173ff.; dazu II, S. 638ff.

950 Namentlich im galiläischen Dialekt. Für zahlreiche analoge Kurzformen (ohne schließendes *n*) im selben Dialekt siehe besonders Dalman, *Gram.*, S. 102.

951 Siehe Gesenius-Buhl, *Hw*, S. 45f.; Koehler, *Lex.*, S. 57f.; Friedrich, *Gram.*, S. 119; Littmann, *Hb. d. Or.* III (1954), S. 372; Praetorius, *Tigriñasprache*, S. 362f.; Leslau, *JAOS* 65 (1945), S. 201; Wright I, S. 292 Df.; Dalman, *Gram.*, S. 102, 237f., 400; Nöldeke, *Syr. Gram.*, S. 98; Schulthess, *Gram.*, S. 57; Cantineau, *Gram. du palm. épigr.*, S. 140. Sprachgeschichtlich hat sich in den Einzelsprachen bald die verlängerte, bald die einfache Form durchgesetzt (vgl. z.B. ugaritisch, hebräisch, phönizisch, äthiopisch usw. gegenüber den meisten aramäischen Dialekten). Seltener treten noch sowohl einfache wie erweiterte Formen neben einander auf (so noch im Arabischen und z.T. im Aramäischen). Zum analogen Phänomen auch bei anderen Formkategorien, namentlich beim Pronomen, siehe Aartun, *UF* 3 (1971), S. 1-7.

952 Vgl. de Moor, *JNES* XXIV (1965), S. 359f.; Dietrich – Loretz – Sanmartín, *UF* 6 (1974), S. 471f.; Dahood, *Ug.-Heb. phil.*, S. 35; ferner Krahmalkov, *JNES* XXVII (1968), S. 262f. – Für andere vermeintliche Fälle von *im* vgl. de Moor, *AOAT* 16, S. 229, 233 (orthographisch bzw. kontextlich unsicher).

953 Vgl. Beeston, *Grammar*, S. 16f.; ferner S. 67 u.ö.

954 Vgl. die vorangehende Anmerkung.

955 Siehe Gesenius-Buhl, *Hw*, S. 185, 904; Koehler-Baumgartner, *Lex.*, S. 238, 1069; Dalman, *Hw*, S. 115; Jastrow, *Dictionary*, S. 356; Macuch, *Handbook*, S. 245; Cantineau, *Gram. du palm. épigr.*, S. 140; *Nabatéen* I, S. 104; Höfner, *Gram.*, S. 164f.; Beeston, *Grammar*, S. 65. Vgl. ferner Ward, *JNES* XX (1961), S. 33 zu spätägyptisch *hn* "wenn, wenn auch". Zur sprachgeschichtlichen Frage (hinsichtlich der tatsächlichen Überlieferung der ungleichen Formtypen im Semitischen) vgl. schon oben zu *im*.

Die Partikel *hm* des Ugaritischen führt, wie die entsprechenden Formen in den verwandten Idiomen, Verbal- und Nominalsätze ein. Syntagmatisch wird, wie üblich im Semitischen, der *hm*-Satz dem übergeordneten Satz entweder voran- oder nachgestellt.

Belege sind, dichterisch: (vorangestellte Verbalsätze) Krt:203-204 *hm ḥry bty* (:203) *iqḥ* (:204) "wenn ich Ḥry in mein Haus aufnehmen werde (wörtlich: aufnehme)[956], . . ."[957]; 1001 obv.5 *hm tqrm lmt* "wenn du Mt sagst o.ä., . . ."[958]; (vorangestellte Nominalsätze) 49:III:2-3 *whm ḥy a[liyn b'l]* (:2) *whm iṯ zbl b'[l arṣ]* (:3) "und wenn am Leben (ist) A[liyn Ba'l], und wenn der Fürst, der He[rr der Erde], vorhanden ist, . . ."[959]; 52:71 *hm [iṯ] lḥm* "wenn Brot [vorhanden ist], . . ."[960]; ibid.:72 *hm iṯ [yn]* "wenn [Wein] vorhanden ist, . . ."[961]; 1Aqht:110-111 *hm iṯ šmt hm i[ṯ]* (:110) *'ẓm* (:111) "wenn Fett vorhanden ist, wenn Knochen vor[handen sind], . . ."[962]; ebenso ibid.:125, :139-140; ferner (nachgestellte Verbalsätze) 1Aqht:150 *hm t'pn 'l qbr bny* "(Ba'l zerbreche die Flügel von ihnen,) wenn sie über das Grab meines Sohnes fliegen"[963]; 1002:62 *hm l atn bty lh* ". . . , wenn ich ihm nicht mein Haus gebe"[964]; ebenso aus der Prosa: (vorangestellter Verbalsatz) 1012:30-31 *hn hm yrgm mlk* (:30) *b'ly* (:31) "siehe, wenn der König, mein Herr, (es) sagt (befiehlt), . . ."; vgl. oben zu *im*; ferner (vorangestellte Nominalsätze) R61:Aj:29 *hm qrt tuḫd hm mt y'l bnš* "wenn die Stadt eingenommen wird, wenn der Tod die *bnš*-Leute befällt (wörtlich: bestieg), . . ."[965]; 13 obv.5 *whm at trgm* "und wenn du (es) sagst (befiehlst), . . ."[966]; ebenso ibid. rev.3; vgl. oben; 54:8-9 *ht* (:8) *hm inmm* (:9) "siehe, wenn nichts (gehört wird), . . ."; 1013:16-17 *w hm ḫt* (:16) *'l* (:17) "und wenn der Hethiter aufsteigt, . . ."; ebenso verneint ibid.:18-19[967]. Zum Gebrauch vgl. vor allem zu aramäisch und altsüdarabisch *hVn (hn)* mit Varianten (siehe die Grammatiken und Lexika); vgl. ferner besonders Brockelmann, *Grundriß* II, S. 638ff.

Zerstörte bzw. mehrdeutige Stellen mit *hm* sind: 51:IV:61-62 (Poesie); 54:14[968]; 2116:13 (Prosa).

---

956 Zur Verbalsyntax (Anwendung von präteritalen bzw. nicht-präteritalen Tempusformen in Bedingungssätzen) vgl. Aartun, *Tempora*, S. 79ff., 109f. Nach Ausweis von R61:Aj:29 (*tuḫd* || *y'l*; siehe unten) kann die Verbform auch hier *yqtl* = Kurzform von der Vergangenheit sein.

957 Ebenso z.B. Ginsberg, *ANET*, S. 145 u.ö.; Aistleitner, *Texte*, S. 93 u.ö.; Gray, *Krt*², S. 16; de Moor, *UF* 1 (1969), S. 201; Fisher, *UF* 3 (1971), S. 27; Sauren und Kestemont, *UF* 3, S. 202; usw.; anders z.B. Virolleaud, *Keret*, S. 47; de Langhe, *Textes* II, S. 112; Pedersen, *Berytus* 6 (1939-41), S. 85 ("voici"/ "siehe"; sprachlich sehr gut möglich, da *hm* (< **hn-m*) = "wenn" höchstwahrscheinlich von derselben Wurzel abgeleitet ist wie *hm* < **hn-m* "siehe" (vgl. oben I, S. 70f.)). Kontextlich scheint aber die Partikel hier eine bedingte Periode einzuleiten.

958 Vgl. Gordon, *Textbook*, S. 391, 479f.

959 Ebenso Gordon, *Ug.lit.*, S. 45f.; *Textbook*, S. 107 (§ 12.3) u.ö.; de Moor, *UF* 1 (1969), S. 201; *AOAT* 16, S. 216f.; Schoors, *Parallels*, S. 7; usw.; anders Virolleaud, *Syria* XII (1931), S. 213f.; Ginsberg, *ANET*, S. 140; Driver, *Myths*, S. 113; Caquot und Sznycer, *Textes*, S. 430; van Zijl, *AOAT* 10, S. 203f.; usw.; dazu vgl. oben Anmerkung 957.

960 Vgl. ebenso Gordon, *Textbook*, S. 391; Driver, *Myths*, S. 125; Jirku, *Mythen*, S. 84; de Moor, *UF* 1 (1969), S. 201; usw.; anders z.B. Virolleaud, *Syria* XIV (1933), S. 136f.; Ginsberg, *JRAS* 62 (1935), S. 71f.; usw.; vgl. ferner schon oben.

961 Vgl. zum vorangehenden Fall.

962 Vgl. schon oben.

963 Ebenso z.B. Gordon, *Ug.lit.*, S. 98 u.ö.; Gaster, *Thespis*, S. 302; Driver, *Myths*, S. 65; Jirku, *Mythen*, S. 134; Aistleitner, *Texte*, S. 80; de Moor, *UF* 1 (1969), S. 202; usw.; anders z.B. Virolleaud, *Danel*, S. 164; dazu vgl. oben.

964 Vgl. schon Gordon, *Textbook*, S. 107 (§ 12.3) u.ö.; Aistleitner, *Wb*, S. 89; ferner de Moor, *UF* 1 (1969), S. 202 ("if I do not give him my daughter"); anders Virolleaud, *PU* II, S. 9. Vgl. sonst besonders ibid.: 51 (*[b]ty*), :55 (*btk*), :45 (*bhtm*).

965 Ebenso Dietrich und Loretz, *Ugaritica* VI, S. 171. Zum Tempusgebrauch vgl. schon oben.

966 Vgl. schon Gordon, *Textbook*, S. 107 (§ 12.3) u.ö.; de Moor, *UF* 1 (1969), S. 201.

967 Vgl. ferner Dietrich – Loretz – Sanmartín, *UF* 6 (1974), S. 459 mit Verweisen.

968 Zur Lesart siehe Herdner, *Corpus*, S. 143.

Ebenso ist überliefert 3) vom Stamm *'d* < **'ḏ*: *id* < **iḏ* "wenn". Zur Etymologie vgl. arabisch *'iḏ* "da, als, wenn", *'iḏ-mā, 'iḏā-mā* "wenn"; altsüdarabisch *'ḏ* "als"[969].

Bisher kommt in den publizierten Texten die Partikel *id* des Ugaritischen nur sporadisch vor, nämlich einmal in einem rituellen Text. Es leitet die Form an der betreffenden Stelle einen Verbalsatz mit Präformativform ein: 2005 obv.1-2 *id yph mlk* (:1) *r[š]p ḫgb* (:2) "wenn der König den R[š]p-Ḫgb sieht, . . ."[970]; zu 611:1 vgl. oben I, S. 6 mit Verweisen. Zum Gebrauch vgl. besonders zu arabisch *'iḏ* Reckendorf, *Synt. Verh.*, S. 651ff.; vgl. ferner Brockelmann, *Grundriß* II, S. 594ff.

Weiter begegnet 4) das Kompositum: *kd* < *k* (Präposition) (vgl. oben) + *d* < **ḏ* (Pronomen) "wenn" (wörtlich: "wie dieses"). Zum Typus vgl. aramäisch *kzy* = *kĕ-zī*; *kdy, kd* = *kĕ-ḏī, kiḏ, kaḏ* "als, wenn u.ä."; zur Struktur vgl. auch hebräisch *ka-'ăšær* "als, weil, wie wenn u.ä."; usw.[971].

Die letztgenannte Partikel *kd* des Ugaritischen ist bisher wahrscheinlich nur einmal in der Dichtung bezeugt: ʿnt:V:11 *kdl ytn bt lbʿl* "wenn nicht dem Baʿl ein Haus gegeben wird"[972]. Zum Gebrauch vgl. analog zu aramäisch *kzy, kĕ-ḏī, kiḏ, kaḏ* (siehe die Grammatiken und Lexika); vgl. ferner besonders Brockelmann, *Grundriß* II, S. 632.

Zu anderen eventuell hierhergehörigen Fällen vgl. 6:25-26 (poetischer Text); vgl. sonst oben I, S. 10 zu *kd* = "so".

2. Von Begriffswurzeln abgeleitete Formen

Zu dieser Kategorie gehören bis jetzt nur folgende subordinierende Formen vom Stamm *ʿd* (bzw. *ʿdw/y*)[973]: *ʿd* (Stammbildung (der verkürzten Wurzel)); *ʿdm* = *ʿd* + *-m* (hervorhebende Partikel; siehe oben I, S. 51ff.) "bis". Zur Etymologie vgl. hebräisch *ʿaḏ* "bis u.ä."; aramäisch *ʿaḏ* "solange, bevor"; altsüdarabisch *ʿd, ʿdy*[974] "bis"; akkadisch *adi* "bis, sobald als u.ä."[975].

In den überlieferten Fällen leitet die einfache Form *ʿd* des Ugaritischen nur voran- bzw. nachgestellte Verbalsätze ein. Die finite Verbalform ist bald *qtl*, bald *yqtl(-)*.

---

969 Siehe Wright I, S. 291 Df.; Höfner, *Gram.*, S. 171; Beeston, *Grammar*, S. 65.

970 Ebenso Virolleaud, *PU* V, S. 11, 147; Eißfeldt, *Neue keilalphabetische Texte*, S. 14; Gordon, *Textbook*, S. 351.

971 Siehe Jean und Hoftijzer, *Dictionnaire*, S. 74f.; Bauer – Leander, *Gram.*, S. 264; Dalman, *Gram.*, S. 234, 400; Macuch, *Handbook*, S. 246; Nöldeke, *Syr. Gram.*, S. 98; Schulthess, *Gram.*, S. 57; Cantineau, *Gram. du palm. épigr.*, S. 140; Bauer – Leander, *Hist. Gram.* I, S. 652.

972 Vgl. schon Obermann, *JBL* 65 (1946), S. 241; Gordon, *Ug.lit.*, S. 22 u.ö.; Ginsberg, *ANET*, S. 137; Driver, *Myths*, S. 88f., 145; anders z.B. Virolleaud, *Déesse*, S. 71f. (*dl*) (dazu vgl. aber die Kopie *ibid.*, S. 70).

973 Vgl. oben S. 52 Anmerkung 513.

974 Vgl. oben I, S. 47 zu *bʾy, bhy* usw.

975 Siehe Bauer – Leander, *Hist. Gram.* I, S. 647; *Gram.*, S. 264; Dalman, *Gram.*, S. 235, 400; Macuch, *Handbook*, S. 245; Schulthess, *Gram.*, S. 57; Jean und Hoftijzer, *Dictionnaire*, S. 203; Höfner, *Gram.*, S. 171; Beeston, *Grammar*, S. 64; von Soden, *GAG*, S. 227f.; Brockelmann, *Grundriß* II, S. 549ff. (vgl. auch I, S. 499).

Beispiele sind, dichterisch: (vorangestellte Verbalsätze mit *qtl* bzw. *yqtl(-)*) 51:VI:55 *'d lḥm šty ilm* "bis gegessen (und) getrunken haben die Götter, . . ."[976]; 'nt:II:29 *'d tšb' tmtḫṣ bbt* "bis sie (die Göttin 'Anat) des Kämpfens in Hause satt ist/wird[977], . . ."[978]; 62:9 *'d tšb' bk* "bis sie des Weinens satt war/wurde[979], . . ."[980]; ferner (nachgestellter Verbalsatz mit *qtl*) 51:V:110 *'d lḥm št[y]* ". . . , bis er gegessen (und) getrunken hat"[981]; vgl. unten zu *'d-m + yqtl*; aus der Prosa: (nachgestellte Verbalsätze mit *yqtl-*) 1006:17-18 *'d tṯṯbn* (:17) *ksp iwrkl* (:18) ". . . , bis sie das Geld des Iwrkl zurückerstatten"; 2008 rev.7-8 *'d* (:7) *ilak 'm mlk* (:8) ". . . , bis ich zum König sende". Zum Gebrauch vgl. analog z.B. zu hebräisch *'aḏ* Jos 2:22; 10:13; Gn 38:11; Ps 73:17; 110:1; usw.; vgl. ferner besonders Brockelmann, *Grundriß* II, S. 630f., 633; Jean und Hoftijzer, *Dictionnaire*, S. 203.

Zerstörte Stellen mit *'d* sind: 130:5 (Poesie); 101:8; 154:14 (Prosa). Zur Präposition *'d* vgl. oben.

Die erweiterte Form *'d-m* des Ugaritischen begegnet im vorläufigen Material nur einmal dichterisch in einem nachgestellten Verbalsatz mit *yqtl*: 128:VI:2 *'dm t[lḥ]m tšty* ". . . , bis sie geg[ess]en (und) getrunken hatten". Zum Gebrauch vgl. oben zur einfachen Form *'d*[982].

Somit zeigt das Ugaritische, wie die meisten übrigen, älteren Einzelsprachen des semitischen Sprachstammes, was den Bestand der als Konjunktionen zu betrachtenden Wortbildungen betrifft, in der Regel bereits aus dem Altsemitischen ererbte Formen auf. Vereinzelt begegnen Sekundärtypen d.h. einzelsprachliche Bildungen (*kd*). Die Anwendung der Formen ist auch noch, wie durchgehend altsemitisch, weitgehend frei, und – im Vergleich zu den verwandten Idiomen – im allgemeinen mit der althergebrachten übereinstimmend. Nur einzelne Formen bzw. Formtypen sind im überlieferten Textmaterial immer nur in mehr oder weniger erstarrten Verbindungen gebräuchlich (z.B. *apnk*), oder sie treten überhaupt nur sporadisch auf (z.B. *im, id, kd*).

---

976 Vgl. schon Gordon, *Ug.lit.*, S. 35; Driver, *Myths*, S. 101; Jirku, *Mythen*, S. 50; Aistleitner, *Texte*, S. 44; usw.; anders Ginsberg, *ANET*, S. 134 (*'d* = "so").

977 Beachte ibid.:25 *ymlu* = *yqtl-* (Langform). Zur lexikalischen Bedeutung des Verbs vgl. ferner Aartun, *Tempora*, S. 45ff.

978 Zur Syntax vgl. besonders ibid.:19 (siehe schon oben), ferner auch den nachfolgenden Fall; ebenso schon z.B. de Moor, *AOAT* 16, S. 88f.; dagegen z.B. Gordon, *Ug.lit.*, S. 18 u.ö.; Jirku, *Mythen*, S. 27; Kapelrud, *Goddess*, S. 50; Caquot und Sznycer, *Textes*, S. 394; usw. (wie bemerkt, auf vergleichender Basis weniger wahrscheinlich).

979 Vgl. ibid.:10 *yšt* = *yqtl* (Kurzform von der Vergangenheit).

980 Zum transitiven Gebrauch des Verbs *šb'* vgl. schon oben mit Analogien.

981 Oder: "bis sie (die Götter) gegessen (und) getrunken hatten" (Gordon, *Ug.lit.*, S. 34; Driver, *Myths*, S. 98f.; Caquot und Sznycer, *Textes*, S. 412 und andere).

982 Das Vorkommen der keilalphabetischen Schrift außerhalb Ugarits (1. Bēṯ Šæmæš; E. Grant, *Beth Shemesh in 1933, BASOR* 52, 1933, S. 4f.; vgl. ferner D.R. Hillers, *BASOR* 173, 1964, S. 45 Anmerkung 2; 2. Tāḇōr; S. Yeivin, *A new Ugaritic inscription from Palestine, Kedem* II, 1945, S. 32-41; 3. Tell Šuksu; P.J. Riis, *L'activité de la mission archéologique danoise sur la côte phénicienne en 1960, AAS* 11/12, 1961-62, S. 133-144; Fig. 6; 4. Ta'ănaḵ; D.R. Hillers, *An alphabetic cuneiform tablet from Taanach (TT 433), BASOR* 173, 1964, S. 45-50; F.M. Cross, *The Canaanite cuneiform tablet from Taanach, BASOR* 190, 1968, S. 41-46; 5. Tell Kāmid el-Lōz; G. Wilhelm, *Eine Krughenkelinschrift in alphabetischer Keilschrift aus Kāmid el-Lōz, UF* 5, 1973, S. 284-285) beweist grundsätzlich eo ipso nicht, – wie schon die semitischen Schrifttraditionen vielfach zeigen, – daß die betreffenden Urkunden gezwungenermaßen in ugaritischer Sprache abgefaßt sind. Prinzipiell ist daher eine ausschöpfende sprachliche Behandlung dieser Denkmäler hier nicht am Platze. Dazu vgl. auch bereits ausdrücklich Brockelmann, *Hb. d. Or.* III (1953), S. 45; ferner Cross, *a.a.O.* Beachte außerdem auch die oft abweichende Orthographie usw. dieser Texte; siehe schon die angeführte Literatur mit Verweisen.

INDIZES

A. WORTREGISTER

Ugaritisch

ab 12, 13, 27, 31, 37, 43, 50, 64, 67, 72, 74, 75, 82, 89
abh 39, 54
ibh 10
abh 12, 13, 44, 54, 68, 80
abk 35, 43
aby 18, 167
abn 23
ib 64, 67
yitbd 16, 71
'bd 49
ubdym 7, 43, 46
abynt 12, 168
abynm 168
ablm 35
abn 21, 76
abnm 35, 70
ibsn 45, 84, 86,168
abr[ ] 13
ibr 19, 44, 70, 84
ibrk 47
ibrm 29, 65, 76
ibryn 46
ubr'y 56, 77
ubr'n 7
ubrš 4
ibrtlm 77
agdn 33, 68, 76
agpṯr 7, 94
ugr 64
ugrt 68
ugrt 19, 32, 33, 39, 40, 69, 77, 78, 79
ad 75
adn 82, 94
adnk 39, 82
adty 37, 40, 50, 57, 68
adtny 37, 40, 50, 57
adnn'm 14
id (Adverb) 44, 71, 76
idy 165, 167
idk 57, 58, 59, 69
id (Konjunktion) 97, 98
yadm 74
tadm 80
adm 12, 13, 64, 75
udm 5, 6, 35, 64, 67, 69, 70, 79,83
idn 45, 48
udn 54, 80
adr 24
adrm 61
adr 4, 12
adrtm 65
aḏdd 77
uḏrnn 65
yuhb̆ 2
ahlh 35
ahlm 32, 35
ahlhm 35
u 23, 42, 90, *91*
uk 90, *91*
uky 90, *91*
awl 35
ulny 36, 70
un 15
ar 57, 89
ar 56, 77
iwrkl 33, 68, 76, 98
iwrmḫ 65
iwrpzn 65
iwrpḫn 40
ušn 64
aḥd 7, 16, 56, 66, 77, 80
aḥdh 68
aḥdy 9, 54
aḥt 4, 42, 62, 65, 66, 77
aḫ 76
aḫh 45, 68, 76, 85
aḫk 39, 70, 82
aḫy 18, 40, 45, 82, 85
iḫy 39, 40
uḫy 45, 81, 89
aḫm 24, 46
aḫh 19, 29, 33, 71, 92
aḫyh 75, 84, 167
aḫk 30
aḫy 30, 56, 70, 79, 84
aḫt 29
aḫth 16, 67
aḫtk 39, 76
aḫty 40
aḫt 52, 67
iḫršp 65
aḫtmlk 69
aḫd 7, 19, 29, 70
yiḫd (*yqtl/yqtl-*) 19, 90, 94
yuḫd 19
yuḫdm 28
tuḫd 96
tiḫd 2, 3, 19
iḫd 78, 93
iḫdn 88
aḫd 13, 87
miḫd 6, 15, 65
iḫr 93
aḫr 5, 6, 53
i (Adverb) 89
ay 2, 81
ik 57
iky 45, 59, 165
i (Hervorhebungspartikel) 64
ayaḫ 20, 77
ib 37, 39, 56, 87
ibm 45, 85
iby 13, 70
iyb'l 43, 69
ilm 67
ayly 7
in 4, 10, 16, 26, 29, 45, 46, 56, 71, 76, 77, 80, 86, 88, 96
inn 7, 14, 46, 79, 94
iyry 46
iytlm 48
iyṯr 65
tikl 2, 67
tikl 80, 84
tikln 28
aklm 73, 86
akl 7, 8, 44, 47, 59, 79, 85, 89, 94

akln 5
akn 46
al (Verneinungspartikel) 9, 14, 18, 28, 35, 46, 67, 79, 81, 82, 85, 89, 90
al (Bekräftigungspartikel) 57, 58, 59
il 3, 10, 22, 64, 67, 71, 78
il (Il) 3, 5, 10, 11, 12, 13, 16, 19, 24, 26, 27, 35, 36, 37, 38, 39, 40, 42, 44, 54, 56, 58, 64, 65, 68, 69, 72, 74, 75, 76, 81, 83, 89, 90, 167
ilm (Il-m) 15, 19, 23, 35, 59, 69, 81
ilm (Dual) 72
ilm (Plural) 16, 26, 27, 28, 29, 32, 35, 36, 38, 39, 41, 42, 43, 46, 47, 54, 57, 58, 66, 67, 70, 71, 79, 80, 82, 83, 84, 85, 86, 89, 91, 94, 98
il 40, 71
ilm 19
ilhm 64
ilt 35, 63, 64, 66
ilht 16, 64, 67
ilibh 10
ilbt 44
ulbtyn 60
ildgn 65
ilmlk 61
ilrpi 66
ilšḥr 46
alḏyy 7, 94
alzy 12
ilḥu 90
alyy 95
alkbl 34
all 2, 29, 92
allm 43
aln 18, 81
ulm 34
almnt 52
ulmn 13
alp (Zahl) 9, 14, 22, 33, 44, 68, 90
alpm 13, 45, 47, 77, 84
alpm 32, 34
alp 8, 53, 68
alp (Rind) 6, 42, 43, 47, 60, 65, 66, 69, 70, 80
alpm 6
alpm 40, 43, 46, 89
alp 7
ilš 64, 67
alt 46
alṯy 40
alṯyy 7, 17
alṯt 71
ulṯ 87
amt 10, 11
amht 13, 69, 71
amt 53
um 5, 38, 46, 50, 75, 82
umh 37
umy 37, 40, 42, 57, 59, 77, 79, 82, 85
umhthm 37
umty 55
imt 87
amr 54, 58
amrr 28, 64
imr 9, 10, 16, 19, 28, 44, 68, 73, 80
imrh 28, 30, 37
an (Adverb) 37
im (Konjunktion) 88,*95*,98,168
an (Pronomen) 69,75,76,87,167
ank 10, 28, 39, 45, 47, 51, 54, 57, 64, 76, 77, 79, 80, 81, 87, 89, 93, 167
ankn 40, 167
anḫr 10, 76
any 13
anyk 24
anyt 46
anyt 79
tant 57
annḏr 33
annḫ 10
ap 3, 28
aph 11, 20, 30, 68
apkm 91
aplb = *ap lb*
inr 27, 89
anrmy 13
inš 42
at 76, 84, 85, 96
at 82
atm 75
aṯt 23, 42, 65, 66, 72, 74, 76, 86, 91
aṯth 38, 66, 70, 71, 90
aṯty 39
aṯtm 65, 68, 75, 84
aṯt 68
aṯt 39
aṯth 67
aṯtk 64
unṯ 14, 46, 79, 80
unṯhm 37, 76
usyy 43
asm 19, 25
yisp 4
yisp 65
aġlmn 60
aġt 65
ap (Konjunktion) 10, 11, 17, 18, 27, 28, 29, 30, 31, 71, 77, 78, 82, 86, *88-90*, 170
apn 88, 90
apnk 17, 40, 88, 89, *90*, 98
apnnk 28, 88, 90
apnthn 62
ap 19, 61
aqht 21, 28, 32, 35, 46, 47, 53, 54, 55, 59, 71, 75, 89, 94
iqni 43, 69
arb 38
arbdd = *arb dd*
urbt 9, 80
irby 27
irbym 28, 54
arbn 61
arw 44
arws 46
arz 92
arz (Personenname) 66
arḫ 28, 30, 37
aryh 19, 29, 71, 92
aryh 63, 66
aryk 30
aryy 30, 56, 70, 79
uryn 39
tirkm 27, 64
ark 27, 64
urk 71
arṣ 6, 13, 14, 15, 18, 19, 20, 26, 34, 36, 37, 38, 40, 41, 42, 50, 51, 57, 59, 61, 68, 70, 71, 72, 74, 75, 76, 80, 88, 92, 93, 96
arṣh 27
arr 17, 25, 70, 73
aršt 45
irš 80
iršt 45
aršḫ 69
aršmg 65
irth 39, 48
irty 9, 80
išt 2, 4, 5, 18, 21, 32, 38, 54, 55, 67, 75
išdk 58
ušḫr 44
ušḫry 43
uškh 3
iš 28
ištir 58, 66
ištrmy 68

tity 35
atm 81
atlg 56, 77
iṯ 10, 14, 45, 46, 71, 75, 76, 81, 82, 93, 96
iṯt 64
iṯt 25, 60, 76
uṯkl 44
iṯl 11, 28, 30
uṯpt 46
aṯr 37
aṯr (Präposition) 28, 30, 37, *50-51*
aṯr 81
aṯrt 3, 5, 26, 36, 39, 42, 63, 64, 66, 69, 70, 71, 83, 84, 87
iṯtbnm 15
b *1-23*, 24, 25, 26, 27, 28, 29, 30, 32, 34, 35, 42, 43, 46, 47, 50, 52, 53, 54, 55, 60, 61, 62, 64, 65, 66, 67, 68, 69, 70, 71, 72, 73, 74, 75, 76, 77, 78, 79, 80, 81, 82, 83, 85, 86, 87, 88, 89, 90, 91, 92, 94, 98, 165, 167, 168, 172, 173, 174
bi-i 1, 31
bh 1, 17, 24, 25, 73
by 1, 24
bm 1, 4, 13, 17, 21, *24-25*, 42, 60, 69, 70, 75, 76, 82
bn 1, 25, 26
bh 4, 7, 13, 33, 71, 79, 80, 92
by 77, 173
bhm 3, 4, 18, 21, 29, 65, 75, 76, 77
bn 23, 76, 169, 173
bir 8
bbt 44
ybd 54, 77
bdn 14
bdqt 80
bat 17, 18
tbu 72, 74
tbun 48, 54
bṯt 13, 69, 71, 92
bṯtm 55
tbn 74
bn 51, 52
bnt 51, 52, 169
bnny 59, 60, 85
bt 8, 9, 10, 11, 12, 14, 20, 26, 29, 30, 33, 43, 44, 45, 48, 54, 62, 64, 65, 66, 70, 71, 76, 77, 79, 80, 84, 86, 94, 97, 98
btw 9, 167
bth 8, 10, 19, 35, 36, 72, 90
bth 36, 78
btk 8, 27, 89, 96
bty 9, 10, 40, 81, 86, 88, 96, 168
bht 68, 84
bhtm 2, 4, 5, 6, 9, 18, 67, 80, 96
bhth 12, 18, 19, 35, 80
bhtht 10
ybk 32, 47, 53
ybky 12, 30, 74, 92
tbky 24
tbkynh 78
tbkn 80
bky 42, 91
bkyt 10, 18
bk 98
bkyh 25, 82
bkm 12, 13, 35, 165, 168
bkt 12
bl 9, 32, 46, 71
nblat 2, 4, 5, 18
blt 67
bmt 13, 28, 39
bmth 32
bn 4, 5, 6, 7, 10, 11, 14, 15, 19, 20, 22, 23, 29, 30, 33, 34, 35, 39, 43, 44, 45, 46, 53, 56, 59, 60, 61, 65, 68, 70, 71, 73, 76, 77, 78, 80, 81, 83, 92, 95
bnm 69, 89
bnh 8, 10, 14, 45, 53, 66, 68, 71, 78, 79, 80
bny 40, 54, 57, 79, 82, 85, 94, 96
bnm (Dual) 44, 73
bnm (Plural) 44, 73
bn 8, 15, 26, 27, 29, 37, 50, 70, 71, 76, 165
bnh 10, 16, 62, 65
bnh 63, 66
bnk 16, 80
bny 35
bt 57, 62, 68, 90
bth 68
bt 68
btm 68
bnt 8, 29, 74, 89
ybn 30, 44, 70
bn 68, 84
bny 13, 80, 167
bnwth 78
bnwt 13, 80, 167
bnwn 36
bnr 34
bnš 5, 12, 42, 50, 59, 60, 62, 76, 85, 96, 165
bnšm 14, 43, 46, 53, 66, 80
bnš 14, 53, 71, 80
bʿd 52, 84
bʿdhm 52, 76, 83
ybʿl 43
tbʿln 6
bʿlm 16, 62
bʿl (Appellativum bzw. Nomen proprium) 3, 5, 6, 8, 9, 10, 12, 13, 15, 17, 18, 19, 21, 22, 25, 26, 28, 29, 30, 32, 35, 36, 37, 38, 39, 40, 42, 44, 46, 48, 50, 51, 52, 54, 56, 57, 59, 60, 64, 65, 67, 68, 69, 70, 71, 72, 73, 75, 76, 81, 83, 84, 86, 88, 89, 92, 93, 96, 97, 169
bʿlh 61
bʿlh 69
bʿlk 58, 59, 85
bʿly 29, 37, 40, 47, 50, 55, 57, 59, 60, 71, 84, 85, 96
bʿlny 74
bʿlt 6
bʿlmʿḏr 6, 15, 65
bʿln 14, 45, 53, 61, 68, 71, 78, 80
bʿr 5
ybʿr 38, 70
ybʿrn 81
šbʿr 28
ibġy 9
ibġyh 2, 81
bql 68
ybqʿ 74
tbqʿnn 21
bqr = *mqr* 2
bqṯ 81
ybrd 21, 39
brḥ 88, 92
tbrknn 167
brkm 9, 93
brkh 30, 38
brkthm 38, 70
brktkm 41, 79
brlt 10, 44
brlth 11, 28, 30, 47
brqm 38
brr 6
brt 30, 31
br 30, 31
brr 47
bšr (Verb) 81
bšrt 81
bšr (Nomen) 20
bštm 75

btlt 14, 28, 36, 37, 39, 67, 73, 83, 84
btšy 68
bṯn 30, 92
bṯnm 27
gm 36, 37, 90
gh 72, 75, 83
gh 72, 83
gy 45
ghm 72
gan 5
gbgbh 9
gbl 46
gbʻ 2, 34
gbṯt 29, 65, 76
ggh 6
ggt 40
ggnh 78
gdm 12
gdy 23
gd 10, 54
gdlt 42, 64, 65
mgdl 36, 72, 81
ygz 16
tgl 74
tgly 12, 72
gl 19, 72, 81
glṯ 3, 11, 21, 71
ygmḏ 24, 75
gmn 28
gmn (Personennamen) 43
mgmr 8, 43
tgmr 8, 12, 15, 33
gn 28, 30, 44
gnryn 88
gt 7, 8, 34, 46, 62, 66, 77
gʻt 47
ygʻr 18, 94
tgʻrm 23
gpn 30
gpn (Nomen proprium eines Gottes bzw. Ortes) 62, 64
grnn 79, 84
tgrgr 35, 70
grgš 65
grn 3
grnm 70
grnt 2, 5, 35
agrškm 9, 86, 168
grš 41
gšm 24
gṯr 64
d (Demonstrativpronomen) 14, 15, 26, 33, 53, 55, 59, 60, 68, 76, 78, 79, 85, 94, 97, 98
dn 47, 169
d 13, 39, 40, 42, 44, 58, 69, 83, 90
dm 29, 92
dt 27, 69, 166
d (Relativpronomen) 3, 4, 5, 6, 7, 9, 10, 12, 14, 20, 23, 27, 29, 30, 31, 33, 34, 39, 43, 44, 46, 47, 54, 55, 56, 58, 59, 60, 64, 66, 71, 73, 76, 78, 79, 88, 167, 169
dt 6, 7, 13, 14, 20, 39, 43, 46, 54, 55, 62, 77
dm (Hervorhebungspartikel) 42, 46, 75
d, dm, dh, dk, dy ("Hand, seine Hand" usw.) (siehe unten zu *yd*)
tdu 74
du 81
diy 30
diy 75, 81
dbḥ 10, 72
ydbḥ 44, 71, 76
dbḥ 43
dbḥ 16, 19, 20, 27,43,69,83,166
dbḥk 22
dbḥm 25, 69
dblt 68
dbr 2, 34
mdbr 18, 30, 86
dg 10, 66, 83
dgn 22, 44, 56, 67, 81
mdb (siehe auch unten) 27, 64
dd 38, 48
dd (Maß) 20, 42, 43, 71
ddm 42, 43
dw 93
mdw 29
dnt 69
dr 35, 37, 65, 88, 174
tdḥl 82
dnil 15, 16, 19, 47, 71, 83, 90
ydn (siehe auch unten) 59, 66
dkym 21
dl 55
ydlp 73
dm 2, 9, 22, 30, 93
dmh 32
dml 45
tdm 80
tdm 46
tdmm 13, 69, 71
ydmʻ 47
ydmʻ 30, 74
tdmʻ 24
dmʻh 30
udmʻt 28
udmʻth 27
dnb 69
dnhm 11
dnty 90
tdʻṣ 73
dġṯ 17
dġṯh 17
dqn 67
dqt 42, 65
drkt 36
drkth 41
drktk 41
tdrʻnn 2
drʻ 4
mdrʻ 58, 76
tdrynn 21
dry 55
tdrq 74
dtn 15, 82, 94
ḏd 72, 74
ḏdk 18
ḏrt, ḏhrth, ḏrty (siehe unten)
yḏmr 21, 68, 73
ḏmr 9, 22, 93
ḏmrk 19
ḏmry 65
ḏrdn 40
ḏrt 13
ḏhrth 12, 75
ḏrty 13
-h (hervorhebende Partikel) 1, 2, 24, 25, 27, 32, 68, 73, 88, 165, 167
-h- 18, 82, 85, 90
thbr 36, 72
hbr 36, 81
hd 3, 10, 22, 71, 172
yhdy, *thdy* 21, 67
hdm 36, 38, 40, 73
hdmm 38
hdrt 76
hw 10, 12, 27, 28, 52, 76, 83, 170
hwt 75, 81
thw 76, 87
hwt 75, 169
hwth 3, 75
hwty 35
hy 170
hyn 36, 39, 44
hkl 10, 78, 89
hklh 8, 10, 18, 19
hklh 35
hkly 10
hklm 2, 4, 5, 9, 18, 80
hlm (Adverb) 17, 57
hlny 20, 57, 58, 60, 77

hl (Hervorhebungspartikel) 32, 75
hlh (*hl* + Pronominalsuffix) 75
hlk (*hl* + Hervorhebungspartikel) 32, 51
hln 3, 75, 78
hlk (Verb) 36, 58
hlkt 75
hlk (Plural) 51
tlkm 73
tlk 73
tlk 47, 58
tlk 18
tlk (Plural) 81
tlkn 67, 95
lk 35
lk 35
lk (Plural) 58
hlk 32
hlkm 20
hlk (Abstraktum) 9, 74
ttlk 89
itlk 75
hll 8, 74
ylmn 61, 78
hlm 51
hlmn 54
hm (Pronomen) 76
hmt 77
hmlt 74
hn (Adverb) 57
hnny 57, 58, 77
hn (Hervorhebungspartikel) 2, 4, 5, 10, 14, 15, 16, 17, 22, 26, 33, 36, 37, 45, 47, 53, 59, 60, 67, 68, 71, 74, 76, 77, 78, 79, 83, 84, 85, 89, 90, 94, 96, 169, 170, 177
hnk 45, 47, 84, 170
hnkt 79
hm = **hn-m* 10, 13, 70, 75, 78, 89, 96, 170
ht = **hn-t* 45, 59, 66, 76, 82, 84, 85, 90, 169, 170
hm = **hn-m* (Konjunktion) 36, 59, 76, 82, 84, 85, *95-96*, 168
thrn 77, 78
hr 25, 82
hrnmy 17, 90
ht 32, 68, 170
-w (Hervorhebungspartikel) 9, 26, 29, 167
w (Konjunktion) 2, 3, 4, 5, 6, 7, 8, 9, 10, 11, 12, 13, 14, 15, 16, 17, 18, 19, 20, 21, 22, 23, 24, 25, 26, 27, 28, 29, 30, 32, 33, 34, 35, 36, 37, 38, 39, 40, 42, 43, 44, 45, 46, 47, 49, 50, 52, 53, 54, 55, 56, 57, 58, 59, 62, *63-86*, 87, 89, 90, 93, 96, 165, 166, 168, 174, 176, 177
wm 9, 63, *86*, 168
wn 26, 29, 46, 63, 71, 73, 75, *86*, 89
dʿt (*wdʿ*) 22
wld (siehe zu *yld*)
ulṯ (siehe zu *ʾlṯ*)
ywsrnn 78
ywpṯn 15
wrt 71
twtḥ 58
zbl 39, 51, 61, 76, 88, 92, 93, 96
zblhm 38, 70
zblkm 35, 49
zbln 55
zd 3
zt 26, 27, 42, 68
zt 7, 34, 77
tzġ 37
ztr 41
ḥby 78
yḥbq 73
ḥbq 13, 82
ḥbrk 65
ḥbšh 3
ḥbšy 30
ḥgb 97
ḥdgk 81
tḥdy 74, 78
yḥdy 50, 76, 165
ḥdrh 19
ḥdrm 11, 89
ḥdṯ 6, 15
yḥd 74
yḥ 166, 176
yḥwy 94
aḥwy 28, 89
ḥwt 6, 7, 28
ḥwtk 7, 94
tšthwy 73, 77
tšthwy 81
ḥš 74
aḥš 93
ḥṭb 70
ḥṭbh 2
ḥṭbm 65
ḥṭrh = *ḥẓrh* (siehe unten)
ḥẓm 46
ḥẓhn 62
ḥẓr 26, 30, 70, 71
ḥẓrh 18
ḥṭrh 35, 36, 72
ḥẓry 10, 40
ḥy 76, 84, 92, 93, 96
ḥyk 23
ḥyil 40
ḥkmt 27, 57
ḥkmk 57
ḥlb 10, 54
ḥll 72
ḥln 9, 80
ḥlm 13, 76
ḥlmh 12, 75
ḥlmy 13
ḥlqt 76
ḥlqm 9
ḥmḥmt 13, 82
ḥm 15
ḥmr 47, 66
ḥmrh 47
ḥmrm 43, 62
ḥmt 4, 37, 65
ḥmthm 11
ḥṭṭ 3, 42, 44
ḥnny 33
ḥnth 12
ḥsn 30
tḥspn 78
ḥpr 34
ḥpšt 2, 70
ḥrb 19, 21, 32, 55, 74
ḥry 29, 44, 89, 96
ḥrn 3, 35, 72, 78
tḥrr 32, 75
ḥrr 26, 68
ḥrš 39, 44
ḥršm 66
yḥrṯ 28, 30
ḥrṯ 47
ḥrṯh 7
ḥrṯm 16, 40
ḥtlk 81
tḥtk 62
ḥtk 81
ḥtkk 19, 32, 69
ḥtṯ 19, 72, 81
ḥtṯn 68
ḫbr 44
ḫbrṯ 38
ḫbṯh 20
ḫḏḏ 32
ḫzr (vgl. unten zu *ḫnzrk*) 21, 66
tḫṭin 91
tšḫṭann 13
ḫḫm 42
ḫṭ 13
ḫṭm 5, 61, 78
yḫṭ 76
ḫym 67
ḫmt 19
ḫlan 46
ḫlb 38, 80
ḫly 7
ḫlmṭ 44, 72

ḫlp 6, 15, 65
ḫlq 79, 89
ḫlq 92
ḫlq 7, 66
ḫmat 10
ḫmr 2, 22, 81
ḫmš 13, 14, 16, 23, 34, 43, 66, 68, 77
ḫmš 6
ḫmšt 4, 43
ḫmšm 7, 34, 77
mḫmšt 27
ḫnzrk (vgl. oben zu *ḫzr*) 56
aḫnnn 78
ḫsnm 33, 66
tḫss 83
ḫss 4, 10, 12, 16, 39, 44, 64, 65, 67, 68, 74
ḫsrt 51, 89
ḫpn 42, 43, 69
ḫpšry 7
ḫptr 38
ḫpṯ 37, 47
ḫpṯh 55
ḫpṯt 80
tḫtṣb 51
tḫtṣb (Verbalnomen) 52, 74, 78
ḫrih 19, 68
ḫrbġlm 66
ḫrd 29
ḫrdh 55
ḫrḫb 58
ḫrẓ'h 22, 71
ḫrṣ 2, 6, 8, 9, 11, 15, 19, 22, 34, 36, 42, 44, 47, 54, 64, 65, 67, 68, 69, 80, 81, 84
ḫrṣm 67
ḫrt 19
ḫštk 23, 27, 42, 89, 91
tḫtan 9, 27
ḫtu 10, 29
nḫtu 45, 71
ḫti 45, 71
ḫtny 60
ḫt 59, 82, 85, 96
ḫṯr 21
ṭbḫ 10, 54, 89
yṭbḫ 43, 90
tṭbḫ 28, 73
ṭbḫ 80
ṭb 34, 66
ṭḫ 6
tṭḥnn 21
ṭṭ 67
ṭḫ 16
yṭll 32
ṭl 32
ṭly 90
nṭ'n 13, 70
ṭrd 8
ẓbyh 54
ẓr (siehe unten)
ẓuh 3
ẓl 19
ẓlmt 25, 26
ẓr (vgl. oben) 3, 36, 38, 41, 70, 72, 79, 80, 81
y (Vokativpartikel) 37, 75, 84
-y (Hervorhebungspartikel allgemeiner Art) 1, 7, 24, 37, 59, 74, 75, 77, 79, 82, 85, 90, 91, 92, 93, 94, 165, 167
y (Beschwörungspartikel) 55
ybl 39, 54
yblt 89
ybl 38
bl 5, 170
ybl (Partizip) 27, 54
ybl (Nomen) 26, 68
ybmt 43
ymmt = *ybmt* 39
ybnn 14, 33, 40
ybrdmy 43
yd 10, 12, 13, 14, 15, 17, 19, 23, 27, 28, 53, 62, 64, 79, 85, 90
ydh 13, 19, 70
ydh 19
ydk 20
ydm 39, 44, 51, 54, 72, 80
yd 62
ydh 19, 60
ydh 22
ydk 53
ydy 22, 87
(y)d 9, 10, 12, 13, 14, 19, 22, 23, 30, 33, 34, 42, 47, 53, 62, 71, 77, 79, 80, 91, 93, 166, 173
dm 77
dh 13, 19
dk 19
dy 11
yd (Präposition) 62
yd (Teil) 11, 64, 67
ydty 10
ydd 9, 39
mddt 70
mddth 48
ydy 21
ydln 42
ydn (vgl. oben zu *dyn*) 59, 66
yd' 12, 84
yd'nn 78
td' 37, 77
id' 81
td' 74
d' 79
d'tk 65
mnd' (vgl. ferner unten)
ym 2, 6, 15, 33, 55, 67, 68, 76, 78
ymm 4, 5, 8, 9, 17, 32, 33, 53, 68
ym 71
ymt 32, 69
yn 2, 6, 7, 9, 11, 16, 19, 28, 34, 42, 53, 56, 66, 72, 79, 80, 81, 82, 94, 96
ykn'my 66
yld 30, 44, 84, 92
yldy 63
yld 70
tld 44, 70, 73
tldn 77, 78
tldn 67, 73
ld 44
wld 44, 73, 83
yld (Nomen) 82
ylyh 75, 167
yman 7
ym (Appellativum bzw. Nomen proprium) 3, 4, 10, 25, 27, 36, 41, 51, 61, 64, 65, 76, 79, 80, 83, 84, 92
ymmt = *ybmt* (siehe oben)
ymn 38, 73, 91
ymnh 25, 70, 92
ymny 11
ynḥm (vgl. unten zu *nḥm*) 65, 68
yny 7
ynqm 3
ysmm 67
ysmsm 169
ysmsmt 39, 169
tsm 29
tsmh 29
m'd 39, 59
y'dd 61
y'lm 4, 12
y'r 21, 67
ypḥ 65
yṣa 3, 7, 23, 43, 47, 75
yṣi 81, 84
tṣi 11, 30
ẓi 18, 81
šṣat 28
yšṣa 45, 58
mšṣu 41
yṣb 10, 44, 78, 89
yṣq 11

yṣq 68
yṣq 20, 34, 67, 72
yṣqm 34
ṣq 19, 81
tqġ 80
yqr 64
yraun 78
yrd 90
yrt 19
yrd 40
yrd 12, 19, 26, 40, 68, 72, 75
trd 57
ard 51
nrd 18, 50
rd 41, 80
yrdm 20, 26
s̀rd 72
s̀rd 22
yrḫ (Appellativum bzw. Nomen proprium) 6, 15, 32, 42, 58, 65, 67, 68, 69, 75, 93
yrḫm 32, 33, 56, 93
yrḫm (Personenname) 62
yr 2
tr 73
tr (siehe unten zu *ntr*)
yr 15
yrkt 94
yrm 65
yrq 11, 47, 64, 67
itrṯ 8
yrṯ 16, 71
ts̀yt 13, 93
ys̀n 5, 25, 47, 74, 82, 83
s̀nth 13
ytm 32, 62
ytn 13, 33, 38, 44, 45, 78
ytn 10, 45, 77
ytn (*yqtl*; Singular) 57, 58, 61, 69
ytn (*yqtl-*) 19, 44, 45, 97
ytnhm 45, 47
ytnn 19
ytnnn 45, 53, 71, 78, 85
ttn (*tqtl*) 57, 58, 59
ttn (*tqtl/tqtl-*) 75
ttnn 44
ttn (*tqtl*) 79, 88, 89
ttn (*tqtl-*) 79, 84
atn 44, 67, 68, 80
atnk 80
atn 45, 87, 96
ytn (*yqtl*; Plural) 59
ttn 59
tn 4, 12, 16, 44, 70, 79, 80, 81, 82, 84
tn 2, 71
ytn (Personenname) 5, 33
ytnt 64
ytnt (Personenname) 69
yṯb (Singular) 19, 35
yṯb (Dual) 72
yṯb (Plural) 89
yṯb (*yqtl-*) 3, 10, 16, 19, 36, 40, 61, 64, 71, 73, 78, 89, 94
aṯbn 80
aṯbnn 41
tṯb 89
ṯb 35
yṯṯb 38, 73
mṯb[ ] 48
mṯbtkm 35
yṯn 77
yṯnm 68
yṯnt 68
kh (Adverb) 165, 167
k (Bekräftigungspartikel) 9, 36, 39, 40, 59, 74, 77, 90
ky 59, 85
-k (Hervorhebungspartikel) 10, 14, 28, 39, 45, 47, 51, 54, 57, 64, 69, 76, 77, 79, 80, 81, 84, 85, 87, 88, 89, 90, 91, 93, 98, 170
-k- 14, 15, 18, 40, 53, 79, 82, 90, 91
k (Präposition) 7, 8, 9, 10, *26-29*, 30, 31, 37, 42, 46, 51, 54, 55, 61, 64, 68, 69, 70, 71, 85, 89, 97, 98, 166
kw 26, 29
km 9, 11, 19, 26, 27, 28, 29, *30-31*, 46, 51, 65, 70, 71, 76, 86, 92
kmhm 8, 29, 89
kmt 14, 26, 30
ik 26, 31, 89
k (Konjunktion) 13, 29, 30, 33, 44, 70, 71, *92-93*
k 7, 76, 82, 92, *93-94*, 95, 169
ky 7, 37, 77, 79, 92, 93, 94
km 71, 92, 94, 177
tkbdh 73
tkbdnh 77
kbd 81
kbd (Adjektiv) 13, 14, 33, 34, 42, 43, 66, 71, 77
kbdm 43
kbd (Substantiv) 24, 28, 34, 38, 75
kbdh 19, 26, 74
kbdh 23
kbdk 10
kbkb 28
kbkbm 43, 60, 70
kd (Adverb) 26, 55, 97
kd (Konjunktion) 97, 98
kd 6, 22, 42, 43, 58, 66
kdm 6, 55, 66
kdd 47
kdrt 28, 61
kḏġll 33, 78
khnm 40, 66
ykhp 76, 94
ykn 8, 80
tkn 46
tknn 55, 77
kḥṯ 3, 35, 36, 38, 40, 41, 49, 70, 72
km 17, 70, 73
kkr 34, 77
kkrm 66
kkrm 77
klat 19, 22, 87
klb 8, 27, 89
klby 45, 71
kly 11
ykly 27
tkly 92
akly 55
mkly 55
nkly 3
kl 16, 34, 40, 75, 83
klhm 42, 51
kll 4, 57, 77
kltn 14, 45, 53, 78, 80
kmyr 32
kmn 9
kmsk 66
kmṯ 67
kny 42
knkny 17
kknt 21
knp 73
knpy 7
knr 21, 68, 73
knrh 19
ks 2, 5, 9, 11, 14, 19, 32, 47, 81
ksu 73
ksa 73
ksi 36, 40, 61, 75, 90
ksih 41
ksat 38
ksa 67
ksank 81
ksl 3
kslk 52
ksm 42
ksmm 24, 42
ks̀mm 15

ksp 11, 22, 27, 34, 36, 42, 44, 45, 47, 56, 60, 64, 66, 67, 68, 71, 76, 80, 84, 98
kspm 67
ksph 65
ksphm 34, 89
ksphn 77
kp 28, 54
kpt 3
krd 34, 77
krwn 7
krz 10
ykrkr 73
krm 7, 46
krmm 89
krsnm 6
ykr‘ 36, 73
krpnm 2, 9, 19
krt 8, 12, 15, 29, 35, 40, 44, 48, 54, 58, 69, 74, 76, 81, 83, 89, 90, 93
ktb 79
ktl 43
ktnt 77
ktp 39, 51, 71
ktp 21
kṯkym 43
kṯr 4, 9, 12, 16, 35, 36, 39, 44, 64, 67, 68, 74, 75
kṯrm 65
kṯrt 8, 43, 74
kṯrmlk 42
l (Verneinungspartikel) 4, 5, 6, 12, 14, 15, 20, 32, 34, 39, 47, 53, 55, 56, 57, 58, 59, 66, 71, 72, 74, 76, 78, 79, 80, 82, 83, 84, 87, 95, 96, 97, 166, 176
l (Bekräftigungspartikel) 3, 5, 10, 13, 19, 27, 30, 37, 39, 57, 58, 59, 66, 69, 71, 74, 75, 76, 80, 83, 85, 89, 92, 166, 167, 169
l (Vokativpartikel) 35, 37, 39, 64, 80, 167
l (Partikel des Befehls u.dgl.) 39, 61, 89
l (Wunschpartikel) 19
l (Präposition) 3, 4, 5, 6, 7, 8, 10, 12, 13, 14, 16, 21, 23, 26, 27, 28, 29, 30, *31-48*, 49, 50, 53, 68, 69, 70, 71, 72, 73, 75, 76, 77, 78, 79, 80, 81, 82, 83, 84, 85, 86, 87, 88, 89, 90, 91, 92, 94, 95, 96, 97, 174, 175
le;e 1, 31
lm 31, 48, 49
ln 31, 41, 48, 49
lh 29, 38, 39, 43, 44, 45, 46, 71, 73, 78, 83, 84, 96
lk 30, 35, 39, 42, 43, 44, 45, 58, 70, 73, 87, 165, 167
lkm 55
ly 30, 35, 38, 39, 40, 42, 44, 45, 46, 48, 70, 75, 79, 80, 81, 85, 92
lhm 10, 39, 45, 46, 61, 77
lkm 45, 84, 86, 168
la 23
liy 43
aliy 169
aliyn 15, 28, 36, 38, 39, 40, 48, 57, 72, 73, 76, 83, 84, 88, 92, 93, 96, 169
tliyt 2, 17, 73
lik 79, 94
likt 59
likt 47, 59, 85
likt 59, 82, 166
luk 59, 76, 84
ylak (*yqtl*) 64
ylak (*yqtl-*) 58, 59, 60, 74, 85
tlik 47, 59
tlikn 47
ilak 59, 82, 98
tlakn 93
lak 19, 59, 69, 85
lakm 82
mlak 79
mlakm 38, 74, 84
mlakth 57, 76
mlakty 59, 60, 85
limm 39
lbim 76, 87
lb 9, 24, 28, 30, 37, 51, 74, 75, 88
lbh 18, 85
lbh 23
lbk 18, 82, 90
lbnt 36
lbš 29, 92
tlbš 74
lbš 45
lpš = *lbš* 2, 4, 13, 92
mlbš 10, 45, 77, 94
lḥt 40, 59, 79, 85, 94
mlḥt 21
ltn (siehe unten)
lḥm 67
lḥm (Verb) 73, 98
lḥm 72, 98
ylḥm 73
tlḥm 76
ilḥm 80
ilḥm 22, 87
ylḥm 4
tlḥm 98
tlḥmn 80
nlḥm 80, 82
lḥm (Imperativ; Singular) 2, 9
lḥmm 56, 79, 84
lḥm (Imperativ; Plural) 2, 81
lḥm (Infinitiv) 47, 71, 95
yšlḥm 74
yšlḥmnh 78
tšlḥm 90
tšlḥm 32
lḥm 2, 9, 11, 43, 56, 66. 78. 79, 81, 82, 84, 96
lḫšt 76
lṭpn 13, 27, 40, 58, 69, 83, 90
yln 87
lli 9, 10, 27, 28
lm 45, 47, 58, 59, 64, 84
lmdh 65
lmdth 71
tlsmn 58
lpš = *lbš*
lṣb 73
lqh 41
lqḥ 19, 62
lqḥt 58, 66
lqḥ 6, 15, 21, 33, 65
yqḥ (*yqtl/yqtl-*) 14, 15, 53, 76, 79
yqḥ (*yqtl-*) 21, 22, 75
iqḥ 96
qḥ 11, 19, 56, 67, 81, 84
qḥn 80
lqḥ 12
lrmn 26
ylšn 69
ltn 92
-m (Hervorhebungspartikel) 1, 2, 4, 5, 6, 7, 8, 9, 10, 11, 13, 14, 15, 17, 18, 19, 21, 23, 24, 25, 26, 27, 28, 29, 30, 31, 35, 36, 42, 43, 46, 48, 49, 50, 51, 53, 55, 56, 57, 58, 59, 60, 63, 64, 65, 67, 68, 69, 70, 71, 73, 75, 76, 77, 78, 79, 80, 81, 82, 84, 85, 86, 88, 89, 90, 92, 94, 95, 96, 97, 98, 165, 168, 170, 177
-m- 14, 26
m (Präposition) 37, *49-50*, 68, 76, 77, 82, 165, 172, 174
m (Pronomen) 45, 47, 64, 84
mhk 18, 85
mhkm 18, 90
my 16
mm 96, 168
mn 37, 93

BERICHTIGUNGEN DES AUTORS

S. 9 Z. 21: Statt wälzt lies wä[lzt]
S. 28 Z. 5: von unten: Statt *(wbʿl)*; lies *(wbʿl)*.
S. 65 Z. 28: Statt als Apposition siehe unten zu Genitiv) lies als Apposition) siehe unten zu Genitiv
S. 66 Z. 20: Statt vier lies vie[r]
S. 84 Z. 13: Statt es soll lies und es soll
S. 93 Z. 13: Statt verbale lies (verbale
S. 94 Z. 12: Statt und lies und sehr
S. 95 Z. 5: Statt 51ff, lies 51ff.
S. 141 Z. 9: von unten: Statt Qur lies Qur.
S. 142 Z. 1: Statt Qur lies Qur.
S. 145 Z. 2: Statt Aartun, K. lies Aartun, K.,
S. 161 Z. 10: Statt age. lies age
S. 171 Z. 3: Statt statt lies Statt

BERICHTIGUNGEN DES AUTORS

S. 9 Z. 21: Statt wälzt lies wä[lzt]
S. 28 Z. 5: von unten: Statt *(wb'l)*; lies *(wb'l)*.
S. 65 Z. 28: Statt als Apposition siehe unten zu Genitiv) lies als Apposition) siehe unten zu Genitiv
S. 66 Z. 20: Statt vier lies vie[r]
S. 84 Z. 13: Statt es soll lies und es soll
S. 93 Z. 13: Statt verbale lies (verbale
S. 94 Z. 12: Statt und lies und sehr
S. 95 Z. 5: Statt 51ff, lies 51ff.
S. 141 Z. 9: von unten: Statt Qur lies Qur.
S. 142 Z. 1: Statt Qur lies Qur.
S. 145 Z. 2: Statt Aartun, K. lies Aartun, K.,
S. 161 Z. 10: Statt age. lies age
S. 171 Z. 3: Statt statt lies Statt

mnk 14, 79
mnkm 14, 15, 53, 79
mnm 57, 58, 77, 79, 85, 89, 168
ym [ ] 92
mid 15, 57, 76, 77, 78, 94
midy 79
milḫ 7
mit 12, 33, 34, 43, 54, 60, 76, 77
mitm 7, 34, 60, 66, 77
mat 6, 8, 13, 14, 15, 33, 42, 43, 65, 77
mgmr (vgl. oben zu *gmr*) 8, 43
mgr 88
mgšḫ 7
mgṯ 73, 80
mdb (vgl. auch oben zu *dwb*) 27, 64
tmdln 13
mdnt 3
mḏrġlm 46
mh (vgl. unten zu *mym*) 78
mhyt 42
mhr (Krieger) 28, 38, 65
mhrm 9, 22
mhrh (Kaufpreis) 44, 68, 80
mḫ 170
m' 81
mtt 7, 24
mtt 93, 169
ymt 166, 176
tmtn 27, 31, 89
amt 75, 83
tmtn 91
mt 92
mtm 27, 31, 89
mtm (Infinitiv) 75
mt (Appellativum bzw. Nomen proprium) 2, 9, 15, 19, 23, 35, 36, 37, 39, 59, 64, 75, 81, 83, 96
mtm (Substantiv) 28, 85
mzy 12
mzln 7, 46
ymḫṣ 21
tmḫṣ 92
imḫṣh 26, 55
mḫṣm 42
tmtḫṣ 3, 75
tmtḫṣn 78
tmtḫṣ 57
tmtḫṣ (Verbalnomen) 98
tmtḫṣh 4, 78
mḫṣ 55
tmṭrn 13, 81
tmṭr 15
mṭr 42, 71
mṭrh 21, 71, 86, 89
mṭrk 56
mẓah, ymẓa = *mṣah, ymṣa*
mym (vgl. oben zu *mh*) 55
mm' 9, 22
mrm 30
mk 4, 5, 8, 29, 79, 83
mla 6
ymlu 23, 98
mlit 24
mmlat 2
mlat 6
ymlk 6, 54, 72, 74
amlk 41
amlk 6
amlkn 80
mlk 5, 6, 9, 10, 12, 14, 15, 20, 23, 29, 33, 36, 39, 40, 43, 44, 45, 46, 47, 53, 54, 56, 58, 59, 60, 62, 72, 74, 76, 77, 78, 79, 81, 83, 84, 85, 94, 95, 96, 97
mlkn 55, 76
mlk (Nomen proprium) 4, 77
mlk (Abstraktum) 41
mlkt 7, 16, 25, 40, 43, 46, 59, 60, 67, 76, 84
mlkt (Nomen proprium) 7, 34, 77
mlky 66
mlkytn 40, 95
mnd' (vgl. oben zu *yd'*) 93, 166
mnḥ 14, 33
mnḥyk 27
mnthn 4
msgm 46
ymsk 13
mskh 13
mslmt (vgl. unten zu *slm*) 17, 24, 73
m' 38
mġy 35, 72
mġyt 32, 35
mġt 34
mġy 35
ymġ 34, 35, 74
ymġy 82, 94
tmġyn 36, 78
tmġy 5, 35, 70, 79, 83
ymġy (*yqtl*; Dual) 64, 73, 86
ymġy (*yqtl*; Plural) 6, 69
ymġyn 5, 35
mġy 93
mẓah 33, 75, 84
ymṣi 36
ymẓa 73
mṣrm 7. 17, 71
ymru 66
mri 14
mrum 66
mra 70
mri 21, 30
mrim 43
mri 67
mrat 43
mrdt 54
mrḥ 56
mrḥh 19, 90
mrṣ (Adjektiv) 93
mrṣ (Substantiv) 16
tmrnn 80, 167
mrrt 34
mšmš 19
mt 15, 16, 75, 83, 84, 90
mtb[ ]*m* 12
mtn 20, 77
mtny 71
mtqtm 26
šmtr 44
mṯ 77, 78
mṯt 44, 90
-*n* (Hervorhebungspartikel) 1, 7, 14, 15, 25, 26, 28, 29, 31, 36, 38, 39, 40, 41, 46, 47, 48, 49, 53, 55, 56, 57, 59, 60, 63, 68, 71, 72, 73, 75, 76, 78, 79, 80, 82, 84, 85, 86, 88, 89, 90, 92, 93, 94, 96, 169
-*n*- 45, 47, 79, 84, 88, 89, 90, 98
nat 27, 69, 166
nbb 41
yb 41
tbṭ 13, 71, 92
npk = *nbk* 2
mbk 5, 58
nbt 19, 81
nbtm 81
ngb 81, 84
tgh 67
ngh 67
ng 40, 81
ynghn 27
ngr 64, 67
ngrt 64, 67
ngš 76
ngšnn 78
tngṯh 33
ngṯhm 22, 71
yd 64
ydd 35, 73
td 4, 5
tdd 94

ydy 16
tdy 55
tdr 8, 29
ndr 20, 25, 60, 76
ndrh 83
nhqt 47
nhr 41, 51
nhrm 5, 58
nbt 22
nḫt 77, 89
tnḫ 9, 80
anḫn 80
nḫt (Nomen) 3, 36
nm 12
yḥ 86
nḥlh 48, 65, 77
nḥlty 2
ynḥm 65, 68, 76
ynḥt 75
nḫl 7
nḫlm 81
anḫr 10
mt̤t̤h 27
t̤t̤t 13
nr 23, 76, 77
nyr 58, 67, 75
nr 43, 173
nrt 32, 36, 39, 57, 58
nkl 60, 64, 67
nkr 48, 70
nmry 40
nmrtk 19, 32, 69
annḫ 10
sk 38
nsk 61
nskm 23, 43, 47
ns'k 22
n'm 2, 3, 10, 17, 42, 71
n'mt 52, 67
n'mm 45, 67
n'm 27
n'mh 27
n'my 34
n'mt 20, 69
n'mn 77
n'mn (Personenname) 7
n'r 177
n'r 30
n'rm 62
n'ry 39, 87
tnġṣn 73
nġr 84
nġr (Nomen) 58, 76
mpḫm 36
npl 19, 30, 37
ypl 36, 70
ttpl 22
yp' (*yqtl*) 14, 37
npṣ 74
npṣh 6
npṣm 7, 14
ittpq 35
npš 9, 16, 19, 20, 44, 51, 68, 75, 76, 80, 87, 91
npšh 9, 11, 28, 30, 47
npškm 91
tṣb 52, 169
nṣb 10
nṣp 65
nqmd 79
nqmp' 33, 78
nqpt 177
nr- 24, 42
nrgn 33, 68, 76
nrn 44, 77
nša 72
yšu 72, 73, 83
tšu 13, 72, 73, 83
tšan 72
ša (Singular) 165, 168
ša (Dual) 54, 80
šu (Plural) 41, 79
nši 12, 82
ytši 37
ytšu 17, 90
nšb 71, 88
nšm 51, 66, 74
ynšq 74
nšq 25, 82
nšr 9, 30
nšrm 51, 54
ntb 5
ytk 30
tntkn 27
ntn 23, 42, 91
tr 73
ynṯkn 27
sid 88
sin 2
sbb 36
sb 36
nsb 36
sgld 65
sgr 4, 13
sgrt 11, 89
sg/'t 29
skn (Oberaufseher) 12, 13, 14, 84
skn (Stele) 10, 44
sknm (Nomen proprium) 7, 66
mslmt 17, 24, 73
snb 65
snnt 8, 74
snt 68
sswm 10, 11
s̀s̀w 94
s̀s̀wm 45, 47, 84
s't 2, 70
sg/'t 29
tspi 32
ispa 6
mšspdt 10, 18
sp 42
spm 66
yspr 32
tspr 56, 85
tspr 20
ašsprk 56
spr 7, 14, 15, 20, 39, 53, 59, 60, 76, 77, 79
sprhn 4, 10
sprt 27
mspr 36, 37, 84, 85
ystrn 9
srr 67
'[ ]*r* 90
'*bd* 11, 44, 64, 67, 76, 87
'*bdh* 45, 47, 84
'*bdh* 39
'*bdk* 69
'*bdm* 34
'*bd* 88
'*bdk* 69
'*bdil* 61
'*bdilm* 42
'*bdb'l* 45
'*bdyrḫ* 45
'*bdmlk* 14, 68, 79
'*bdn* 65
'*brm* 27, 42
'*glh* 28, 30, 37
'*glt* 2
'*d* 67
'*d* 53
'*d* (Präposition) 8, 14, 32, *52-53*, 71, 79, 80, 98
'*d* (Konjunktion) 11, 59, 72, 76, *97-98*
'*dm* 97, 98
y'db 38, 43, 56, 73, 78
y'dbkm 9, 28
t'db (*yqtl*) 73
t'db (*yqtl-*) 44, 71
y'db 91
t'dbn 88
'*db* (Singular) 16, 43, 44, 68
'*db* (Plural) 70
'*db* (Partizip) 87
'*dbnn* 10, 28

y'dn 21, 71, 86, 89
'dn 21, 71, 86, 89
'dn 81, 84
'dn (Personenname) 65
'dnm 62
y'drk 14
'dh 35
'dt 5
'dk 65
'd 54, 75
'lt 18, 173
t'pn 54, 92
'p 13, 70, 73
'wr 32, 68
y'zz 55
t'zzk 8, 53, 68
'zk 19
'ṭrptm 55
'ẓm 75, 96
'ẓmny 36, 70
'mh 41
y'n 9, 73, 74, 90
t'n 74, 78
'n 64
'nm 51
'n 60
'nh 73, 82, 83
'nh 12, 82, 83
'nt 61
'r 13, 39
'rm 79, 84
'ky 24
'ly 36, 72
y'l 17, 36, 74, 90, 96
t'l 17, 24, 70, 73
t'ln 36
'l (Singular) 36, 81
'l (Plural) 36
'l (Infinitiv) 59, 82, 96
'ly 12, 84
'ly (Nomen) 42, 71
š'ly 44
š'lyt 44
yš'ly 17
tš'lynh 17
'l (Adverb) 74, 75
'lm 55, 165
'ln 37, 165
'l (Präposition) 4, 12, 26, 34, *53-56*, 71, 75, 77, 80, 96
'lh 54, 77
'lh 28, 54
'lk 4, 55
'ly 55
'ln 53
'ln 56
'lnh 56, 76
'lt 53, 56
'ltn 56
'lm 8, 11, 14, 40, 53, 57, 64, 67, 71, 79, 80
'lmh 32, 68, 88
'lmk 69
'myn 43
'm (Präposition) 5, 15, *56-59*, 60, 66, 76, 79, 82, 84, 85, 94, 98, 175
'mh 32, 57
'mk 56, 57, 58, 59, 82
'my 20, 47, 58, 59, 60, 79, 85, 94
'mny 57, 77
'mm 56, 59
'mn 20, 25, 56, *59-60*, 66, 76, 85
'mnh 60, 77
'mnk 60, 169
'mn 57, 60
'mm 25
'mnr 46
y'msn 81, 89
y'msnnn 63, 78
'ms 38
'mq 3, 4, 28, 75, 78
'mrpi 40
t'mt 55
'mṯtmr 33, 78
'z 76
'nt (Göttin) 3, 13, 14, 27, 28, 30, 33, 36, 37, 39, 40, 43, 51, 54, 64, 65, 67, 71, 73, 74, 75, 78, 83, 84, 89, 93, 94
'nt 88, 174
y'n 13, 15, 75, 83
y'ny 11, 13, 83, 89
y'nynn 84
t'n 83
t'nynn 77, 84
t'nyn 75, 83
'ny 79
'nyh 16
'n 75, 84
n'n 75
'nmky 7
'n (Nomen) 3, 42
'nn (Nomen) 87
'nn 84
's[ ] 78
'ps 29
'psm 39
'pr 36, 70
'prm 14
'ṣ 76
'ṣm 2, 9, 26, 35, 45, 56, 68, 70, 77, 85, 87
'ṣr 2, 32, 75
'ṣrm 42
'ṣr 10, 19, 66, 83
'qb 7
'qbt 12
'qltn 92
'qqm 73
'rb 19, 20, 46, 54, 76
'rbt 37, 77, 94
'rb 10, 18, 19, 20, 62, 65, 66, 77, 83
y'rb 19, 26, 54
t'rb (*yqtl*) 12
t'rb (*yqtl-*) 94
t'rbm 18, 80
t'rbn 94
'rbm 67, 75
'rb 74, 76
tš'rb 54
'rbnm 20, 55, 77
m'rb 32
'rẓ 17, 90
'ryt 24
'rkm 6
'rpt 2, 15, 37, 39, 44, 69, 70, 71, 80
'rptk 84
'rš 29
'ršh 36
y'šr 77
'šr 23, 42, 43, 62, 66
'šrt 4, 6, 10
'šrid 166
'šrh 43, 58, 60, 66
'šrm 14, 23, 33, 34, 42, 43, 71
'št 60, 62
'tkt 32
n'tq 8, 27
'tq 23, 42, 91
š'tqt (vgl. auch unten) 83
'ṯtr 17, 43
'ṯtrt 3, 4, 23, 29, 34, 40, 42, 43, 64, 71, 90, 94, 172
ġbny 79
tġdd 23
ġdyn 65
tġḏ 92
ġr 2, 17, 24, 34, 54, 59, 73, 75, 80
ġry 9
ġr 21
ġzr 7, 17, 28, 32, 35, 39, 42, 47, 53, 59, 89, 90, 94
ġzrm 10, 38, 54
ġlil 12
ġly 22
ġltm 47

tġly 38, 70
ġlt 20
tġll 9, 93
tġll (Nomen proprium) 34
ġlm 44
ġlmm 2, 75, 89, 93
ġlm 83
ġlmh 37
ġlmh 36
ġlmk 56
ġlmn 66
ġlmt 25, 26
ġmit 78
ġmu 78
ġnbm 32
yġpr 43
ġṣr 59
ġrmn 28
yġr 61, 75, 176
tġt[ ] 78
p (Adverb) 28, 85
p (Konjunktion) 10, 45, *86-88*, 91, 174
pn 86, 88, 169
p (Nomen) 67
ph 3, 9, 19, 26, 28, 68, 75
py 4, 10, 28
phm 10, 19, 66, 83, 91
pid 13, 40, 58, 83, 90
pamt 42
pit 75
pat 4, 77
pat 30, 86
pbl 5, 47, 59, 74, 83
pgrm 6, 15
ypdd 94
pdy 33, 68
pdyhm 76
pdry 57, 90
ph 82
pht 4, 55
yph 82, 97
tphn 12, 82
phy 82
pq 72
pḥl 13, 39
pḥl (Nomen proprium) 38
pḥlt 38
pḥm 38
pḥmm 32, 38, 75
pḥm 13, 47, 77
pḫd 16, 44, 68
pḫn 6
pḫyr 16, 71
pḫr 15, 39, 59, 65
mpḫrt 37
plsy 40
pnm 3, 37, 57, 58, 59, 69, 75, 78
pn 3, 23, 33, 37, 39, 44, 71, 76, 77, 87, 94
pnh 70
pnwh 21, 39
pnnh 35, 39, 73
pnk 32
pny 35
pnth 73
psltm 21, 67
p‘nm 13, 73
p‘n 36, 37, 50, 68, 72, 81
p‘nh 22, 38, 71, 73, 75
p‘nh 36, 73
p‘nk 58
p‘ny 61, 81
yp‘r 75
pġt 65, 66
pġt (Personenname) 24, 32, 35
ypqd 83
prdny 71
prẓm 165, 167
pr 26, 68
prkl 13
prn 7
prs 43
yprsḥ 80
prṣ 52, 76, 83
yprq 73
tpr 74
pr 81
prt 2
prṯ 42
pš‘ 5
yptḥ (*yqtl*/*yqtl-*) 80, 94
tptḥ 47
ptḥ 52, 76, 83
pṯpṯ 65
pṯtm 8, 43
ṣin 43, 89
ṣbu 81
ṣbi 81
ṣbim 38
ṣba 67
ṣbia 74
mṣbṭm 10
uṣb‘th 9, 30, 73
uṣb‘th 22
uṣb‘tk 53
ṣbrt 63, 66
ṣdymn 64
ṣdqn 60, 66
yṣḥl 75
tṣd 73
aṣd 34, 75
tṣdn 64
ṣ‘ 10, 11, 18
šṣq 45, 85
tšṣqh 2
yẓḥq (= *yṣḥq*) 24, 75
yṣḥq 73
tṣḥq 74
ṣḥq 23, 84
ṣḥrrt 32, 75
ṣṭqšlm 14, 15, 30, 31, 53, 79
ṣd 18, 94
ṣd 10
mṣd 10
mṣdk 22
ṣḥ 19, 39
ṣḥtkm 47
yṣḥ 36, 37, 72, 90
tṣḥ 36, 37, 72, 75
tṣḥn (Dual) 72, 75, 84
yṣḥ (Plural) 63
ṣḥ 67
ṣḥḥm 58, 76
yṣly 90
mṣltm 10, 21, 68
tṣmd 13
ṣmdm 62
ṣmdm 77
ṣmd (Keule) 21
ṣmdm 75
ṣmqm 68
ṣġr 30
ṣp 12
ṣpyt 22
ṣpn 6, 8, 9, 17, 42, 59, 70, 90
ṣpr 7
ṣql 73
tṣr 67
ṣrt 37
ṣrrt 6, 9, 17, 90
ṣr 7
ṣrm 5, 64
yqb[ ] 90
qb/d‘ 95
qb‘t 11
qbṣ 15
yqbr 74
tqbrnh 78
qbr 10, 54, 96
qdm 60
qdmh 60, 70
qdqd 51, 54
qdš 2, 27, 69
qdš 5, 10, 35
qdš (Nomen proprium) 28, 64
ql 5, 44, 47, 170
qlh 2, 71

qm 54, 73, 88
yqm 73
qm 70
mqmh 11, 64, 67
bqr = *mqr* 2
yqr 30
tqrm 36, 96
qr 47
yqṯqṯ 61
tqṭṭ 91
qṭt 91
qṭr 11, 30
qṭrh 41
qẓ 15, 58
ql 19, 36, 50, 68
qlt 37, 50, 68
qlny 37, 50
yql (*yqtl*) 36, 80, 81
yql (*yqtl*/*yqtl-*) 73, 75
tql 72
tqln 6, 61
ql 81
šql 61, 67
šqlt 20
yšql 30
ašqlk 5, 61
qlḥ 44, 72
qly 61
qlt 5, 14, 55
qlʿ 65
qlʿm 65
qlʿm 66
qlṣt 16
qmḥ 68
qmnz 65
qny 9, 167
yqny 7, 94
tqny 9, 74
qnm 12
tqtnṣn 73
qṣʿt 38, 43
qṣʿth 25, 55, 70
qṣ 21
qṣm 28
qṣ 2
qṣr 91
qṣrt 91
qr 55
qra 39
yqra 9
tqru 4, 37
iqra 67
qrb 44
yqrb 5, 12, 75
tqrb 44, 73, 83
tqrb 35
qrb 8, 9, 10, 19, 62, 80
qrbm 19, 25
qrdm 169
qrwn 27, 69, 166
qrym 43
yqry 83
tqry 2, 75
aqryk 5
qryt 44
qrt 35, 56, 58, 65, 66, 96
qrtn 79
qrytm 51
qrtm 52
qrnm 3, 29, 54, 65, 69, 76
qrnh 12
qrnt 4, 12
tqrṣn 30
qrš 72, 74
qšt 19, 43, 52, 65, 90
qšth 26, 55, 89
qšthn 19, 70
qšth 3
qštm 65
qšt 66, 169
rum 44, 70
rumm 7, 12, 27, 28, 33
rimt 39, 48
yraš 76, 94
riš 5, 22, 28, 61
rišh 3, 11, 55
rišt 32
rišthm 38, 70
rištkm 47
raštkm 41, 79
rb (Adjektiv) 29
rbm 21
rbt 5, 6, 35, 67, 69, 70, 79, 83
rbm (Plural) 82, 94
rb (Substantiv) 14, 40, 43, 84
rbt 36, 43, 67, 70, 83, 84
rbt (Zahlwort) 8, 9, 13, 32, 44, 53, 68, 80
rbbt 7, 33, 34
rb (Göttin) 90
rbʿ 6
rbʿt 30
arbʿ 6, 14, 15, 33, 34, 47, 56, 58, 65, 66, 71, 77, 93
arbʿt 6
arbʿm 7, 21, 33, 34, 43, 56, 66
trbṣ 11
trbṣt 10
rgm 39
rgmt 40, 55
rgmt 39, 40
yrgm (*yqtl*/*yqtl-*) 39, 54, 75, 95, 96
trgm 85, 96
argmk 75, 89
rgm (Singular) 39, 40, 88
rgm 39
rgm (Dual) 39, 81
rgm (Nomen) 3, 6, 29, 38, 39, 40, 42, 46, 59, 74, 75, 76, 79, 82, 85
rgmh 12, 84
rgmhm 29
rgmm 12, 74, 89
rgmy 76
argmn 23, 47
argmnk 27
rdmn 88
rḥ 11, 28, 30
rḥtm 38, 80
yrẓ 57
rm 15
trmmn 9
rmt 25
mrzḥh 16
rḥbt 21
rḥbn 7, 34, 77
rḥm 21, 167
trḥln 82
rḥmt 93
rḥm 33, 69
rḥmy 73, 167
trḥṣ 22, 78
trḥṣnn 22
trḥṣ 80
rḥṣ 53
rḥṣ 6
yrtḥṣ 6, 74
rḥq 40
šrḥq 39
rḥqm 49, 50, 76, 165
rḥqtm 37, 49, 50, 68
trḫp 51, 54
arḫp 51, 54
trḫpn 54
mrym 8, 59
rkb 72
rkb 2, 37, 39, 44, 69, 70
mrkbt 10, 11, 22, 43, 62
mrkbtm 46
mrkbthm 36
rʿ 48
rʿh 45, 85
rʿy 45
rʿy 62, 172
rġbt 78
rġb 78
trġnw 3, 78
mrġṯm 72
yrp[ ] 90

trpa 177
rpu 64
rpi 15, 16, 83, 90
rpum 35
rqdm 25
trtqṣ 9, 30
rqm 36
ršp 44, 65, 97
ršpm 94
rṯt 19
rṯ 6
š 6, 37, 42, 44, 47, 65, 72
šh 16
tšabn 21
šibt 2
šiy 30
yšal (*yqtl*/*yqtl-*) 82, 85
šalm 77
šal 12
širh 32
šir 37
šbyn 92
ištbm 88
šbn 7
šbny 34
šb‘ (Verb) 98
šb‘t 4, 78
šb‘t 94
tšb‘ 11, 98
šb‘ (Nomen) 53
šb‘ (Zahlwort) 8, 10, 16, 29, 32, 34, 42, 43, 44, 46, 66, 73, 77
šb‘t 11, 33, 56, 89, 92
šb‘m 28, 32, 33, 43, 77, 92
šb‘ 4, 5, 8, 15, 17, 74, 79, 83
šb‘t 32, 53
šb‘id 37, 50, 68
šb‘d 10, 37, 50, 54, 68, 75
mšb‘t 22
šd 2, 3, 4, 7, 9, 27, 33, 42, 46, 66, 69, 71, 78, 84, 94
šdm 2, 70
šdm (Plural) 23, 38
šdmth 30
šḥlmmt 2
šḥr 63, 67
šḫṭ 30
mšḫṭ 19
šṭpm 23
yšr 54, 73, 77
ašr 64, 67
šr 34, 43
šrt 16
št 39, 45, 55, 60, 70, 76
št 20
štt 38
št 45, 84, 86, 168
yšt (*yqtl*) 18, 85
yšt (*yqtl*, *yqtl-*) 19, 38, 90
yštn 39
yštk 32, 68
tšt (*yqtl*) 18
tšt (*yqtl-*) 19, 74
tštn 20
tšth 39
tštnn 13, 19
tštk 19, 25
tšt 18, 82, 90
ašt 9, 39, 87
aštn 39
aštk 30
št (Singular) 20, 48, 59, 79
štn 39, 81
št (Plural) 39
škb 32, 60, 77
yškb 9, 12, 74
škn 45, 47, 84
yškn 79
aškn 45
tškn 27
mšknth 36
mšknthm 35
škr 53
škrn 13
ašlw 12
tšlḥ 18
ašlḥk 80
šlḥ 22
šlm 42
yšlm 42
šlm 38, 57, 58, 59, 67, 77, 79, 85
šlm 11
šlmm 65, 81, 85
šlm (Gottesname) 63, 67
šm 23
šmy 88
šmthm 75
šmal 91
tšmḫ 50, 82
tšmḫ 66, 75
nšmḫ 23
šmḫt 23
šmm 2, 3, 4, 10, 11, 13, 19, 23, 37, 57, 58, 66, 75, 81, 83
šmlšn 76, 84
šmmn 9, 23, 46, 47, 84, 167
šmn 11, 12, 13, 14, 23, 33, 34, 42, 43, 58, 60, 66, 81
šmt 75, 96
šm‘ 45
šm‘t 45, 71
yšm‘ 45, 64
tšm‘ 79
šm‘ 42, 64
šm‘ (Nomen) 42
ištm‘ 80
šm‘y (Personenname) 14
yšm‘ (Personenname) 43
mšm‘t 95
šmt 43, 69
šnt 15, 24, 32, 53, 58, 83
šntm 58
šnt 8, 29, 32, 43, 53, 56, 68, 69
šna 25, 69
šnwt 75
šnt 75
šnm 37, 63, 64, 65, 67, 72, 74, 78
šnst 3
š‘r 77
š‘rm 20, 43
š‘rt 21, 33, 34, 42, 43
š‘tqt (vgl. oben zu *‘tq*) 83
špt 37
špth 3, 75
šptу 4
špthm 26
špḥ 6, 16, 44, 69, 71
špk 30
špš (Appellativum bzw. Nomen proprium) 4, 5, 29, 30, 31, 32, 36, 37, 39, 40, 42, 43, 57, 58, 59, 67, 69, 70, 74, 77, 85, 94
špšm 5, 6, 74, 79, 83
yšqynh 77
tšqyn 80
yššq 74
yštql 35, 36, 72
tštql 35
šrgk 42
šrh 38
tšrpnn 21
šrp (Nomen) 55
šrp (Nomen) 65
šr 33, 75, 84
šr 64
šrr 67
mšr 48
šrš 8, 29, 30, 70, 71
šršk 14
ššlmt 33
št (Nomen) 2, 75
šty 98
štt 56, 79, 168
štt 5
šty 72, 98
yšt 2, 64, 98
tšt 28, 32

tšt 80
ištn 81
ištynh 5, 14
tšty 98
tštn 53, 80
nšt 80, 82
šty (Singular) 2, 9
štn 57
šty (Plural) 2, 81
štm 79
šty (Infinitiv) 47
šty (Personenname) 46
-t (Hervorhebungspartikel) 12, 14, 26, 30, 45, 51, 52, 53, 56, 59, 66, 76, 79, 82, 84, 85, 90, 169, 170
tišr 34
tb‘ 35, 36
tb‘t 72
tb‘ (Dual) 72
tb‘ (Plural) 8
ttb‘ 83
tb‘ (Singular) 84
tb‘ (Dual) 10, 89
tb‘ 57
tbṯḫ 67
tgyn 71
thmt 60
thmtm 5
tk 9, 15, 19, 32, 62, 69, 70
tḥm 40, 59, 69, 169
tḥt *61-62*, 75, 78, 81, 176
tḥth 28, 61
tlm 59
tlmyn 14, 69
tm 16, 71
tmnh 73
t‘rth 19, 74
t‘rty 30
tġsdb 76, 84
tpnr 42
tp 21, 68
tr 44, 72
trhn 62
trhy 66
trḫ 38, 72
trḫ (Infinitiv) 43
trġds 45, 71
trġzz 59
trṯ 53
tš‘ 33, 66, 77
tš‘m 66
tt 13, 77
ṯat 28, 30, 37
ṯigt 47
ṯiṭ 6
tṯar 38
ṯar 46
ṯb‘m 66
ṯbr 75
yṯbr 81
ṯbrnqnh 9, 27
ṯbrnqy 10, 28
ṯd 21, 39, 72
ṯdn 30
ṯdṯ 6
ṯṯ 43
ṯṯm 33, 34, 43
ṯwb 174, 175
ṯb 37, 76
yṯb 12, 35, 84
tṯb 83
tṯb 35
ṯb (Singular) 35, 36, 37, 70, 84, 85
ṯb (Plural) 35, 36, 37, 84, 85
ṯṯb 175
yṯṯb 6
tṯṯb 39
tṯṯb 59
tṯṯbn 76, 98
ṯṯb (Singular; m.) 38, 39, 82, 84, 85, 175
ṯṯb (Singular; f.) 39, 79
ṯṯb (Infinitiv) 39
ṯr 12, 27, 30, 39, 43, 167
ṯrm 29, 65, 67, 76
ṯrh 54
ṯy 20, 25, 60, 76
ṯh 39, 55, 87
ṯydr 21
ṯkt 21, 71
tṯkl 3, 78
ṯkl 13
ṯkm 24, 36, 53
ṯkmn 37, 63, 64, 65, 67, 78
ṯlb 21, 68, 73
ṯlḥn 78
ṯlḥny 5, 167
ṯlḥnt 2, 9, 38, 61
ṯlḥny 167
ṯlġdy 58, 66
ṯlrbh 167
ṯlrby 68
yṯlṯ 28
ṯlṯ 7, 8, 10, 11, 16, 22, 42, 43, 46, 51, 56, 62, 66, 69, 77, 93
ṯlṯt 34, 65, 165, 167
ṯlṯth 67, 168
ṯlṯm 34, 42, 43, 71, 77
ṯlṯ 5, 6
ṯlṯid 54
ṯlṯ (Nomen) 23, 34, 47, 66
ṯm (Adverb) 24, 35, 57, 64, 70
ṯmn 81, 89
ṯmny 57, 58, 77, 79
ṯmt 79
ṯmgdl 66
ṯmn 10, 33, 43, 44, 56, 62, 66, 73
ṯmnt 6, 11, 33, 75, 77, 84, 89
ṯmnym 13, 20, 33, 75, 84
tṯtmnm 44, 73
ṯtmnt 39
ṯmq 64
ṯn 16, 25, 33, 47, 51, 56, 61, 62, 65, 69, 77
ṯnm 54
ṯnh 67
ṯt 46, 65
ṯn 2, 38, 67, 70
ṯt 24
ṯnid 50
mṯn 89
ṯny (Verb) 39
ṯnt 39
aṯnyk 75
ṯny 39
ṯn 12, 74
ṯnnm 66, 67
ṯnth 19, 68
ṯ‘ 83, 90
ṯ‘dt 23
yṯ‘r 78
tṯ‘r 38
ṯ‘r 38
ṯġr 19, 61
ṯġrm 16
yṯpd 38, 73
mṯpdm 61
ṯpṭ 51
ṯpṭn 76
mṯpṭ 82
mṯpṭ (Personenname) 65
ṯpn 62
ṯql 42, 60, 69, 165, 167
ṯqlm 65
ṯqlm 30
ṯryl 40, 44, 59, 82, 85
yṯrm 73
iṯrm 80
ṯrm 47, 71
ṯrmn 7
ṯrmnm 77
ṯrmg 59
ṯrrt 35, 67, 69, 70, 79, 83
ṯšm 55
ṯt‘nn 78

Altkana‘anäisch (EA)

ba (Präposition) 14
di-u 14

Tell Kāmid el-Lōz

l (Präposition) 84
rb 84

Hebräisch

’āḇī 29
’āḏām 29
’ō (Konjunktion) 90, 91
’ăḥōṯī 29
’ayyē (Adverb) 2
yōḵal 4
’ĕlōhīm 22
’ĕlōhāw 22
’ēlōn 18
’æl (Präposition) 48, 57, 58
’ĕlē 48
’ly 48
’allōn 18
’allōnē 18
’im (Konjunktion) 49, 95
’immī 29
’ănī 52
’ĕnōš 29
’ešæṯ 50
’attā 29
’af (Konjunktion) 29, 88, 89, 90
’ăšær 97
’æṯ 57, 58
bĕ (Präposition) 4, 5, 6, 7, 8, 10, 11, 12, 14, 15, 16, 17, 18, 20, 21, 22, 23, 33
be 53
bĕmō 1, 25
bō 4
yāḇō’ū 4
bēn (Präposition) 51
bēnē- 51
bēnōṯ 51
biltī (Verneinungspartikel) 33
bæn 29
bānāw 49
b‘r 38
hab-boqær 33
bārāḥū 50
gam 29
hū 52
hēn 95
nahăfōḵ 52
wa (Konjunktion) 29
wĕ 27, 52, *63-86*
u 4, 29, 50
zō 27
zǣ 27
ḥāḏā 74
ḥzw/y 74
ḥomæṯ 44
ḥæræḇ 49
**-y(V)* (Hervorhebungspartikel) 2, 51, 52, 61
dē‘ī 41
hay-yōm 33
yĕmōṯ 69
yayin 4
yṣ’ 7
yēṣĕ’ū 4
mōrǣ 18
yšb 19
-kī (Hervorhebungspartikel) 29, 88, 90
ka (Präposition) 97
kā 1, 27
kĕ 1, 26, 27, 28, 165, 170
kĕmō 26, 29, 30, 31
kĕmōḵæm 29
kī (Konjunktion) 92, 93
kī 94
kālā 11
lō (Verneinungspartikel) 12
lā (Präposition) 29
lV 31, 56
lĕ 33, 38, 40, 41, 43, 45, 46, 47
lĕmō 31, 49
lī 29
lēḇāḇ 29
laḥămū 4
laḥămī 4
**-mV* (Hervorhebungspartikel) 56, 95
-mō 1, 25, 29, 30, 31, 49
mē (Präposition) 41, 49, 50
mi(n) 44, 49, 50
**-n(V)* (Hervorhebungspartikel) 87
nĕ‘ūrǣḵā 50
’æśśā 41
nāṯan 57
mispar 33
‘æḇæḏ 81
‘ăḇāḏīm 81
‘aḏ (Präposition) 50, *52-53*
‘ăḏē 52
‘aḏ (Konjunktion) 97, 98
‘ōḏ bzw. *‘d* (Adverb) 53
‘ôd 53
‘al (Präposition) 53, 55
‘ălē 53
ma‘lā 33, 41
‘ōlām 57
‘ôlâm 53
way-ya‘amḏū 50
‘im (Präposition) 56, *58-59*
‘ummaṯ = *‘umma-ṯ* 56
‘ummōṯ = *‘ummō-ṯ* 56
‘ænæṯ 165, 170
‘th 170
‘attā 170
‘ăttā 170
‘æræḇ 33
pV (Konjunktion) 87
pæn 87
hap-pānīm 57, 58
pĕnē 33
ṣīrayiḵ 50
ṣæmæḏ 77
qoḏæš 81
haq-qăḏāšīm 81
qārāṯī 29
qæræḇ 62
yirbū 49
rūaḥ 33
rāḥōq 41, 50
rimmā 29
r‘n 3
śāḏǣ 77
śīm 57, 58

šĕmaḥ 50
śārā 167
śāray 167
šabbēaḥ 52
tišbĕrū 4
haš-šaḥaṯ 29
wat-tĕšallĕḥī 50
šĕnōṯ 69
yištæ̅ 4
šĕṯū 4
*-t(V) (Hervorhebungspartikel) 33, 51, 56
tāwæḵ 62
tōḵ 62
taḥaṯ (Präposition) 61, 62
taḥtē- 61
tōlē'ā 29

Mišnā-hebräisch

kĕ (Präposition) 31
kĕmō 31
kĕmōṯ 26, 31
lĕ (Präposition) 47
-mō 31
-mō- 26, 31
qoḏæm (Präposition) 60
*-t(V) (Hervorhebungspartikel) 26, 31

Moabitisch

w (Konjunktion) 63
ky (Konjunktion) 92
l (Präposition) 31
m (Präposition) 49
'd (Präposition) 53
'l (Präposition) 53

"Jaudisch"

p (Konjunktion) 86
p' 86

Phönizisch

'p (Konjunktion) 88
b (Präposition) 22
'l (Präposition) 48
'm (Konjunktion) 95
w (Konjunktion) 63
k (Präposition) 26
km 26
k (Konjunktion) 92
l (Präposition) 31, 41
*-m (Hervorhebungspartikel) 26, 95
m (Präposition) 41
mn 49
'd (Präposition) 53
'l (Präposition) 53
'lt 53, 56
*-t (Hervorhebungspartikel) 53, 56
tḥt (Präposition) 61

Punisch

k (Konjunktion) 92
'd (Präposition) 53
'l (Präposition) 53

Aramäisch

'æ̆ḏayin 6
'ăḏār 33
'ō (Konjunktion) 90, 91
'w 91
'aw 91
'awkēṯ 91
'ān (Adverb) 37
'in, *'im*, *'ī* (Konjunktion) 95
'en 95
'en, *'n*, *'yn* 95
'n 95
'af (Konjunktion) 88
'af, *'ūf* 88
ap 88
'āf 88
'ōf 88
bĕ (Präposition) 4, 6, 14, 15, 16, 21, 22, 23, 50, 51
by (*bē*) 1, 24
bĕhōn 4
bēn, *bēnē-* (Präposition) 51
baynay, *baynāṯ*, *bēṯ* 51
binat-, *binatay*, *bit* 51
b'r 38
bāṯar (<*bV-'aṯarV) (Präposition) 50
batar (*bāṯer*) 50
d(V) 13, 29, 33, 69, 97
dĕnā 27, 169
hān (Adverb) 37
hen (Konjunktion) 95
hin 95
hn 95
hVn 95, 96
mhpk 38
*-w(V) (Hervorhebungspartikel) 61
-wā- 26, 29

wV (Konjunktion) 63, 69
wĕ 4, 82
hădā 74
hădī 74
hzw/y 74
hulmātā 44
-y(V) (Hervorhebungspartikel) 1, 24, 51, 61
-y- 91
yawmā 33
iuma 33
yĕraḥ (yrḥ) 33
-kV- (Hervorhebungspartikel) 91
ka (Präposition) 27
kĕ 26, 27, 28, 97, 169
kĕwāṯ 26, 29
kĕmā 26, 29
kĕmāh 29
'yk 26, 31
'ak 26, 31
'akwāṯ 26, 29
ky (Konjunktion) 92
kidnā (vgl. oben zu *dĕnā*) 27
kzy, kĕzī (Adverb) 97
kdy, kĕdī (vgl. oben zu *dV*) 97
kd, kid, kad 97
kslw 33
la (Präposition) 61
lV 31
lĕ 33, 37, 38, 40, 43, 45, 46, 47, 61
lĕmā 31
-mā (Hervorhebungspartikel) 26, 29
min bzw. *men* (Präposition) 49, 61
sdwm 38
sup 33
'ad (Präposition) 53
'ad (Konjunktion) 97
'al (Präposition) 53
'lm 33
'im (Präposition) 56
'am 56
p (Konjunktion) 87
qădām (Präposition) 60
qudām 60
qudam 60
qĕdām 60
qdm 60
qaytā 33
qĕreb 38
šab'ā 33
yištōn 4
-t(V) (Hervorhebungspartikel) 26, 29, 51, 91
tĕḥōṯ, tĕḥōṯō- (Präposition) 61
tĕḥōṯō 61
(a)tutia 61
tĕḥōṯay, tĕḥōṯaw-, tĕḥēṯ, taḥt, taḥtay 61
tḥwt 33
tĕra' 38

Arabisch

'aḥadū 41
'iḏ (Konjunktion) 97
'iḏmā 97
'iḏāmā 97
al-Lāhu 22
'ilā (Präposition) 48
'ly 48
'inna (Hervorhebungspartikel) 170
'in (Konjunktion) 95
'immā 95
'aw (Konjunktion) 91
bi (Präposition) 4, 6, 7, 12, 20, 21, 22, 23, 25
bimā 1, 25
ba'da (Präposition) 52
ba'īrā 41
bāha 82
bayna (Präposition) 52
taḥta (Präposition) 61
tuḥayta 61
ṯalāṯīna 41
ǧāḥimihā 33
ǧarā 38
al-muḥarrami 33
hzw/y 74
ḥamaṯītun 44
ḥāḏa 74
ḏālika 27
rġn 3
raqaṣa 9
zaḥafa 38
šana'a, šani'a 25
'alā (Präposition) 53
'amā (vgl. unten zu *ma'a*) 56
fa (Konjunktion) 87, 88
qariba 44
ka (Präposition) 1, 26, 27, 28
kamā 1, 26, 30
lā (Verneinungspartikel) 12
li bzw. *la* (Präposition) 31, 33, 38, 41, 43, 45, 46, 47
lahū 41
-mā (Hervorhebungspartikel) 1, 25, 30, 95, 97
ma'a (Präposition) 56, 58
min (Präposition) 49
wa (Konjunktion) 63, 66, 68, 69, 72, 77, 78, 82
waqtihā 33
hilāli 33

Altsüdarabisch

-'- (Hervorhebungspartikel) 1, 97
'ḏ (Konjunktion) 97
'w (Konjunktion) 91
'rkn 33
'ṯr (Präposition) 50
'ṯrh (b-'ṯrh) 50
b (Präposition) 15, 21, 22, 23, 50, 60, 61
b'y 1, 97
bhy 1, 24, 97
bhyt 1
bm 1, 25
bmw 1, 25
bn 1, 61
byn (Präposition) 51
b'd (Präposition) 52
b'dn 52
-h- (Hervorhebungspartikel) 1, 24, 50, 53, 97
hn (Konjunktion) 95, 96
hm 95
hmw 95
-w (Hervorhebungspartikel) 1, 25, 38, 53, 95
w (Konjunktion) 63, 66, 68, 69, 72, 77, 83
ẓ'nw 38
-y (Hervorhebungspartikel) 1, 24, 53, 60, 61, 97
-y- 1

k (Hervorhebungspartikel) 167
k (Präposition) 26, 27
l (Präposition) 31, 33, 38, 41, 43, 45, 46, 48
ln 31, 41
-m (Hervorhebungspartikel) 1, 25, 95
-m- 1, 95
mh k 167
mn (Präposition) 49
-n (Hervorhebungspartikel) 1, 31, 33, 41, 52, 53, 56, 60, 61
'd (Präposition) 53
'dw 53
'dy 53, 60
'd (Konjunktion) 97
'dy 97
'l (Präposition) 53
'ly 53
'lhy 53
'ln 53
'm (Präposition) 56
'mn 56, 60
f (Konjunktion) 87, 88, 91
qdm (Präposition) 60
qdmy 60
-t (Hervorhebungspartikel) 1
tḥt (Präposition) 61
tḥty 61

Neusüdarabisch

lā (Verneinungspartikel) 86
men bzw. *min* (Präposition) 49

Äthiopisch (Gĕ'ĕz)

la (Präposition) 31, 33, 38, 43, 45, 46, 47, 53
lā'la 53
ḥōra 38
ḥōsa 74
-ma (-mā-) (Hervorhebungspartikel) 26, 29, 30, 31, 92, 95
qĕdma (Präposition) 60
ba (Präposition) 6, 21, 22
bayna (Präposition) 51
baynāt 51
**-t* (Hervorhebungspartikel) 51
tāḥta (Präposition) 61
tāḥtē- 61
-na (Hervorhebungspartikel) 49
'ĕm (Präposition) 49
'ĕmna 49
('ĕmĕnna) 49
'ĕmma (Konjunktion) 95
'aw (Konjunktion) 91
kama (kamā-) (Präposition) 26, 29, 30, 31
kama (Konjunktion) 92
wa (Konjunktion) 63, 83
'ālam 33
**-y(V)* (Hervorhebungspartikel) 61
yĕgabbĕ' 38
yĕṣammĕ'ū 38

Amharisch

la (Präposition) 31

Tigrē

la (Vokativpartikel) 166
**-m* (Hervorhebungspartikel) 26, 92, 95
mĕn (Präposition) 49
qadam (Präposition) 60
'ĕl (Präposition) 31
'ĕm (Konjunktion) 95
'asar (Präposition) 50
kĕm (Präposition) 26
kĕm (Konjunktion) 92
wa (Konjunktion) 63

Tigriña

lV (Präposition) 31, 53
lĕ'lī 53
**-m* (Hervorhebungspartikel) 26, 92
**-tV* (Hervorhebungspartikel) 95
'ĕm(m)- (Präposition) 49
'ĕnta (Konjunktion) 95
kam (Präposition) 26
kĕ (Konjunktion) 92
kam 92
-wĕn (Konjunktion) 63, 86

Hararī

lV (Präposition) 31
bē (bay) (Präposition) 1
**-y* (Hervorhebungspartikel) 1

Akkadisch

u (Konjunktion) 63, 66, 68, 69
ū (Konjunktion) 91
ad (Präposition) 53
adi 53
adu 53
adum 53
adi (Konjunktion) 97
idi (Präposition < Nomen) 62
idē 62
ʿal (Präposition) 53
eli 53
elu 53
el 53
ili 53
ullum 165
ūmi 33
ana (Präposition) 57, 58
anā (Pronomen) 167
anāku 167
ina (Präposition) 4, 173
annîm 33
ištu (Präposition) 33, 172, 173
bît 44
bêli-ya 29
ḫu-bu-re 44
ḫadû(m) 74
ḫulmiṭṭu 44
ḫâšu 74
kī (Präposition) 1, 26
kīma 1, 26, 29, 30, 31
akī 26, 31
akkī 26, 31
kī (Konjunktion) 92
kīma 92
kalû 11
la (Präposition) 31
libbi 4, 88
leqūm 62
**-m(a)* (Hervorhebungspartikel) 1, 26, 29, 30, 31, 53, 62, 74, 92
mi-gir 88
minde (Adverb) 93
midde 93
nadānu 57, 58
na-gi-ib 81
pāna 57, 58
qa-bi 29
qadu(m) 62
qudmiš (Adverb/Präposition) 60
qāti 173
qātā 62
ṣa-bu-šu 81
ṣi-di-tam 81
šarri 29
šerru 67
šatû 4

Ägyptisch

iw 63
hn 95
šrr 67

B. STELLENREGISTER (zum ersten und zweiten Teil)

1. Stellen ugaritischer Texte

1: 2 II 42
3 II 64, 65, 69
4 II 65, 85
5 II 65
6 II 65
7-8 II 65
9 I 61, II 65
9-10 I 62
19 II 48
21 II 48
passim II 85

2: 11 II 91
14-15 II 91
16-17 II 37
23 II 14, 91
25-26 I 69, II 37
27 II 37, 85
31-32 II 91
33-35 II 37
34-35 I 69
passim II 85

3: 1-4 II 15
3-4 II 6
41 II 6
42 II 42
45 II 6
46-47 II 6
50 II 6
52 II 29
55 I 30, 60, II 31
passim II 48, 85

5: 1-2 II 94
3-8 I 58
6-7 II 65
7-8 II 42
9-10 I 11, 12, 58
10-11 II 42, 69
10-14 II 48
12 II 65
13-14 II 69
15 II 65
24 II 51
26 II 42
passim II 42, 85

6: 6-9 II 48
10 I 48
13 I 4
14 II 94
15 II 48
17 II 56
20 II 59
22 I 38
24 II 94
25 I 10, II 28, 94
25-26 II 97
31 I 34
passim II 85

8: 2-3 II 28
6 II 52

9: 2 II 65
7 II 85
8 II 42, 69
15 II 85
passim II 85

10:4 II 85

12:2 II 85

13 obv. 5 II 85, 96
6 II 91
7 II 91
7-8 I 48
10 II 91
11 I 25
rev. 2 I 48
3 II 85, 96
5 I 67, 71, II 90
passim II 85

18:1-2 II 44
13 I 9, II 47
17-18 I 67, 71, II 45
18 I 14
18-22 II 85
19:2-5 II 48
13 II 6
14-15 II 48
16 II 42

20:3 I 74
4 II 15

21:2 II 48
3 II 85

22:8 II 85

23:3-5 II 48
8 I 20
passim II 85

24:10 II 52

26:10 I 8, 10, 58
passim II 85

27:6 II 90

32:3 II 94
5 II 94

33:5 II 85
7 II 85

40:5 II 85

42:2 II 90

43:4 I 49

44:2 II 85

48:5 II 85

49:I: 2 II 88
3 II 48
4-5 I 6, 34, 49
6-8 II 72, 75
8-9 II 36, 72
10 II 72, 77
11 I 14, II 72
11-12 I 67, 71
11-13 II 66
13-14 II 169
13-15 II 92
15 I 52
15-16 I 15, 45, II 36

49:I: 16-17 I 39
17-18 II 16, 80
19 II 83
20 I 26, 27, 66
21-22 II 83
22 I 14, 54
22-23 II 57
22-24 I 24
23-24 I 51, II 56
24 II 94
25 I 65, II 84
26 I 27, 66
28-29 I 50, 65, II 17, 90
30-31 II 36, 169
31-33 I 25
33 II 83
34 I 24, II 6, 8
35-36 II 40, 169
35-37 II 72
37 II 6
38-39 II 21
49:II:2 II 85
3-4 I 10, II 28
6-9 I 60, II 28, 30, 37
8-9 II 51
9-11 II 2
13 I 54, 65, II 84
13-14 I 39, 42
15-16 II 75
15-17 II 34
17-18 II 51
18 II 88
19 I 45
19-20 II 34
20 II 34
21 II 169
21-22 I 48
22 II 28
22-23 II 10
23 I 61, II 28
25 I 41, 46, 54, II 23
26-27 II 33
28-30 I 60, II 28, 30, 37
29-30 II 51
30-31 I 54
31-34 II 21
34-35 II 2
35-37 I 34
37 II 37
49:III:2 II 84, 169
2-3 II 76, 96
3 I 29
4-6 II 13
6-8 II 81
7 I 52
8 II 169
8-9 II 93
49:III:9 I 29
10-12 II 13
13 I 52
15 II 38
15-16 II 73
17 II 72
18 I 48, 75
18-19 II 80
19 II 9
20-21 II 92, 169
21 I 29
22 I 15, 52
22-23 II 36
24 II 39
49:IV:25 I 37
26 I 54
28-29 I 2, 46, II 169
31-32 I 6, 34, 49, II 58
33 II 72
36 I 37
37 I 55
39-40 I 2, 46, II 169
41 II 83
42-44 II 85
43 II 56
44 II 169
45 II 83
46 I 37
46-47 I 2, II 37
49:V:2-3 I 52, 69, II 21
4 II 36
5-6 II 41
7-8 II 33
8-10 II 15, 59, 83, 85
9-10 I 54, II 169
10-11 II 72
11-12 I 39
11-15 II 55
12-16 II 21
15-19 II 55
18-19 II 4
20 I 13, II 6
20-21 II 85
26 II 85
28 I 27
49:VI:7 I 54
9 I 54
10-11 I 53, 56, 69
13 II 72
14-15 I 69
14-16 I 53
17-19 II 27
22-23 I 63, II 37, 54, 165
23-24 I 39, 54, 77
24 I 38
24-25 II 57, 169
49:VI:24-26 I 7
26-27 I 21, 74
27-28 I 20
27-29 I 74
30 I 54
31-32 II 172
37 I 69
51:I: 17 I 45
20-21 II 89
21-22 I 77
24 II 36
25 II 10
26-28 I 57
27-29 II 34
28-29 I 57
30 I 57, II 67
32 II 22
34-35 II 3
38 I 11, 58, 63
39 I 56
42-43 II 28
43-44 II 7
44 II 33
51:II:6-7 II 6
8-9 II 38
12 II 12, 82
13-14 I 32
16-17 I 43, II 13, 24
17-18 I 11, 63
18 I 63, II 165
21 II 72
21-24 I 8
24-25 I 59, 71
26-27 I 32
27 II 85
29 I 15, 31, 52, II 36
32 II 19
33 II 56
39 I 42
40 II 85
43 I 27
47 I 15, 52
51:III:5 I 21
7-8 II 85
10 II 169
12 II 78
13 II 78
13-14 I 54, II 15
14-16 II 5
15-16 II 14
17 I 59, II 25
17-21 II 69
21 I 35, II 92
21-22 II 13, 71
23-24 I 13, II 169
28-29 I 7, 8
30-32 I 70

51:III:31-32 I 59
41 II 85
41-43 II 21
43 I 53
51:IV:3 II 85
4 I 39
7 I 48
8 II 64
12 I 48
13 II 64
14-15 II 39, 169
16 I 57
16-17 II 28
17-18 II 37, 175
20-21 I 6, 34, 49, II 58
23-24 II 72
25 II 36, 72
26 II 73
27 I 32, 58, 73
28 II 73
29 II 38
29-30 II 73
30 II 72
31-32 I 8
33-34 I 70, II 78
34 I 55
34-35 I 59
35 I 57, 71
35-38 II 2, 9
36-37 I 54
37 I 53
38-39 I 59, 71
40 II 83
41-42 II 57
43-44 II 76, 169
44 I 64, II 19, 56
45-46 I 45, 62, 75
47 I 14, 34, 45
48-50 II 63
50 I 19, 65
50-51 I 60, II 26, 29, 46, 71, 86
51 II 29
58 II 83
59 I 48
59-60 II 87
60 I 48
61-62 I 59, II 96
62 II 44, 70
62-63 I 60
51:V:63 II 70
64 II 83
65 I 33, 39, II 57
66 I 35
68 I 65
68-69 II 21, 86, 89
68-70 II 71
51:V:70 I 8, II 2
71 II 38
73 I 59, 70
74 I 74, II 39, 169
75-76 II 19
80 II 68, 84
82-83 II 73
84-85 I 6, 34, 49, II 58
84-86 II 9
87-88 II 72
89-90 II 44
89-91 I 59, II 30, 70
91-93 II 19
95-96 II 68, 84
97-98 II 169
98-99 II 19
100-101 I 33
103 II 64
104 II 36, 84
104-105 II 93
106 I 13, II 64
107 II 60
107-108 II 70
108-110 II 73
109-110 II 38, 169
110 II 98
111 II 83, 169
115-116 I 75
116-117 II 9
120 II 64, 83
121 I 39
122 I 39
123 I 27
123-124 II 9
125 II 83, 169
126 I 21
126-127 II 9
51:VI:1 II 64, 83
2 II 36
3 II 64
4 I 77, II 169
5 I 27
5-6 II 9
7 II 84, 169
8 I 21
8-9 II 9
10 I 22
13 I 53
14-15 II 64, 83
15 II 35
16 I 62
17 I 62
18-21 II 85
22-23 II 4, 18
24-25 I 69, II 67
24-26 II 2
24-31 II 4
51:VI:26-31 II 2
31-33 I 72, II 4, 5
34-35 II 36, 169
37-38 I 55
40-41 II 89
41-42 I 47, II 67, 89
44-45 II 19
55 II 98
55-56 II 72
56-58 II 21
58 I 53
51:VII:4 II 48
6 I 61, II 95
13-14 II 10
14-15 II 83, 169
15 I 57
16 I 53
17-19 II 9, 80
20 II 85
21 II 64
22 II 72
23-24 I 33, II 39, 169
24-25 II 36
25-27 II 9
37-38 II 83, 169
38 I 66
38-39 I 9, II 47
40 II 60
41 II 92
42 I 7, 57, 66, II 12, 35
43 I 26, II 91
45-46 I 22, 54
47 I 75
47-49 II 9
48-49 I 75
49 I 46
49-50 II 54
50-51 I 34, II 66
52-53 I 32, 52, II 36
53-54 II 64
54-56 I 64, II 25
58 II 62
Frag.51:VII:53-58:1-2 I 8
3 I 8
3-4 I 60, II 84
3-5 II 70
5-6 I 15, 52, II 37
6-7 II 64
7-8 I 64
7-9 II 26
11 II 62
51:VIII:1-2 I 6, 31, 49
1-4 II 59
5 II 54
5-8 II 80
6 II 38

51:VIII: 7-8 I 12, II 18
8-9 I 55, II 20
10-11 I 6, 31, 49
12-13 I 45, 72
14-15 II 84
15-17 I 21, 54, II 35
17-18 I 21, II 28
17-20 II 9
19-20 I 61, II 27
26-27 II 36
26-30 II 81
29-30 I 54
29-32 II 39
32-35 II 169
47 II 85
52:1-2 II 67
3-5 II 48
5 II 85
6 I 2, II 2, 81
7 I 75, II 67
8 II 64
8-9 II 13
10-11 II 30
12 I 16, 58, II 54, 75
13 I 45, 54, II 69, 84, 167
14 I 58, II 10, 54
14-15 I 16
15 I 58, II 54
16 I 45, 57, II 73, 167
23 I 75
24 II 3
25-26 II 85
27 II 20
28 I 54, II 69
30 II 85
31 II 34, 48
32 I 35, 72
32-33 I 73, II 75
33 I 57
33-34 II 64
33-35 II 27
34-35 II 64
35-36 II 34
36 II 19
38 I 41, II 2
38-39 II 38
39 I 32. 59, 69, 71
39-40 I 73
39-43 II 75
40 I 37, 51
41 I 73, II 32, 75
42 I 41, 44, II 68
42-43 I 59, 69, 71, 73
43 I 37
43-44 I 51
44 I 73
52: 44-45 II 32, 75
45-46 I 41, II 68
46 I 69, 71, 73, II 84
46-47 I 37, 51
47-48 I 73, II 32, 75
48-49 I 41, II 68
50 II 26, 69
51 I 59, II 13, 25, 82
52 II 38, 67
53 I 42, 46, II 63
54 II 43, 70
55 I 69
56 I 59, II 13, 25, 82
57 II 32
58 II 73
59 II 3, 38
60 I 42, 44, 45
61 II 3
61-62 II 37
62 II 19
62-63 I 33, II 10, 66, 83
63-64 II 85, 91
64 I 16, 45
64-65 I 38
66 I 4, II 35, 70, 177
68-69 II 76
69 II 58
69-70 I 38
70 II 52, 83
70-71 II 76
71 II 96
71-72 II 80, 82
72 I 30, II 80, 82, 96
73 II 84
74 I 29
76 II 85
passim II 84
54: 2-3 II 40
4 II 42
5-8 II 45, 71
8-9 I 19, II 69, 71, 96
8-10 I 67
9 II 168
10-11 II 59, 85
11-12 I 4, 54, II 28, 85, 173
11-13 I 15
14 II 96
15-18 I 5
16-17 I 56, II 85
16-18 I 66
16-19 II 79
18-19 II 20, 59
55:8 I 24
27 I 15, II 76, 94
28-30 II 68
passim II 19, 85, 94
56:8 I 24, II 94
56: 12 II 94
17 II 94
21 II 94
23 II 94
32-33 I 15, II 94
passim II 19, 85
59: 1-2 II 42
62: 1 II 46
2-3 II 67
4-5 I 59, II 28, 30
6-7 I 45
7-8 II 18, 50
8-9 II 57
9 II 98
10 II 28, 98
10-11 I 15, 52, II 36
12 I 77, II 38, 169
14-15 I 32, II 39, 169
15-16 II 17
16-17 II 78
17-18 I 55, II 19
18-20 II 28
20-29 II 28
45-46 II 62
47 I 52, 68
47-48 I 51
47-49 II 53
48-49 II 65
50 II 64
51 II 64
52 II 64
rev.41-44 I 25, 74, II 89
passim II 169
63: 1-2 II 66
3-4 II 66
64:4 I 15
67:I:1-2 II 92
3 I 47
5 I 48
6 I 57
6-7 I 54, 75, II 19
7 I 61
9 I 23, II 72
9-10 I 6, 31, 34, 49
9-11 II 59
11-12 II 64, 83
12-13 I 54
14-15 II 87
15-16 I 70, II 10
15-22 I 59
16 I 45
16-17 I 40, 71
18 I 58
18-19 I 14, 70
19 I 53
19-20 I 14, II 22, 87

67:I: 20-21 I 70, II 10
21-22 I 70
22-23 II 59
23 I 57, II 85
24 II 84
24-25 I 57, II 56, 79
26 I 70, II 88, 177
27-28 II 92
67:II:2 II 37
3-4 II 19
3-6 II 26
4-6 II 68
6 I 47, II 78, 169
7 II 78
8 I 54
8-9 II 39
10-11 II 169
11 I 39
12 II 69
13 II 23, 72
13-14 I 6, 34, 49, 54, II 59
13-15 I 31
15-16 I 45, 72
16 I 45, 46
17-18 II 169
19 I 54
19-20 II 69
20 I 54
21 I 8, II 85
67:III:9 I 58, 68
11 I 22
14 II 85
18 I 58, 68
20-21 II 85
24 I 30, 58
25 I 58, 68
67:IV:1 II 88
2 I 25, II 85
6 II 89
6-7 I 2, 46
12-13 II 72
15 I 53
16 I 53
19 II 85
22 II 56
23 I 49
67:V:3 I 49
5 I 62
5-6 I 55, II 19
6-7 II 84
6-11 II 56
11-13 I 6, 31, 49
13 II 17
13-15 II 81
14 II 38
14-15 I 12
67:V:15-16 I 55, II 20
15-17 II 73
17 II 93, 169
18-19 II 2
19-20 I 64, II 32, 60
19-22 II 77
22 II 78
67:VI:5 I 42
5-8 II 34
8-9 I 33, II 37, 169
11-12 I 50, 65, II 90
11-14 II 40
12-13 II 36
12-14 II 73
13-14 II 36
14-16 II 39
17-19 II 21
18-19 II 67
20-22 II 28, 30
22 II 72
24-25 II 50
25 II 18
25-26 II 89
26-28 II 34
28-29 II 34
68:2 I 74, II 90
3 II 15, 85
4 I 4
5 I 16, 45, 46, II 36, 70
6 I 35, II 3, 10
6-7 II 61, 75
7 II 64, 84
7-8 I 33, 39, II 39
8 I 39
8-9 I 39, 67, 71
11 II 75
12-13 II 41
13-14 I 59, II 9, 30
14-15 II 51
15-16 I 59, II 9, 30
16-17 II 51
17-18 I 24
18 II 75
20-21 I 59, II 9, 30
21-22 II 51
22-23 II 80
23 II 36
23-24 I 59, II 9, 30
24-25 II 51
25-26 II 36
26 II 73
27 II 73
28 I 39, 57, II 23, 169
29 I 39, II 92
29-30 II 93
31 I 62, II 169
68:32 I 35, 51
33 II 48, 85
34 I 35
69:1-2 II 44
3 II 47, 65
70:1-2 II 45
3 II 85
71:6-8 II 48
75:I: 7 II 31
7-8 I 59
8 II 31
10 II 28
11 I 60, II 30
12-13 I 59, II 24, 75
14 I 46
14-17 I 39
16 I 45
17-20 II 81
18 I 61
19-20 II 18
30 II 3
30-32 I 60, II 29, 65
30-33 II 76
33 II 3
34 II 75
35-36 II 86
36 I 65
38 I 55
38-39 I 57
40-41 II 22, 71
75:II:8 I 27
9 I 55
15 I 60, II 31
18 I 9
24 I 27
37 II 19
40-41 I 60, II 31
47-48 I 55, 60
47-49 II 29, 92
49-51 II 33
50-51 II 84
50-52 II 75, 167
54 I 10
54-55 II 30
54-56 I 60
55-56 II 30
56 II 19
57 II 35
58 II 47
passim II 85
76:I: 3 I 23
9 II 48
36-37 II 73
76:II:3 II 83
4 I 66, 69
4-5 II 10

76:II:5 I 66
6 II 19, 62
6-7 I 59, II 70
7 II 25, 62
8-9 I 6, 49
11 II 12, 73
13 II 83, 169
14 II 83
13-15 II 73
15 II 67
16 II 52
17 I 43, 61, II 35
17-18 II 73
18 II 36
19 II 72
20 I 75, II 85
23-24 II 13, 70
23-25 II 70
26 II 83
26-29 II 73
27 I 59, II 83
28-29 II 12
29 II 85
30 II 173
31 II 44
76:III:4 II 85
5 II 83, 169
6 I 9, II 47
6-7 II 28
10-11 II 67
12 II 17
14-15 II 36
16 II 48
18 II 73
21-22 II 44, 70
25-26 II 85
28 II 25
28-29 I 43, II 24
28-30 II 73
28-32 II 17
29-30 II 24
29-32 II 25
30 I 7
30-31 II 70
31 II 25
31-32 II 24
33 II 44
34-35 II 81
36 II 84
36-37 II 44, 70
38 II 169
77: 1 II 66
3-4 II 13
5-6 I 39
7 I 73
10 II 85
12 II 48
77: 14-15 I 39
16-17 II 80
18-19 I 12, 57, II 18
18-21 II 80
19-21 II 44, 68
22-23 I 52
23-24 II 83
24-26 I 38, 54
25-26 I 52
28-29 II 43
29 I 45
30-31 I 65, II 75, 83, 86
31 II 86
32 I 46, 64, II 60
32-33 I 13
37-38 II 64
38-39 II 85
44 II 59
45-46 I 69, II 10
45-47 II 4
47 II 85
80:II passim II 85
89: 1-3 II 40
6-11 I 12, 16, 54, II 37, 50, 68
12-13 I 56, II 57
14-15 II 39
90: 1-4 II 23, 37, 43, 47
92 passim II 48
93: 6 II 42
9-11 I 65
passim II 42
95:1-2 II 40
3-4 II 69
5-7 I 12, 54, II 37, 50
10-12 I 3, 15, 58, II 57
10-14 II 77
13-14 I 48, II 89
14-16 I 5, 56, II 57
17-18 II 39
96:12 II 85
98:3 II 85
6 II 85
100:1 II 48
3 I 75
4 I 75, II 88
6 I 75
7 I 47, II 24
9 II 85
101:3 I 3
4 II 85
6 II 85
8 II 98
102:10-12 II 85
15 II 85
103:29 II 85
104 rev.2 II 85
105 obv.5 II 85
rev.3 II 85
5 II 85
107:4-5 II 67
passim II 22
109:1-2 I 41
4 II 68
passim II 68
111:1 II 65
4 II 65
113:14-15 II 65
18-19 II 65
49 II 65
116:1-6 II 14
117:1-2 II 40
5-6 II 37
6-7 II 42
9-10 I 3, II 57
11-12 I 5, 56, II 57
13 II 39, 85, 175
14-15 I 30, 59, 64, II 25, 60
14-17 II 76
14-18 II 76
16-17 I 34
17-18 II 23
18 II 169, 173
118:2 II 59
7 I 64, II 60
8 I 8, 46
9 II 85
11 I 64
11-12 II 60
15 II 82
16 II 85
17 II 48
18 I 3, II 57
21 II 85
25 II 39
28 II 43
38 II 48
passim II 43
119:2 II 85
5 II 65
7 II 65
7-8 II 85
11 II 85
16-18 II 85
21 II 66
26-30 II 85
passim II 10, 65, 66
120:1 I 45
1-3 II 14, 33
3 I 57
4 I 45
121:I:5 II 6
9 II 56

121:II: 1 II 10
2 II 51
4 II 36
5 II 67
5-6 I 13
6 II 35
7 II 83
122:3 II 51
4 I 25
5 I 50, 65, II 90
6 I 67, 71
7-8 II 35
8 II 83
11 II 51
12 I 25
123:2 II 19, 173
5 II 51
6 I 25
10 II 51
11 I 25, II 51
14 I 60, II 49
17 II 56
20 II 19, 173
21 II 51
23 II 36
124:2-3 I 3
3 II 51
4 I 3
4-5 I 4, II 24
5 I 59
5-6 II 13
6 I 3, 4
8 I 3, 4
8-9 II 64
9 I 3, 4
10-11 I 61, II 94
12 II 89
12-13 II 67, 89
14-15 II 27, 42
17 I 69
18-19 I 26
21 I 69, II 67
24 I 12
25 I 72
25-26 II 6
125:1 II 46
2 II 8
2-3 II 27, 89
3-4 II 27, 31, 89
4-5 II 23, 42, 91
9-10 I 52, II 89
10-11 II 69
11-12 II 54
14 II 23
15 I 26
15-16 II 8
125:15-17 II 27, 89
17-18 II 27, 31
18-19 II 23, 91
20-21 I 8, 57
22 II 91
23 I 74
25 II 85
25-26 I 76, II 46, 80
25-27 I 22
30 I 76, II 47, 80
31 I 21
33 II 93
34 I 21
36-38 II 67
38-39 II 39
39-40 I 61, II 43
42 I 59, II 25
43-44 II 56
45 II 12, 48
46-47 I 50, 65, II 90
47 II 19
48 I 59, II 25
50 II 85
53 I 58, 73
54 II 38
61 II 43
66 II 85
70 II 85
75 II 85
78 II 85
80 I 9, II 47
81-82 II 93
83 II 83
84-85 II 93
87 II 85
89 II 31
89-90 I 60
90 II 31
91 I 27
93 I 27
98-99 II 23
99 I 26
100 II 8
100-101 II 27, 89
102 II 89
103-104 II 23, 42, 91
105 II 91
105-106 I 74
110 I 52, II 89
110-111 II 69
112 I 7, 57, II 12
119 I 65, II 90
126:III: 2 II 85
3 I 55
4 I 42
4-10 II 42
126:III: 5-9 II 71
9 II 3
9-10 I 59
10 II 24
13 II 48
13-16 II 11
126:IV: 2-3 II 27
3 II 27
4-5 II 67
10 II 83
11 I 39
11-13 II 64
14 II 36
15 I 64
126:V: 4 II 85
5 II 52
10-11 II 16
10-12 I 53
12-13 I 20, II 16
14-15 I 45, 53, II 16
16 I 20, II 16
17-18 I 53, II 16
19 I 20, II 16
20-21 I 53, II 16
22 I 20, II 16
23 II 83
24-25 II 35
25-26 I 48
27-28 I 53
127:1-2 I 58, 68
2 II 83
3 I 11, 55
4 I 7, 58, 66, II 12
4-5 II 72
8 I 52
8-9 II 55
10 II 22, 83
11-12 II 47
13-14 I 58, 62, 68
14-15 II 83
15-16 II 72
16-17 I 39
17-18 II 73, 80
20-21 II 73
21-22 I 58, 69, II 67
22 II 35
23-24 II 36
25 II 10, 89
25-26 II 78
27-28 II 35
29-30 II 80
31 II 85
32 II 20
33-34 I 24
34 II 91
35 I 60, II 29

127:37-38 II 41
38 I 40
39-40 II 54
40-41 I 39, 77, II 72
42 II 80
43 II 28
43-44 II 85
45-47 I 24
47 II 91
47-48 I 24, II 55
48 I 43
48-49 II 32
48-50 I 24
49-50 II 52
50-51 I 60
52-54 II 41
53-54 I 40
54 II 83
54-56 I 37
58 II 85
128:I: 4 II 59
5-6 II 37
7 I 9
8 II 83
128:II: 5 II 85
6 I 45
8-9 I 50, 65, II 90
10 I 25, II 85
14-16 I 74
17-18 I 59, II 25
18-19 I 55
21-23 I 37
23 I 57
23-24 II 73
23-25 II 44
24-25 I 57
128:III: 4 I 47
13 I 15
13-15 II 15
17-18 I 46
18-19 II 35
20 II 83
20-21 II 44, 73
22-23 I 72, II 8
22-25 I 60, II 29
24-25 II 89
25-26 II 83
27 II 72, 83
28 I 77, II 90
29 II 91
128:IV: 2 I 15, 52
17-18 II 54
21-22 I 60, II 48
23 II 85
24 II 17
25 II 19
128:IV: 26 II 83
27 II 47
128:V: 7 II 18
8 II 19
10 II 47
15 II 85
18-19 I 34
18-20 I 45, II 74
19 I 47
21 I 46, II 74, 85
22 II 56
128:VI: 2 I 61, II 98
3 II 83
4 II 47
6 II 54
6-7 I 60, II 29
7-8 II 15
129:3-4 I 34
4-5 II 72
5-6 II 72, 85
13 II 85
14 I 57
15 II 85
17 I 20, 21, 74
17-18 I 74
18-19 II 85
19 I 20, 48, II 46
19-20 II 26, 29
20 I 61
20-21 II 15
22 I 20, 65, 75, II 86, 88
24 II 83
130:2 II 28
4 II 85
5 II 98
16 II 48
18-19 II 76
19 II 85
21 I 48, II 85
23 II 28
131:4 II 3
6 II 74
132:1-2 II 85
2 II 3
5 II 85
133 (obv.)5-6 II 61
11-12 II 85
rev.5-6 I 42, 74
6 II 91
134:5 II 85
7 II 85
9 II 85
13 II 85
135:5 II 15
136:2 II 85
3 II 48
137:13 I 59, 67, 71, II 89
13-14 I 6, 22, 31, 49, II 59
16-17 II 39
18 II 85
19 I 23, 57, II 72
20-21 II 89
21 II 54
21-22 I 58, 73
23 I 43
23-24 II 38, 70
24 II 18
24-25 I 9, II 39, 47, 70
25 I 64, II 49
27 I 43, II 41
27-28 II 49, 70, 79
27-29 I 64
28 I 48
29 I 43, II 41, 49
30 I 13
30-31 I 34
35 I 57, II 67
36 I 38, 39, II 83
36-37 I 39
37 I 56
37-38 II 27
38 I 45, II 89
39 I 59, II 19, 25
40 I 7
42 II 85
43 II 89
47 I 72
138:2-3 II 40
6-7 I 46
6-8 I 8, II 59
9 I 42, 45
10-12 I 67, 71, II 85
12-13 II 88
14 II 85
15-17 I 67, 71
15-19 II 82
17-18 II 39
143:1-3 II 8
145:4-10 II 56
16-23 II 85
passim II 85
146:2 II 13
3 II 7
4-13 II 7
15-16 II 46
17-22 II 46
147:2 II 7
148:2 II 48
153:1 II 85
6 II 85
154:14 II 98
158:6 II 59

164:1-7 II 62
166:1-2 II 43
170:8-9 II 62
171:1-2 II 43
3 II 42
4 II 43
5 II 42
6-12 II 42
173:2 II 44
15 II 85
28 II 42
passim II 48, 85
300 passim I 55
303:10 II 85
304:11 II 85
306:1-2 I 20, 63, II 46
309 passim II 85
310:6 I 60, II 31
314 obv. 2-4 II 85
14-17 II 85
315:4 I 65
318:3-7 II 48
321:I:2 II 2
4 II 65
321:II:45 II 66
321:III:21 II 66
passim II 65
325:3 II 85
329:14-18 II 62
passim II 85
334:4 II 85
7 II 85
400:I:3-4 II 77
passim II 77
601 obv. 1-2 II 10
2 II 48
2-3 II 80
3-4 II 53
4-6 II 85
5 I 60, II 31
5-6 II 61
6-8 II 78
7 I 24, II 43
8 I 52, II 12, 61
9 II 64
9-11 II 88
10 II 43
10-11 II 71
11-12 II 18
12-13 II 43, 88, 169
14 II 18, 88
15 II 16
16 II 53
17-18 II 36, 72
18-19 I 62, II 63, 78
20 II 69
601 obv.21 II 19, 68
22 I 55, II 26
22-23 II 64
23 II 23
rev. 1-2 II 85
3 II 94, 168, 169, 177
4 II 39
602 obv.1 I 69
1-2 II 64, 80
2-3 II 3
3-4 II 21, 68, 73
3-5 II 16
4-5 I 59, II 25
9 II 56
rev. 3 II 48
5-6 II 48
6-7 II 23
7-8 I 27
8-9 II 23
9-11 II 19, 32
9-12 II 69
603 obv.1-2 I 40
1-3 II 8-9
5 II 51
6-7 II 54
7 II 3, 11
8 I 30
8-9 II 28
rev. 4 II 11
6 II 19
6-7 II 39
7-8 II 169
604 obv.1-2 I 54, II 83
2-4 II 87
2-5 II 75
4-5 II 10
6 I 45
6-8 I 40, 71
7-11 I 59
9-10 I 32, 70
10-11 I 71, II 10
rev. 12 II 85
15-16 I 54
16-17 II 88
16-18 II 23
18 I 43
18-19 II 85
605 obv.1 II 85
3-4 II 85
passim II 48
606:1-2 II 58, 94
1-3 II 82
4 II 84
5-6 II 85
7-8 II 15
8-9 II 85
606:9 II 19
10-11 II 58
13-14 II 84
14-15 II 48
14-16 II 85
607:1-2 II 37
2-3 I 41, II 5, 59
6 I 58, 73
7 II 73
8 II 37
8-9 I 41
9 I 45
14-15 I 41
19-20 I 41
25-26 I 41
30-31 I 41
35-36 I 41
36 II 67
40-41 I 41
45-46 I 41
51-52 I 41
57-58 I 41
61 I 44, II 3
61-62 II 78
63 I 6, 34, 49
63-64 II 69
64-65 II 23, 70
67-68 II 35, 72
68-69 I 60, II 31
70-71 II 52
72 II 80
72-74 II 85
73-74 I 60, II 31
passim I 45, 59, 64, 73, II 37, 48, 49, 59, 69, 73
608:8 I 2
9 II 56
10 I 2
11 I 59, 70
12 II 56
12-13 I 2, II 37
15 II 65
16 II 67
17 I 41, II 4
19 II 56
20 I 2, II 37
24 II 6
33 I 30
33-34 I 70
34 II 85
35 I 24
37-38 I 60, II 30
38 II 4
40-41 I 60, II 30
41 I 7, II 13
43 II 23

608:44 II 4
47 II 28
51 I 22
passim II 48
609 obv. 3 I 51
4 I 51
5 II 85
10 II 85
11-12 I 51
18 I 12, II 94
rev. 6 I 45
16 I 22
passim II 65
610 obv. 1 II 85
1-13 II 67
7 I 51, II 67
10 II 67
14 II 67
16 II 85
611:1 I 6, 49, II 97
1-5 II 44
1-6 II 71
1-8 II 76
6-7 II 10
10 II 4
passim II 42
612 obv.bzw.A:1-2 II 6
3-4 II 6
5-6 II 6
7 I 11, 15, 58, II 6
rev.bzw.B:1 I 42
3 I 15, 58
3-4 II 48
7 I 15, 58
11-12 I 15, 58
12-13 I 15, 58
passim II 42, 65
613:1-2 II 6
3-4 II6
10-11 II 85
11 II 85
11-12 II 10
15 II 85
19 II 10, 85
24 II 85
28 II 85
29-30 II 22
32 I 15, 58
37 II 48
passim II 42, 65
614:A:14 I 51
701 obv. 1-2 II 23
1-4 II 77
3-4 II 23
rev. 1-2 II 23
3-4 II 66
702 obv. 2-4 II 9, 84, 167
5-6 II 45, 84
5-8 II 86, 168
6-8 II 9
rev. 1-2 II 84
2 II 84
6 II 60, 169
8-11 II 65
1001 obv. 2 I 20, 25, II 46, 165, 167
4 II 92
5 I 24, 25, 57, II 36, 39, 96
8 I 22, 58
9 II 18
10 II 18, 35
11 I 60, II 31
16 I 52, II 51
24 II 31
24-25 I 60
25 II 31
26 II 16
rev. 5 II 56
7 I 74, II 28, 35
8 II 35
9 II 90
12-13 II 28
13 I 74, II 93
passim I 58, II 48, 85
1002:5 I 48
12 I 22
13 II 48
14-15 I 48
21 I 48
36 I 48
37-38 I 48
39 II 48
44 I 25, II 52
45 I 48, II 96
50 I 48
51 II 96
54 I 48
55 II 99
58 I 22
62 I 24, II 44, 96
passim II 85
1003:8 I 23
11 II 88
13 I 25
1004:1-22 II 48
1005:2-4 I 60, 67, II 30, 31
2-5 II 8
3-5 II 14
8-9 I 64, 69
8-15 II 79
10-11 I 64, 69
12-14 I 25, 49, 56, 64, 69
1005:12-15 II 15, 53
1006:1-3 II 33
1-4 I 64, 69
1-11 II 68
1-14 II 76
16-17 I 20, 63, II 46
17-18 II 98
17-19 II 76, 79
19 II 37
1008:1-5 I 64, 69, II 33
1-14 II 78
7-10 II 62
11-13 I 62
11-14 II 45, 53, 71, 85
14 I 66
15 I 66
16-18 I 25, 49
16-20 II 14, 53, 71
16-21 II 80
20-21 I 20
1009:1-5 I 64, 69
1-6 II 33
1-17 II 71
6-8 II 5
8-17 II 53
12-13 I 58
12-15 I 25, 49, 56, 69, II 14
12-18 II 79
13-15 I 64
18 I 20, 63
1010:1-3 II 40
4 I 9, II 47, 59
5-6 I 8, 46, II 45
7-8 I 48, II 45, 87
9-16 II 56, 77
17-18 I 33, II 85
19 I 22
19-21 II 48
1012:3 I 12, II 50
8-9 I 70
9 II 48
10 I 69, II 7
10-11 I 70
11 I 48
11-12 I 67, 71
12 II 85
15 I 48, II 85
15-16 II 90
17 I 69
17-18 I 70
20 II 85
20-21 II 90
21 I 47, II 93
22 I 46
22-24 II 47, 84
23 I 67

1012:23-24 I 9, 50, 64, 70, II 45
25 II 55
25-26 I 9, II 24, 47
26 II 55
27 I 53, 70, II 45, 85
28-29 I 24, II 39, 87
30-31 I 67, 69, II 96
30-32 I 46
31-32 I 63, 69
33-36 I 64, 69, II 59, 60, 85
37-39 I 70, II 85
1013:1-2 II 40
2-4 I 16
2-5 I 12, II 50
8 I 3, II 57
8-10 II 77
9-10 I 5, 56, II 57
9-11 II 79
12-14 I 3, 30, 64, II 20, 60
14-15 I 67, 71, II 85
16-17 II 85, 96
16-18 II 59
16-20 II 82
18-19 II 85, 96
19-20 I 55
20-24 II 82
21-24 I 22
22-24 I 42, 49, 56, II 18, 90
1014:1-2 II 40
5-7 I 54
5-8 I 12, 16, II 37, 50, 68
11 I 56
1015:2-3 II 40
4 II 42
4-5 I 45
6-10 II 77
7-8 I 47, II 37, 94
9-10 I 15, II 23, 173
10-11 II 50
10-12 II 82
12 I 22
13 I 48
14-15 I 65, II 57
14-20 II 57, 85
16-18 I 55, II 57, 85
19 I 65
19-20 II 59, 175
1016:2-3 II 40
4 II 42
11 I 25
13-14 II 85
1017:3 I 22
4 II 85
6 II 85
1018:1-3 II 29
2-3 II 91
1018:5 I 47, 50
5-6 II 91
15 II 85
17 II 88
20-22 II 71
1019:4-5 II 68
4-6 II 8, 52, 53
7-8 II 45
9-10 II 45, 85
12-14 II 79
13 I 24, II 84
14 I 22
15-16 II 81
17 II 85
1020:2 II 40
3 II 33
5 II 45
5-6 II 48
7 II 88
9-10 II 78
1021:1-3 I 34
2-3 II 89
4 II 59
4-5 I 67, 71, II 84
4-6 II 76
6-7 I 48, II 57
8 II 12, 84
9 I 67, II 85
13 I 47, II 94
14 II 85
16 I 65
1022:2 I 9, II 47
3 II 94
8 II 85
1023:3 I 21
5 II 85
1024 obv. 1 II 14
26 II 14
rev. 1-2 II 16
4-5 II 66
6 II 6
7 II 66
8 II 6
10-11 II 7
1025:1-2 II 14
3-6 II 33
1028:7 II 66
12-14 II 34
(rev.) 13-14 I 12, 23
1029:1-4 II 66
11-13 II 66
15-16 I 33, II 9, 10
16 I 23, II 12
1030:1 II 66
8 II 33
10-11 II 33
1031:15-17 II 34
1035:4-5 I 20, 63, II 46
1048:1-10 II 65
1049:1-12 II 65
1050 passim II 14
1051 passim II 14
1052 passim II 14
1053:1-3 II 61
1061:1 II 7
2-3 II 7
15 II 7
1062:8-9 II 77
1063:3 II 65
8-9 II 85
passim II 65
1076:6 I 60, II 48
passim II 43
1079:1-2 II 66
17 II 85
passim II 66
1080:5-6 II 66
9-10 II 85
10 II 85
passim II 66
1081:9 II 7, 46
12 II 7
13 II 7
23-24 II 7
1082:4 II 85
passim II 56
1083:1-3 II 58, 66
4-5 I 64, II 60
6 II 56
7-8 II 4
9-14 II 4
1084:1-3 II 66
2 I 25
5 I 25
7 I 25
9-10 II 34
10 I 25
12 I 25
15 I 25
17 I 25
19 I 25
23 I 25
27-30 II 42
passim I 26, II 7, 66, 172
1086:1 II 85
1-5 II 77
2 II 55
3-5 II 6
passim II 55, 66
1087:4-6 II 42
1088:2 II 34
4 II 15
passim II 42

1089:4 II 59
passim II 42
1090:4-5 I 42
10-12 II 7
12 I 42
14-15 II 16
14-16 II 7
16 I 42
passim II 42
1091 passim II 42
1092 passim II 42
1093:11 II 85
1094:1-3 II 42
4-5 II 13
1095:1-4 II 7
1096:1-2 II 7
1-5 II 34, 77
3-5 II 14
1097:1-5 II 23
1098:11 I 26
35 II 62
40-42 II 62
passim II 7, 42, 66, 77
1099:4 I 61
9-18 II 65
19 II 7
30 II 15
passim II 42
1100:1-2 II 43
1101:11 II 71
passim II 42
1102:17-20 II 46
1106:1 II 8
57 II 8
58 II 94
60 II 94
61 II 45
passim II 48
1107:1-2 II 43, 69
3-4 II 34, 43
5-6 I 32
5-8 II 77
6-8 II 10, 172
7-8 II 45
10 II 43
(rev.) 11-13 II 8, 43
1108:1-3 II 77
passim II 23
1109:1 II 7
2-3 II 66
4-7 II 66
6 II 4
6-7 II 13
1110:1-2 II 13
1-3 II 77
2 I 55, II 13
1110:4 II 4
4-6 II 77
5 II 13
6 II 65
1112:4 II 85
14 II 85
1115:2-4 II 23
1117:2-4 II 43
5-6 II 42
7 II 43, 53
8 II 42
9-10 II 42
1118:1-3 II 85
13 II 85
1120:1-3 II 13
1121:1-2 I 12
1-5 II 62
6 I 23
6-7 I 20, 46, 63
(rev.) 8-9 II 13, 66
1122:1-2 II 22
2 II 23
passim II 66
1123 passim II 66
1124:2-5 II 65
1125:1 I 20, II 46
1126:6 II 43
1127:3-4 II 34
5 II 34
13 II 65
passim II 23
1128:33 II 14
1129:1 I 30
8-10 II 7
14 II 15
1131:8 II 34
1132:1-2 II 56
1134 passim II 13
1135:1 II 12
6 II 34
1137 passim II 56
1138 passim II 23
1139:1-5 II 47
5-7 II 85
6 I 25
6-7 II 47
7 I 25
1141:1-3 II 13
1-5 II 77
4-5 I 20, II 4
1143:1 I 64, II 60
1-2 II 66
3-4 I 64, II 60
3-5 II 66
6 II 3
7-12 II 43
1143:14 II 47
1144 passim II 56
1146 passim II 56
1151:6 II 15
14 II 85
1153:1-2 I 12, II 7
5 II 16
1154:2 I 25
5 I 25
1155:1-8 II 6, 15
3-8 II 65
6-8 II 23
1156:1-7 II 6, 15
3-7 II 65
5-7 II 23
1158:A:1-5 II 15
B:1-5 II 15
1159:1-2 II 15
1161:1-4 II 20
1-9 II 77
5 I 56
6-7 II 55
8 I 67
8-9 I 70
1164:1-3 II 65
1165 II 43
1166:1-2 II 20
1167:1-3 II 48
1171:1-4 II 39
1179:2-3 II 85
1180:2 II 34
2001:3 II 18
13 I 59
rev. 8 II 48
12 I 22
passim II 85
2002:1 I 60
1-2 II 31
2003:3 I 25, II 80, 84
2004:1-2 II 16
10 I 12, II 94
11 II 94
14 II 94
33 II 85
36 II 85
2005 obv. 1-2 II 97
rev. 7-8 II 48
passim II 85
2006:1-10 II 6, 15
7-10 II 23
2007:8 II 85
10-12 II 23
2008 obv. 1 I 61
1-2 II 40
4-5 II 16, 37, 50, 68
6 I 48, 62

2008 obv. 6-9 II 40
10 I 61
12 II 166
rev. 5 II 56, 90
6 I 22
7 II 45
7-8 II 59, 98
9 I 67, 71
11-12 I 70
12 I 48, 61
14 I 61
passim II 85
2009 (obv.) 2 II 40
3 II 42
5 I 46
5-6 I 31, II 59
6-7 I 67, 71, II 57
7-8 I 5, 56, II 57
7-9 II 79
9 II 39
10-11 I 48
10-12 II 93, 166
12 II 85
12-13 II 91
12-14 II 59
rev. 1-2 I 69
2010:1-2 II 40
7 I 9, II 47
10 I 25
11 I 48
13 I 9, II 47
2011:1 II 48
20 II 65
31 II 85
2012:26 II 85
2013:3 II 34
passim II 8
2015 rev. 3 II 85
2016:I:7-8 II 77
2016:II:rev. 3-4 II 85
2023:1 II 46
2026:1-2 II 7
2028 passim II 13
2029 passim II 13
2030:A passim II 46
2030:B passim II 13
2033 rev. 5 II 86
2034:B passim II 56
2038:1-3 II 62
passim II 7, 66
2040 passim II 65, 66
2043:5 II 86
2044:7-8 II 34
passim II 66, 86
2045:2 II 62
7 II 62
2046:1 II 20
8 II 86
2047 passim II 66
2048:19-21 II 66
passim II 7
2049:2-5 II 62
3-9 II 86
2050:3-5 II 65
2052:2-3 II 21
2053:18-21 II 71
passim II 56, 66
2054:3 II 48
rev. 21 II 86
23 II 86
passim II 20
2055 passim II 56
2057:3 II 86
2059:1-2 II 40
4 II 42
6 I 65
6-7 I 3, II 57
7-8 I 5, 56, II 58
10-14 I 62, 63, 69
12-13 II 7
13-14 I 47, II 24
18 I 48, II 86
21 I 47
23 I 48, II 39
24 I 62
24-25 I 47, II 24
26 I 56
26-27 I 21, 42, 49, II 18, 85
27 I 47
passim II 85
2060:2 II 40
3-4 I 15, 58
6 II 91
6-8 I 50
9 I 25
10 I 25, 55
11 I 71, II 48
13 I 67
13-14 I 23, 71
14 I 55
15-16 II 58
16 I 9, 24, II 47
17-19 I 32, 46, II 59, 85
19-20 I 20, 47, 63, II 7, 94
21 I 61
22 I 22
31 I 67, II 56
34 I 29
34-35 II 81
35 II 39
passim I 61, II 86
2061:2-3 II 40
4 II 42
6 I 3, II 57
7-8 I 5, 56, II 57
9-10 I 47, II 94
9-14 II 77, 79
12 I 46
12-14 I 50, 64, 67, 70
15 II 86
2062:A: 1-2 II 59
3 I 25
2062:B: 1-2 II 6
4 II 55
5 I 22
6-7 I 44, II 29
passim II 86
2063:1-2 II 40
5-8 I 12, 16, 54, II 50, 68
13-14 I 67
15-16 I 4
passim II 86
2064:6 I 69
16-17 II 45
20 II 45
21-22 I 31, II 40
22 I 46
23-24 II 45
26 I 26
27 II 94
passim II 86
2065:7 II 86
13 I 20, 58
13-14 II 59
15 I 56
16-17 I 48, II 39
18-19 I 48, 56
19-20 I 4, 63
19-21 II 81
21 I 21
rev. 18-20 II 89
2066:1 II 7
2068:1 II 43
17 II 43
passim II 65
2071:1-2 I 20, 63, II 14
5 II 7
5-7 II 7
2072:1 II 14
passim II 65
2073 passim II 7
2079:3-4 II 65
5-8 II 65
7-8 II 66
passim II 20
2080:4-5 II 62
10-12 II 16
passim II 66

2081:3-4 II 65
2082:9 II 65
2083 passim II 65
2084:7 II 86
2086:8 II 65
2089 passim II 46
2090 passim II 13
2091:1-2 II 7
2092:18 II 86
passim II 66
2094:1 II 29
5-6 II 86
2095:2 II 7, 17
4 II 7, 17
passim II 42
2100:1-3 II 13
9-11 II 66
12-15 II 14
19-20 II 66
21 I 23
passim II 23
2101:2-3 II 43
2-4 II 13
2-5 II 77
6 II 43
6-8 II 13
12 II 43
12-15 II 77
14-15 II 43
18 II 13
24 II 43
26-28 II 86
2103:7-8 II 62
2104:1-2 II 56, 86
4-5 II 86
11 II 56
2105:1 II 43
2 II 43
3 II 43
2106:1-3 II 20, 76
3 I 23
11-13 II 46
12-13 II 20
2107:15-16 II 34
15-18 II 56
17-19 II 71
2108:4-5 II 13
2109:2 II 13
2110:5-6 II 43
2113:23-25 II 86
27-30 II 13
31-32 II 13, 48
33-34 II 13, 34
2114:1-2 II 40
5-7 II 86
8-9 I 34, II 5
2114:10-11 II 89
12-13 II 79
2115:1-3 II 40
6-7 II 37
8-10 II 57
rev. 5-8 I 12, 16, 54, II 50
8-10 I 56
2116:7 II 86
9-11 II 12
13 I 22, II 86, 96
14-15 I 24
2123:3 II 86
7 II 13
2124:1 II 3
2 II 10
2-3 II 4
5 II 42
2125 passim II 85
2126:3 II 48
6 I 48
2127:a:1-3 II 48
4 I 69
2127:b:1 II 59
2 II 86
6 II 86, 90
2128:2 II 59
5 I 16
7 I 9, II 47
8 I 48
10-11 II 59
12 I 9, II 47
14 I 48
rev. 2 I 25
7 II 59
12 II 86
passim II 48
2129:4-5 II 6
11 II 6
rev. 9 II 59
13 II 59
passim II 86
2130:a:1-3 II 48
2130:b:3 II 48
2133 passim II 48
2134:11 II 15
2136 passim II 48
2142:4 II 86
2153:3 II 6
12 II 6
2157:3 II 48
2158 obv. 13 II 48
rev. 9 II 15
passim II 86
2159:1-2 II 40
4 II 42
9 II 86
2161:13 II 15
2162:A:1-2 II 48
2162:B:1-2 II 15
passim II 48
2163 passim II 65, 86
2166:4-5 II 15
2167:1-2 II 48
5 II 6
2169:4 II 15
2170:5-6 II 48
2171:3 II 59
3-4 I 4, 63
Krt: 8-9 II 46
12 I 34
15 I 30, II 46
16-17 I 52
20-21 I 70, II 22
23 I 15
24 I 69
24-25 II 16, 71
25 I 47
26 II 19
26-27 II 12, 74
28-29 I 60, II 30
28-30 I 41, II 27
29 II 27
31 I 59, II 25, 82
32 II 13
34-35 II 74
35-37 II 12, 75
37-38 II 12
38-39 I 42
39 II 92
41-43 I 59, 70
53-56 II 11
60-62 II 15
62 II 80
63 I 41
63-64 II 53
66-68 I 53
71-72 II 19
71-74 II 81
73 II 36
74 II 36
74-75 I 53
75-76 I 41
76-77 II 43
77-79 II 22
79-80 II 40, 84
80-82 II 44
84 I 54
85 II 84
85-87 II 81
87 I 16
90-91 I 26
92 I 50

Krt: 92-93 II 32, 71
92-95 I 73
94-95 II 51
98-99 I 52
99-101 II 74
101-102 II 38
101-103 I 60, II 70
102-103 II 48
103-104 II 27
103-105 I 60
105 II 27, 30
106 II 67
107-108 I 13, 53, 68
107-109 I71, II 5, 83
107-110 II 79
108-109 II 35, 70
110 I 76, II 84
111 I 44
111-112 I 41, 54
111-114 II 2
113 I 41
113-114 I 68, II 67
114 I 41, 58
116-117 I 22, 41
118-119 I 13, 53, 69
118-120 I 68, 72, II 5, 83
118-124 II 74
119 I 24
119-122 II 47
124 II 58
126-127 II 67
126-129 II 11
130-132 II 81
131-133 II 40
133-134 I 22, II 67
135-136 II 64
136-137 II 38, 84
137-138 I 9, 48, II 47
137-140 II 64
140-141 I 66, II 10
142 II 10, 88
143 II 44
145 I 45, II 27
146 I 60, II 27, 29
149 II 12
150-151 II 13
150-153 II 69
152-153 II 44
154-155 II 76
156 II 74
157 I 41
157-158 II 53
159 II 19
159-160 II 19
161 I 16, 53
164-165 II 19
Krt: 164-166 II 72
165-166 II 36
166 II 72
166-167 I 53
167 II 72
167-168 I 41
168 II 72
168-169 II 43
169 II 72
169-171 II 22
171-172 II 40
172-173 II 44
175 I 54
176 II 84
176-178 II 81
177-178 I 16
180 I 50
180-181 II 33, 71
180-183 I 73
182-183 II 51
186-187 I 52
188-189 II 74
190-191 II 38, 70
192-193 I 60, II 27, 30
194-195 II 67
195-196 I 53
195-198 I 13, II 5
197 II 35
197-199 II 70
199-200 I 4
201 I 2, 30, 76
201-202 II 64
203-204 II 96
205-206 I 52, II 67
207 II 67
209 I 53
209-210 I 13, II 6
210-211 II 35, 69
212 II 84
212-213 I 76
214 I 44
214-215 I 54, II 70
214-217 I 41, II 2
214-218 I 68
216-217 II 70
216-218 II 67
218 I 58
221 I 53
221-223 I 72, II 5, 83
222 I 24
222-226 II 47
227-229 II 90
229-230 I 77
234 I 25
237-238 I 15, 52
250-251 II 67
Krt: 256-258 II 67
258-259 II 64
269-271 II 67
269-273 II 11
275-276 I 22
275-277 II 67
277-278 II 64
279-280 II 40
281 II 83
282-283 I 9, 48, II 47
282-285 II 64
285-287 II 10
287-288 II 10, 88
291-292 II 27
292-293 I 60, II 27, 29
296-297 II 13
296-300 II 69
298-300 II 44
301 I 23
301-302 I 34, II 59
301-303 I 6, 49, 60
303-304 II 72
1 Aqht: 1 II 46
8-10 II 28
9 II 85
11 II 85
13 II 94
14 I 10, II 26
14-15 II 55
15-16 I 24
16-17 I 74, II 44, 89
17 II 85
19-21 I 50, 65, 70, II 90
22-23 II 61, 176
28-29 II 82
32 II 54
34-35 I 59, II 24
38-39 I 50, 65, II 90
39-41 II 15
41-42 II 32
44-46 I 27
46-47 II 92, 94
49 I 15, 52
50 I 52
51 II 38, 41
54-55 I 52
55 II 38, 41
57-59 I 7, 57, II 13
59-60 II 39, 169
63-64 II 73
64 I 77
67 I 55, II 19
70-71 II 74
71 I 77
74 I 55, II 25
75 I 35, II 3, 10

1 Aqht: 76 I 20, II 12, 82
78 I 25, II 85
78-79 I 16
78-81 II 54
82 II 85
82-83 I 34, 60, II 30
88 II 28
90 I 39
91-93 II 28
93-94 I 43, II 13, 24
96-97 II 85
105 II 12, 82
106-107 II 85
109 II 61
109-110 II 80, 85
110-111 I 29, II 96
112 I 55, II 19
113 I 35, II 3, 10
115-116 II 61
116 II 74
117 I 19
117-118 II 72
120 II 12, 81, 82
122 II 72
123-124 II 81, 176
124 II 61
124-125 II 80
125 I 29, II 96
126-127 I 55, II 19
129-130 II 61, 75, 176
130 II 74
131 I 19
131-132 II 72
134 II 74
134-135 II 12, 82
136 II 72
138 II 61
138-139 II 80
139-140 I 29, II 96
140-141 I 55, II 19
141-142 I 35, II 3, 10
143-144 II 61
144 II 74
145 I 29, II 21, 75
146 II 41, 74
147 I 62
148 II 72, 83
150 II 54, 96
151 II 13
152 I 56, 76
152-153 II 55
154 I 14, 41, 66, II 88
156 II 34
157 I 56, II 72
157-158 I 76
158 II 56

1 Aqht: 159-160 I 21, II 14
160 II 22
161 I 41
161-162 I 14, II 88
163 II 35
164-165 II 72
165 I 56, 76
167-168 I 5, 41, II 32, 68, 88
168 I 14, II 174
169 I 68, II 84
170 II 35
171-172 II 11, 18
173-175 II 47
175-178 II 32, 33
176-178 II 53
177-179 II 47
179-180 II 15, 83
181-182 II 72
182-184 II 10
184-185 II 83
185-186 II 17
186 II 17
190 I 52, II 83
191 I 57, II 43
192 I 57, II 17
193 II 17
194 I 74, 75
195 I 74, 75
196-197 II 55
197-198 II 83
198-199 I 52
199-200 II 38, 41
201 I 77
202 II 55
203-204 II 74
205 II 3
207 II 19
207-208 II 74
208 I 11, 58
210-212 II 32
211-212 II 35
212-213 II 38
213 II 17, 18
214 I 3, 58, II 17, 57
214-215 I 61, II 83
215 II 80
215-216 II 11
216-217 II 80
217-218 II 12
218-219 I 61
219 II 2, 166, 173
222-223 I 60, II 31
223 II 30
224 I 16
2 Aqht:I:2 II 90

2 Aqht:I:6-7 II 85
6-8 I 70
15 II 74
16 II 87
16-17 II 5
16-18 I 72
17 II 12, 168
19 I 20
19-20 I 60, II 29
19-21 II 71
21 I 27, 29, II 46
24 I 34
24-25 II 167
25-26 II 80
26-27 II 8
27 II 10
27-28 II 94
28-29 II 41
29 II 51
30 II 49
31 II 13
31-32 II 94
32-33 I 12
33-34 I 6
39 I 77, II 36
40 I 59
41 II 13
41-42 I 43
42-44 II 85
46-47 II 41
47 II 51
2 Aqht:II:1-2 II 41
2 II 51
4-5 I 12
6 II 94
6-8 II 6
9 I 11, II 75
10 II 73
11 II 38
11-12 II 72
12 I 48
12-13 I 75
12-14 II 80
13-14 II 9
14 II 44, 92
14-15 I 60, II 30, 70
16 II 10
17 II 41, 51
18-19 II 49
20 II 94
20-21 I 46
21-22 I 12
22-23 II 6
24-25 II 35
26 I 12
27-29 II 90

2 Aqht:II:27-30 I 50, 65, 70
28 I 59, 67
29-30 II 43
30-31 II 74
32-33 I 69, II 67
32-34 II 74
34-36 II 74
37 I 54
37-38 II 74
39-40 I 72, II 5, 8, 11
41-42 I 73
2 Aqht:V:3-4 I 68, 69
3-6 II 17, 173
4-6 I 50, 65, 70, II 90
6 II 19
6-7 II 61
7 II 3
9 II 12
9-10 II 82
9-11 II 9
10-11 I 31, II 74
12 I 50, 73
12-13 I 50, 72, 73
13-15 I 50, 65, 70, II 90
14-15 II 37
15 I 15, 32, 52
16-18 II 16, 68
22-23 II 16, 68
22-25 II 44
25-26 II 13, 64
26-27 II 19
27-28 II 38, 44
28-29 I 50, 65, II 90
31 II 54
31-32 II 35
32-33 II 35, 36
33-35 I 50, 65, 70, II 90
36 II 56, 94
37 I 37
38 I 69
2 Aqht:VI: 3 I 2
4 II 21
7 II 85
8 II 48
13-14 II 52, 169
14 I 60, II 30
16 II 72
16-17 I 77
17-18 II 80
18-19 II 84
20 II 83
21-24 II 12
22-24 II 4
24 II 44, 68
24-25 II 43
25-26 II 83
2 Aqht:VI: 26 I 39
27-28 I 26, II 80
28-29 II 56
30-31 II 77
30-33 II 28
31-32 II 73, 77
32 II 84
32-33 I 48, II 89
33 II 83
34 I 21, 38, 39
34-35 I 51, 58, 68, II 42
35-36 I 42
36-37 II 39
38 I 55, II 75, 83
39 I 75
39-40 I 51
40 I 67, 71
41 II 9, 74
42 I 39, II 35, 70
43 I 34, II 168
43-44 II 5
44-45 I 48, II 61
46 II 73
46-47 I 6, 49, II 58
48-49 II 72
50 II 36, 72
50-51 II 77
52-53 II 83
53 II 72
3 Aqht obv.6 II 59
7 II 61, 85
9 I 8, 21
11 I 61, II 83
12 I 39
12-13 I 24, II 55
14-15 II 85
16 I 61, II 83
17-18 I 60, II 30
18-19 I 61, II 71, 95
19-20 II 54
21 II 51
21-22 I 48, II 54
22 I 16
22-23 II 54
23 I 16
23-24 II 30
23-26 I 60
24-26 II 11, 28, 30
26-27 I 25, 48, II 90
27 I 61
28-29 I 60, II 30
29 I 61, II 94
29-30 II 71
30-31 II 54
31-32 II 51
3 Aqht obv.32 II 54
33 I 16
33-34 I 16, II 54
34-35 II 30
34-37 I 60
36-37 II 11, 28, 30
38 II 15
39-42 II 85
40 I 48
41 I 75
3 Aqht rev. 5 II 90
7 I 38, 39
8 I 22
11-12 I 52
12-13 II 85
14 II 14
15 II 83
16 II 93
16-17 I 20, II 84, 173
17 II 84
18 I 29, II 10
20-21 I 6, 49
22 II 84
23 II 72
23-24 I 77
24 II 76
26 I 48
27 II 18
‘nt:I: 1 I 22, 43
2-3 II 169
2-4 II 88
4-5 II 78
6 I 43, 61, II 39
6-8 II 21
9 II 77
10-11 I 52, II 19
13-15 I 24
15-16 II 22
17 II 13
18 I 43, II 73
19 II 10
20 II 54
23-25 I 65. II 90
‘nt:II:2-4 II 85
4-5 II 2, 83
4-6 II 75
5-6 I 63, 73, II 3
6-7 II 51
9 II 61
9-11 II 28
10-11 II 54
11-12 II 32
12-13 II 3, 32
13-15 II 9
15-16 I 52
16 II 3

ʻnt:II:17 I 63, 73, II 36
17-19 II 78
18 II 35
19 I 23, II 4, 98
19-20 II 74
20 II 52
20-22 II 38
23 I 15
23-24 II 52, 74, 78
25 II 74, 98
25-26 II 23
26-27 II 13
26-28 II 93
27-28 II 9
29 II 4, 8, 9, 11, 98
30 II 51, 52
31-32 II 11
34-35 II 22
36-37 II 38
38 II 78
43 II 3
ʻnt:III:1-2 II 39
1-3 II 48
2 II 169
5 I 60
5-6 II 30, 85
6 II 36
6-8 II 81
8-9 II 39
10-11 I 54, II 169
11-12 I 46
13-14 II 38
17-18 I 30, 58, 68, II 46
17-19 II 75
18-20 II 11
19-20 I 74, II 76, 93
21 II 57
21-22 I 64
22 II 60
23-25 I 23
24-25 II 74
25 I 57
25-26 I 48, II 81
26 II 9
27-28 II 2
29 I 58, 73
29-30 I 43, II 13, 24
30 I 11, 63
31 I 11, 63
32 I 11
32-33 II 72
33 II 64
34 I 55
34-35 II 37
35-36 I 33
36 I 52
37 I 34
ʻnt:III:40 I 54
41 I 54
42 I 54
43 I 54
44-45 II 8
ʻnt:IV:46-47 II 41
48 I 55, II 37
49-50 I 23
51-52 II 169
52 I 46
53-54 II 38
57-58 II 75
58-59 II 76
59-60 I 24
60 II 57
62 I 24
62-63 II 81
66-67 I 46
68-69 II 38
71-72 I 46
73-75 II 38
75-76 I 75, II 89
77 II 75
78-79 I 12, 35, II 48
79-80 II 61
81 I 6, 34
81-82 II 59
82-83 II 9
84 I 61, II 39
85 II 60
85-86 II 70
86 II 78
ʻnt pl.VI:IV:6 II 83
7-8 II 35
8 II 85
ʻnt (pl.VI):V:10-11 I 52
11 I 24, II 44, 97
11-12 II 70
12-13 II 73
13-14 I 6, 49, II 58
15-16 II 72, 74
17-18 II 2
18-20 II 89
22 I 11, 63
23 II 48
24 I 15
27 II 83
28 I 38, 39
29 I 22
30 I 22
32-33 I 52
33-35 II 11, 89
35 II 93
36 I 20, II 16
36-37 I 39, 42
37 II 83
38-39 II 57
40 II 169
ʻnt (pl.VI):V:41 I 19, 64, II 56
41-42 I 45, 62, 75
43 I 14, 34, 45
44-45 II 63
46 I 20, 60, 65, II 29, 46, 86
46-47 II 26
47 II 29
ʻnt:VI: 3 II 51
9-10 I 38
11 I 39, II 64
12-13 I 6, 31, 49
17-18 II 9
18-19 II 36
18-22 II 81
21-22 II 68
21-24 II 39
24-25 II 169
ʻnt pl. IX:II:6 II 15
8 I 38, 39
17 II 85
ʻnt pl. IX:III: 2-3 II 36
2-4 II 81
4 II 68
10-11 II 58
12 I 58, 68
12-13 II 75
14 II 57
15 I 24
16 I 48, 57, II 81
16-17 II 58
17 II 64, 83
18 II 75
20 II 61
21-22 I 6, 34, 49, II 58
23-24 II 72
ʻnt pl. X:IV: 2 I 15, 52
3 I 12, II 48
7 I 25
8 I 51
9-10 I 52
13 II 83
15 II 85
18 I 48
19 II 56
24-25 II 41
26 II 90
31 II 85
ʻnt pl. X:V: 5 II 6
7 I 7, 57, II 13
11 II 52
12 II 85
15 II 85
18 II 6
20 II 13
21 I 23
23 II 52

'nt pl. X:V: 27 I 25
28 II 48
RŠ 22.03:5-8 II 176
7-8 II 172
12 II 165, 167, 174
passim II 173
RŠ 22 225 I 27, II 32, 75
RŠ 24 247 II 55
RŠ 24 247+265+268+328:13 II 166
29 II 166
41 II 173
43 II 175
52 II 174
54 II 174
passim II 166, 173, 177
RŠ 34 121:6-10 II 176
RŠ 34 124:1 II 37
2 II 15
4 II 57, 165
5-6 II 57, 165, 168
6 II 39
7 II 47, 169
8-9 II 87
9-12 II 95
12-13 II 59, 86
14-16 II 40, 85, 166
17-19 II 95
19 II 88
21-25 II 61
22-23 II 58
22-29 II 77
24-26 II 54, 68
26-27 II 12
28-29 II 39
linker Rand 1-2 II 88, 91
4-5 II 86
RŠ 34 126:6 II 28
12 II 91
14 II 83
14-15 II 48
15-17 II 75
18-19 II 81
19 II 165, 169
20 II 48
20-21 II 51
21 II 91
21-22 II 81
22-23 II 28
RŠ 34 126: 26-30 II 85
31-32 II 65
RŠ 66 29.101 I 30, II 14
CTA:I (obv.) 8-9 II 48
13 II 86
22 II 48
rev. 17 II 48
CTA:28:11 11 86
42 II 48, 86
61:4-5 II 86
63:A:3 II 48
134:3 II 66
188:B:5 II 23
190:A:7 II 48
192:2 II 86
198:4 II 48
204:B:2 II 86
210:A:4 II 86, 169
R61:Ab:4-5 II 69
6-7 II 65
8-9 II 27
Ac: 10-12 II 27, 69, 166
Ae: 16 II 86
Af: 19 II 86
Ag: 22 II 15, 29
23 II 48, 86
Aj: 29 II 96
Ak: 30-31 II 76
31 II 50, 165
B: 1-2 II 42
3 II 10
C II 7, 42, 94
D:3-4 II 94
E:1 II 48
3 II 48
ESE 1 II 166, 176
4:3 II 177
10:1 II 177
1-2 II 172
11:2 II 177
13:1-2 II 177
15:1-2 II 174
16:1 II 173, 177
18:1-2 II 177
19:3 II 165, 168, 177
4 II 165, 168
20:2 II 175
22:1 II 166
ESE 25:1 II 173, 177
26:1 II 173
ESS 10:1-2 II 174
3 II 172
4 II 172
19:4 II 175
27:3 II 177
36:1 II 172
37:4 II 177
40-41 passim II 177
48 passim II 177
57:2 II 175
60:3 II 177
61:4 II 177
63:1 II 177
69:3 II 175
70:3 II 175
72:3-4 II 173
6 II 173, 177
74:2-3 II 175
75:1 II 175
2 II 172
80-95 passim II 177
93 passim II 172
99:1-3 II 177
107:3 II 177
109:2-4 II 177
115:1 II 177
137:2 II 175
143:1 II 172
160:3 II 177
162 passim II 177
173:13 II 177
176:4 II 177
178:1 II 177
7 II 177
181:4 II 177
189:3 II 177
4 II 175
209:2 II 177
216:1 II 177
227:3 II 177
241:1 II 177
253:3 II 177
290:1 II 177
Unpublizierter Text I 24
Unpublizierter Text II 44
Unpublizierter Text II 57

2. Stellen altkana'anäischer Sprachdenkmäler

EA 104:53 I 4
245:35 II 14

3. Stellen des Alten Testamentes

a) Hebräische Textstellen

Gn 1:2 II 55
9 II 82
10 II 93
24 I 44
2:5 I 20, II 77
6 II 77
13 II 77
25 II 77
3:5 II 28
8 II 33
11 II 33
18 II 45, 68
19 II 53
22 I 70
4:9 I 2
12 I 25, II 94
23 II 47
5:24 II 93
6:19 II 66
21 II 80
7:2 I 25
13 II 66
9:13 II 18
25 II 81
11:4 II 4
12:6 II 18
13 I 76
14 I 15
15 I 12
19 I 71
16:16 II 45
17:2 II 82
15 II 167
17 II 10
23 II 16
18:1 I 40
4 II 61
20 I 32
19:3 II 45
8 I 23, II 20
20 I 70
31 I 20
20:3 II 14, 55
6 II 14
15-16 I 71
16 I 70
21:16 I 22
23 II 22

Gn 22:3 II 68
12 II 93
13 II 62
23:9 II 23
24:14 II 93
23 I 12
41 I 6
26:9 I 8
27:2 I 23
46 I 9, II 47
28:11 II 4
12 I 41
16 I 30
29:2 II 4
14 II 40
30:13 II 93
21 I 13
31:14 I 12
21 II 58
24 II 59
33 II 20
50 I 20
32:11 II 21
27 I 24
34:21 I 69
35:2 II 72
4 II 58
8 II 18
37:22 I 22
26 II 93
38:11 I 12, II 98
39:5 II 10
9 I 8, 20
41:32 II 93
34 II 8
47 II 8
49 I 19, II 93
42:10 II 47
22 I 69
28 I 70
36 I 20
43:34 I 16, II 58
44:5 II 4
18 II 28
20 II 66
32 I 24
46:4 II 58
47:23 I 70

Ex 2:13 I 9
4:9 II 72
15 II 43
5:1 I 13
15 I 9
6:30 I 70
11:9 I 24
12:43-45 II 4
46 II 4, 10
48 II 4
13:6 II 6
10 I 41
14:24 II 69
15:5 II 30
19:1-2 II 77
7 II 40
18 I 15
20:18 II 50
21:2 II 94
18 II 38
23 II 62
35 II 94
22:9 II 91
23:1 II 59
24:4 II 61
18 II 68
26:33 II 81
28:38 II 33
29:4 II 22
32:22 I 21
34 I 70
33:13 II 82
34:28 I 23
36:6 I 21
36:29 I 10
Lv 3:1 II 95
4:3 II 95
8:32 II 22
10:9 I 22
14:10 II 6
44 II 11
48 II 11
16:5 II 68
21:5 II 4
18-20 II 91
23:41 II 15
24:20 II 18
25:28 II 53

Lv 25:29 II 53
37 II 23
51 II 17
54 II 15
26:14 II 43
16 II 90
25 II 20
41 II 20
Nu 5:14 II 91
6:26 II 40
8:7 I 9
9:15 I 33
17 I 4
11:8 II 91
14:2 I 75
20:17 I 76
21:34 I 22
23:18 I 44
24:10 II 77
31:2 I 13
49 II 14
Dt 3:11 I 73
4:7 I 45
5:3 I 4
9:1 II 69
10:6 I 4
10:9 II 46
11:30 II 18
12:28 II 53
15:17 II 90
17:15 I 25
21:19 II 176
23:5 II 21
25:1 II 51
28:2 II 55
3 II 82
52 II 45
32:8 II 33
21 I 23
29 I 75
37 I 2
33:3 II 90
7 II 80
20 II 89
Jos 1:9 I 73
2:2 I 70, 71
22 II 98
3:4 I 22
16 I 15
6:1 I 20
9:2 II 72
25 II 14
10:13 II 98
15:63 II 7
18:11 II 51
Jos 18:12 II 18
22:4 II 38
7 II 59
Ri 1:7 II 61
2:11 I 51
3:2 I 23
5:16 II 51
6:37 II 95
8:33 I 51
10:9 II 7
11:18 II 20
15:18 II 20
18:4 II 27
18:18 I 12
19:19 II 46
1 S 2:27 II 14
4:3 II 20
7 I 10
6:3 I 24
9:5 II 20
6 II 40
19 II 58
14:14 II 77
25 II 20
36 I 25
16:12 II 69
17:41 II 68
43 II 22
45 II 21
18:25 II 20
21:13 II 18
15 I 70
22:13 I 9
14 I 45
24:12 II 12
25:36 II 68
26:24 I 70
2 S 1:14 I 8
21 I 27
2:23 II 61
6:1 II 8
9 I 8
7:5 II 80
6 II 10
18 I 3
8:15 II 55
10:11 II 95
11:1 II 7
12:18 I 70
13:25 I 22
14:15 I 76
19 I 29
17:15 II 72
24 II 72
19:34 II 80
20:6 II 82
2 S 20:14 II 89
24:14 I 22
1 K 2:36 I 2
4:14 I 42
18-19 II 7
5:4 II 43
20 I 20, II 16
7:7 II 16
25 I 41
10:2 II 21
29 II 7
13:26 II 45
14:12 II 38
18:39 II 55
40 I 21
41 II 82
43 I 19
20:9 I 24
22:4 I 60, II 28
17 II 38
22 II 10
2 K 2:11 II 51
4:37 II 55
5:3 I 77
9:15 I 29
24 II 51
15:5 I 12
21 I 73
17:29 I 12
18:35 II 16
19:28 II 20, 72
21:26 II 5
1 Ch 8:38 I 44
9:44 I 44
12:18 II 43
2 Ch 6:32 I 25
11:1 II 45
15:3 II 33
20:27 II 5
31:20 I 10
34:4 II 33
Esr 4:3 II 72
6:15 II 33
10:2 II 18, 46
Neh 2:2 I 19
19 I 44
6:6 I 44
9:11 II 31
12:14 I 44
Esth 4:16 I 7, II 14
9:1 II 52
Hi 3:25 I 42
6:15 II 30
33 I 27
10:21-22 II 29
12:3 II 29

Hi 14:9 II 30
15:23 I 2
17:14 II 29
19:22 II 30
22:12 I 73
25:6 II 29
27:14 II 49
30:8 I 26
31:15 II 78
37 II 30
32:8 I 30
33:22 II 72
34:26 II 62
36 II 16
36:3 I 12, II 41
38:28 II 91
41 I 27
41:25 I 27
Ps 2:1 II 77
5 I 6, II 77
6:3 II 93
7:15 I 71
8:7 II 61
9:20 I 21
10:6 I 27
16:4 I 27
17:13 I 16
18:39 II 61
21:4 II 40
22:3 II 77
15 II 77
25:1 II 46
26:4 II 58
6 II 80
27:10 II 93
29:6 II 31
31:18 I 22
32:3 II 94
34:6 II 80
38:12 I 12
39:4 I 9
43:1 I 23
44:23 II 55
45:17 II 62
49:16 I 32
21 I 24
50:10 II 46
51:5 II 77
6 II 77
58:5 II 30
8 II 30
62:12 I 16
63:2 I 26
68:5 I 39
30 II 40
69:8 II 55
9 II 72
72:5 II 58
73:11 I 30
Ps 73:17 II 98
77:14 II 27
78:26 II 4
79:3 II 28
5 II 30
80:13 I 9
85:9 II 38
89:23 I 24
90:15 II 69
92:6 I 15
104:20 I 41
25 I 4
108:2 II 89
109:2 I 16
16 I 35
110:1 II 98
4 II 77
114:8 I 44
118:2-3 I 76
119:35 II 5
130:7 II 77
135:9 II 20
146:4 II 6
147:13 II 12
Pr 2:16 I 34
5:18 II 50
6:8 II 15
8:1 I 73
9:5 II 4
12:28 I 26
14:3 II 10
19:7 I 24
23:7 I 27
18 I 29
24:23 I 27
26:3 II 43
27 II 20
Koh 2:7 II 46
4:2 II 52
8 I 29
8:6 II 46
8:10 I 7, II 14
14 I 29
9:4 I 33
11:6 II 33
Ct 2:8 I 63, 69
6:10 II 29
7:2 II 29
Jes 2:3 II 72
13 II 18
19 II 20
5:14 I 27
24 II 27
6:5 II 16, 93
8:8 II 53
9:17 II 28
10:4 II 62
Jes 15:5-6 II 93
22:3 II 50
27:1 II 10
30:33 II 66
31:8 II 22
32:15 II 77
36:9 II 47
42:13 II 28
44:20 I 24
45:4 II 38
48:10 I 23
49:15 I 25
51:23 II 28
57:9 II 50
62:1 I 24
Jer 1:16 II 55
3:22 II 38
5:22 II 78
7:6 II 4
8:7 II 4
10:5 I 20
10 I 14
12:12 II 46
15:2 II 43
17:3 II 5
19 II 4
18:17 II 28
26:15 I 14
31:17 I 30
51:64 I 3
Thr 3:29 I 29
Ez 1:9 II 14
7:3 I 14
8:1 II 55
16:4 I 23
25:11 II 7
32:22 I 4
38:11 II 46
Dn 9:3 II 58
11:1 II 15
Hos 2:12 I 25
3:2 II 23
5 I 13
5:7 II 18
7:8 I 26
10:8 II 66
13:7 II 30
Joel 2:11 I 15
Ob 21 II 4
Mi 6:10 I 30
Hg 1:11 II 72
Sach 9:9 I 71
15 II 31
10:2 II 30
14:8 II 15
Mal 1:14 I 30
3:10 I 26

b) Aramäische Textstellen

Esr 5:7 II 27
13 II 15
Dn 2:9 II 82
9-11 II 60
10 I 27
15 II 40
Dn 2:28 I 30
35 II 27
3:12 I 29
17 I 29
24 II 40
26 II 38
Dn 3:29 I 29
4:4 II 60
30 II 28
5:2 II 4
11 I 30, II 28
7:1 II 15
4 II 27

4. Stellen der nordwestsemitischen Epigraphik

a) Kāmid el-Lōz-Inschrift

II 84

b) Gezer-Inschrift

I 43

c) Moabitische Inschrift

: 24 I 20

d) Hadad-Inschrift

:23 I 75
:30 I 75

5. Stellen aramäischer Texte

II 29, 33, 38

6. Stellen arabischer Texte

'Aġ.[2] II 177,17 I 76
'Aġ. VI 50:6 II 28
Dīw. Imr. 4:14 II 28
Ḥam. 507:11 II 27
Qur. 2:31(33) I 38
51(54) I 38
55(58) II 82
68(73) II 27
69(74) II 27
Qur. 2:85(91) I 9
107(113) I 30
126(132) I 25
3: 43(49) II 28
59(66) I 9
90(96) I 33
97(102) I 25
180(183) I 9
4: 118-119 II 78
Qur 6:6 II 52
66 I 30
9:40 I 25
76(75) II 78
10:92 I 35
11:83(81) I 25
12:63 I 21
15:2 I 75
16:18 I 35

Qur 19:28(27) II 21
20:11 I 38
20(19) I 38
36 I 38
22:15 I 75
53(54) I 35
23:93(91) I 6
26:89 II 21
Qur 26:116 I 38
167 I 38
28:82 I 76
29:40 I 75
34:12(13) II 28
36:17(18) II 78
37:65(67) I 33
43:77 I 75
Qur 43:83 II 82
45:4(5) II 52
59:18 I 75
96:15 I 33
Ohne Stellenangabe angeführte Stellen (Syntagmen) II 33, 38, 41

7. Stellen altsüdarabischer Texte

II 33, 38

8. Stellen äthiopischer Texte

Matth. 1:2 I 41
2:8 I 41
Ohne Stellenangabe angeführte Stellen (Syntagmen) II 33, 38

9. Stellen akkadischer Texte

EA 49:3 I 12
52:3-4 I 12
53:3 I 12
60:15 I 16
68:8 I 16
EA 73:37-38 II 58
75:5 I 16
143:13-17 II 81
144:21 II 29
151:50-51 II 59
EA 155:12 II 29
245:35 II 14
Ohne Stellenangabe angeführte Stellen (Syntagmen) I 25, 69, II 4, 33, 44, 62, 81, 88

10. Klassische bzw. moderne Sprachbelege

a) Griechisch

II 2, 22, 166

b) Lateinisch

II 3, 18, 42, 58

c) Deutsch

II 3, 4, 22, 40, 41

d) Englisch

II 34, 36

e) Französisch

f) Norwegisch

Verzeichnis der angeführten Literatur

Aartun, K. *Zur Frage altarabischer Tempora*, Oslo 1963

Id., *Ugaritisch bkm = Bibliotheca Orientalis* XXIV, 5/6, 1967, S. 288-289

Id., *Beiträge zum ugaritischen Lexikon = Die Welt des Orients* 4,2, 1968, S. 278-299

Id., *Über die Parallelformen des selbständigen Personalpronomens der 1. Person Singular im Semitischen = Ugarit-Forschungen* 3, 1971, S. 1-7

Id., *Die hervorhebende Endung -w(V) an nordwestsemitischen Adverbien und Negationen = Ugarit-Forschungen* 5, 1973, S. 1-5

Id., *Bemerkungen zur Etymologie der ugaritisch bezeugten Wurzel mġy = Ugarit-Forschungen* 6, 1974, S. 437-438

Id., *Zur morphologisch-grammatischen Interpretation der sogenannten neutrischen Verben im Semitischen = Ugarit-Forschungen* 7, 1975, S. 1-11

Id., *Neue Beiträge zum ugaritischen Lexikon* (noch nicht erschienen)

Id., *Einige besondere Wortstrukturen im Jüdisch-Aramäischen* (im Druck)

Id., *Eine weitere Parallele aus Ugarit zur kultischen Praxis in Israels Religion* (im Druck)

Id., *Sentences with specific particles and the subjunctive in Arabic* (im Druck)

Aistleitner, J., *Wörterbuch der ugaritischen Sprache*, Berlin 1963

Id., *Die mythologischen und kultischen Texte aus Ras Schamra*, Budapest 1964

Albright, W.F., *Specimens of late Ugaritic prose = Bulletin of the American Schools of Oriental Research* 150, 1958, S. 36-38

Astour, M.C., *Some new divine names from Ugarit = Journal of the American Oriental Society* 86, 1966, S. 277-284

Id., *Two Ugaritic serpent charms = Journal of Near Eastern Studies* XXVII, 1968, S. 13-36

Id., *A north Mesopotamian locale of the Keret epic? = Ugarit-Forschungen* 5, 1973, S. 29-39

Avishur, Y., *Addenda to the expanded colon in Ugaritic and biblical verse = Ugarit-Forschungen* 4, 1972, S. 1-10

Baisas, B.Q., *Ugaritic ʿḏr and Hebrew ʿzr I = Ugarit-Forschungen* 5, 1973, S. 41-52

Barr, J., *Comparative philology and the text of the Old Testament*, Oxford 1968

Barth, J., *Die Pronominalbildung in den semitischen Sprachen*, Hildesheim 1967

Bauer, H., und P. Leander, *Historische Grammatik der hebräischen Sprache des Alten Testaments*, I. Band, Halle 1922

Id., *Grammatik des Biblisch-Aramäischen*, Hildesheim 1969

Beeston, A.F.L., *A descriptive grammar of epigraphic South Arabian*, London 1962

Bergsträsser, G., *Einführung in die semitischen Sprachen*, München 1963

Birkeland, H., *Zur Erklärung von ʾalʾiyn in den Texten von Ras Schamra = Norsk Tidsskrift for Sprogvidenskap* 9, 1938, S. 338-345

Blau, J., and J.C. Greenfield, *Ugaritic glosses = Bulletin of the American Schools of Oriental Research* 200, 1970, S. 11-17

Blau, J., und S.E. Loewenstamm, *Zur Frage der Scriptio plena im Ugaritischen und Verwandtes = Ugarit-Forschungen* 2, 1970, S. 19-33

Blommerde, A.C.M., *Northwest Semitic grammar and Job = Biblica et Orientalia* N. 22, Rome 1969

Bordreuil, P., *Nouveaux textes économiques en cunéiformes alphabétiques de Ras Shamra-Ougarit (34ᵉ campagne 1973) = Semitica* XXV, 1975, S. 19-29

Brekelmans, C., *Some considerations on the translation of the psalms by M. Dahood = Ugarit-Forschungen* 1, 1968, S. 5-14

Brockelmann, C., *Grundriß der vergleichenden Grammatik der semitischen Sprachen*, I. und II. Band, Hildesheim 1961

Id., *Lexicon syriacum*, Halle 1928

Id., *Zur Syntax der Sprache von Ugarit = Orientalia* X, 1941, S. 223-240

Id., *Die kanaanäischen Dialekte mit dem Ugaritischen = Handbuch der Orientalistik*, III. Band, 1953, S. 40-58

Id., *Hebräische Syntax*, Neukirchen 1956

Cantineau, J., *Le nabatéen* I, Paris 1930

Id., *Grammaire du palmyrênien épigraphique = Publ. de l'institut d'études orientales d'Alger*, IV, Le Caire 1935

Caquot, A., *Le dieu ʿAthtar et les textes de Ras Shamra = Syria* XXXV, 1958, S. 45-60

Id., *La divinité solaire ougaritique = Syria* XXXVI, 1959, S. 90-101

Id., *Nouveaux documents ougaritiens = Syria* XLVI, 1969, S. 241-265

Id., *RS 34 126* und *RS 34 124 = L'annuaire du Collège de France*, 75ᵉ annèe, *Résumé des cours de 1974-1975*, S. 427-432

Id., et M. Sznycer, *Textes ougaritiques = Les religions du Proche-Orient asiatique*, Paris 1970, S. 351-458

Cassuto, U., *Il palazzo di Baʿal nella tavola IIAB di Ras Shamra = Orientalia* VII, 1938, S. 265-290

Id., *The goddess ʿAnath. Canaanite epics of the patriarchial age. Texts, Hebrew translation, commentary and introduction*, Jerusalem 1953

Id., *The goddess Anath, translated from the Hebrew by Israel Abrahams*, Jerusalem 1971

Chomsky, W., *The ambiguity of the prefixed prepositions m, l, b in the Bible = Jewish Quarterly Review* 61, 1970-71, S. 87-89

Coote, R.B., *Ugaritic ph(y), "see" = Ugarit-Forschungen* 6, 1974, S. 1-5

Cross, F.M., *The Canaanite cuneiform tablet from Taanach = Bulletin of the American Schools of Oriental Research* 190, 1968, S. 41-46

Id., *Canaanite myth and Hebrew epic. Essays in the history of the religion of Israel*, Cambridge, Massachusetts 1973

Dahood, M., *Some Northwest-Semitic words in Job = Biblica* 38, 1957, S. 306-320

Id., *Hebrew-Ugaritic lexicography* II *= Biblica* 45, 1964, S. 393-412

Id., *Ugaritic-Hebrew philology. Marginal notes on recent publications*, Rome 1965

Id., *The Phoenician background of Qoheleth = Biblica* 47, 1966, S. 264-282

Id., *Nest and Phoenix in Job 29:18 = Biblica* 48, 1967, S. 542-544

Dahood, M., *Psalms* II, New York 1968

Id., *Comparative philology yesterday and today* = *Biblica* 50, 1969, S. 70-79

Id., *An economic text* = *Analecta Orientalia* 48, Roma 1971, S. 31-34

Id., *Additional notes on the mrzḥ text* = *Analecta Orientalia* 48, Roma 1971, S. 51-56

Id., *Hebrew-Ugaritic lexicography* X = *Biblica* 53, 1972, S. 386-403

Dalman, G., *Grammatik des jüdisch-palästinischen Aramäisch*, Leipzig 1905 (Darmstadt 1960)

Id., *Aramäisch-neuhebräisches Handwörterbuch zu Targum, Talmud und Midrasch*, Hildesheim 1967

Delekat, L., *Zum ugaritischen Verbum* = *Ugarit-Forschungen* 4, 1972, S. 11-26

Dhorme, E., *Deux tablettes de Ras-Shamra de la campagne de 1932* = *Syria* XIV, 1933, S. 229-237

Dietrich, M., und O. Loretz, *Beschriftete Lungen- und Lebermodelle aus Ugarit* = *Ugaritica* VI, 1969, S. 165-179

Id., *Zur ugaritischen Lexikographie (V)* = *Ugarit-Forschungen* 4, 1972, S. 27-35

Id., *Untersuchungen zur Schrift- und Lautlehre des Ugaritischen (II). Lesehilfen in der ugaritischen Orthographie* = *Ugarit-Forschungen* 5, 1973, S. 71-77

Id., *Zur ugaritischen Lexikographie (VI). Das Verb ṣly "bitten, beten" und das Nomen ṣlt "Bitte, Gebet"* = *Ugarit-Forschungen* 5, 1973, S. 273-274

Id., *Der Prolog des Krt-Epos (CTA 14 I 1-35)* = *Alter Orient und Altes Testament* 18, 1973, S. 31-36

Id., *Der Prolog des Krt-Epos. Eine Ergänzung* = *Ugarit-Forschungen* 5, 1973, S. 283

Id., *Beiträge zur ugaritischen Textgeschichte (I). Dittographie in CTA 17 VI 30 und Haplographie in CTA 3 C 19* = *Ugarit-Forschungen* 5, 1973, S. 292-293

Id., *Die Elfenbeininschriften und S-Texte aus Ugarit* = *Alter Orient und Altes Testament* 13, Neukirchen-Vluyn 1976

Dietrich, M., und O. Loretz und J. Sanmartín, *Zur ugaritischen Lexikographie (VII). Lexikographische Einzelbemerkungen* = *Ugarit-Forschungen* 5, 1973, S. 79-104

Id., *Zur ugaritischen Lexikographie (VIII). Lexikographische Einzelbemerkungen* = *Ugarit-Forschungen* 5, 1973, S. 105-117

Id., *Die ugaritischen Verben mrr I, mrr II und mrr III. Zur ugaritischen Lexikographie X* = *Ugarit-Forschungen* 5, 1973, S. 119-122

Id., *Pgr im Ugaritischen. Zur ugaritischen Lexikographie IX* = *Ugarit-Forschungen* 5, 1973, S. 289-291

Id., *Zur ugaritischen Lexikographie (XI). Lexikographische Einzelbemerkungen* = *Ugarit-Forschungen* 6, 1974, S. 19-38

Id., *Zur ugaritischen Lexikographie (XII). Lexikographische Einzelbemerkungen* = *Ugarit-Forschungen* 6, 1974, S. 39-45

Id., *Kūn-Š und škn im Ugaritischen* = *Ugarit-Forschungen* 6, 1974, S. 47-53

Id., *Eine briefliche Antwort des Königs von Ugarit auf eine Anfrage: PRU 2,10 (= RS 16.264)* = *Ugarit-Forschungen* 6, 1974, S. 453-455

Id., *Der Satzbau in PRU 2,12 (= RS 16.402), 22-38* = *Ugarit-Forschungen* 6, 1974, S. 456-457

Id., *Die Ankündigung eines Boten (uḏr) im Brief PRU 2,13 (= RS 16.379)* = *Ugarit-Forschungen* 6, 1974, S. 458-459

Dietrich, M. und O. Loretz und J. Sanmartín, *Ein Brief des Königs an die Königin-Mutter (RS 11.872 = CTA 50). Zur Frage ug. itt = hebr. 'šh?* = *Ugarit-Forschungen* 6, 1974, S. 460-462

Id., *Sonnenfinsternis in Ugarit. PRU 2,162 (= RS 12.61). Das älteste Dokument über eine Totaleklipse* = *Ugarit-Forschungen* 6, 1974, S. 464-465

Keilalphabetische Bürgschaftsdokumente aus Ugarit = *Ugarit-Forschungen* 6, 1974, S. 466-467

Id., *Die Verteilung der Rationen in PRU 5,105 (= RS 18.130)* = *Ugarit-Forschungen* 6, 1974, S. 468

Id., *Der Eilbrief PRU 2,20 (= RS 15.07)* = *Ugarit-Forschungen* 6, 1974, S. 471-472

Id., *Zu PRU 5,106 (= RS 18.25), 10-15* = *Ugarit-Forschungen* 6, 1974, S. 473

Id., *Der stichometrische Aufbau von RS 24.258 (= UG. 5, S. 545 NR. 1)* = *Ugarit-Forschungen* 7, 1975, S. 109-114

Id., *Der "Neujahrspsalm" RS 24.252 (= UG. 5, S. 551-557 NR. 2)* = *Ugarit-Forschungen* 7, 1975, S. 115-119

Id., *Bemerkungen zur Schlangenbeschwörung RS 24.244 = UG. 5, S. 564ff. NR. 7* = *Ugarit-Forschungen* 7, 1975, S. 121-125

Id., *Einzelbemerkungen zu RS 24.251 = UG. 5, S. 574-578 NR. 8* = *Ugarit-Forschungen* 7, 1975, S. 127-131

Id., *Der keilalphabetische šumma izbu-Text RS 24.247+265+268+328* = *Ugarit-Forschungen* 7, 1975, S. 133-140

Id., *Lexikalische und literarische Probleme in RS 1.2 = CTA 32 und RS 17.100 = CTA Appendice I* = *Ugarit-Forschungen* 7, 1975, S. 147-155

Id., *Zur ugaritischen Lexikographie XIII* = *Ugarit-Forschungen* 7, 1975, S. 157-169

Id., *Das Ritual RS 1.5 = CTA 33* = *Ugarit-Forschungen* 7, 1975, S. 525-528

Id., *Der Brief RS 4.475 = CTA 53* = *Ugarit-Forschungen* 7, 1975, S. 529-530

Id., *Eine Notiz zu RS 15.98 = PRU 2,21,4-7* = *Ugarit-Forschungen* 7, 1975, S. 531

Id., *Stichometrische Probleme in RS 24.245 = UG. 5, S. 556-559, NR. 3 VS.* = *Ugarit-Forschungen* 7, 1975, S. 534-535

Id., *Entzifferung und Transkription von RS 22.03* = *Ugarit-Forschungen* 7, 1975, S. 548-549

Id., *Die keilalphabetischen Belege für b'r I und b'r II* = *Ugarit-Forschungen* 7, 1975, S. 554-556

Id., *Der Gott Ṯrmn in den Ugarit-Texten* = *Ugarit-Forschungen* 7, 1975, S. 557-558

Dijkstra, M., *A note on CTA 3:D.45-46* = *Ugarit-Forschungen* 2, 1970, S. 333-334

Id., and J.C. de Moor, *Problematic passages in the legend of Aqhâtu* = *Ugarit-Forschungen* 7, 1975, S. 171-215

Dillmann, A., *Grammatik der äthiopischen Sprache, zweite verbesserte und vermehrte Auflage von Dr. Carl Bezold*, Leipzig 1899

Id., *Lexicon linguae aethiopicae, cum indice latino*, Gissae MDCCCLXIV (New York 1955)

Donner, H., und W. Röllig, *Kanaanäische und aramäische Inschriften*, I. und II. Band, Wiesbaden 1962-64

Driver, G.R., *Canaanite myths and legends = Old Testament Studies*, No. 3, Edinburgh 1956

Id., *Ugaritic and Hebrew words = Ugaritica* VI, 1969, S. 181-186

Drower, E.S., and R. Macuch, *A Mandaic dictionary*, Oxford 1963

Dussaud, R., *Brèves remarques sur les tablettes de Ras-Shamra = Syria* XII, 1931, S. 67-77

Id., *Cultes cananéens aux sources du Jourdain d'après les textes de Ras Shamra = Syria* XVII, 1936, S. 283-295

Id., *Le mythe de Ba'al et d'Aliyan d'après des documents nouveaux = Revue de l'histoire des religions*, Tome 111, Paris 1935, S. 5-65

Eissfeldt, O., *Neue keilalphabetische Texte aus Ras Schamra-Ugarit*, Berlin 1965

Id., *Kultvereine in Ugarit = Ugaritica* VI, 1969, S. 187-195

Emerton, J.A., *Ugaritic notes = Journal of Theological Studies* 16, 1965, S. 438-443

Id., *A difficult part of Mot's message to Baal in the Ugaritic texts = Austrilian Journal of Biblical Archeology* 2, 1972, S. 50-71

Id., Besprechung von L. Koehler und W. Baumgartner, *Hebräisches und aramäisches Lexikon zum Alten Testament.* Dritte Ausgabe, bearbeitet von W. Baumgartner, B. Hartmann, und E.Y. Kutscher. Lieferung I . . . , Leiden 1967 = *Vetus Testamentum* XXII, 1972, S. 502-512

Ferrara, A.J., and S.B. Parker, *Seating arrangements at divine banquets = Ugarit-Forschungen* 4, 1972, S. 37-39

Fisher, L.R., *An Ugaritic ritual and Genesis 1:1-5 = Ugaritica* VI, 1969, S. 197-205

Id., and F.B. Knutson, *An enthronement ritual at Ugarit = Journal of Near Eastern Studies* XXVIII, 1969, S. 157-167

Freytag, G.W., *Lexicon arabico-latinum praesertim ex Djeuharii Firuzubadiique et aliorum libris confectum. Accedit index vocum latinarum locupletissimus.* I, Hal. 1830

Friedrich, J., *Kleine Bemerkungen zu Texten aus Ras Schamra und zu phönizischen Inschriften = Archiv für Orientforschung* 10, 1935-1936, S. 80-83

Id., *Phönizisch-punische Grammatik = Analecta Orientalia* 32, Roma 1951

Id., und W. Röllig, *Phönizisch-punische Grammatik = Analecta Orientalia* 46, Roma 1970

Garbini, G., *La congiunzione semitica *pa- = Biblica* 38, 1967, S. 419-427

Id., *Il semitico di nord-ovest*, Napoli/Roma 1960

Gaster, Th. H., *Notes on Ras Shamra texts – IV = Orientalistische Literaturzeitung* XLII, 1939, S. 273-276

Id., *A Canaanite ritual drama. The spring festival at Ugarit = Journal of the American Oriental Society* 66, 1946, S. 49-76

Id., *Ugaritic philology = Journal of the American Oriental Society* 70, 1950, S. 8-18

Id., *Thespis. Ritual, myth and drama in the ancient Near East*, New York 1950 (2nd. ed., New York 1966)

Gelb, I.J., B. Landsberger, A.L. Oppenheim, E. Reiner usw., *The Assyrian dictionary*, Chicago 1964 –

Gesenius, W., *Hebräische Grammatik, völlig umgearbeitet von E. Kautzsch*, Hildesheim 1962

Id., *Hebräisches und aramäisches Handwörterbuch über das Alte Testament, bearbeitet von Dr. Frants Buhl*, 17. Auflage, Berlin/Göttingen/Heidelberg 1962

Ginsberg, H.L., *Notes on "The birth of the gracious and beautiful gods" = Journal of the Royal Asiatic Society* 62, 1935, S. 45-72

Id., *Ba'l and 'Anat = Orientalia* VII, 1938, S. 1-11

Id., *Women singers and wailers among the northern Canaanites = Bulletin of the American Schools of Oriental Research* 72, 1938, S. 13-15

Id., *Two religious borrowings in Ugaritic literature. I. A Ḫurrian myth in Semitic dress = Orientalia* VIII, 1939, S. 317-327

Id., *The legend of king Keret. A Canaanite epic of the bronze age = Bulletin of the American Schools of Oriental Research. Supplementary studies* Nos. 2-3, New Haven 1946

Id., *Ugaritic myths, epics, and legends = Ancient Near Eastern Texts.* Princeton 1955, S. 129-155

Goeseke, H., *Die Sprache der semitischen Texte Ugarits und ihre Stellung innerhalb des Semitischen = Wissenschaftliche Zeitschrift der Martin-Luther-Universität Halle-Wittenberg* VII, 1957/58, Heft 3, S. 623-652

Goetze, A., *The Nikkal poem from Ras Shamra = Journal of Biblical Literature* LX, 1941, S. 353-374

Gordon, C.H., *Ugaritic grammar. The present status of the linguistic study of the Semitic alphabetic texts from Ras Shamra = Analecta Orientalia* 20, Roma 1940

Id., *Aramaic incantation bowls = Orientalia* X, 1941, S. 339-360

Id., *Ugaritic handbook. Revised grammar, paradigms, texts in transliteration, comprehensive glossary = Analecta Orientalia* 25, Roma 1947

Id., *Ugaritic literature. A comprehensive translation of the poetic and prose texts,* Roma 1949

Id., *Introduction to Old Testament times,* Ventnor, N.J. 1953

Id., *Ugaritic manual. Newly revised grammar, texts in translation, cuneiform selections, paradigms – glossary – indices = Analecta Orientalia* 35, Roma 1955

Id., *Ugaritic textbook = Analecta Orientalia* 38, Roma 1965

Id., *Ugarit and Minoan Crete,* New York 1966

Id., Supplement to *The Ugaritic textbook,* Roma 1967

Id., *Crete in the Ugaritic tablets = Philologikos Syllogos . . . ,* 1968, S. 44-48

Id., *Vergil and the Near East = Ugaritica* VI, Paris 1969, S. 267-288

Grant, E., *Beth Shemesh in 1933 = Bulletin of the American Schools of Oriental Research* 52, 1933, S. 4f.

Gray, J., *The hunting of Ba'al: Fratricide and atonement in the mythology of Ras Shamra = Journal of Near Eastern Studies* X, 1951, S. 146-155

Id., *The legacy of Canaan. The Ras Shamra texts and their relevance to the Old Testament = Supplements to Vetus Testamentum,* Volume 5, Leiden 1957 (2nd ed., Leiden 1965)

Id., *The Krt text in the literature of Ras Shamra. A social myth of ancient Canaan = Documenta et monumenta orientis antiqui,* V, Leiden 1964

Id., *Sacral kingship in Ugarit = Ugaritica* VI, Paris 1969, S. 289-302

Gray, J., *Ba'al's atonement = Ugarit-Forschungen* 3, 1971, S. 61-70

Greenfield, J.C., *Lexicographical notes II = Hebrew Union College Annual* 30, 1959, S. 141-151

Id., *Ugaritic lexicographical notes = Journal of Cuneiform Studies* 21, 1967, S. 89-93

Greenstein, E.L., *Another attestation of initial h> ' in West Semitic = The Gaster Festschrift*, S. 156-164

Haldar, A., *The position of Ugaritic among the Semitic languages = Bibliotheca Orientalis* XXI, 1964, S. 267-277

Hammershaimb, E., *Das Verbum im Dialekt von Ras Schamra*, Kopenhagen 1941

Id., Besprechung von C.H. Gordon, *Ugaritic manual . . . = Analecta Orientalia* 35, 1955, in: *Journal of Semitic Studies* 2, 1957, S. 273-275

Hartman, L.F., Besprechung von M. Dahood, *Proverbs and Northwest Semitic philology*, Roma 1963, in: *The Catholic Biblical Quarterly* XXVI, 1964, S. 104-106

Held, M., *The action-result (factitive-passive) sequence of identical verbs in Biblical Hebrew and Ugaritic = Journal of Biblical Literature* LXXXIV, 1965, S. 272-282

Herdner, A., *Remarques sur "La déesse 'Anat" = Revue des études sémitiques*, 1942-45, S. 33-49

Id., *Johs. Pedersen. – Die Krt Legende. Extrait de Berytus VI, 1941, p. 63-105, Kopenhagen, Ejnar Munksgaard = Syria* XXIII, 1942-43, S. 275-282

Id., *La phrase nominale en ougaritique = Comptes Rendus du Groupe Linguistique d'Études Chamito-Sémitiques* V, 1951, S. 60-62

Id., *Un nouvel exemplaire du rituel RS 1929, N° 3 = Syria* XXXIII, 1956, S. 104-112

Id., *Corpus des tablettes en cunéiformes alphabétiques, découvertes à Ras Shamra-Ugarit de 1929 à 1939 = Mission de Ras Shamra*, Tome X, Paris 1963

Id., *Mitchell Dahood, s.j., Ugaritic-Hebrew philology. Marginal notes on recent publications*, Rome 1965 = *Syria* XLVI, 1969, S. 130-132

Id., *Nouveaux textes mythologiques et liturgiques de Ras Shamra – XXIVe campagne, 1961* in: *Ugaritica* VII, 1976 (noch nicht erschienen)

Hillers, D.R., *An alphabetic cuneiform tablet from Taanach (TT 433) = Bulletin of the American Schools of Oriental Research* 173, 1964, S. 45-50

Höfner, M., *Altsüdarabische Grammatik = Porta linguarum orientalium* XXIV, Leipzig 1943

Hoftijzer, J., *Two notes on the Ba'al cyclus = Ugarit-Forschungen* 4, 1972, S. 155-158

Jastrow, M., *A dictionary of the Targumim, the Talmud Babli and Yerushalmi, and the Midrashic literature*, Tel Aviv 1972

Jean, Ch.F., et J. Hoftijzer, *Dictionnaire des inscriptions sémitiques de l'ouest*, Leiden 1965

Jirku, A., *Eine Renaissance des Hebräischen = Forschungen und Fortschritte* 32, 1958, S. 212-213

Id., *Kanaanäische Mythen und Epen aus Ras Schamra-Ugarit*, Gütersloh 1962

Id., *Šnm (Schunama), der Sohn des Gottes 'Il = Zeitschrift für die alttestamentliche Wissenschaft* 82, 1970, S. 278-279

Joüon, P., *Grammaire de l'hébreu biblique*, Rome 1965

Kapelrud, A.S., *Baal in the Ras Shamra texts*, Copenhagen 1952

Id., *The violent goddess. Anat in the Ras Shamra texts*, Oslo 1969

Id., *Baal and the devourers = Ugaritica* VI, Paris 1969, S. 319-332

Kazimirski, A. de B., *Dictionnaire arabe-français I-II, contenant toutes les racines de la langue arabe*, Paris 1960

Knudtzon, J.A., *Die El-Amarna-Tafeln I-II*, Aalen 1964

Koehler, L., und W. Baumgartner, *Lexicon in veteris testamenti libros*, Leiden 1953

König, E., *Historisch-kritisches Lehrgebäude der hebräischen Sprache mit steter Beziehung auf Qimchi und die anderen Auctoritäten* I-III, Leipzig 1881-1897

Id., *Hebräisches und aramäisches Wörterbuch zum Alten Testament*, Wiesbaden 1969

Krahmalkov, C., *A letter in Ugaritic dialect* = *Journal of Near Eastern Studies* XXVIII, 1969, S. 262-264

Kühner, R., und B. Gerth, *Ausführliche Grammatik der griechischen Sprache II*, 4. Auflage. Leverkusen 1955

Id., und C. Stegmann, *Ausführliche Grammatik der lateinischen Sprache* II, 3. Auflage. Leverkusen 1955

Labuschagne, C.J., Besprechung von A.C.M. Blommerde, *Northwest Semitic grammar and Job*, Rome 1969, in: *Ugarit-Forschungen* 3, 1971, S. 373-374

de Langhe, R., *Les textes de Ras Shamra-Ugarit et leurs rapports avec le milieu biblique de l'Ancien Testament* I-II, Gembloux et Paris 1945

Largement, R., *La naissance de l'aurore*, Louvain 1949

Leslau, W., *Grammatical sketches in Tigré (North-Ethiopic), dialect of Mensa* = *Journal of the American Oriental Society* 65, 1945, S. 164-203

Id., *Observations on Semitic cognates in Ugaritic* = *Orientalia* XXXVII, 1968, S. 347-366

Levine, B., *Ugaritic descriptive rituals* = *Journal of Cuneiform Studies* 17, 1963, S. 105-111

Levy, J., *Wörterbuch über die Talmudim und Midraschim* I-IV, Darmstadt 1963

Lipiński, E., *Yāhweh mâlāk* = *Biblica* 44, 1963, S. 405-460

Id., *Recherches ugaritiques* = *Syria* XLIV, 1967, S. 253-287

Id., *Banquet en l'honneur de Baal, CTA 3 (V AB), A, 4-22* = *Ugarit-Forschungen* 2, 1970, S. 75-88

Id., *Psalm 68:7 and the role of the Košarot* = *Annali del'Istituto Orientale di Universitario di Napoli* 31, 1971, S. 532-537

Id., *Épiphanie de Baal-Haddu, RS 24.245* = *Ugarit-Forschungen* 3, 1971, S. 81-92

Id., *skn et sgn dans le sémitique occidental du nord* = *Ugarit-Forschungen* 5, 1973, S. 191-207

Id., *Recherches ugaritiques* = *Syria* L, 1973, S. 35-51

Id., *La légende sacrée de la conjuration des morsures de serpents* = *Ugarit-Forschungen* 6, 1974, S. 169-174

Littmann, E., *Harari-Studien* = *Zeitschrift für Semitistik und verwandte Gebiete*, Band 1, Leipzig 1922, S. 38-84

Id., *Äthiopisch* = *Handbuch der Orientalistik* III, Leiden 1954, S. 350-375

Id., und M. Höfner, *Wörterbuch der Tigrē-Sprache*, Wiesbaden 1962

Loewenstamm, S.E., *Prostration from afar in Ugaritic, Accadian and Hebrew* =*Bulletin of the American Schools of Oriental Research* 188, 1967, S. 41-43

Id., *Ugaritic formulas of greeting* = *Bulletin of the American Schools of Oriental Research* 194, 1969, S. 52-54

Id., *Eine lehrhafte ugaritische Trinkburleske* = *Ugarit-Forschungen* 1, 1969, S. 71-77

Id., *Lexicographical notes on 1. ṭbḫ; 2. hnny/hlny* = *Ugarit-Forschungen* 5, 1973, S. 209-211

Loewenstamm, S.E., *The expanded colon, reconsidered* = *Ugarit-Forschungen* 7, 1975, S. 261-264

Lökkegaard, F., *The house of Baal* = *Acta Orientalia* XXIII, 1955-57, S. 10-27

Loretz, O., *Weitere ugaritisch-hebräische Parallelen* = *Biblische Zeitschrift* 3, 1959, S. 290-294

Macuch, R., *Handbook of classical and modern Mandaic*, Berlin 1965

Margalit, B., *Studia Ugaritica I: "Introduction to Ugaritic prosody"* = *Ugarit-Forschungen* 7, 1975, S. 289-313

Margulis, B., *A new Ugaritic farce (RŠ 24.258)* = *Ugarit-Forschungen* 2, 1970, S. 131-138

del Medico, H.E., *Modes de l'expression emphatique en ugaritien* = *Rivista degli studi orientali* 21, 1946, S. 77-87

Miller, P.D., *Ugaritic ǴZR and Hebrew 'ZR II* = *Ugarit-Forschungen* 2, 1970, S. 159-175

Id., *The MRZḤ text* = *Analecta Orientalia* 48. *The Claremont Ras Shamra tablets*, Roma 1971, S. 37-49

de Moor, J.C., *Frustula ugaritica* = *Journal of Near Eastern Studies* XXIV, 1965, S. 355-364

Id., *Studies in the new alphabetic texts from Ras Shamra I* = *Ugarit-Forschungen* 1, 1969, S. 167-188

Id., *Ugaritic hm – never "behold"* = *Ugarit-Forschungen* 1, 1969, S. 201-202

Id., *Studies in the new alphabetic texts from Ras Shamra II* = *Ugarit-Forschungen* 2, 1970, S. 303-327

Id., *B. Margulis on RŠ 24.258* = *Ugarit-Forschungen* 2, 1970, S. 347-350

Id., *The seasonal pattern in the Ugaritic myth of Ba'lu, according to the version of Ilimilku* = *Alter Orient und Altes Testament* 16, Neukirchen-Vluyn 1971

Id., *New year with Canaanites and Israelites* I-II, Kampen 1972

Id., *Ugaritic lexicography* = *Quaderni di Semitistica* 2, 1973, S. 61-102

Id., *A note on CTA 19 (1 AQHT):I:39-42* = *Ugarit-Forschungen* 6, 1974, S. 495-496

Moran, W.L., *The Hebrew language in its Northwest Semitic background* = *The Bible and the ancient Near East*, London 1961, S. 54-72

Muilenburg, J., *The linguistic and rhetorical usages of the particle kî in the Old Testament* = *Hebrew Union College Annual* 32, 1961, S. 135-160

Mulder, M.J., *Hat man in Ugarit die Sonnenwende begangen?* = *Ugarit-Forschungen* 4, 1972, S. 79-96

Nöldeke, Th., *Zur Grammatik des classischen Arabisch*, Darmstadt 1963

Id., *Mandäische Grammatik*, Darmstadt 1964

Id., *Kurzgefaßte syrische Grammatik*, Darmstadt 1966

Nougayrol, J., *Textes suméro-accadiens des archives et bibliothèques privées d'Ugarit* = *Ugaritica* V, Paris 1968, S. 1-446

Obermann, J., *How Daniel was blessed with a son. An incubation scene in Ugaritic* = *Journal of the American Oriental Society. Supplement* 6, 1946

Id., *Sentence negation in Ugaritic* = *Journal of Biblical Literature* LXV, 1946, S. 233-247

Id., *Ugaritic mythology. A study of its leading motifs*, New Haven 1948

Oldenburg, U., *The conflict between El and Ba'al in Canaanite religion*, Leiden 1969

Pardee, D., *A note on the root 'tq in CTA 18 I 2,5 (UT 125, Krt II)* = *Ugarit-Forschungen* 5, 1973, S. 229-234

Id., *The Ugaritic text 147(90)* = *Ugarit-Forschungen* 6, 1974, S. 275-282

Id., *The preposition in Ugaritic*, Chicago 1974 (Dissertation) (nicht erschienen)

Id., *The preposition in Ugaritic* = *Ugarit-Forschungen* 7, 1975, S. 329-378 (= dem ersten Teil der vorangehenden Dissertationsschrift; zweiter Teil wird in *Ugarit-Forschungen* 8 erscheinen)

Parker, S.B., *Studies in the grammar of Ugaritic prose texts*, Ann Arbor 1967

Id., *The feast of Rāpi'u* = *Ugarit-Forschungen* 2, 1970, S. 243-249

Id., *The Ugaritic deity Rāpi'u* = *Ugarit-Forschungen* 4, 1972, S. 97-104

Pedersen, J., *Die KRT Legende* = *Berytus* 6, 1941, S. 63-105

Pope, M.H., *A study of the Ugaritic particles w, p, and m with an excursus on b, l, and k*, Ann Arbor 1949

Id., *Pleonastic Wāw before nouns in Ugaritic and Hebrew* = *Journal of the American Oriental Society* 73, 1953, S. 95-98

Id., and J.H. Tigay, *A description of Baal* = *Ugarit-Forschungen* 3, 1971, S. 117-130

Praetorius, F., *Über die Sprache von Harar* = *Zeitschrift der deutschen morgenländischen Gesellschaft* 23, 1869, S. 453-472

Id., *Grammatik der Tigriñasprache in Abessinien, hauptsächlich in der Gegend von Aksum und Adoa*, Halle 1871 (Leipzig 1972)

Id., *Die amharische Sprache*, Halle 1879

Id., *Äthiopische Grammatik* = *Porta linguarum orientalium VII*, Karlsruhe/Leipzig 1886

Rainey, A.F., *The kingdom of Ugarit* = *The Biblical Archaeologist* 28, 1965, S. 102-125

Id., *Some prepositional nuances in Ugaritic administrative texts* = *Proceedings of the International Conference on Semitic Studies*, Jerusalem 1969, S. 205-211

Id., *Observations on Ugaritic grammar* = *Ugarit-Forschungen* 3, 1971, S. 151-172

Id., *The Ugaritic texts in Ugaritica V* = *Journal of the American Oriental Society* 94, 1974, S. 184-194

Reckendorf, H., *Die syntaktischen Verhältnisse des Arabischen*, Leiden 1898

Id., *Arabische Syntax*, Heidelberg 1921

Riis, P.J., *L'activité de la mission archéologique danoise sur la côte phénicienne en 1960* = *Annales Archéologiques de Syrie* 11/12, 1961-62, S. 133-144

Rüger, H.P., *Zu RŠ 24.258* = *Ugarit-Forschungen* 1, 1969, S. 203-206

Salonen, E., *Die Gruß- und Höflichkeitsformeln in babylonisch-assyrischen Briefen* = *Studia Orientalia* 38, Helsinki 1967

Sauren, H., et Guy Kestemont, *Keret, roi de Ḫubur* = *Ugarit-Forschungen* 3, 1971, S. 181-221

Sawyer, J.F.A., and F.R. Stephenson, *Literary and astronomical evidence for a total eclipse of the sun observed in Ancient Ugarit on 3 May 1375 B.C.* = *Bulletin of the School of Oriental and African Studies* 33, 1970, S. 467-489

Schmidt, W., *Königtum Gottes in Ugarit und Israel. Zur Herkunft der Königsprädikation Jahwes*, Berlin 1961 (2. Auflage 1966)

Schmuttermayr, G., *Ambivalenz und Aspektdifferenz* = *Biblische Zeitschrift* 15, 1971, S. 29-51

Schoors, A., *Ras Shamra parallels . . . Chapter I. Literary phrases* = *Analecta Orientalia* 49, Roma 1972, S. 1-70

Schulthess, F., *Grammatik des christlich-palästinischen Aramäisch*, Tübingen 1924

Segal, M.H., *A grammar of Mishnaic Hebrew*, Oxford 1970

Segert, S., *Die Sprache der moabitischen Königsinschrift = Archiv Orientální* XXIX, 1961, S. 197-267

Id., *Ugaritskiy yazyk*, Moskva 1965

Id., *Le role de l'ugaritique dans la linguistique sémitique comparée = Ugaritica* VI, Paris 1969, S. 461-477

van Selms, A., *Marriage and family life in Ugaritic literature = Pretoria Oriental Series* I, London 1954

Id., *Yammu's dethronement by Baal. An attempt to reconstruct texts UT 129, 137 and 68 = Ugarit-Forschungen* 2, 1970, S. 251-268

Id., *CTA 32: A prophetic liturgy = Ugarit-Forschungen* 3, 1971, S. 235-248

Id., *A guest-room for Ilu and its furniture. An interpretation of CTA 4,I, lines 30-44 (Gordon, 51,I,30-44) = Ugarit-Forschungen* 7, 1975, S. 469-476

Id., *A systematic approach to CTA 5,I,1-8 = Ugarit-Forschungen* 7, 1975, S. 477-482

von Soden, W., *Grundriß der akkadischen Grammatik = Analecta Orientalia* 33, Roma 1952, samt *Ergänzungsheft zum Grundriß der akkadischen Grammatik = Analecta Orientalia* 47, Roma 1969

Id., *Akkadisches Handwörterbuch. Unter Benutzung des lexikalischen Nachlasses von Bruno Meissner (1868-1947)*, I-II, Wiesbaden 1965-1972

Id., *Kleine Beiträge zum Ugaritischen und Hebräischen = Hebräische Wortforschung. Festschrift zum 80. Geburtstag von Walter Baumgartner, Supplement to Vetus Testamentum* 16, 1967, S. 291-300

Suárez, P., *Praepositio 'al = coram in litteratura ugaritica et hebraica-biblica = Verbum Domini* 42, 1964, S. 71-80

Sutcliffe, E.F., *A note on 'al, lĕ, and from = Vetus Testamentum* 5, 1955, S. 436-439

Thureau-Dangin, F., *Une tablette bilingue de Ras Shamra = Revue d'Assyriologie et d'Archéologie Orientale* XXXVII, 1940-41, S. 97-118

Tsevat, M., *The Ugaritic goddess Nikkal-WĪb = Journal of Near Eastern Studies* XII, 1953, S. 61-62

Tsumura, D., *The Ugaritic drama of the good gods. A philological study*, Ann Arbor 1973

Id., *An Ugaritic god, MT-W-ŠR, and his two weapons (UT 52:8-11) = Ugarit-Forschungen* 6, 1974, S. 407-413

Ullendorff, E., *Ugaritic marginalia = Orientalia* XX, 1951, S. 270-274

Id., *Ugaritic marginalia II = Journal of Semitic Studies* 7, 1962, S. 339-351

Id., *Ugaritic studies within their Semitic and eastern Mediterranean setting = Bulletin of the John Rylands Library* 46, 1963-1964, S. 236-249

Virolleaud, Ch., *Un poème phénicien de Ras Shamra = Syria* XII, 1931, S. 193-224

Id., *Un nouveau chant du poème d'Aleïn-Baal = Syria* XIII, 1932, S. 113-163

Id., *La naissance des dieux gracieux et beaux = Syria* XIV, 1933, S. 128-151

Id., *Fragments d'un traité phénicien de thérapeutique hippologique provenant de Ras-Shamra = Syria* XV, 1934, S. 75-83

Id., *Fragment nouveau du poème de Môt et Aleyn-Baal = Syria* XV, 1934, S. 226-243

Id., *La mort de Baal. Poème de Ras-Shamra (I* AB) = Syria* XV, 1934, S. 305-336

Virolleaud, Ch., *Les prépositions à Ras-Shamra = Comptes Rendus du Groupe Linguistique d'Études Chamito-Sémitiques* 1, 1931/34, S. 50

Id., *La révolte de Košer contre Baal. Poème de Ras-Shamra (III AB, A) = Syria* XVI, 1935, S. 29-45, 266

Id., *Les chasses de Baal. Poème de Ras-Shamra = Syria* XVI, 1935, S. 247-266

Id., *'Anat et la génisse. Poème de Ras-Shamra (IV AB) = Syria* XVII, 1936, S. 150-173

Id., *Hymne phénicien au dieu Nikal et aux déesses Košarôt provenant de Ras-Shamra = Syria* XVII, 1936, S. 209-228

Id., *La légende phénicienne de Danel = Mission de Ras-Shamra*, Tome I, Paris 1936

Id., *La légende de Keret, roi des sidoniens, publiée d'après une tablette de Ras-Shamra = Mission de Ras-Shamra*, Tome II, Paris 1936

Id., *La préposition dans la langue de Ras-Shamra = Comptes Rendus du Groupe Linguistique d'Études Chamito-Semitiques* 2, 1934/37, S. 13-14

Id., *La déesse 'Anat = Mission de Ras-Shamra*, Tome IV, Paris 1938

Id., *Lettres et documents administratifs provenant des archives d'Ugarit = Syria* XXI, 1940, S. 247-276

Id., *Les rephaïm. Fragments de poèmes de Ras Shamra = Syria* XXII, 1941, S. 1-30

Id., *Le roi Kéret et son fils (II K), 1re partie. Poème de Ras-Shamra = Syria* XXII, 1941, S. 105-136 / *Deuxième Partie, ibid.*, S. 197-217

Id., *Le roi Kéret et son fils (II K) (Troisième partie) = Syria* XXIII, 1942-43, S. 1-20

Id., *Le mariage du roi Kéret (III K). Poème de Ras-Shamra = Syria* XXIII, 1942-43, S. 137-172

Id., *Découvertes récentes en ougaritique = Comptes Rendus du Groupe Linguistique d'Études Chamito-Sémitiques* VI, 1951-54, S. 9, 11-12, 17-18

Id., *Questions de vocabulaire ougaritique = Comptes Rendus du Groupe Linguistique d'Études Chamito-Sémitiques* VII, 1954-57, S. 1-2

Id., *Textes en cunéiformes alphabétiques des archives est, ouest et centrales = Mission de Ras Shamra*, Tome VII / *Le palais royal d'Ugarit* II, Paris 1957

Id., *Les fouilles de Ras-Shamra ont produit un assez grand nombre de messages, généralement fort brefs et souvent très mutilés = Comptes Rendus du Groupe Linguistique d'Études Chamito-Sémitiques* VIII, 1957-60, S. 65-66

Id., *Notes de lexicographie ougaritiques = Comptes Rendus du Groupe Linguistique d'Études Chamito-Sémitiques* VIII, 1957-60, S. 90-92

Id., *Notes de lexicographie ougaritiques = Comptes Rendus du Groupe Linguistique d'Études Chamito-Sémitiques* IX, 1960-63, S. 90

Id., *Remarques sur quelques inscriptions ougaritiques = Comptes Rendus du Groupe Linguistique d'Études Chamito-Sémitiques* X, 1963-66, S. 58-60

Id., *Textes en cunéiformes alphabétiques des archives sud, sud-ouest et du petit palais = Mission de Ras Shamra*, Tome XI / *Le palais royal d'Ugarit* V, Paris 1965

Id., *Les nouveaux textes mythologiques et liturgiques de Ras Shamra (XXIVe campagne, 1961) = Ugaritica* V, Paris 1968, S. 545-606

Wagner, E., *Syntax der Mehri-Sprache. Unter Berücksichtigung auch der anderen neusüdarabischen Sprachen*, Berlin 1953

Ward, W.A., *Comparative studies in Egyptian and Ugaritic* = *Journal of Near Eastern Studies* XX, 1961, S. 31-40

Welch, J.W., *Chiasmus in Ugaritic* = *Ugarit-Forschungen* 6, 1974, S. 421-436

Wernberg-Möller, P., *"Pleonastic" wāw in Classical Hebrew* = *Journal of Semitic Studies* 3, 1958, S. 321-326

Whitaker, R.E., *A concordance of the Ugaritic literature*, Cambridge, Massachusetts, 1972

Wilhelm, G., *Eine Krughenkelinschrift in alphabetischer Keilschrift aus Kāmid el-Lōz (KL 67:428p)* = *Ugarit-Forschungen* 5, 1973, S. 284-285

van der Woude, A.S., *Das hebräische Pronomen demonstrativum als hinweisende Interjektion* = *Ex oriente lux* 18, 1964, S. 307-313

Wright, W., *A grammar of the Arabic language, translated from the German of Caspari, and edited, with numerous additions and corrections.* I-II. 3. ed., revised by W. Robertson Smith and M.J. de Goeje, Cambridge 1962-1964

al-Yasin, Izz-al-Din, *The lexical relation between Ugaritic and Arabic* = *Shelton Semitic Monograph Series* 1, New York 1952

Yeivin, S., *A new Ugaritic inscription from Palestine* = *Kedem* II, 1945, S. 32-41

Young, G.D., *The origin of the waw conversive* = *Journal of Near Eastern Studies* XII, 1953, S. 248-252

van Zijl, P.J., *The elements w-, 'p-, p- and p'- in the Semitic languages* = *Ou Testamentiese Werkgemeenskap in Suid-Afrika* 10, 1967

Id., *Baal. A study of texts in connexion with Baal in the Ugaritic epics* = *Alter Orient und Altes Testament* 10, Neukirchen-Vluyn 1972

Id., *A discussion of the words anš and nšy in the Ugaritic texts* = *Ugarit-Forschungen* 7, 1975, S. 503-514

Abkürzungen

A.a.O.	am angeführten Orte
Aartun, Neue Beiträge	Aartun, Neue Beiträge zum ugaritischen Lexikon
Aartun, Tempora	Aartun, Zur Frage altarabischer Tempora
Aartun, Wortstrukturen	Aartun, Einige besondere Wortstrukturen im Jüdisch-Aramäischen
AAS	Annales Archéologiques de Syrie
Act.Or.	Acta Orientalia
AfO	Archiv für Orientforschung
'Aġ.	Kitāb al-'aġānī
AION	Annali del'Istituto Orientale di Napoli
Aistleitner, Texte	Aistleitner, Die mythologischen und kultischen Texte aus Ras Schamra
Aistleitner, Wb	Aistleitner, Wörterbuch der ugaritischen Sprache
AJBA	Austrilian Journal of Biblical Archeology
An.Or./AnOr	Analecta Orientalia
AOAT	Alter Orient und Altes Testament
ArOr	Archiv Orientálni
Aufl.	Auflage
Barr, Comparative philology	Barr, Comparative philology and the text of the Old Testament
Barth, Pronominalbildung	Barth, Die Pronominalbildung in den semitischen Sprachen
BASOR	Bulletin of the American Schools of Oriental Research
Bauer und Leander, Gram.	Bauer und Leander, Grammatik des Biblisch-Aramäischen
Bauer-Leander, Hist. Gram. I	Bauer und Leander, Historische Grammatik der hebräischen Sprache des Alten Testamentes, Erster Band
Beeston, Grammar	Beeston, A descriptive grammar of epigraphic South Arabian
Bergsträsser, Einführung	Bergsträsser, Einführung in die semitischen Sprachen
BiAr	The Biblical Archeologist
BiO	Bibliotheca Orientalis
BJRL	Bulletin of the John Rylands Library
Blommerde, Grammar and Job	Blommerde, Northwest Semitic grammar and Job
Brockelmann, Grundriß I-II	Brockelmann, Grundriß der vergleichenden Grammatik der semitischen Sprachen I-II
Brockelmann, Lex. syr.	Brockelmann, Lexicon syriacum
Brockelmann, Syntax	Brockelmann, Hebräische Syntax
BSOAS	Bulletin of the School of Oriental and African Studies
BZ	Biblische Zeitschrift
Bzw.	beziehungsweise
CAD	The Assyrian Dictionary of the University of Chicago

Cantineau, Gram. du palm. épigr.	Cantineau, Grammaire du palmyrénien épigraphique
Cantineau, Nabatéen I	Cantineau, Le nabatéen I
Caquot, L'annuaire	Caquot, L'annuaire du Collège de France, 75e année
Caquot und Sznycer, Textes	Caquot und Sznycer, Textes ougaritiques
Cassuto, 'Anat	Cassuto, The goddess 'Anath. Canaanite epics of the patriarchial age. Texts, Hebrew translation, commentary and introduction
Cassuto, Goddess	Cassuto, The goddess 'Anath, translated from the Hebrew by Israel Abrahams
CBQ	The Catholic Biblical Quarterly
1/2 Ch	1./2. Chronik
CRGLES (= GLECS)	Comptes Rendus du Groupe Linguistiques d'Études Chamito-Sémitiques
Cross, Myth	Cross, Canaanite myth and Hebrew epic
Cstr.	Constructus
Ct	Canticum canticorum
CTA	Corpus des tablettes en cunéiformes alphabétiques
Dahood, Ug.-Heb. phil.	Dahood, Ugaritic-Hebrew philology
Dalman, Gram.	Dalman, Grammatik des jüdisch-palästinischen Aramäisch
Dalman, Hw	Dalman, Aramäisch-neuhebräisches Handwörterbuch zu Targum, Talmud und Midrasch
D.h.	Das heißt
Dillmann, Gram.	Dillmann, Grammatik der äthiopischen Sprache
Dillmann, Lex.	Dillmann, Lexicon linguae aethiopicae
Dīw. Imr.	Dīwān des 'Imra' ('Amra') al-Qais
Dn (Dan)	Daniel
Donner und Röllig, Inschriften I-II	Donner und Röllig, Kanaanäische und aramäische Inschriften I-II
Driver, Myths	Driver, Canaanite myths and legends
Drower-Macuch, Dictionary	Drower and Macuch, A Mandaic dictionary
Dt	Deuteronomium
EA	Die El-Amarna-Tafeln
Eissfeldt, Neue keilalphabetische Texte	Eissfeldt, Neue keilalphabetische Texte aus Ras Schamra-Ugarit
ESE	Die Elfenbeininschriften
Esr	Esra
ESS	Die S-Texte
Esth	Esther
Ex	Exodus
Ez	Ezechiel
F.	Femininum
FF	Forschungen und Fortschritte
Fig.	Figur
Frag.	Fragment
Freytag, Lex.	Freytag, Lexicon arabico-latinum praesertim ex Djeuharii Firuzubadiique et aliorum libris confectum. Accedit index vocum latinarum locupletissimus
Friedrich, Gram.	Friedrich, Phönizisch-punische Grammatik
Friedrich und Röllig, Gram.	Friedrich und Röllig, Phönizisch-punische Grammatik

Garbini, Il semitico	Garbini, Il semitico di nord-ovest
Gaster, Thespis	Gaster, Thespis. Ritual, myth and drama in the ancient Near East
Gaster, Thespis^2	Gaster, Thespis. Ritual, myth and drama in the ancient Near East. Second edition
Gesenius-Buhl, Hw	Gesenius, Hebräisches und aramäisches Handwörterbuch über das Alte Testament, bearbeitet von Frants Buhl
Gesenius-Kautzsch, Gram.	Gesenius, Hebräische Grammatik, völlig umgearbeitet von E. Kautzsch
Ginsberg, ANET	Ginsberg, Ugaritic myths, epics, and legends = Ancient Near Eastern Texts (S. 129-155)
Ginsberg, Keret	Ginsberg, The legend of king Keret. A Canaanite epic of the bronze age.
GLECS = CRGLES	
Gn (Gen)	Genesis
Goeseke, Sprache	Goeseke, Die Sprache der semitischen Texte Ugarits und ihre Stellung innerhalb des Semitischen
Gordon, Crete	Gordon, Crete in the Ugaritic tablets
Gordon, Manual	Gordon, Ugaritic manual
Gordon, Supplement	Gordon, Supplement to *The Ugaritic textbook*
Gordon, Textbook	Gordon, Ugaritic textbook
Gordon, Ug. and Min.	Gordon, Ugaritic and Minoan Crete
Gordon, Ug. lit.	Gordon, Ugaritic literature. A comprehensive translation of the poetic and prose texts
Gray, Krt^2	Gray, The Krt text in the literature of Ras Shamra. A social myth of ancient Canaan. Second edition
Gray, Legacy/Legacy^1	Gray, The legacy of Canaan. The Ras Shamra texts and their relevance to the Old Testament
Gray, Legacy^2	Gray, The legacy of Canaan. The Ras Shamra texts and their relevance to the Old Testament. Second edition
Ḥam.	al-Ḥamāsa
Hammershaimb, Verb	Hammershaimb, Das Verbum im Dialekt von Ras Schamra
Hebr.	hebräisch
Herdner, Corpus	Herdner, Corpus des tablettes en cunéiformes alphabétiques, découvertes à Ras Shamra-Ugarit de 1929 à 1939
Hg	Haggai
Hi	Hiob
Höfner, Gram.	Höfner, Altsüdarabische Grammatik
Hos	Hosea
HUCA	Hebrew Union College Annual
Ibid.	ibidem
Id.	idem
JAOS	Journal of the American Oriental Society
Jastrow, Dictionary	Jastrow, A dictionary of the Targumim, the Talmud Babli and Yerushalmi, and the Midrashic literature
JBL	Journal of Biblical Literature
JCS	Journal of Cuneiform Studies
Jean und Hoftijzer, Dictionnaire	Jean und Hoftijzer, Dictionnaire des inscriptions sémitiques de l'ouest

Jer	Jeremia
Jes	Jesaja
Jirku, Mythen	Jirku, Kanaanäische Mythen und Epen aus Ras Schamra-Ugarit
JNES	Journal of Near Eastern Studies
Jos	Josua
Joüon, Grammaire	Joüon, Grammaire de l'hébreu biblique
JQR	Jewish Quarterly Review
JRAS	Journal of the Royal Asiatic Society
JSS	Journal of Semitic Studies
JTS	Journal of Theological Studies
Kapelrud, Baal	Kapelrud, Baal in the Ras Shamra texts
Kapelrud, Goddess	Kapelrud, The violent goddess. Anat in the Ras Shamra texts
Kazimirski (, Dictionnaire) I-II	Kazimirski, Dictionnaire Arabe-Français I-II
Koehler (- Baumgartner), Lex.	Koehler (- Baumgartner), Lexicon in veteris testamenti libros
Koh	Koheleth
König, Lehrgebäude II	König, Historisch-kritisches Lehrgebäude der hebräischen Sprache mit steter Beziehung auf Qimchi und die anderen Auctoritäten II
König, Wb	König, Hebräisches und aramäisches Wörterbuch zum Alten Testament
1/2 K	1./2. Könige
Kühner-Gerth, Grammatik II	Kühner und Gerth, Ausführliche Grammatik der griechischen Sprache II
Kühner-Stegmann, Grammatik II	Kühner und Stegmann, Ausführliche Grammatik der lateinischen Sprache II
de Langhe, Textes I-II	de Langhe, Les textes de Ras Shamra-Ugarit et leurs rapports avec le milieu biblique de l'Ancien Testament I-II
Largement, La naissance	Largement, La naissance de l'aurore
Levy, Wörterbuch (Wb) I-IV	Levy, Wörterbuch über die Talmudim und Midraschim I-IV
Littmann und Höfner (Littmann-Höfner), Wb	Littmann und Höfner, Wörterbuch der Tigrē-Sprache
Lv (Lev)	Leviticus
M.	Maskulinum
Macuch, Handbook	Macuch, Handbook of classical and modern Mandaic
de Moor, New year I-II	de Moor, New year with Canaanites and Israelites I-II
de Moor, Ug. lex.	de Moor, Ugaritic lexicography (1973)
Neh	Nehemia
N.N.	Nomen nescio
Nöldeke, Mand. Gram.	Nöldeke, Mandäische Grammatik
Nöldeke, Syr. Gram.	Nöldeke, Kurzgefaßte syrische Grammatik
Nöldeke, ZGr	Nöldeke, Zur Grammatik des classischen Arabisch
NTS	Norsk Tidsskrift for Sprogvidenskap
Nu	Numeri
O.ä.	oder ähnliches
Ob	Obadja
Obermann, Ug. myth.	Obermann, Ugaritic mythology. A study of its leading motifs
Obv.	obverse
Od.	die Odyssee

Oldenburg, Conflict	Oldenburg, The conflict between El and Ba'al in Canaanite religion
OLZ	Orientalistische Literaturzeitung
Op. cit.	Opus citatum
OTWSA	Ou Testamentiese Werkgemeenskap in Suid-Afrika
Parker, Studies	Parker, Studies in the grammar of Ugaritic prose texts
Pl.	Planche
Pl.	Plural
Pope, Study	Pope, Study of the Ugaritic particles w, p, and m with an excursus on b, l, and k
Praetorius, Amh(ar). Spr.	Praetorius, Die amharische Sprache
Praetorius, Gram.	Praetorius, Äthiopische Grammatik
Praetorius, Tigriñasprache	Praetorius, Grammatik der Tigriñasprache in Abessinien, hauptsächlich in der Gegend von Aksum und Adoa
Präp.	Präposition
Pr	Proverbia
PRU = PU	Le Palais Royal d'Ugarit. – Paris
Ps	Psalmi
PU = PRU	
Qur.	al-Qur'ān
RA	Revue d'Assyriologie et d'Archéologie Orientale
Rainey, Proceedings	Rainey, Some prepositional nuances in Ugaritic administrative texts = Proceedings of the International Conference on Semitic Studies, 1969, S. 205-211
Reckendorf, Synt. Verh.	Reckendorf, Die syntaktischen Verhältnisse des Arabischen
Reckendorf, Syntax	Reckendorf, Arabische Syntax
RES	Revue des Études Sémitiques
Resp.	respektive
Rev.	reverse
RHR	Revue de l'Histoire des Religions
Ri	Richter
RS = RŠ	Ras Schamra
RSO	Rivista degli Studi Orientali
Sach	Sacharja
1/2 S	1./2. Samuel
Schmidt, Königtum	Schmidt, Königtum Gottes in Ugarit und Israel. Zur Herkunft der Königsprädikation Jahwes
Schmidt, Königtum[2]	Schmidt, Königtum Gottes in Ugarit und Israel. Zur Herkunft der Königsprädikation Jahwes, 2. Auflage
Schoors, Parallels	Schoors, Ras Shamra parallels . . .
Schulthess, Gram.	Schulthess, Grammatik des christlich-palästinischen Aramäisch
Segal, Grammar	Segal, A grammar of Mishnaic Hebrew
S.	Seite
van Selms, Marriage	van Selms, Marriage and family life in Ugaritic literature
von Soden, AHw	von Soden, Akkadisches Handwörterbuch

von Soden, GAG	von Soden, Grundriß der akkadischen Grammatik
St.	Status
Stud. Or.	Studia Orientalia
SVT	Supplements to *Vetus Testamentum* – Leiden
Tsumura, Ugaritic drama	Tsumura, The Ugaritic drama of the good gods. A philological study
U.ä.	und ähnliches
U. dgl.	und desgleichen
UF	Ugarit-Forschungen
UG.	Ugaritica
Ug.	ugaritisch
U.ö.	und öfters
usw.	und so weiter
UY	Ugaritskiy yazyk
Vgl.	vergleiche
Virolleaud, Danel	Virolleaud, La légende phénicienne de Danel
Virolleaud, Déesse	Virolleaud, La déesse ʻAnat
Virolleaud, Keret	Virolleaud, La légende de Keret, roi des sidoniens
VT	Vetus Testamentum
Wagner, Syntax	Wagner, Syntax der Mehri-Sprache
WdO	Die Welt des Orients
Whitaker, Concordance	Whitaker, A concordance of the Ugaritic literature
Wortforschung	Hebräische Wortforschung. Festschrift zum 80. Geburtstag von Walter Baumgartner
Wright I-II	Wright, A grammar of the Arabic language I-II
al-Yasin, Lex. rel.	al-Yasin, The lexical relation between Ugaritic and Arabic
ZAW	Zeitschrift für die alttestamentliche Wissenschaft
Z.B.	zum Beispiel
ZDMG	Zeitschrift der deutschen morgenländischen Gesellschaft
ZS	Zeitschrift für Semitistik und verwandte Gebiete
Z.T.	zum Teil

Nachträge und Verbesserungen (zum ersten und zweiten Teil)

I S. X Z. 16: Statt (Gĕ’ĕz) lies (Gĕ‘ĕz).

S. 1 Z. 6 von unten: Statt “wo)” lies “wo?”

S. 1ff.: Bezüglich der in den Prosatexten belegten Formen vgl. schon Parker, *Studies*, S. 94ff. mit Verweisen.

S. 3 Z. 11 von unten ist zu ergänzen: RŠ 34 124:4.

S. 3 Anmerkung 2 füge hinzu: Vgl. schon Parker, *Studies*, S. 94f., 98.

S. 3 Anmerkung 5 füge hinzu: Vgl. schon Parker, *Studies*, S. 94f., 98.

S. 3f. Vgl. ferner Blommerde, *Grammar and Job*, S. 32, mit Verweisen (zur Adverbialendung *-ny*).

S. 4 Anmerkung 1 füge hinzu: Vgl. schon Parker, *Studies*, S. 94f., 97, 99.

S. 4 Anmerkung 5 füge hinzu: Vgl. schon Parker, *Studies*, S. 94ff.

S. 5 Z. 14 ist zu ergänzen: RŠ 34 124:5-6.

S. 5 Z. 28f. füge hinzu: Nach Dietrich – Loretz – Sanmartín, *UF* 6 (1974), S. 21 liege 1001 obv. 2 *idy* = *id* + *-y* (hervorhebende Partikel (siehe unten)) vor (unklarer Text).

S. 7 Z. 9 ist zu ergänzen: ESE 19:3 *w bkmša* “und dann hebe!”; siehe ferner Dietrich und Loretz, *AOAT* 13, S. 7.

S. 7 Anmerkung 5 füge hinzu: Vgl. schon Parker, *Studies*, S. 102ff., 106f. Nach Parker habe die Form *iky* teilweise die Funktion eines Lokaladverbs = “where?”. Dazu vgl. aber unten mit Verweisen. Vgl. auch II, an mehreren Stellen.

S. 8 Z. 17f. füge hinzu: Zu den respektiven Belegen von *iky* vgl. ferner Lipiński, *Syria* L (1973), S. 42ff. mit Verweisen; dagegen mit Recht Dietrich – Loretz – Sanmartín, *UF* 6 (1974), S. 453ff.

S. 9 Z. 29f. füge hinzu: Dietrich – Loretz – Sanmartín, *UF* 7 (1975), S. 548f., führen noch folgenden Beleg an: RŠ 22.03:12 *kh* (= *k* + *-h* (hervorhebende Partikel; siehe unten)) *lk ṯlṯt prẓm b ṯql* “so für dich 3 parīsu à 1 Schekel”.

S. 9 Anmerkung 1 füge hinzu: Vgl. schon Parker, *Studies*, S. 102f., 106.

S. 11 Z. 15 von unten füge hinzu: Dietrich – Loretz – Sanmartín, *UF* 7 (1975), S. 525f., fassen den Ausdruck *‘lm* als ein Zeitadverb auf, und identifizieren denselben (mit Verweis auf *GAG* § 119 e) mit akkadisch *ullum*. Letztere Form (*ullum*) ist aber von einem Demonstrativstamm (siehe schon *GAG* § 119 e mit Verweis auf § 45 f.), erstere (*‘lm*) dagegen von einer Begriffswurzel (vgl. schon oben) abgeleitet.

S. 11 Z. 12 von unten füge hinzu: Zu anderer Deutung der Stelle vgl. z.B. Gordon, *Ug. lit.*, S. 28 (*‘ln* = *‘l* (Präposition) + *-n* (Pronomen)); ferner zuletzt van Selms, *UF* 7 (1975), S. 473 (*‘ln* = “the preposition *‘l* with *nūn energicum* followed by the suffix of the third person masculine, assimilated to the *nūn energicum*: “on it” ”).

S. 11 Z. 11 von unten füge hinzu: 51:II:18; 49:VI:22-23 (siehe schon I, S. 63, Z. 7f.); RŠ 34 126:19 (siehe unten II).

S. 12 Z. 8 füge hinzu: ferner noch in einem kultischen Text: R61 Ak:31 *w yḥdy mrḥqm* “und es (das “Haus” der *bn bnš*) soll (sie d.h. die Ziege) in die Ferne antreiben”; siehe ferner unten II, S. 50; anders Dietrich und Loretz, *Ugaritica* VI (1969), S. 172.

S. 13 Z. 13: Statt [Tag] lies (Tag).

S. 14 Z. 3: Statt *kĕ‘ænæt* lies *kĕ‘ænæṯ*.

S. 15 Z. 2 von unten: Statt Gazelles lies Cazelles.

S. 15 Z. 7 von unten: Vgl. vielleicht auch ESE 19:4 (unklarer Text); dazu Dietrich und Loretz, *AOAT* 13, S. 7.

I S. 15f. ist zu ergänzen: *mnd'* (2009:10-12) "vielleicht"; siehe II, S. 93 und Anmerkung 932.

S. 16 Z. 19f.: Nach Dietrich und Loretz, *UF* 5 (1973), S. 77 Anmerkung 32 sei die Stelle 2008 obv. 12 folgendermaßen zu lesen: *'šrid likt* "zehnmal habe ich gesandt". Der Text ist aber zerstört.

S. 16 Anmerkung 3 füge hinzu: Vgl. sonst Gordon, *Textbook*, S. 57f. (§ 8.19) und die dort angeführten beanspruchten Analogien zur Kurzform *d* "Hand".

S. 19 Anmerkung 3 füge hinzu: Vgl. schon Parker, *Studies*, S. 86f., 91f.; Herdner, *CRGLES* V (1951), S. 61; Goeseke, *Sprache*, S. 646.

S. 19f. ist zu ergänzen: Vgl. ferner RŠ 24.247+265+268+328 passim; siehe Dietrich – Loretz – Sanmartín, *UF* 7 (1975), S. 134f.

S. 20 Z. 2: Statt 1001:2 lies 1001 obv.2.

S. 20 Anmerkung 6 füge hinzu: Vgl. schon Goeseke, *Sprache*, S. 646; Parker, *Studies*, S. 86, 88f., 92.

S. 20f. Vgl. ferner Blommerde, *Grammar and Job*, S. 27, mit Verweisen.

S. 22 Anmerkung 6 füge hinzu: Vgl. ferner schon Pope, *Study*, S. 45ff., 91f.; Goeseke, *Sprache*, S. 646; Parker, *Studies*, S. 86, 89f., 92f.

S. 25 Z. 9 von unten ist zu ergänzen: Ebenso zur Verneinung des Wunschsatzes: ESE 1 *yḥ[w l]ymt* "er lebe [und] möge [nicht] sterben"; siehe Dietrich und Loretz, *AOAT* 13, S. 2.

S. 25 Z. 3 von unten: Vgl. ferner RŠ 24.247+265+268+328:13, :29; siehe Dietrich – Loretz – Sanmartín, *UF* 7 (1975), S. 134.

S. 29 Anmerkung 1 füge hinzu: Vgl. ferner Parker, *Studies*, S. 86, 87f.; Herdner, *CRGLES* V (1951), S. 61; Goeseke, *Sprache*, S. 646.

S. 30 Z. 10 füge hinzu: Vgl. auch ESE 22:1; dazu Dietrich und Loretz, *AOAT* 13, S. 8.

S. 30 Z. 27: Statt (war) lies (waren).

S. 31 Anmerkung 1 füge hinzu: Vgl. ferner Blommerde, *Grammar and Job*, S. 27, mit Verweisen.

S. 31 Anmerkung 4 füge hinzu: Vgl. schon Pope, *Study*, S. 51ff., 93.

S. 31f.: Vgl. ferner schon Blommerde, *Grammar and Job*, S. 30, mit Verweisen.

S. 32 Z. 16-17: Statt zusammengesetzten Nominalsatzes lies Verbalsatzes.

S. 32 Z. 18 ist zu ergänzen: RŠ 34 124:14-16 (vgl. II, S. 40, 85).

S. 33 Z. 5: Statt Unterscheidung lies Unterstreichung.

S. 33 Z. 19 ist zu ergänzen: Ebenso dient *l* vereinzelt zur Bekräftigung des präpositionalen Ausdrucks, wie R61 Ac:10-12 *dt nat* (:10) *w qrwn* (:11) *l k dbḥ* (:12) "das (Schlachtopfer) des Nat und des Qrwn (ist), fürwahr, entsprechend einem Schlachtopfer"; siehe ferner Dietrich und Loretz, *Ugaritica* VI (1969), S. 168f.

S. 33 Anmerkung 2 füge hinzu: Für weitere Deutungsversuche vgl. Lipiński, *Syria* L (1973), S. 42f.; Dietrich – Loretz – Sanmartín, *UF* 6 (1974), S. 454f.

S. 33f.: Vgl. ferner schon Pope, *Study*, S. 44f., 91; Blommerde, *Grammar and Job*, S. 31, mit Verweisen.

S. 35 Anmerkung 3: Statt Affirmativform lies Afformativform.

S. 35 Anmerkung 3: Vgl. ferner Lipiński, *Biblica* 44 (1963), S. 426.

S. 35 Z. 3 von unten füge hinzu: Die Homersche Ausdrucksweise ὄύ πω πᾶν εἴρετο ἔπος (z.B. Od. XVI:11) beweist natürlich nicht den negativen Sinn des genannten ugaritischen Syntagma (vgl. Gordon, *Introduction to Old Testament times*, S. 92f.).

S. 37 Z. 18: Statt dem Status lies des Status.

S. 37 Z. 8 von unten füge hinzu: Ferner 1 Aqht:219 (so Dijkstra und de Moor, *UF* 7 (1975), S. 213) (ebenso unsicherer Text).

S. 37 Anmerkung 1 füge hinzu: Vgl. ferner schon Pope, *Study*, S. 44, 91.

S. 38 Z. 7: Zum wörtlichen Sinn des Syntagma siehe oben S. 21f.

S. 38 Z. 19: Vgl. ferner die Vokativpartikel *la* im Tigrē; siehe Littmann und Höfner, *Wb*, S. 30.

I S. 39 Z. 18 füge hinzu: Ebenso in Aufforderungssätzen mit Präformativform: 2Aqht:I:24-25 *ltbrknn lṯr il aby* (:24) *tmrnn lbny bnwt* (:25) "fürwahr, du wirst ihn segnen, o Stier-Gott, mein Vater; du wirst ihm Kraft verleihen, o Schöpfer der Geschöpfe!"

S. 39 Z. 16 von unten: Zum wörtlichen Sinn des Syntagma vgl. ebenfalls oben S. 21f.

S. 40 Anmerkung 4 füge hinzu: Die Auffassung von *k* = einer Präposition vertreten neuerlich auch Pardee, *UF* 7 (1975), S. 352; Dietrich – Loretz – Sanmartín, *UF* 7, S. 534f.; dazu vgl. oben.

S. 40 Anmerkung 4: Statt keilschriftalphabetische lies keilalphabetische.

S. 40 Anmerkung 6: Statt Arabsichen lies Arabischen.

S. 40 Anmerkung 7 füge hinzu: Vgl. ferner Goeseke, *Sprache*, S. 645.

S. 41 Z. 19: Anders Dietrich – Loretz – Sanmartín, *UF* 7 (1975), S. 169 (phonetisch nicht möglich). Dem Kontext nach ist ferner *ṯlrbh* (:2) nicht zu verwechseln mit *ṯlrby* (:4) ||*ṯlḥny* (:5); siehe schon Aistleitner, *Wb*, S. 335 und andere.

S. 41 Z. 30-33: Zu anderer Deutung von *ql bl* siehe unten II, S. 5 mit Verweisen.

S. 42 Z. 28: Statt *m-h, k-*(!) lies *m-h k-*(!).

S. 42 Anmerkung 1 füge hinzu: Dietrich und Loretz, *UF* 5 (1973), S. 72f. (isolierte d.h. arbiträre Betrachtung).

S. 42 Anmerkung 2 füge hinzu: Dagegen mit Kutscher zuletzt Dietrich und Loretz, *UF* 5 (1973), S. 72f. (ebenso arbiträre Betrachtung; vgl. schon die positiven strukturellen Analogien im Ugaritischen/Semitischen).

S. 42 Anmerkung 4: Statt hva lies ʿhva.

S. 42 Anmerkung 5 füge hinzu: Vgl. ebenso schon Parker, *Studies*, S. 26f., 41f.

S. 43 Z. 1f. füge hinzu: Als Beleg für Adverb + hervorhebendem *-h* betrachten Dietrich – Loretz – Sanmartín, *UF* 7 (1975), S. 548f., folgende Stelle: RŠ 22.03:12 *kh lk ṯlṯt prṣm b ṯql* "so für dich 3 parisu à 1 Schekel".

S. 43 Z. 23 füge hinzu: Ebenso aus der Prosa: 702 obv. 2-4 *dqny* (:2) *šmmn* (:3) *bbtw* (Status absolutus Singular des Genitivs + hervorhebendem *-w*) (:4) "(der Thiasos,) den Šmmn in (seinem) Hause erwarb"; des Näheren siehe unten II, S. 9; anders Miller, *AnOr* 48, S. 37f.; Dahood, *ibid.*, S. 51.

S. 43 Anmerkung 8: Statt *epigr.* lies *épigr.*

S. 45 Anmerkung 6 füge hinzu: Betreffs Doppelformen beim Namen wie 52:16 u.ö. Rḥmy : 52:13 Rḥm vgl. ähnlich z.B. Gn 17:15 u.ö. Śāray : Śārā. Mehrdeutig ist *aḫyh* (in Parallele zu *ylyh*) 75:II:50-52: 1. *aḫy* = einer erweiterten Nominalbildung (vgl. schon Gordon, *Textbook*, S. 354; zum Typus vgl. die grammatische Literatur); 2. *aḫy-* = *aḫ* (Pl. St. cstr.) + *-y* (hervorhebende Partikel; siehe oben I, S. 44f.). Zum letzteren Typus d.h. Pl. St. cstr. + hervorhebender Partikel + Suffix vgl. analog oben I, S. 43 zu *-w*, S. 61 zu *-n*.

S. 45 Anmerkung 8 füge hinzu: Ebenso Parker, *Studies*, S. 26.

S. 46 Z. 6 bzw. 7: Statt *šl(m)* bzw. Šl(m) lies *šl[m]* bzw. Šl[m].

S. 46 Z. 17f.: Nach Dietrich – Loretz – Sanmartín, *UF* 6 (1974), S. 21 findet sich 1001 obv. 2 (poetischer Text) die erweiterte Demonstrativform *id-y* (vgl. oben). Der Text is aber unsicher.

S. 47 Z. 16 von unten füge hinzu nach S. 25: ebenso Dietrich und Loretz, *UF* 5 (1973), S. 72f.

S. 48 Z. 17 von unten: Statt mangelt . . . gemangelt . . . mangelt lies [ma]n[ge]lt . . . [gema]n[ge]lt . . . [ma]n[ge]lt.

S. 48 Anmerkung 3 füge hinzu: Wie schon Parker, *Studies*, S. 31, bemerkt hat, kommt ugaritisch die Kurzform *an* vorläufig nur in der Poesie vor. Daraus zu schließen, daß ugaritisch die Langform *an-k* die Kurzform *an* völlig verdrängt habe, ist nach Ausweis der sonst durchgehenden Altertümlichkeit des Ugaritischen kaum zulässig. Beachte dazu auch noch das späte (bisher nur in der Prosa nachweisbar) und nur vereinzelte Vorkommen der der Struktur nach altertümlichen Langform *an-k-n*; vgl. unten. Vgl. sonst besonders Aartun, *UF* 3 (1971), S. 1ff., insbesondere S. 7 zu akkadisch *anā-ku* : *anā* (nur selten belegt).

I S. 49 Z. 23: Statt begab lies bega[b].

S. 49 Z. 11 von unten: Statt begeben lies bege[ben].

S. 50 Z. 17: Statt Höhe lies Höhe(n).

S. 50 Z. 25-26: Statt Mann . . . siehe lies [Ma]nn . . . . [sie]he.

S. 51ff.: Vgl. ferner *bht-m* passim; vgl. schon Aistleitner, *Wb*, S. 47 und andere.

S. 51 Z. 17f. ist zu ergänzen: Nach Dietrich und Loretz, *UF* 4 (1972), S. 34 wäre 2Aqht:I:17 statt *abynt* (die übliche Lesart) vielmehr *abynm* zu lesen d.h. Nominativ + hervorhebendem *-m*. Letztere Lesart ist aber auch höchst unsicher (vgl. schon Herdner, *Corpus*, S. 80), und scheint kontextlich-syntaktisch weniger wahrscheinlich.

S. 51 Anmerkung 2 füge hinzu: Zum Gebrauch der Partikel *-m* im Ugaritischen vgl. besonders schon ausführlich Pope, *Study*, S. 54-78, 93ff.; vgl. ferner auch Goeseke, *Sprache*, S. 638.

S. 51 Anmerkung 4: Vgl. ferner Lipiński, *Biblica* 44 (1963), S. 426, 429.

S. 51ff.: Vgl. schon Pope, *Study*, S. 59ff., 75f. mit Verweisen; ferner Blommerde, *Grammar and Job*, S. 32.

S. 52 Z. 21: Statt *ṯlṯh* (so Herdner, *Corpus*, S. 65) liest Virolleaud, *Keret*, S. 46f. (übereinstimmend mit der Kopie Pl. II, IV) *ṯlṯth*; ebenso Gordon, *Textbook*, S. 252.

S. 52 Anmerkung 4: vgl. ferner de Moor, *New Year* II, S. 6.

S. 54 Z. 3: Statt dichterisch. lies dichterisch:

S. 54 Z. 9 von unten: Statt tion" (vgl. lies tion"; vgl.

S. 55 Anmerkung 7 füge hinzu: Vgl. schon Pope, *Study*, S. 57f. mit Verweisen.

S. 55 Anmerkung 9 füge hinzu: Zur Form *mn-m* vgl. auch Parker, *Studies*, S. 27f.

S. 56 Z. 4 füge hinzu: RŠ 34 124:5-6 (vgl. II, S. 57).

S. 56 Anmerkung 7 füge hinzu: Mit Parker, *Studies*, S. 27, gehört hierher nach allem auch *mm* < **mn-m* (54:9) (Prosatext). Vgl. die bei Parker angeführten formalen Analogien. Zur Auffassung des ganzen Syntagma vgl. schon oben S. 19.

S. 56f.: Vgl. schon Pope, *Study*, S. 55f. mit Verweisen.

S. 57 Z. 16: Statt *wštm* (so Herdner, *Corpus*, S. 33) ist höchstwahrscheinlich *wštt* zu lesen; siehe schon Virolleaud, *Syria* XV (1934), S. 306; Driver, *Myths*, S. 104; Gordon, *Textbook*, S. 178; usw.; siehe auch unten II, S. 56, 79.

S. 58 Z. 1 füge hinzu: ESE 19:3 *w bkm ša* "und dann hebe!"; siehe Dietrich und Loretz, *AOAT* 13, S. 7.

S. 58 Z. 10 füge hinzu: Vgl. auch ESE 19:4; dazu ebenso Dietrich und Loretz, *AOAT* 13, S. 7.

S. 58 Z. 17 von unten: Statt Gazelles lies Cazelles.

S. 59 Z. 12: Vgl. ferner vielleicht 2Aqht:VI:43 (dazu Herdner, *Corpus*, S. 83; Dijkstra und de Moor, *UF* 7 (1975), S. 190).

S. 59 Anmerkung 4 füge hinzu: Vgl. schon Parker, *Studies*, S. 44, 61.

S. 59 Anmerkung 8: Statt 464f. lies 673f.

S. 60 Z. 23: Statt Sch[ön]heit lies Schön[heit].

S. 60 Z. 25: Statt 2002:1 lies 2002:1-2.

S. 61 Z. 1f. ist zu ergänzen: *w-m*, wie 702 obv.5-8 *wšt ibsn* (:5) *lk(!)m wm ag* (:6) *rškm* (:7) *b bty* (:8) "und ich habe *ibsn* für euch angelegt und ich vertreibe euch von (wörtlich: in) meinem Haus (, wo ihr jetzt zu Hause seid)"; siehe schon Dahood, *AnOr* 48, S. 51f. gegen Miller, *ibid.*, S. 37f.; siehe ferner unten II, S. 9, 86. Zu den hierhergehörigen Belegen aus der Prosa/Poesie mit *im* < **'Vn* + *-mV* "wenn" resp. *hm* < **hVn* + *-mV* "wenn" siehe unten II, S. 95 (mit Analogien).

S. 61 Z. 3: Vgl. ferner 601 rev. 3 (so Dietrich – Loretz – Sanmartín, *UF* 7 (1975), S. 110f.) (unsicherer Text).

I S. 61 Z. 4: Statt *d* lies *ʿd*.

S. 61 Z. 23 füge hinzu: Derselben Art ist auch die nur in der Poesie vorkommende Form im Status absolutus *aliy-n* (Epitheton des Gottes Baʿl), wie 49:I:13-14; :III:2, :8, :20; :IV:28, :39; 51: III:10, :23; :IV:43 = ʿnt:V:40; 51:V:97-98, :111, :125; :VI:4, :7, :35-36; :VII:14-15, :23-24, :37-38; 67:II:6; :V:17 (siehe nachdrücklich Herdner, *Corpus*, S 36 Anmerkung 2); :VI:9; 68:28, :31; 76:II:13; :III:5, :38; u.ö. (Whitaker, *Concordance*, S. 18-19). Zu analogen Formtypen mit präfigiertem *ʾa* im Semitischen siehe z.B. Brockelmann, *Grundriß* I, S. 371f.; vgl. ferner zur Struktur der Form *aliy-n* Birkeland, *NTS* 9 (1938), S. 338-345; de Moor, *AOAT* 16, S. 68f. mit Verweisen. Zur Parallele *aliy* (d.h. ohne hervorhebendes *-n*) im Status constructus vgl. unten.

S. 61 Z. 25 füge hinzu: Hierher gehört ferner *aliy-n* (Status absolutus), wie 49:II:21; :IV:44; 62:12, :14-15. Siehe ferner oben mit Verweisen.

S. 61 Z. 32 füge hinzu: Ebenso *aliy-n* (Status absolutus), wie 49:I:30-31, :35-36; :V:9-10; :VI:24-25; 51:V:74, :109-110; 62 passim; 603 rev. 7-8; ʿnt:I:2-3; :III:2. Vgl. dazu die folgenden Stellen nach den parallelen syntagmatischen Formeln: *tḫm aliy-n bʿl* || *hwt aliy qrdm* (d.h. ohne hervorhebendes *-n*) (Status constructus), wie 51:VIII:32-35; 67:II:10-11, :17-18; ʿnt:III:10-11; :IV: 51-52; :VI:24-25. Vgl. ferner schon oben.

S. 62 Z. 2 füge hinzu: Für mögliche weitere Belege von hervorhebendem *-n* bei Eigennamen vgl. Gordon, *Textbook*, S. 63 (§ 8.59).

S. 62 Z. 9f. ist zu ergänzen: *hndn* = *hn-n-d-n* "siehe diesen" RŠ 34 124:7; vgl. biblisch-aramäisch *kiḏnā* < **kV-ḏV-nā*; siehe ferner unten II, S. 47.

S. 62 Z. 11: Vgl. schon Parker, *Studies*, S. 10, 31f.

S. 62 Z. 14: Statt Tri[nk]schale lies Trink[schale].

S. 63 Z. 8 füge hinzu: Ebenso RŠ 34:126:19.

S. 64 Z. 21: Statt *ẓlmtʾ* lies *ẓlmt*).

S. 64 Z. 26: Statt *ʿl-t-* lies *ʿl-t*; -

S. 64 Z. 29 ist zu ergänzen: 702 rev.6 *dʿmnk*; siehe Miller, *AnOr* 48, S. 38; Dahood, *ibid.*, S. 51.

S. 64 Z. 30: Statt König] lies König]".

S. 64 Anmerkung 7 füge hinzu: Zu *bn* 117:18 (Prosatext) vgl. unten II (Nachträge) (gegen Parker).

S. 64 Anmerkung 12 füge hinzu: Vgl. dagegen Parker, *Studies*, S. 45, 61.

S. 65 Z. 10 füge hinzu: CTA 210:A:4 (unbestimmter Text); - *p* + hervorhebendem *-n*; so 601 obv. 12-13 (Mythus); Näheres siehe II, S. 86, 88.

S. 65 Z. 14: Statt Höhe lies Höhe(n).

S. 65 Anmerkung 9: Statt *epigr.* lies *épigr.*

S. 65 Anmerkung 9 füge hinzu: Vgl. ferner schon Parker, *Studies*, S. 64 u.ö.

S. 66 Z. 10f. füge hinzu: Vgl. ferner 51:IV:14-15 *lysmsmt* verglichen mit 1Aqht:59-60 *lysmsm*.

S. 66 Anmerkung 4 füge hinzu: – Ob 67:V:17 *kmt-t* Dittographie oder ein Beleg von hervorhebendem *-t* am Verb ist (so Aistleitner, *Wb*, S. 197), bleibt unklar.

S. 67 Z. 12: Dazu II, S. 84 Z. 23 u.ö.

S. 67 Z. 20 ist einzufügen: *bn* (Stamm *byn*) + hervorhebendem *-t*, dichterisch: 2Aqht:VI:13-14 *tṣb qšt bnt* (:13) [ ] (:14) "der Bogen wird gestellt o.ä. zwischen . . ." oder: "sie stellt o.ä. den Bogen zwischen . . ."; siehe ferner unten II, S. 51, 52 zu *bnt* = *bn-t* (Präposition).

S. 67 Anmerkung 6 füge hinzu: Vgl. ferner schon Parker, *Studies*, S. 45f., 61.

S. 67 Anmerkung 7: Statt *epigr.* lies *épigr.*

S. 67 Anmerkung 8 füge hinzu: Vgl. ferner van der Woude, *Ex oriente lux* 18 (1964), S. 307-313.

S. 68 Anmerkung 8 füge hinzu: Parker, *Studies*, S. 69, 71ff., 82f., faßt *hn, ht* – gegen die Anwendung derselben (vgl. die Belege) – als Konjunktionen auf.

S. 68f. füge hinzu: 601 rev.3 (vgl. Virolleaud, *Ugaritica* V, S. 551; demgegenüber Dietrich – Loretz – Sanmartín, *UF* 7 (1975), S. 110f.).

I S. 69 Anmerkung 3 füge hinzu: Der Auffassung Virolleauds (vgl. oben) folgt auch Parker, *Studies*, S. 24f., 39f.

S. 70 Z. 4: Statt siehe lies [sie]he.

S. 70 Anmerkung 3 füge hinzu: Der traditionellen Auffassung von *hn-k* = Demonstrativpronomen schließt sich auch Parker, *Studies*, S. 25, 40, an.

S. 71 Z. 12f.: Ausdrücklich bemerkt Loewenstamm, *UF* 7 (1975), S. 263: "To be sure, *ht* has sometimes been interpreted as "lo, behold" (Verweis auf K. Aartun, *Die Partikeln des Ugaritischen, AOAT* 21,1 (1974), S. 67). But the only clearly attested meaning of *ht* is "now" (CTA 19:IV: 167), in Hebrew *'th* . . .". Zum tatsächlichen Vorkommen von *ht* = "jetzt" im Ugaritischen, nämlich 1Aqht:167-168, siehe schon oben, S. 5. Die Ansicht, daß der einzig deutlich bezeugte Sinn von ugaritisch *ht* eben = "jetzt" sei, muß aber auf einem Lapsus beruhen. In Kürze sei hier (für Belege siehe unten) kombinatorisch-funktionell folgendes als wichtig hervorgehoben: 1. Konjunktion + *ht*: *ap ht*, d.h. die gleiche Kombination wie *ap hn* bzw. *ap hm* (siehe oben). 2. *ht* + Einzelwörtern (nicht Verb) nach dem gleichen Muster wie *hn* bzw. *hm* + Einzelwörtern (siehe oben). 3. *ht* + folgendem Subjekt im Akkusativ nach demselben Muster wie *hn* (und arabisch *'inna*) (siehe oben). Mit hebräisch *'attā*/*'āttā* "jetzt", auf welches Loewenstamm verweist, hat ugaritisch *ht* nichts zu tun, d.h. weder etymologisch noch funktionell. Vgl. dagegen ugaritisch *'nt* entsprechend hebräisch *'attā*/*'āttā*; siehe oben I, S. 14.

S. 71 Z. 20: Dazu II, S. 84 Z. 23 u.ö.

S. 72f.: Vgl. Cross, *Myth*, S. 22f.

S. 74 Z. 24: Statt seinen Bogen lies auch seinen Bogen.

S. 74 Z. 27: Statt Koehler lies Koehler-Baumgartner.

S. 75 Anmerkung 5: Statt *Cropus* lies *Corpus*.

S. 77 Anmerkung 3 füge hinzu: Dijkstra und de Moor, *UF* 7 (1975), S. 178f. (Den betreffenden Kontexten nach gehören jedoch . . .*hw/hy mḫ* syntaktisch mit den unmittelbar nachfolgenden Syntagmen zusammen).

S. 82 Z. 2 von unten fällt aus: *bl* 41.

S. 87 Z. 1f. ist einzufügen: *bl* 41.

S. 96 Z. 6: Statt *ql* 27 lies *ql* 27, 41.

S. 96 Z. 7 fällt aus: *ql* 41.

S. 98 Z. 10 von unten: Statt Appellativ lies Appellativum.

S. 105 Z. 8 von unten: Statt *kĕ'æmæṯ* lies *kĕ'ænæṯ*.

S. 113 Z. 2 von unten: Statt Roms lies Rome.

S. 114 Z. 6f. füge hinzu: Dietrich, M., und O. Loretz, *Untersuchungen zur Schrift- und Lautlehre des Ugaritischen (II). Lesehilfen in der ugaritischen Orthographie* = *Ugarit-Forschungen* 5, 1973, S. 71-77.

S. 114 Z. 8 von unten: Statt Gazelles lies Cazelles.

S. 116 Z. 6: Statt Jean, C.H. and lies Jean, Ch.F., et.

S. 116 Z. 11: Statt Koehler, L. lies Koehler, L., und W. Baumgartner.

S. 118 Z. 2: Statt Sauren, H. und G. Kestemont lies Sauren, H., et G. Kestemont.

S. 119 Z. 2: Statt Comtes lies Comptes.

S. 119 Z. 6: Statt Comtes lies Comptes.

S. 121 Z. 7: Statt Comtes lies Comptes.

S. 121 Z. 22: Statt keilschriftalphabetische lies keilalphabetische.

S. 121 Z. 28: Statt Gen lies Gen/Gn.

S. 122 Z. 6: Statt Kuṯarat lies Kuṯarāt.

S. 122 Z. 12 von unten ist zu ergänzen: Koehler-Baumgartner, Lex. = Koehler und Baumgartner, Lexicon in veteris testamenti libros.

I S. 124 Z. 3 von unten: Statt Arabic grammar I-II lies Arabic grammar I-II / A grammar of the Arabic language I-II.

S. 124 Z. 2 von unten: statt al Yasin lies al-Yasin.

II S. 1ff.: Vgl. schon Pope, *Study*, S. 42f.; Parker, *Studies*, S. 44ff.; Rainey, *Proceedings*, S. 205ff.; Pardee, *UF* 7 (1975), S. 329ff. (= der ersten Hälfte von id., *The preposition in Ugaritic*, Chicago 1974 (Dissertation) (mir nicht zugänglich)).

S. 1 Anmerkung 2: Vgl. ferner schon besonders Parker, *Studies*, S. 44, 47-50, 61ff.; Rainey, *Proceedings*, S. 209f.

S. 1 Z. 15 füge folgende Anmerkung hinzu: Gegen diese auf rein linguistischer Grundlage (vgl. unten), und unter Heranziehung der sonst überlieferten Sprachtraditionen des Semitischen, gefaßte einheitliche Bedeutung der Partikel *b* vgl. unter anderen Ginsberg, *BASOR* 72 (1938), S. 15 Anmerkung 9 (mit Annahme von ungleicher Bedeutung sowie ungleicher Aussprache der Form); demnach ebenso Gordon, *Ugaritic grammar*, § 9.1; demgegenüber aber id., *Orientalia* X (1941), S. 358; *Ugaritic handbook*, § 10.1 (mit Annahme von einheitlicher Aussprache der Präpositionsform); ebenso *Ugaritic manual*, § 10.1 (dazu z.B. Hammershaimb, *JSS* 2 (1957), S. 274) sowie *Ugaritic textbook*, § 10.1; usw.; ferner ebenso Pope, *Study*, S. 42f.; Jirku, *FF* 32 (1958), S. 211; Goeseke, *Sprache* (1958), S. 645; Loretz, *BZ* 3 (1959), S. 290; Garbini, *Il semitico* (1960), S. 166; Ullendorff, *BJRL* 46 (1963-64), S. 248; Haldar, *BiO* XXI (1964), S. 275; Rainey, *Proceedings* (1969), S. 206f.; Segert, *Ugaritica* VI (1969), S. 475; Blommerde, *Grammar and Job* (1969), S. 19f.; desgleichen öfters Dahood, wie *Biblica* 50 (1969), S. 76f. (gegen Barr, *Comparative philology*, S. 175f.); *Biblica* 53 (1972), S. 387f. (gegen Lipiński, *AION* 31 (1971), S. 536f.); usw.; ferner auch Chomsky, *JQR* 61 (1970-71), S. 87f.; Schmuttermayr, *BZ* 15 (1971), S. 29ff., und andere. Hierzu vgl. aber schon mit Recht unter anderen Sutcliffe, *VT* 5 (1955), S. 436-439; Moran, *The Bible and the ancient Near East* (1961), S. 61; Hartman, *CBQ* 26 (1964), S. 105; Lipiński, *AION* 31 (1971), S. 536f.; Emerton, *VT* 22 (1972), S. 507; Pardee, *UF* 7 (1975), S. 335f.; usw.; vgl. ferner unten. – Zur Konsequenz der fast völlig fehlenden Präpositionsform *m(n)* für den Syntagmabau der Ugarit-Sprache vgl. ferner schon Virolleaud, *CRGLES* 1 (1934), S. 50; *CRGLES* 2 (1935), S. 13-14.

S. 3 Anmerkung 13 füge hinzu: Vgl. ferner Dietrich – Loretz – Sanmartín, *UF* 7 (1975), S. 122f. (Textkorrektur; die Interpretation kaum kontextlich zu begründen).

S. 3 Anmerkung 19 füge hinzu: Ebenso anders Dietrich – Loretz – Sanmartín, *UF* 7 (1975), S. 534f.

S. 3 Anmerkung 21 füge hinzu: Vgl. demgegenüber aber Pardee, *UF* 7 (1975), S. 352 ("Il sits in 'ṯtrt, Il judges in hdr'y"). Die Ausdrücke *'ṯtrt* und *hd r'y* sind jedoch unbedingt Götternamen. Vgl. ferner Dietrich – Loretz – Sanmartín, *UF* 7 (1975), S. 115.

S. 4 Anmerkung 33 füge hinzu: Vgl. ferner Dijkstra und de Moor, *UF* 7 (1975), S. 186 gegenüber Pardee, *UF* 7, S. 359.

S. 6 Z. 20 füge hinzu: ESE 10:1-2; ESS 36:1; 143:1.

S. 7 Anmerkung 54 füge hinzu: Vgl. ferner Pardee, *UF* 7 (1975), S. 340 ("from"); dazu siehe schon oben.

S. 7 Anmerkung 56: Vgl. ferner Pardee, *UF* 7 (1975), S. 368.

S. 7 Z. 15 (zu 1084 passim) füge hinzu: Anders Rainey, *Proceedings*, S. 210 mit Verweis auf Virolleaud, *PU* II, S. 107 (auf bloßen Vermutungen gefußt); vgl. schon oben.

S. 9 Anmerkung 78 füge hinzu: Der Auffassung Gordons usw. hat sich auch Pope, *Study*, S. 42f., angeschlossen. Vgl. oben.

S. 10 Z. 22: Zur Stelle 1107:6-8 vgl. dagegen Rainey, *Proceedings*, S. 210 ("from") (mit Ausgangspunkt in einer willkürlich zum Vergleich herangezogenen akkadischen Textstelle mit *ištu*).

S. 12 Z. 21 füge hinzu: Ebenso 49:VI:31-32.

S. 14 Z. 11 füge hinzu: Vgl. ferner ESS 10:3, :4; ferner 75:2; 93 passim.

S. 14 Z. 22 füge hinzu: Vgl. ferner auch RŠ 22.03:7-8; dazu vgl. Dietrich – Loretz – Sanmartín, *UF* 7 (1975), S. 548f.

S. 14 Anmerkung 133 füge hinzu: Die Überlegungen Raineys, *Proceedings*, S. 208f. sind in dieser Verbindung kulturwissenschaftlich interessant; vgl. auch schon vielfach ähnlich oben. Sprachwissenschaftlich resp. semantisch sind sie aber von nur geringem Wert. Denn das Auftreten von bestimmten Syntagmen aus verschiedenen Sprachen in korrespondierenden Textkategorien braucht, wie

II bekannt, eo ipso nicht Bedeutungsidentität der einzelnen Komponenten der korrespondierenden Ausdrücke zu bedeuten: *bd* = *b(y)d* ist echt ugaritisch (westsemitisch); *ištu qāti* und *ina qāti* – nicht nur der syntagmatischen Kombination, sondern auch der Bedeutung nach ganz verschiedene Ausdrücke – sind dagegen echt akkadisch. Die beanspruchten Syntagmen sind in allen Fällen vom Standpunkt der betreffenden Einzelsprachen aus zu interpretieren, denen sie angehören. Vgl. ferner schon die Grammatiken und Lexika.

S. 15 Z. 24 füge hinzu: Vgl. ferner ESE 16:1; RŠ 24.247+265+268+328 passim (Dietrich – Loretz – Sanmartín, *UF* 7 (1975), S. 133ff.).

S. 16 Z. 2: Vgl. ferner 76:II:30 (Gordon, *Ug. lit.*, S. 50; Pardee, *UF* 7 (1975), S. 350).

S. 16 Z. 17: Vgl. auch 3Aqht rev.16-17 (zerstört) (dazu Dijkstra und de Moor, *UF* 7 (1975), S. 193) (sprachlich-kontextlich nicht überzeugend).

S. 16 Anmerkung 154 füge hinzu: Vgl. ferner Dijkstra und de Moor, *UF* 7 (1975), S. 181f.; Pardee, *UF* 7, S. 361.

S. 17 Z. 2f. (zu 2Aqht:V:3-6): Margalit, *UF* 7 (1975), S. 296, bemerkt: "The peculiar syntax may be seen as determined metri clausa". Dem sei wie ihm wolle. Die sprachliche Konstruktion ist auf jeden Fall, wie analoge Prosabelege im Semitischen bezeugen, an sich normal.

S. 17 Anmerkung 165: Vgl. ferner Dijkstra und de Moor, *UF* 7 (1975), S. 210 (sprachlich-syntaktisch sehr fraglich); dagegen Pardee, *UF* 7, S. 363.

S. 18 Anmerkung 169: Vgl. dagegen z.B. Pardee, *UF* 7 (1975), S. 363 (*ʿlt* = 3. Person Singular Femininum von der Wurzel *ʿly*) (intervokalisches *y* ist aber, wie bekannt, im Ugaritischen erhalten).

S. 19 Z. 16: Zum betreffenden Fall (52:36) vgl. dagegen Cross, *Myth*, S. 23; demgegenüber z.B. Tsumura, *Drama*, S. 12, 65 mit Verweisen.

S. 19 Z. 19 (zu 123:2, :20): Vgl. ferner Eissfeldt, *Ugaritica* VI (1969), S. 193f.

S. 20 Z. 16 füge hinzu: Ebenso Ess 72:3-4; vgl. ferner 72:6 (zerstört).

S. 20 Anmerkung 194 füge hinzu: Vgl. dagegen z.B. Pardee, *UF* 7 (1975), S. 359 (aus sprachlich-kontextlichen Gründen unhaltbar).

S. 21 Z. 22 füge hinzu: Vgl. ferner Dijkstra und de Moor, *UF* 7 (1975), S. 213 zu 1Aqht:219.

S. 21 Anmerkung 200: Vgl. ferner Pardee, *UF* 7 (1975), S. 370 ("in jars"/"in urns(?)").

S. 22 Anmerkung 204: Vgl. ferner van Selms, *UF* 7 (1975), S. 471.

S. 23 Anmerkung 217: Vgl. Lipiński, *Biblica* 44 (1963), S. 444 ("son foie", "son coeur").

S. 23 Z. 24: Ebenso RŠ 22.03 passim (vgl. Dietrich – Loretz – Sanmartín, *UF* 7 (1975), S. 548f.).

S. 24 Anmerkung 229: Vgl. ferner de Moor, *Ug. lex.* (1973), S. 91.

S. 25 Anmerkung 239: Vgl. ferner Pardee, *UF* 7 (1975), S. 359; dazu vgl. schon oben; vgl. auch unten zu *ʿm-n*.

S. 26 Z. 3 füge hinzu: Parker, *Studies*, S. 44, faßt 117:18 (Prosatext) *bn* = erweiterter Form *b-n* auf. Zu anderer Deutung (*b* + Suffix der 1. Person Plural) (in analoger Weise wie *nr by* 1015:9-10) vgl. schon oben.

S. 26 Anmerkung 248: Vgl. schon Pope, *Study*, S. 49f., 92; Parker, *Studies*, S. 44, 50, 61.

S. 28 Z. 10 (zu 54:11-12): Vgl. dagegen Dietrich – Loretz – Sanmartín, *UF* 7 (1975), S. 529f. mit Verweis (sehr fraglich).

S. 28 Anmerkung 268 füge hinzu: Zur Stelle vgl. ferner van Selms, *UF* 7 (1975), S. 474f. (mit Verweis auf Emerton, *JTS* 16 (1965), S. 439-441).

S. 29 Z. 2 füge hinzu: ESE 25:1; 26:1; RŠ 24.247+265+268+328:41 (Dietrich – Loretz – Sanmartín, *UF* 7 (1975), S. 135).

S. 31 Anmerkung 293 füge hinzu: Anders Parker, *Studies*, S. 69, 76f., 85 (die Auffassung der Rektion der Partikel = einem Verb entspricht aber nicht der üblichen syntaktischen Konstruktion der Kurzform bzw. Langformen von dieser Partikel, wie auch Parker zugibt).

S. 31 Anmerkung 295 füge hinzu: Vgl. ferner schon Parker, *Studies*, S. 44, 50-54, 61, 65ff.; Blommerde, *Grammar and Job*, S. 20f., mit Verweisen.

II S. 31 Z.29 füge folgende Anmerkung hinzu: Zur ebenfalls oft unterschiedlichen Deutung der Form *l* vgl. schon oben zu *b* (S. 172) mit Verweisen. Für die hier gegebene, einheitliche Interpretation vgl. unter anderen Sutcliffe, *VT* 5 (1955), S. 438f.; Moran, *The Bible and the ancient Near East*, S. 61, 69; Pardee, *UF* 7 (1975), S. 330ff. sowie Virolleaud, *CRGLES* 1 (1934), S. 50; *CRGLES* 2 (1935), S. 13-14 (nämlich bezüglich der Folge der fast ganz fehlenden Präpositionsform *m(n)* im Ugaritischen). Vgl. ferner näher unten.

S. 32 Anmerkung 304: Vgl. ferner nachdrücklich z.B. Sutcliffe, *VT* 5 (1955), S. 438; Moran, *The Bible and the ancient Near East*, S. 61, 69; vgl. ferner oben zu *b* mit Verweisen.

S. 32 Anmerkung 305 füge hinzu: Ebenso ibid.:168 [*l*]*'nt pdr wdr* "[von] nun [an] (wörtlich: [in bezug auf] nun (< die Zeit)) und von Geschlecht zu Geschlecht". Zur Lesart vgl. Herdner, *Corpus*, S. 90 verglichen mit Virolleaud, *Danel*, S. 170 (sowie Pl. IV). Zur Interpretation vgl. besonders schon Pardee, *UF* 7 (1975), S. 372 ("for now and eternity, for now and forever more").

S. 32 Anmerkung 307: Vgl. ferner Dijkstra und de Moor, *UF* 7 (1975), S. 201 ("the dew must fall for the grapes!").

S. 33 Anmerkung 310: Vgl. ferner schon Pardee, *UF* 7 (1975), S. 358 ("for days and months . . .").

S. 33 Anmerkung 316: Vgl. ferner Rainey, *Proceedings*, S. 207 (ohne Rücksicht auf die Eigenart des ugaritischen Ausdrucks).

S. 34 Anmerkung 327: Ferner de Moor, *New year* II, S. 20 ("from"). Ganz abweichend übersetzt Cross, *Myth*, S. 23: "'El takes two ladlesful, two ladlesful filling a flagon" (sprachlich sowie kontextlich schwer zu begründen).

S. 35 Anmerkung 340 füge hinzu: Vgl. ferner schon nachdrücklich Sutcliffe, *VT* 5 (1955), S. 438 (Verb von der Wurzel *ṯwb* + *l* mit Regiertem = "to return with reference to . . .").

S. 36 Z. 9 füge folgende Anmerkung hinzu: Vgl. schon mit Nachdruck Sutcliffe, *VT* 5 (1955), S. 438 ("he sits with reference to the throne").

S. 37 Anmerkung 357 füge hinzu: Vgl. ferner Pardee, *UF* 7 (1975), S. 342 ("Q. begins to(?) give light, A. like a star before, behind girl Anat").

S. 37 Z. 20: Vgl. ferner RŠ 24.247+265+268+328:52 (Dietrich – Loretz – Sanmartín, *UF* 7 (1975), S. 135).

S. 38 Anmerkung 368: Vgl. ferner Pardee, *UF* 7 (1975), S. 346 ("gatherer of dew for (or: from [= which is on]) barley"). Vgl. ferner oben.

S. 38 Anmerkung 370: Vgl. ferner Dietrich – Loretz – Sanmartín, *UF* 7 (1975), S. 554f.

S. 39 Z. 27 füge folgende Anmerkung hinzu: Zum Sprachtypus vgl. schon Rainey, *Proceedings*, S. 206f.

S. 41 Anmerkung 393 füge hinzu: Vgl. schon ausdrücklich Sutcliffe, *VT* 5 (1955), S. 438: "he descends in relation to the throne" = "he descends from the throne".

S. 42 Z. 19 (nach 2159:4) füge folgende Anmerkung hinzu: Vgl. ferner RŠ 24.247+265+268+328:54 (zusammengesetzter Nominalsatz; vgl. auch unten); siehe Dietrich – Loretz – Sanmartín, *UF* 7 (1975), S. 135; Pardee, *UF* 7, S. 371.

S. 42 Anmerkung 417: Vgl. ferner Pardee, *UF* 7 (1975), S. 368.

S. 42 Anmerkung 418: Zum Gebrauch vgl. ferner schon Rainey, *Proceedings*, S. 207f.

S. 43 Z. 20 füge hinzu: Vgl. ferner ESE 15:1-2; ESS 10:1-2; RŠ 22.03:12 (Dietrich – Loretz – Sanmartín, *UF* 7 (1975), S. 548f.).

S. 43 Anmerkung 430: Vgl. ferner Pardee, *UF* 7 (1975), S. 362.

S. 44 Anmerkung 438: Vgl. ebenso Pardee, *UF* 7 (1975), S. 342.

S. 45 Anmerkung 443: Vgl. Pardee, *UF* 7 (1975), S. 363; vgl. auch den ebendaselbst, namentlich nach Virolleaud, *CRGLES* X (1964), S. 59, zitierten Beleg derselben Art.

S. 45 Anmerkung 445 füge hinzu: Vgl. Pardee, *UF* 7 (1975), S. 341: "I make a request to my brother, my friend" (sachlich richtig; zum wörtlichen Sinn des Syntagma vgl. schon oben). Sprachlich führt also die Präposition *l* hier die Bestimmung ein, zu deren "Lasten" bzw. "Nachteil" die Realisierung der Handlung geschieht.

II S. 45 Anmerkung 446: Vgl. ferner Pardee, *UF* 7 (1975), S. 341: "I ask you for oxen"; vgl. zur unmittelbar vorangehenden Anmerkung.

S. 48 Z. 18 füge hinzu: Vgl. ferner ESE 20:2; ESS 57:2; RŠ 24.247+265+268+328:43 (Dietrich – Loretz – Sanmartín, *UF* 7 (1975), S. 135).

S. 49 Anmerkung 481: Vgl. ferner schon Parker, *Studies*, S. 55ff.; Segert, *UY*, § 6.20; *Ugaritica* VI, S. 475.

S. 50 Anmerkung 491: Vgl. ferner Pardee, *UF* 7 (1975), S. 371.

S. 50 Anmerkung 493: Vgl. ferner Pardee, *UF* 7 (1975), S. 344f.

S. 51 Anmerkung 495: Vgl. ferner Pardee, *UF* 7 (1975), S. 344.

S. 51 Anmerkung 497 füge hinzu: Ferner Pardee, *UF* 7 (1975), S. 345 (gegenüber Rainey, *BiAr* 28 (1965), S. 119; Dietrich – Loretz – Sanmartín, *UF* 7, S. 526f.), 358; vgl. ferner auch id., *ibid.*, S. 342 zu 51:IV:17-18 (dazu vgl. schon oben).

S. 51 Anmerkung 502: Vgl. ferner Pardee, *UF* 7 (1975), S. 347.

S. 52 Anmerkung 509: Vgl. ferner Dijkstra und de Moor, *UF* 7 (1975), S. 185 (hypothetische Annahme).

S. 52 Anmerkung 512: Vgl. ferner Pardee, *UF* 7 (1975), S. 361ff.

S. 53 Anmerkung 514: Vgl. ferner schon Parker, *Studies*, S. 44, 57.

S. 53 Anmerkung 516: Vgl. Pardee, *UF* 7 (1975), S. 342ff.

S. 54 Anmerkung 519: Vgl. ferner besonders Sutcliffe, *VT* 5 (1955), S. 436ff.; Moran, *The Bible and the ancient Near East*, S. 61, 69; Suárez, *Verbum Domini* 42 (1964), S. 71ff.; Parker, *Studies*, S. 44, 58ff., 67f.; Pardee, *UF* 7 (1975), S. 330ff.; demgegenüber Blommerde, *Grammar and Job*, S. 22f. (dazu Labuschagne, *UF* 3 (1971), S. 373f.).

S. 55 Anmerkung 536: Vgl. ferner Dietrich – Loretz – Sanmartín, *UF* 7 (1975), S. 136.

S. 55 Anmerkung 537: Vgl. ferner Pardee, *UF* 7 (1975), S. 353.

S. 56 Z. 6 füge folgende Anmerkung hinzu: Vgl. ferner Rainey, *Proceedings*, S. 205f. (mit Verweis auf akkadisch *eli*).

S. 56 Z. 10 füge hinzu: ESS 19:4; 69:3; 70:3; 74:2-3; 75:1; 137:2.

S. 56 Anmerkung 542: Vgl. auch Parker, *Studies*, S. 45f., 61.

S. 56 Anmerkung 543: Vgl. Parker, *Studies*, S. 45, 61 (dazu Nachträge zu I, S. 64, Anmerkung 12); Pardee, *UF* 7 (1975), S. 330ff.; ferner noch Blommerde, *Grammar and Job*, S. 24f. (dazu schon Labuschagne, *UF* 3 (1971), S. 374).

S. 57 Anmerkung 546 füge hinzu: Zur Übersetzung von *'m* = "wie" vgl. ferner auch Pardee, *UF* 7 (1975), S. 362; Blommerde, *Grammar and Job*, S. 25, mit Verweisen (dazu mit Recht Labuschagne, *UF* 3 (1971), S. 374).

S. 58 Anmerkung 553: Desgleichen Pardee, *UF* 7 (1975), S. 354 (kontextlich kaum stichhaltig).

S. 59 Z. 19 (zu 1015:19-20) füge folgende Anmerkung hinzu: Vgl. ferner Rainey, *Proceedings*, S. 206. Die Verbform *ṯṯb* (Š-Form von *ṯwb*) (Gordon, *Textbook*, S. 34) kann, wie Rainey, *ibid.*, bemerkt, auch mit *l* (= Relationspartikel) verbunden werden (117:13). Dabei kommen aber ugaritisch, den sprachlichen Kombinationen gemäß, zwei verschiedene Aspekte zum Ausdruck: *ṯṯb* + *'m* d.h. Partikel der Verbindung u.dgl. (vgl. oben): *ṯṯb* + *l* d.h. Partikel der Beziehung (vgl. oben).

S. 59 Anmerkung 561: Vgl. ferner Dietrich – Loretz – Sanmartín, *UF* 7 (1975), S. 121f.

S. 59 Z. 29 füge hinzu: ESS 189:4.

S. 60 Anmerkung 565: Vgl. ferner Pardee, *UF* 7 (1975), S. 359 ("from"); dazu vgl. schon oben.

S. 60 Anmerkung 566: Vgl. ferner Pardee, *UF* 7 (1975), S. 359 ("from"); dazu vgl. ebenfalls schon oben.

S. 60 Anmerkung 570: Vgl. ferner Pardee, *UF* 7 (1975), S. 373.

S. 61 Anmerkung 573: Vgl. schon Parker, *Studies*, S. 60.

II S. 61 Anmerkung 574: Vgl. ferner Pardee, *UF* 7 (1975), S. 345.

S. 61 Anmerkung 577: Zu anderer Deutung vgl. noch Pardee, *UF* 7 (1975), S. 352 (*yǵr* = einem Gottesnamen; dazu vgl. aber den Zusammenhang).

S. 61 Anmerkung 578: Vgl. ferner Dietrich – Loretz – Sanmartín, *UF* 7 (1975), S. 109f. (im Anschluß an de Moor).

S. 61 Z. 21 (zu 1Aqht:22-23) füge folgende Anmerkung hinzu: Gordon, *Crete*, S. 47, behauptet, dieser Gebrauch von *tḥt* beruhe auf "Minoan architecture. Dan-il is described as the ruler dispensing justice seated *below* his grandees. The king cannot be below his barons in rank; the text must refer to the physical sitting arrangement. ... The so-called theatral area in Minoan palace cities ... has step-like rows of seats; the only place for the King to be enthroned would be on the floor below the rows that served as benches for the nobles". Erstens hat man es aber im Kontext mit der bekannten altorientalischen Gerichtssitzung im Tore (vgl. z.B. Dt 21:19) zu tun. Zweitens hat dieser Gebrauch der ugaritischen Präposition *tḥt* deutliche Analogien in den verwandten Sprachen; vgl. unten.

S. 62 Anmerkung 584: Vgl. ferner schon Parker, *Studies*, S. 44, 54f.

S. 63 Anmerkung 589: Vgl. schon Pope, *Study*, S. 1-36; Parker, *Studies*, S. 69, 79; Blommerde, *Grammar and Job*, S. 28f. (dazu Labuschagne, *UF* 3 (1971), S. 373f.).

S. 63ff.: Vgl. Pope, *Study*, S. 1ff.

S. 65 Z. 16 (nach 2163 passim) füge hinzu: RŠ 34.121:6-10 (Bordreuil, *Semitica* XXV (1975), S. 20f.).

S. 65 Anmerkung 611: Vgl. ferner Dietrich – Loretz – Sanmartín, *UF* 7 (1975), S. 127.

S. 69 Anmerkung 670: Anders Dietrich – Loretz – Sanmartín, *UF* 7 (1975), S. 557f. (sprachlich sowie kontextlich schwer aufrechtzuerhalten).

S. 70 Anmerkung 688: Vgl. schon Pope, *Study*, S. 35f., 89f.

S. 72ff.: Vgl. schon Pope, *Study*, S. 8ff. Die Unterscheidung Pope's zwischen "*w* with verbs" (Verba finita bzw. infinita) (S. 8ff.) und "*w* as sentence connective" (Nominal- bzw. Verbalsätze) (S. 18ff.) ist unsemitisch. Bekanntlich wird ugaritisch, wie gemeinsemitisch, in allen der in Frage kommenden Fälle durch *w* einfach die schlichte Koordinierung von Sätzen angegeben.

S. 75 Anmerkung 745: Nach Pope, *Study*, S. 29, introduziere *w* hier "a quasi-relative clause". Wie schon oben angegeben, dient aber *w* in Fällen wie diesen dazu, Nominalsätze mit Verbalsätzen zu verbinden. Für vorkommende umgekehrte Kombinationen vgl. oben.

S. 77 Z. 25 füge hinzu: RŠ 22.03:5-8 (Dietrich – Loretz – Sanmartín, *UF* 7 (1975), S. 548f.).

S. 80 Anmerkung 792: Auch nach Pope, *Study*, S. 30 (vgl. schon Gordon und andere) führe *w* in solchen Fällen Finalsätze ein. Ugaritisch, wie gemeinsemitisch, verbindet aber *w* in derartigen Stellungen zwei selbständige Sätze bzw. Wunschsätze. Vgl. oben. Für die Verbindung von gleichgestellten, selbständigen, konstatierenden Sätzen vgl. ebenfalls oben; ferner Pope, *ibid.*, S. 31f. Besonders lehrreich sind Fälle wie 1Aqht:123-124 verglichen mit 1Aqht:129-130; vgl. ebenso Pope, *ibid.*, S. 30f.

S. 80 Anmerkung 796: Vgl. ferner noch den möglichen Fall ESE 1 *yḥ* [*w l*] *ymt* "er lebe [und] möge [nicht] sterben!"; vgl. Dietrich – Loretz – Sanmartín, *AOAT* 13 (1976), S. 2.

S. 80 Anmerkung 797: In einem solchen Fall *w* als Finalkonjunktion aufzufassen (so z.B. Pope, *Study*, S. 30) ist vom ugaritischen bzw. semitischen Gesichtspunkt aus arbiträr. Vgl. schon oben.

S. 81 Anmerkung 807: Vgl. Pope, *Study*, S. 27. Nach Pope stehe *w* hier "with adversative force". Wie immer sonst besitzt aber ugaritisch die Partikel *w* auch hier allein eine koordinierende Funktion.

S. 82 Anmerkung 820: Vgl. schon Pope, *Study*, S. 32f.

S. 82 Anmerkung 821: Vgl. ebenso schon Pope, *Study*, S. 32f., 89.

S. 83ff.: Vgl. schon Pope, *Study*, S. 24f. Vgl. auch id., *ibid.*, S. 25f.

S. 83 Anmerkung 823: Vgl. Pope, *Study*, S. 34f., 89.

II S. 83 Anmerkung 825: Zum Typus vgl. schon Pope, *Study*, S. 36f., 90.

S. 83 Anmerkung 832: Vgl. ferner Pope, *Study*, S. 25. Gegen Pope haftet hier an der Partikel *w* keine "emphatische Kraft". Die Emphase liegt allein in der Vorstellung der betreffenden Satzglieder. Vgl. schon Brockelmann, *Grundriß* II, passim (siehe S. 675: dominierende Vorstellung).

S. 84 Z. 24: Anders Dietrich – Loretz – Sanmartín, *UF* 7 (1975), S. 531.

S. 86 Z. 5 füge hinzu: ESE 4:3; 10:1; 11:2; 13:1-2; 16:1; 18:1-2; 19:3; 25:1-2; ESS 27:3; 37:4; 40-41 passim; 48 passim; 60:3; 61:4; 63:1; 72:6; 80-95 passim; 99:1-3; 107:3; 109:2-4; 115:1; 160:3; 162 passim; 173:13; 176:4; 178:1, :7; 181:4; 189:3; 209:2; 216:1; 227:3; 241:1; 253:3; 290:1 (Dietrich und Loretz, *AOAT* 13 (1976), S. 3ff.); RŠ 24.247+265+268+328 passim (Dietrich – Loretz – Sanmartín, *UF* 7 (1975), S. 133ff.).

S. 86 Anmerkung 862: Vgl. schon Pope, *Study*, S. 26f., 87.

S. 87 Anmerkung 864: Vgl. schon Pope, *Study*, S. 37-41; 90f.; Parker, *Studies*, S. 69, 77f., 85; Blommerde, *Grammar and Job*, S. 32f.

S. 88 Z. 12 (zu 67:I:26) füge folgende Anmerkung hinzu: Vgl. van Zijl, *UF* 7 (1975), S. 507.

S. 88 Anmerkung 881: Vgl. ferner Dietrich – Loretz – Sanmartín, *UF* 7 (1975), S. 110f. (Textkorrektur).

S. 88 Anmerkung 883: Vgl. schon Parker, *Studies*, S. 69f., 80f.

S. 91 Anmerkung 902: Vgl. ferner Parker, *Studies*, S. 69, 78f.

S. 91 Anmerkung 904: Vgl. Pardee, *UF* 7 (1975), S. 362.

S. 91 Anmerkung 908: Zur Stelle vgl. ferner Dietrich – Loretz – Sanmartín, *UF* 7 (1975), S. 149ff.

S. 92 Anmerkung 914: Vgl. schon Pope, *Study*, S. 50f., 92f.; Parker, *Studies*, S. 69, 74ff.

S. 92 Anmerkung 917: Vgl. ferner Emerton, *AJBA* 2 (1972), S. 50ff.; van Selms, *UF* 7 (1975), S. 477f.

S. 93 Anmerkung 924: Vgl. auch de Moor, *New year* II, S. 5.

S. 94 Anmerkung 935: Vgl. ferner zum unmittelbar nachfolgenden Fall Dietrich – Loretz – Sanmartín, *UF* 7 (1975), S. 525f.

S. 94 Anmerkung 939: Vgl. ferner Pardee, *UF* 7 (1975), S. 368.

S. 95 Anmerkung 947: Vgl. außerdem Dietrich – Loretz – Sanmartín, *UF* 7 (1975), S. 110f. zu 601 rev.3 (*km trpa hn nʿr* "wenn du heilst, das ist die Mischung").

S. 95 Anmerkung 951: Vgl. ferner schon Parker, *Studies*, S. 69, 71, 81f.

S. 95 Anmerkung 955: Vgl. schon Parker, *Studies*, S. 69, 70f., 81.

S. 96 Anmerkung 968: Vgl. ferner Dietrich – Loretz – Sanmartín, *UF* 7 (1975), S. 529f.

S. 97 Anmerkung 975: Vgl. ferner schon Parker, *Studies*, S. 69, 77.

S. 98 Anmerkung 981: Zu 52:66-67 vgl. vor allem Aistleitner, *Wb*, S. 213 (zu *nqpt*).